# لمحوں نے خطا کی تھی

فوزیہ احسان رانا

علی میاں پبلی کیشنز
20-عزیز مارکیٹ، اُردو بازار لاہور پاکستان۔فون:37247414

اشاعت اول ——— جولائی 2016ء

نام کتاب ——— لمحوں نے خطا کی تھی

مصنفہ ——— فوزیہ احسان رانا

ناشر ——— عبدالغفار

علی میاں پبلیکیشنز، لاہور

باا ہتمام ——— خالد علی

مطبع ——— حافظ پریس، لاہور

کمپوزنگ ——— زبیر کمپوزنگ، لاہور

قیمت ——— 400 روپے

قیمت بیرون ملک ——— 15 پونڈ

20 ڈالر

ISBN 978-969-517-356-5

اچھی اور خوبصورت کتاب چھپوانے کے لیے رابطہ کریں۔ Cell:03218807104

## ملنے کے پتے

| | | | |
|---|---|---|---|
| خزینہ علم وادب<br>الکریم مارکیٹ اردو بازار، لاہور | اشرف بک ایجنسی<br>اقبال روڈ، کمیٹی چوک، راولپنڈی | رشید نیوز ایجنسی<br>فریئر مارکیٹ، فریئر روڈ۔ کراچی | ویلکم بک پورٹ<br>مین اردو بازار، کراچی |
| مشتاق بک کارنر<br>الکریم مارکیٹ اردو بازار۔ لاہور | بک کارنر<br>بک اسٹریٹ، جہلم | علم وعرفان پبلشرز<br>الحمد مارکیٹ، اردو بازار، لاہور | شمع بک ایجنسی<br>مین اردو بازار، کراچی |
| شاہ زیب انٹر پرائزز<br>اردو بازار کراچی | دعا پبلشرز<br>الحمد مارکیٹ، اردو بازار، لاہور | مکتبہ عمران ڈائجسٹ<br>مین اردو بازار، کراچی | فرید پبلشرز<br>مین اردو بازار، کراچی |
| علی بک سٹال<br>نسبت روڈ، چوک میو ہسپتال، لاہور | *Azhar Enterprises*<br>315, Dickenson Road, Longsight<br>Manchester, M13 ONR (U.K) | کلاسک بکس<br>اندرون بوہر گیٹ، ملتان | مختار برادرز<br>امین پور بازار، فیصل آباد |

انتساب:

بیٹیاں ماؤں کا مان بھی ہوتی ہیں اور سہارا بھی، چاہے وہ جذباتی ہو یا اخلاقی،

میرا مان میرا سہارا میری اکلوتی ولاڈلی بیٹی کشف احسان رانا کے نام!

فوزیہ احسان رانا

# میری بات!

میں خدائے بزرگ و برتر کی تہہ دل سے شکر گزار ہوں جس نے مجھے لفظ عطا کیے اور لفظ میری قلم کی نوک تلے آ کے مجھے معتبر کر دیتے ہیں۔ الفاظ مجھے کہانی کی بُنت کاری کی ہنر مندی سے رُوشناس کرواتے ہیں۔ کہانی کیا ہے اور یہ کیسے وجود میں آتی ہے، ہر سانس لیتا وجود اپنی کہانی کا عنوان خود ہے...... خود سے وابستہ لوگوں کے دکھ سہنا، محسوس کرنا، اور کسی کے دکھ پہ آنکھ کا پُرنم ہو جانا ایک لکھاری کا یہ ہی کام ہے۔ احساسات کو تلاش کرنا ہر سانس لیتے وجود میں سے زندگی ڈھونڈنا، زندگی کی علامات اور ممکنات پہ غور کرنا...... جینا اور جیئے چلے جانا اور بے حسی کی موت مر جانا زندگی گزارنے کا نام نہیں ہے۔ بے مقصد حیات تو خود زندہ لوگوں کے لیے سوالیہ نشان ہے۔

کہانی لکھنا تفریحِ طبع کا نام نہیں ہے کہ لکھاری اپنے قارئین کو غیر حقیقی خواب دکھا کے سرابوں کی وادی میں بھٹکنے کے لیے چھوڑ دے جہاں وہ حسین اور دلکش لفاظی میں اُلجھ کے نشانِ منزل کھو دے۔ مجھے ایسی تحریر سے بہت ڈر لگتا ہے۔ میری کوشش ہوتی ہے کہ میں حقائق سے مزین کہانی لکھوں جو ہر دل کی آواز ہو اور ہر گھر کی کہانی بھی۔

کوئی ایسا لمحہ جو تخلیق کار کی سوچوں پہ حاوی ہو جائے...... کوئی منظر، کوئی واقعہ جو دامنِ دل کو تھام لے، احساس کی ایسی دل شکن رَو جو محسوسات کی ساکن سطح پہ ارتعاش برپا کر دے، اس وقت کرب اور درد کا سنگم ہوتا ہے اور کہانی وجود میں آتی ہے تخلیق کا کرب سہنا پڑتا ہے تبھی الفاظ مربوط ہو کر صفحۂ قرطاس پہ بکھرتے چلے جاتے ہیں۔

''لمحوں نے خطا کی تھی'' میرا پہلا طویل ناول ہے۔ اجالا مرتضٰی اور فاخرہ جبیں میرے پسندیدہ کردار ہیں۔ میں اپنے ناول کے ہر کردار کے درد اور اس کی خوشیوں میں ہر لمحہ ان کے ساتھ رہی، میں نے ان کے ساتھ ساتھ سفر کیا، ان کے دکھ پہ اسی شدت سے روئی ان کی خوشیوں کو ویسے ہی منایا اور محسوس کیا...... میں خود کو ان کے درمیان محسوس کیا کرتی تھی مجھے ان کے احساسات کی سمجھ آتی تھی، یہاں تک کہ مجھے ان میں زندگی کی حرارت محسوس ہونے لگی اور اب میں بہت محبت سے آپ سب کے حوالے کر رہی ہوں۔ میں اپنی کوشش میں کہاں تک کامیاب ہوئی ہوں یہ مجھے آپ سب کی قیمتی آراء سے معلوم کرنا ہے۔

مصباح نوشین میری بیسٹ فرینڈ ہے، اس کی دوستی میرا قیمتی سرمایہ ہے، میں جب جب مایوس ہوتی ہوں وہ مجھے خواب دیکھنا سکھاتی ہے اسی لیے میری آنکھوں میں آس کے جگنو پھر سے مستقبل کی اُمید بن کے جگمگانے لگتے ہیں۔ اللہ ہمارا ساتھ ہمیشہ قائم رکھے آمین۔

منزلیں ان کا مقدر کہ طلب ہو جن کو
بے طلب لوگ تو منزل سے گزر جاتے ہیں

آخر میں ذکر کروں گی فریحہ چوہدری کا جس کی محبت کا کوئی مول نہیں۔ آپ کی آراء کی منتظر!

فوزیہ احسان رانا

اُداسی آنکھ میں ٹھہری ہوئی ہے

جدائی دور تک پھیلی ہوئی ہے

مرے تیرے بچھڑنے کی کہانی

یہاں پر ہر طرف لکھی ہوئی ہے

ٹھنڈی، دودھیا چاندنی چاروں اور پھیلی ہوئی تھی۔ چاند کی پُرسکون اور رومان بھری روشنی نے ہر چیز کو اپنے حصار میں لے رکھا تھا۔ رات کی رانی کی مسحور کن مہک اطراف میں بکھری ہوئی تھی۔ خاموش رات اپنے اندر بھید بھرا اسرار چھپائے ہوئے تھی۔ ماحول کی پاکیزگی نے ایک سحر سا طاری کر رکھا تھا۔

وہ لوہے کے اونچے سے تخت پر تکیے پر سر رکھے لیٹی تھی۔ اُس کے پہلو میں اُس کا کیوٹ سا بیٹا لیٹا ہوا تھا جو بمشکل تین، ساڑھے تین سال کا تھا۔

''مما......'' اسد نے کروٹ بدلی تو اِک نرم و گداز، گدگداتا ہوا سا احساس اُس کے رگ و پے میں ممتا کی حلاوت بھرنے لگا۔ اُس نے وارفتگی سے اپنے پہلو میں کسمساتے معصوم اور نازک وجود کو اپنے سینے سے لگا کر بھینچ ڈالا۔ اندر دور تک سکون اُتر گیا۔ وہ یونہی اُسے بازوؤں کے گھیرے میں لیے دباتی رہی، تھپکتی رہی، محویت سے اُس کے گھنے سیاہ بال دیکھتی رہی، پھر فورِ جذبات میں اُس نے اپنے ہونٹ بچے کے بالوں پر رکھ دیئے۔

''مما......'' وہ سیدھا ہوا۔

''جی جان۔''

''بابا کب آئیں گے۔'' وہ نرسری کا بچہ تھا مگر اُردو بہت صاف بولتا تھا۔ شاید اس کی وجہ یہ رہی ہو کہ اُس کی مما نے اُس سے اُس وقت باتیں کرنا شروع کر دی تھیں جب وہ محض ایک دو ماہ کا تھا۔

''بابا کب آئیں گے۔'' اب کی بار اُس کی معصوم آواز میں ہلکی سی جھنجلاہٹ دَر آئی تھی۔ ماں کی توجہ نہ پا کر اُس کا غصے میں آنا ایک فطری عمل تھا۔ وہ ماں کی بھرپور توجہ کا عادی تھا۔

''آجائیں گے بیٹا۔'' وہ ہولے سے بولی۔

''بابا آئیں تو میں اُن سے بات نہیں کروں گا۔'' وہ بسورا، ماں نثار ہونے لگی۔

''کیوں؟''

''بس خفا ہوں میں۔'' اس نے دونوں ہاتھوں کی مٹھیاں بھینچ کر آنکھوں پر رکھ لیں۔

''اچھا میری بات سنو۔'' اُس نے بچے کو اپنی طرف مائل کرنا چاہا اُس کے ہاتھوں کو آنکھوں پر سے ہٹایا اور اُسے کہانی سنانے لگی۔ بچہ بہل ہی گیا۔ بچے تو بہل ہی جایا کرتے ہیں۔ کبھی کھلونوں سے، کبھی شہزادے کی کہانی سے، مگر کب تک۔

''مما چاند کتنا خوبصورت ہے نا۔'' اُس کا معصوم ذہن اب آسمانوں کی وسعتوں میں سفر کرتے چاند میں اٹک گیا۔ وہ چاند کو دیکھ کر مسکرانے لگا۔ اُس کے گلابی پھولوں جیسے ہونٹ پھیلنے سکڑنے لگے۔ آنکھوں میں بے تحاشا روشنی سی بھر گئی اور گال تمتمانے لگے۔

''تم بھی تو چاند ہو نا، میرے چاند۔'' اُس نے ممتا کے جذبے سے سرشار ہو کر کہا۔

''وہ چاند زیادہ اچھا ہے مما۔'' بچے نے اُفق کی جانب ہاتھ اُٹھا کر کہا۔

''نہیں، میرا چاند اُس چاند سے زیادہ پیارا ہے۔'' وہ قطعیت بھرے انداز میں لاڈ سے بولی۔

''نہیں مما، آسمان والا چاند بہت اچھا ہے۔'' اُس نے بازو پھیلا کر 'بہت' پر زور دے کر کہا وہ چپ رہی۔

''چاند میں ماموں نظر آتا ہے مما۔'' اس کا بچے کے بالوں میں سرسراتا ہاتھ یک لخت رُک گیا۔ ٹھنڈی چاندنی رات اُسے لمحوں میں سلگا گئی۔ اُس کے ہونٹ پل میں خشک ہوئے۔

''چندا ماموں، چندا ماموں۔'' وہ خوشی سے تالیاں پیٹتا رہا اور وہ لرزیدہ وجود کو سنبھالنے میں ہلکان ہو رہی تھی۔ دل کی دھڑکن منتشر ہو کر بے قابو ہو کر بدن میں اُدھم مچا رہی تھی۔ بچہ سو چکا تھا مگر وہ جاگ رہی تھی اُس کی سانس رُک رہی تھی۔ پیاس کا احساس شدت سے جاگا تھا، یوں لگ رہا تھا حلق میں کانٹے اُگ آئے ہوں۔ اُس نے ایک نظر پُرسکون سوتے بچے کو دیکھا اور اُٹھ بیٹھی۔

''ماموں۔'' اُس نے زیرِ لب دہرایا اور اُس کے اندر باہر درد پھیلنے لگا۔ اُس نے لبوں سے نکلتی آہوں اور سسکیوں کا گلا گھونٹنے کے لیے ہونٹوں پر سختی سے ہاتھ کی ہتھیلی جما دی مگر اُسے سانس لینے میں دشواری ہونے لگی۔ وہ تخت سے اُٹھی اور پاؤں میں چپل اُڑس کر بھاگتی ہوئی کمرے میں گئی۔ فریج کھول کر ٹھنڈے پانی کی بوتل نکالی اور لبوں سے لگا لی۔ وہ غٹاغٹ بہت سارا پانی پی کر بھی اپنا حلق تر نہیں کر پائی تھی۔ تن من لق دق صحرا بن گیا تھا۔

وہ لڑکھڑاتے قدموں سے کمرے سے باہر نکلی، پاؤں بالکل بے جان ہو رہے تھے۔ اُس کی آنکھوں میں ویرانی بھری وحشت اُتر آئی تھی۔

''ماموں۔'' وہ خشک ہوتے ہونٹوں سے بڑبڑائی۔ اُسے اپنی آواز کسی کنویں سے آتی ہوئی محسوس ہو رہی تھی۔ اُسے روشن رات تاریکی کے لبادے میں لپٹی دکھائی دینے لگی۔ وہ اپنی بے جان ٹانگوں کو گھسیٹتی سیڑھیوں پر آ کر بیٹھ گئی۔ اُس کی ریڑھ کی ہڈی میں سنسناہٹ سی ہونے لگی، خوف اور ڈر کی سرد لہر شریانوں میں بھاگتے دوڑتے گرم جذبات سے لبریز لہو کو جمانے لگی۔

قریب ہی شہتوت کے درخت میں سرسراہٹ سی ہوئی تھی۔ شاید کوئی پرندہ گرا تھا، وہ سہم گئی۔ سناٹا اُس کی روح میں اُتر گیا تھا۔ کیسی خاموشی تھی، سرد اور مردہ، تلخ کڑوی، کڑواہٹ زدہ، اُس نے اپنے ٹوٹے بکھرے لرزیدہ وجود کو اپنی بانہوں کے گھیرے میں چھپا لیا اور آہوں اور سسکیوں کو اپنی من مانی کرنے کی اجازت دے دی۔ اُن پر اب کوئی بند نہیں باندھا۔

''ماموں'' لفظ اُس کے اعصاب پر ہتھوڑے کی مانند برس رہا تھا۔ وہ اپنے آپ کو دہکتے الاؤ میں جلتا دیکھ

رہی تھی۔ درد نے اُسے گھائل ہی نہیں، پژمردہ اور نڈھال بھی کر دیا تھا۔ رات دھیرے دھیرے آگے سرک رہی تھی۔ اُس کے اکلوتے بیٹے کے ایک لفظ 'ماموں' نے اُسے اندر تک جھنجوڑ کر رکھ دیا تھا۔ وہ ہول کر رہ گئی۔ زخم خوردگی سے وہ بلبلاتی رہی۔ زخموں سے ٹیسیں اُٹھتی رہیں، روح میں سناٹا چکرانے لگا۔ روتی رہی، کُرلاتی رہی، اُس کے اندر دور تک دراڑیں پڑتی رہیں۔

اُس کی دردناک سسکیاں ہولناک سناٹوں میں گونجتی رہیں۔ خاموش فضا میں ارتعاش برپا کرتی رہیں۔ وہ رو رو کر بے دم ہوگئی۔ بے کسی سے اُس نے اپنا سر اپنی ہی گود میں گرالیا اور بے جان بازوؤں کو اپنے ٹوٹے بکھرے وجود کے گرد لپیٹ لیا۔ بہت زیادہ رونے کی وجہ سے اُس کی آنکھیں یوں جل رہی تھیں جیسے آنکھوں کے اندر کسی نے مٹھی بھر مرچیں ڈال دی ہوں۔ اُس کی ہچکیاں وقفے وقفے سے کربناک وحشت زدہ سناٹے میں اُبھرتی رہیں۔ فجر کی اذان کی آواز اُس کی سماعتوں میں پہنچی، وہ چونکی۔ اتنا وقت گزر گیا۔ ساری رات تمام ہوئی وہ بے آواز روتے ہوئے سر اوپر اٹھا کر گھٹنوں پر اپنی ٹھوڑی ٹکا کر سیاہ گھور اندھیرے میں دیکھنے لگی۔ خاموشی اور خوف سرسراتے ہوئے اُس کی ہڈیوں میں اُتر کر اعصاب کو شل کر رہے تھے۔

وہ ابھی تو ذرا سا ہی سکون کی پہلی سیڑھی پر قدم رکھ پائی تھی کہ اُس کے بیٹے کے ہونٹوں سے نکلنے والے لفظ نے دل کی دنیا تہہ بالا کر کے دل میں دھواں سا بھر دیا تھا۔ سارا سکون درہم برہم کر دیا تھا۔ سارے زخم ہرے کر دیئے تھے۔ وہ اُٹھی اور بے جان قدم واش روم کی طرف بڑھا دیئے۔ ابھی اُسے وضو کر کے نماز پڑھنی تھی۔ غرض کے سجدے ادا کرنے تھے۔ اللہ کی بارگاہ سے دل کا سکون مانگنا تھا۔

''جسے کہیں سکون اور طمانیت اور خوشی نہ ملے۔ جسے سارا زمانہ دھتکار دے۔ سارا عالم ٹھکرا دے۔ اُسے خدا کی ذات اپنی رحمت کی بانہوں میں پناہ دے کر سمیٹ لیتی ہے۔ سکون عطا کرتی ہے۔ طمانیت سے دامن بھر دیتی ہے۔

جسے کوئی معاف نہیں کرتا، اللہ اُسے بھی معاف کر دیتا ہے، بس مانگنے والے کو مانگنے کا سلیقہ آنا چاہیے۔ اس کے پاس بھی آخری در خدا کا ہی بچا تھا۔ ہر کسی کے پاس آخری در اللہ ہی ہوتا ہے جہاں آنسوؤں کو دیکھ کر اندر آنے کی اجازت دے دی جاتی ہے۔ بہت پسند ہیں اللہ کو ندامت کے آنسو۔

○.....❖.....○

''مما۔'' اُس نے دونوں ہاتھوں سے اپنی مما کی نازک سی کلائی پکڑ کر دھیرے سے ہلائی۔

''مما اٹھو۔'' اب کی بار وہ ذرا زور سے بولا اور اپنی دونوں ہاتھوں کی مٹھیوں میں اُس کی کلائی زور سے بھینچ ڈالی۔ سختی بھری گرفت سے وہ ذرا سا کسمسائی مگر آنکھیں نہیں کھولیں۔

''مما اٹھو مجھے بھوک لگی ہے۔'' وہ چڑ کر شور کرنے لگا اور ساتھ ساتھ اُسے ہاتھوں سے مارنے لگا۔

''تم گندی مما ہو، گندی ہو۔'' وہ بیڈ سے اُتر کر چلانے لگا۔ درشتی سے چیزوں کو پٹخنے لگا۔ تبھی اُس کی آنکھ کھلی وہ نافہمی کے عالم میں خالی خالی نظروں سے اپنے سامنے دیکھتی رہی، پھر دوبارہ آنکھیں بند کر لیں۔ شدتِ گریہ اور تمام رات اذیت میں گزارنے کے بعد جانے کب اس کی آنکھ لگ گئی تھی۔ ابھی تو ذرا کی ذرا اُس کی

آنکھ کھلی تھی۔ وہ بے سدھ سوئی پڑی تھی جاگ تو گئی تھی مگر اُس کے اعصاب ابھی بیدار نہیں ہوئے تھے اور آنکھیں کھولنے سے آنکھوں میں شدت سے جلن اور تپش سمٹ آئی تھی۔

''تم گندی مما ہو۔'' وہ تڑپ کر اُٹھ بیٹھی اُس کا دل دھک سے رہ گیا۔ اُس کا کیوٹ سا گپلو سامنا آنکھوں میں غصہ اور چہرے پر قہر سجائے اپنی مما کو دیکھ رہا تھا اور اُس کے الفاظ کیسے تھے۔ دل کو کاٹتے ہوئے دل کو چیرتے ہوئے اُس کی رتجگے کی ماری آنکھیں برسنے لگیں۔ یوں لگا جیسے زخموں پر نمک پاشی ہو رہی ہے۔

''نہیں، نہیں بیٹا میں گندی مما نہیں ہوں۔'' وہ عجلت میں بیڈ سے اُتری۔ اُس درد کی ماری کا نازک سا پاؤں بیڈ کی چادر میں اُلجھ کر رہ گیا اور وہ اپنا توازن برقرار نہ رکھ سکی اور اوندھے منہ فرش پر گری تھی۔ اُس کی پیشانی ماربل کے چکنے فرش سے ٹکرائی اور پیشانی پر گومڑ سا اُبھر آیا۔ وہ کمرے کے وسط میں بکھری پڑی بس 'سی' کر کے رہ گئی۔ وہ بچہ جو چند لمحے پہلے غیض و غضب کی تصویر بنا کھڑا تھا۔ اب بدحواس ہو کر رونے لگا۔ اپنے ننھے منے ہاتھوں سے اپنی مما کو فرش سے اُٹھانے کی کوشش کرنے لگا۔

''مما اُٹھیں۔'' وہ فکرمندی سے بولا۔ تبھی بشیراں (ملازمہ) اندر آئی اور اُسے نیچے گرے دیکھا تو لپک کر سامنے آئی اور سہارا دے کر اُسے اٹھایا اور بیڈ پر بٹھا دیا۔ اُس کے ٹخنے پر بھی چوٹ آئی تھی۔ وہ پاؤں میں بہت درد محسوس کر رہی تھی اور آنکھوں سے آنسوؤں کی جھڑی لگ گئی تھی۔

''باجی، صاحب کو فون کروں؟'' بشیراں نے پاس بیٹھ کر کہا مگر اُس نے ہاتھ اُٹھا کر اسے منع کر دیا۔

''باجی آپ کا تو ٹخنا بری طرح سے چھل گیا ہے، درد بھی ہو رہا ہوگا۔'' بشیراں نے ہاتھ آگے بڑھا کر اُس کا سفید گلابی مائل پاؤں اپنے ہاتھ میں پکڑا اور ہولے ہولے دبانے لگی۔

''باجی ذرا دیکھیں تو خون رِس رہا ہے، آپ کہو تو فون کر دیتی ہوں۔ شہر سے آتے ہوئے صاحب کوئی دوائی لیتے آئیں گے۔'' بشیراں صحیح معنوں میں اُس کی وفادار اور غمگسار تھی۔ وہ اِس بات سے بخوبی آگاہ تھی بشیراں نیک فطرت خاتون تھی۔

''رِسنے دو خون، میں اِسی قابل ہوں کہ میں در در کی ٹھوکریں کھاؤں، دھکے کھاؤں مگر کہیں کوئی سہارا نہ ملے، کوئی پناہ نہ ملے۔'' اُس نے خود اذیتی کی شدت میں اپنا نچلا ہونٹ کچل ڈالا۔

وہ تو ملازمہ تھی، وہ اُس سے کیا کہتی کہ اُس کے تو اندر اتنے زخم ہیں اتنے گھاؤ کہ جن کا شمار ممکن ہی نہیں اور برسوں سے اُن زخموں سے خون رِس رہا ہے اور کون جانے کب تک رِستا رہے گا۔

فاخرہ جبیں صرف سوچ کر رہ گئی۔ بولی کچھ بھی نہیں، بس بیڈ سے ٹیک لگائے آنکھیں موندے بیٹھی رہی اور ٹانگیں سیدھی کر لیں۔ بشیراں بغیر کہے اُس کی ٹانگیں دبانے لگی۔ آنسو فاخرہ کی بند آنکھوں کی گھنی سیاہ پلکوں کو بھگوتے رہے۔ وہ اپنی ذات میں کتنی اکیلی تھی کوئی اس سے فاخرہ سے پوچھتا۔ آنسوؤں کا پانی قطرہ قطرہ اُس کے سفید گالوں پر بہنے لگا۔ اُس نے اپنے گال صاف کرنے کی کوشش نہیں کی۔ یونہی بے آواز روتی رہی۔ بشیراں نے ترحم آمیز نظروں سے فاخرہ کو دیکھا اُس کا دل اپنی مالکن کی بے سروسامانی پر بھر آیا۔ اتنی حسین عورت کہ جسے دیکھ دیکھ کر دل نہ بھرے، اتنے مصائب اور نامساعد حالات نے بھی اس کے صبیح چہرے پر کوئی اثر نہیں چھوڑا تھا۔

وہ مغموم و آزردہ عورت جس کا من اور تن دونوں ہی لہولہان تھے مگر اُس کے چہرے کی تازگی دیکھنے سے تعلق رکھتی تھی۔

بشیراں نے فاخرہ کے دل نواز نقوش کے سحر سے بمشکل نظریں چرائیں اور کچھ سوچ کر اُٹھی اور مختلف درازیں کھنگالنے لگی کہ کوئی مرہم مل جائے کوئی کولڈ کریم ہی مل جائے تا کہ وہ اُس کے زخمی گھٹنے پر لگا دیتی۔ مگر بہت تلاش بسیار کے باوجود بھی کوئی دوا، کوئی مرہم نہیں ملا تھا۔

''باجی میں کوئی دوا ڈھونڈ رہی تھی تا کہ آپ کے لگادوں مگر ملی ہی نہیں۔'' بشیراں دوبارہ فاخرہ کی ٹانگیں دباتے ہوئے بولی۔ جواباً فاخرہ نے کچھ نہیں کہا تھا بس سسکتی رہی آہیں بھرتی رہی۔

زمان کو پچھلے دو دن سے بخار تھا۔ اُس کا چھوٹا بھائی اُسے آ کر لے گیا تھا تا کہ اُسے دوائی لے دے اور رات کو واپس چھوڑ کر جانے کی بجائے اپنے گھر ہی لے گیا تھا۔

''تیری ٹانگیں ٹوٹ تو نہیں گئیں جو یوں بیڈ پر ٹانگیں پھیلائے دبوار ہی ہے۔ بچہ باہر بھوکا روتا پھر رہا ہے۔ اِدھر سوگ منانے سے ہی فرصت نہیں ہے۔'' زمان کی ماں نے کمرے میں آتے ہی جو یہ منظر دیکھا مانو اُس کے سر سے لگی پیروں تک چلی گئی۔ اُس نے آگے بڑھ کر فاخرہ کے کالے سیاہ بال اپنے ہاتھوں کی مٹھیوں میں جکڑ کر اتنی زور سے کھینچ لیے کہ فاخرہ کی درد سے جان نکلنے لگی۔ وہ اپنے دفاع میں کچھ بھی نہیں کر سکی۔ فاخرہ کی ٹانگیں سکڑ کر پیٹ سے آن لگیں۔ اُس کا وجود گٹھڑی بن گیا۔ ڈری سہمی کپکپاتی گٹھڑی۔ فاخرہ کے بال چڑیا کا گھونسلا بن چکے تھے۔ اُس کا بدن تھر تھر کانپ رہا تھا۔

اُس عورت نے (جو فاخرہ کی ساس اور اُس کے شوہر زمان کی ماں تھی) یہاں تک بس نہیں کیا اب وہ قہر کی طرح برسی تھی۔ اُس نے فاخرہ کی کمر پر دو ہتھڑ مارنا شروع کر دیئے مارتی رہی۔ پھر اُس کا سکڑا سمٹا وجود کسی غلیظ ڈھیر کی طرح پکڑ کر فرش پر پٹخ دیا۔ فاخرہ کا سر زوردار آواز کے ساتھ فرش سے ٹکرایا تھا مگر فاخرہ نے سی تک نہیں کی تھی۔ کراہنا یا تڑپنا، بلکنا تو در کنار اُس نے تو ایک آہ بھی نہیں بھری تھی۔ اب وہ ظالم خرانٹ عورت اُسے پیروں سے ٹھوکریں مار رہی تھی۔ فاخرہ بے حس و حرکت یوں پڑی تھی جیسے اُس کے اندر سانس باقی ہی نہیں رہی ہو۔ زندگی نے اُکتا کر اُس سے اپنا ہاتھ چھڑا لیا ہو کہ اے کمزور عورت! تیرے جیسی بے حس عورت کو میری ضرورت ہی نہیں، تو ٹھیک ہے مجھے بھی تیرے ساتھ نہیں رہنا۔

''تُو اچھی بیوی تو کبھی بن ہی نہیں سکی اور بن بھی نہیں سکے گی، مگر اچھی ماں تو بن کر دکھا گھٹیا عورت۔ تُو تو ناگن ہے ناگن، جو اپنے ہی بچوں کو کھا جاتی ہے۔'' اِس بات پر فاخرہ نے زور سے بند کی ہوئی آنکھیں کھولیں اور ایک ایسی نظر سامنے کھڑی عورت پر ڈالی کہ وہ پل بھر کے لیے فاخرہ کے تیور بھانپ کر سٹپٹا کر رہ گئی۔ کیسی وحشت در آئی تھی فاخرہ کی آنکھوں میں، جیسے وہ اُسے کچا چبا ڈالے گی۔

''میرے بچوں کے سامنے میری تذلیل مت کرو خالہ! مجھے معاف کر دو۔ میری اولاد کی نظروں میں مت گراؤ مجھے۔ میں آپ کے آگے ہاتھ جوڑتی ہوں۔ آپ کو خدا کا واسطہ ہے! مجھے اپنی اولاد کی نظروں میں حقیر مت کریں۔'' فاخرہ اُس کے قدموں سے لپٹی دھاڑیں مار مار کر رو دی۔ بشیراں سے اُس کی یہ حالتِ زار دیکھی

نہیں جاتی تھی مگر اُس میں اتنی ہمت بھی نہیں تھی کہ وہ اُس کو سہارا دیتی اِس وقت۔

''اپنے گریبان میں جھانک کر دیکھ ذرا بدکردار عورت! تُو ہے اس قابل کہ تجھے معاف کر دیا جائے۔'' اُس نے دانت کچکچاتے ہوئے فاخرہ کے منہ پر پاؤں سے ٹھوکر ماری، نرم گال پر ضرب لگی تھی۔

''اور تُو ٹسوے کس چکر میں بہا رہی ہے۔ کان کھول کر سُن! تجھے اس حرافہ کی تیمارداریوں کے لیے نہیں رکھا گیا ہے کہ تُو اِس عورت کے ناز نخرے اٹھائے، اس کی ناز برداریاں اٹھائے۔'' اب اُس مرد مار عورت کا روئے سخن بشیراں کی طرف ہوا۔ اُسے بشیراں کی خیر خواہی بری طرح کھٹکتی تھی۔

''مت بھولو کہ تمہیں اس عورت کی خبر گیری کے لیے رکھا گیا ہے۔ تمہیں ہر وقت سائے کی مانند اس کے ساتھ رہنا ہے۔ اس کے پل پل کی رپورٹ مجھے دینی ہے اور اس کے لیے میں تمہیں تنخواہ دیتی ہوں، لہٰذا تمہیں اس عورت سے ہمدردی جتانے کی ضرورت نہیں ہے، سمجھیں تم۔'' اُس نے بے حس و حرکت کھڑی بشیراں کو جھنجوڑ ڈالا۔ اس عورت کا طنطنہ، اس عورت کا گھمنڈ نہ جانے کیا دن دکھانے والا تھا۔

''دادو مجھے بھوک لگی ہے۔ آپ مجھے کچھ کھانے کو دے دیں۔'' اسد زمان اُس کی ٹانگوں سے لپٹا کہہ رہا تھا۔ اُس عورت سے جو ڈائن تھی سفاک ہونے کی حد تک ظالم تھی۔

''اپنی ماں سے مانگ، جیسی تیری ماں ویسا تُو ناگن کا سنپولیا۔'' وہ بکتی جھکی منہ سے کف اُڑاتی، پاؤں پٹختی باہر نکل گئی۔ بشیراں نے لپک کر اسد کو گود میں اٹھالیا جو بھاں بھاں کر کے رو رہا تھا۔

○......❖......○

زمان احمد کا بھائی رحمان احمد، زمان کو گھر چھوڑنے آیا تھا۔ دو کمروں کا نیم پختہ گھر، ذرا سا کچن۔ دروازے کے سامنے رکشہ رکنے کی آواز آئی تھی پھر کسی نے دروازہ زور زور سے پیٹ ڈالا تھا۔ صبا اور فضا ابھی اسکول سے آئی تھیں جبکہ اسوہ اور اسد چھوٹے سے ایک کھلونے کے لیے آپس میں لڑ رہے تھے۔ دروازہ پھر سے دھڑ دھڑایا جا رہا تھا۔ دروازہ کھٹکھٹانے والے کے انداز میں عجلت ہی نہیں ایک محسوس کی جانے والی جارحیت بھی تھی۔ صبا اور فضا ٹی وی کی آواز فُل کھولے اپنی اچھل کود میں لگی ہوئی تھیں۔ اماں دوسرے کمرے میں اندر سے دروازے کی چٹخنی چڑھائے بے خبری کی نیند سو رہی تھی، گہری نیند۔ ایسی پُرسکون نیند کہ لگتا نہیں تھا کہ جلد اُس کی آنکھ کھلے گی اور باہر رحمان دروازہ توڑ دینے کے درپے تھا۔ اُسے غصہ آ رہا تھا، بہت آ رہا تھا بے تحاشا غصہ مگر کس پر...... فاخرہ جبیں پر، اُس کا بس نہیں چل رہا تھا کہ وہ بند دروازے کے پار فاخرہ کا چہرہ اپنے ہاتھ میں لے کر نوچ کھوسٹ ڈالے، خراشیں ڈال دے۔

''بدبخت عورت نہ جانے کیوں دروازہ نہیں کھول رہی۔'' زمان نے دروازے پر زوردار لات مار کر تنفر سے کہا۔ جو طیش رحمان کو فاخرہ پر آ رہا تھا ویسا ہی تاؤ زمان کو بھی آ رہا تھا۔ سب کو فاخرہ پر غصہ آتا تھا اور سب بلا دریغ اظہار بھی کرتے تھے۔ نفرت کا، کراہیت اور حقارت کا۔

رحمان نے زمان کو ذرا سا ٹھوکا دیا پھر کچھ خیال آیا کہ وہ تو دیکھ نہیں سکتا اُس کا مقصد سامنے آتی فاخرہ کی طرف رحمان کی توجہ مبذول کروانا تھا مگر وہ اپنے بڑے بھائی کی بے نور آنکھوں کو محض دیکھ کر رہ گیا۔

''ہو گئے تمہارے سیر سپاٹے ختم۔'' رحمان نے بدتمیزی سے اکھڑ لہجے میں کہا۔ فاخرہ نے استفہامیہ اُسے دیکھا، کچھ کہنا چاہا مگر کہنا بھی بے سود ہی ٹھہرتا، کیا فائدہ اپنی حاضر جوابی دکھانے کا، جب کوئی فائدہ ہی نہیں، کیا اُسے نظر نہیں آ رہا کہ وہ کہاں سے آئی ہے۔ صد شکر کہ دروازہ اندر سے کھل گیا۔ خالہ اماں آنکھوں میں نیند کا خمار لیے کھڑی تھیں۔ سب کو ایک نظر باری باری دیکھا، قہر آلود سلگتی نظروں سے، اندر تک کاٹتی نگاہیں، پھر اُن کی نظریں تپے ہوئے رحمان پر رکیں جو پہلو بدل رہا تھا، اُس کے ساتھ چپکا زمان۔

''سلام اماں۔'' رحمان نے لٹھ مار انداز میں سلام کیا۔

''وعلیکم السلام، آ جا پتّر اندر آ۔'' وہ درمیان اٹکی تھی دروازے کے، ذرا سا سائیڈ پر کھسکی۔

''مجھے اندر نہیں آنا، بھائی کو اندر لے جاؤ۔'' وہ یوں ہی اکڑا اکڑا بولا فاخرہ اپنی جگہ چور سی بن گئی۔

خالہ اماں نے زمان کا ہاتھ پکڑا اور اندر کی طرف مڑیں، جاتے ہوئے رحمان نے ایک کٹیلی سرد نگاہ فاخرہ پر ضرور ڈالی تھی۔ یہ اُس کے سسرالی رشتے تھے جن کے لیے فاخرہ ایسی ہستی تھی جس میں زمانے بھر کی خامیاں تھیں۔ اُس کی ہر خامی نا قابلِ برداشت، اُس کی ہر غلطی نا قابلِ تلافی اور اس کا میکہ......

فاخرہ نے آتے ہی کپڑے تبدیل کیے اور کھانا پکانے میں جت گئی۔ بشیراں اُس کی مدد کروا رہی تھی۔

رات کو وہ گھر کے کاموں سے فراغت پا کر کمرے میں آئی تو دیکھا صبا اسوہ کو ساتھ لگائے تھپک رہی تھی جبکہ اسوہ آنکھیں جھپکا جھپکا کر کہانی سننے کی ضد کر رہی تھی۔ کھانے کے خالی برتن کمرے کے فرش پر بکھرے پڑے تھے بشیراں کو شاید گھر جانے سے پہلے دھیان نہیں رہا تھا برتن اُٹھانے کا۔

''مما اسوہ ایک ہی بات پر اڑی ہوئی ہے کہ مما سے کہانی سننی ہے جبکہ میں نے کہا بھی کہ مجھے بھی کہانی آتی ہے شہزادی کی اور ظالم جادوگر کی۔'' صبا نے فاخرہ کو دیکھ کر بتایا۔

''بیٹا میں سناتی ہوں کہانی ذرا کمرہ سمیٹ لوں۔'' فاخرہ نے دونوں بچیوں کے یونی فارم چارپائی سے اُٹھا کر الماری میں لٹکائے، اُن کے اسکول شوز اکٹھے کر کے رکھے، اسعد کے کھلونے سمیٹے پھر کھانے کے برتن اُٹھا کر کچن میں رکھنے چلی گئی۔ جاتے جاتے ذرا سا دوسرے کمرے میں جھانکا، اسعد اپنے باپ کے سینے پر چڑھا بیٹھا تھا اور خالہ اماں زمان سے باتیں کر رہی تھیں۔ فاخرہ کچن میں۔ وہ بھی برتن دھو کر جب اپنے کمرے میں آئی تو یہ دیکھ کر اُس کا دل ملال سے رونے لگا، فضا اور صبا کے درمیان میں اسوہ سوئی پڑی تھی۔ وہ تینوں ماں کا انتظار کرتے کرتے سو گئی تھیں۔ اسوہ کی پلکیں بھیگی ہوئی تھیں اور اُس کے نازک گالوں پر آنسوؤں کے نشان تازہ تھے۔ فاخرہ کا دل تڑپنے لگا۔ اُس کی مجبور ممتا ہر رات، ہر دن ایسے ہی بلکتی تھی۔ باوجود چاہنے کے بھی وہ اپنے بچوں کے لیے بہت سارا تو درکنار، تھوڑا سا وقت بھی نہیں نکال پاتی تھی۔ اُس نے وہیں اپنی بیٹیوں کے پاس جگہ بنائی اور لیٹ گئی دن بھر کی تھکی ہوئی تھی۔ پتا بھی نہیں چلا کب آنکھ لگ گئی۔ اُس کا نیند میں ڈوبا ذہن ابھی پوری طرح سکون بھی نہیں پا سکا تھا کہ کسی نے اُسے بے دردی سے جھنجوڑ ڈالا۔

''اری بے حس عورت کس قدر ظالم ہے تُو، تیرے شوہر کی طبیعت ٹھیک نہیں ہے اور تُو آرام سے سوئی ہوئی ہے۔ اُٹھ جا اس نمانے کے پاس جا۔'' فاخرہ کا ذہن سوئی جاگی کیفیت میں چیخنے لگا، بدن جو آرام پانا چاہ رہا تھا

ذہنی یکسوئی نصیب نہیں ہوئی تو جیسے اعصاب کھنچ کر رہ گئے۔ بدن میں درد کی لہریں سی اُٹھ کر فاخرہ کو بدحال کرنے لگیں۔

''اب جا بھی اُس کے پاس احسان فراموش عورت، قدر کر اُس فرشتہ صفت انسان کی۔'' فاخرہ اٹھی اور دوسرے کمرے میں چلی گئی۔ جہاں زمان اسد کو ساتھ لپٹائے لیٹا تھا۔ جیسے ہی فاخرہ کمرے میں آئی زمان دروازے کی طرف دیکھنے لگا۔ وہ پچھلے چودہ سالوں سے فاخرہ کے قدموں کی چاپ سے آشنا تھا۔ اُس کے بدن کی خوشبو زمان کے بدن کا حصہ تھی۔

''تم آ گئیں فاخرہ۔'' جیسے ہی وہ بیڈ پر آ کر بیٹھی زمان نے اُس کا ہاتھ پکڑ کر پوچھا۔

''طبیعت کیسی ہے اب؟'' فاخرہ نے اپنے دونوں ہاتھوں میں زمان کا ہاتھ دبا کر کہا۔

''بخار تو اب نہیں ہے مگر بدن میں بہت درد ہے، کروٹ نہیں لی جا رہی۔''

''دبا دوں۔''

''ہاں دبا دو اور تب تک دباتی رہنا جب تک میری آنکھ نہ لگ جائے۔'' زمان نے اپنے ہاتھ سے اسد کے نقوش ٹٹولتے ہوئے کہا۔ وہ اکثر ایسے ہی اپنے بچوں کے نقوش کو چھو چھو کر دیکھا کرتا، محسوس کیا کرتا تھا۔

فاخرہ ذرا سا آگے کھسکی اور پیروں کی طرف بیٹھ کر زمان کے پاؤں دبانے لگی۔ فاخرہ نرم گورے ملائم ہاتھوں سے زمان کے گہرے سیاہ پاؤں کو دباتی رہی، اُبھری ہڈیوں والے سخت سوکھے ہوئے پاؤں، فاخرہ کے ہاتھوں میں ہڈیاں چبھتی رہیں فاخرہ کا سر مارے نیند سے بوجھل ہو رہا تھا۔ اُس کی پلکیں بار بار جڑ رہی تھیں۔ فاخرہ خود پر جبر کر کے بند آنکھوں سے زمان کو دباتی رہی۔ میٹھی غنودگی نے ایک بار تو اُسے نیند میں پہنچا بھی دیا مگر یہ لمحوں کی بات تھی فاخرہ جھٹکا کھا کر سیدھی ہو بیٹھی، زمانے بھر کی تھکن اُس کی پور پور میں سما رہی تھی۔

''فاخرہ اِدھر آ میرے پاس۔'' زمان نے ہاتھ آگے بڑھا کر کہا۔ فاخرہ نے ایک آزردہ سی سانس خارج کی اور زمان کے ہاتھ پر اپنا ہاتھ رکھ کر آگے ہو کر لیٹ گئی۔ زمان کا ہاتھ کسی لکڑی کی مانند فاخرہ کے بالوں میں سرسرانے لگا پھر اُس کا ہاتھ فاخرہ کے بالوں کی لمبائی ناپنے لگا۔ وہ بے حس و حرکت لیٹی رہی۔

''تمہارے بال بہت لمبے اور ریشمی ہیں نا۔'' زمان نے یہ سوال ہزاروں بار پہلے بھی پوچھ رکھا تھا۔

''جی بہت لمبے گھنے سیاہ بال۔'' فاخرہ سپاٹ لہجے میں بولی۔

''تمہاری پیشانی کیسی ہے۔'' یہ بھی پرانا سوال تھا مگر ہر بار نیا تجسس دبا ہوا ہوتا تھا سوال میں۔

''جی بہت چمکتی ہوئی کشادہ، جیسی بخت آوروں کی ہوتی ہے۔'' فاخرہ نے سسکاری لی اُس کی پیشانی کشادہ روشن تھی مگر وہ بخت آور نہیں تھی مقدر کی سیاہی نے اُسے کہیں کا نہ چھوڑا تھا۔

''رو رہی ہو کیا؟'' اب زمان کو خدشہ لاحق ہوا کہ شاید وہ رو رہی ہے۔ اس کے ہاتھ اب فاخرہ کے نین نقوش کھوج رہے تھے۔ زمان کے ہاتھ کی انگلی فاخرہ کی آنکھ میں کھب گئی بلا کا درد اٹھا تھا اور آنکھ سے پانی بہہ نکلا۔ فاخرہ کے دل سے کراہوں کا سیلاب اُمڈ چلا آ رہا تھا مگر اُس نے بے دردی سے اپنی آہوں کو ہونٹوں میں ہی دبا لیا اور کرب سے آنکھیں بند کر لیں۔

"فاخرہ مجھے بتاؤ تمہاری آنکھیں، تمہاری ناک، تمہارے ہونٹ کیسے ہیں۔" زمان کے انداز میں نہ جانے کیا تھا کہ فاخرہ نے آنکھیں کھول کر ذرا سا سر اوپر اُٹھا کر زمان کو دیکھا۔ زمان کی آنکھیں بند تھیں۔ کچھ بھی اندازہ لگانا مشکل تھا۔ کہ آخر وہ یہ کیوں پوچھ رہا ہے کرید رہا ہے جستجو تھی کوئی کھوج یا پتا نہیں مگر فاخرہ بے دلی سے بولی۔

"میری آنکھیں بڑی بڑی ہیں، بولتی ہوئی، اپنی طرف کھینچتی ہوئی۔ میری ناک ستواں اور ہونٹ ایسے جیسے تازہ گلاب۔" زمان کا ہاتھ فاخرہ کے بدن پر سرسرانے لگا۔ پھر زمان اُس سے بدن کے خدوخال پوچھنے لگا۔ اپنا شوہر اپنی ہی بیوی کو کھوجتا رہتا تھا۔

"تم بہت خوبصورت اور مکمل عورت ہو۔" زمان خمار آلود لہجے میں بولا۔ فاخرہ ٹھٹکی یعنی وہ جاگنے اور جگانے کا ارادہ رکھتا تھا۔ فاخرہ کو اپنا وجود ٹوٹتا بکھرتا محسوس ہو رہا تھا وہ صبح سب سے پہلے اُٹھتی تھی اور سب کے بعد سونا نصیب ہوتا تھا۔

"سُنا ہے وہ بھی بہت پُرکشش نوجوان تھا۔" زمان نے کوئی تیر فاخرہ کے روح و بدن میں اُتارا تھا وہ اب ایسے طنزیہ کاٹ دار جملوں کی عادی ہو چکی تھی۔ اس لیے اب بہت اطمینان سے جواب دے دیتی تھی۔

"جی!! بہت ہینڈسم اور وجیہہ تھا۔"

"یاد آتا ہے نا بہت۔" زمان کے ترکش میں بہت تیر تھے، اپنے تئیں گھائل کرنے کے لیے۔

"بالکل نہیں قطعی نہیں۔" وہ زور زور سے ہنسا پھر ہنستا رہا۔

"کہاں وہ پڑھا لکھا ڈیسنٹ مرد اور کہاں میں، میٹرک پاس بھی نہیں عام سا مرد کا لاڈلا۔" وہ پھر ہنسا۔ "ادھورا مرد اندھا مرد۔" ہاہاہاہا۔ فاخرہ نے تاسف سے زمان کو دیکھا وہ خود اذیتی کی انتہا پر تھا اور وہ سچ ہی تو کہہ رہا تھا کہاں زمان اور کہاں فاخرہ جبیں، کوئی چیز بھی تو دونوں میں مماثلت نہیں رکھتی تھی۔ شکل و صورت، تعلیم، ذہانت، کچھ بھی مگر حالات و واقعات تو شاہوں کو گھٹنے ٹیکنے پر مجبور کر دیتے ہیں تو وہ کیا چیز تھی۔

فاخرہ واش روم سے فارغ ہو کر آئی، گیلے بال سُلجھا کر وہ بس سونے کے لیے لیٹ گئی۔ وہ کچھ بھی ایسا تلخی بھرا نہیں سوچنا چاہتی تھی جو نیند کو اُس کی آنکھوں سے کوسوں دور بھگا دے۔

O......❖......O

فاخرہ اپنی طاقت، اپنی ہمت اور صبر پر حیران تھی کہ بھلے اُس کا دل اپنوں کے ستم پر اُن کے ڈھائے جانے والے مظالم پر کتنا ہی ماتم کناں ہوتا مگر بند نہیں ہوتا تھا۔ وہ مر کیوں نہیں جاتی تھی۔ روز روز کے مرنے سے ایک بار ہی مر جاتی مگر جینا کتنا ہی دشوار اور دقت طلب ہو، مرنا اُس سے بھی کہیں کٹھن اور ہولناک ہوتا ہے۔ اتنی ذلت، اتنی خواری پر فاخرہ کا تن بدن سُلگتا رہتا۔ اپنی ذات کی پامالی اُسے کاٹتی رہتی، مارتی رہتی مگر اب وہ اپنی اولاد کو دیکھ کر زندہ تھی اور زندہ رہنا چاہتی تھی۔ کسی آس، کسی اُمید کے سہارے شاید وہ کبھی معتبر ہو جائے مگر کیا پتا آنے والا وقت فاخرہ جبیں کی چھید بھری جھولی میں کیا ڈال دے۔

فاخرہ جب اُٹھی تو نماز کا وقت نکل چکا تھا۔ وہ کبھی کبھی ہی فجر کی نماز پڑھ پاتی تھی۔ رات کو دیر سے سونے

کی وجہ سے صبح جلدی آنکھ نہیں کھل پاتی تھی۔

فاخرہ نے جلدی سے منہ ہاتھ دھویا۔ آٹا گوندھا اور جلدی جلدی پراٹھے بنانے لگی۔ اتنی دیر میں بشیراں بھی آ گئی۔ اُس نے صبا اور فضا کو جگایا اور اُن کی اسکول جانے کی تیاری کروانے لگی۔ پھر بشیراں بچیوں کو ناشتا کروانے لگی۔ فاخرہ نے کپڑے بدلے، چند لقمے زہر مار کیے، آدھا کپ چائے پی، برقع اوڑھا اور سوتے ہوئے اسد اور اسوہ کو پیار کیا اور ایک نظر خالہ اماں کو دیکھا، وہ سو رہی تھیں۔

باہر رکشہ آ کر رُکا بشیراں نے صبا اور فضا کو اُس میں بٹھا دیا رکشہ چل پڑا۔

فاخرہ کا اسکول قریب ہی تھا دو گلیاں چھوڑ کر اس لیے وہ پیدل ہی جاتی تھیں دونوں۔

''آپ کا پاؤں اب کیسا ہے؟'' بشیراں کے پوچھنے پر فاخرہ چونکی۔ پھر یاد آنے پر بولی۔

''اتنی فکر مند مت ہوا کرو، معمولی سی چوٹ تھی۔''

''اُس دن آپ کی ساس نے میرے سامنے آپ کو مارا۔ اس بری طرح آپ کو بھنبھوڑا اور میں بس دیکھتی رہی۔ کچھ بھی آپ کی مدد نہیں کر سکی۔ مجھے بہت شرمندگی ہوئی۔''

''تم کیوں ہو رہی ہو شرمندہ، تمہارا کیا قصور بھلا۔''

''آپ خود کماتی ہیں، خود اپنا اور اپنے بچوں کا پیٹ پال رہی ہیں، پھر چھوڑ کیوں نہیں دیتیں ایسے کٹھور اور سنگدل لوگوں کو، جو آپ کو انسان نہیں سمجھتے۔'' وہ سچی مخلص تھی۔

''چھوڑنا نہیں چاہتی، کیونکہ میں اب ایک ماں ہوں، باقی کچھ نہیں، ماں ہونا میرے اندر توانائیاں بھر دیتا ہے۔ میں نئے سرے سے اپنے اندر زندگی کو جوان ہوتے، سانس لیتے دیکھتی ہوں۔ اولاد ہر ماں کا سرمایہ ہوتی ہے۔ میری اولاد بھی میرا اثاثہ ہے، قیمتی اثاثہ، میری کل متاع جاں۔'' تبھی اُس کی نظر سامنے رُکی ٹھٹکی اور پھر تھم گئی۔ وہ چلتے چلتے رک گئی۔ یک ٹک دیکھے گئی یہاں تک کہ اُس کی آنکھیں پانیوں سے بھر کر دھندلی ہو گئیں۔

''کیا ہوا رک کیوں گئیں؟'' بشیراں نے پوچھا۔

''بس کچھ نہیں۔''

''آپ روز اس گھر کے سامنے رُک جاتی ہیں۔ کس کا گھر ہے یہ۔'' بشیراں نے فاخرہ کے کندھے پر ہاتھ رکھ کر کہا۔

''کوئی نہیں، تالا لگا ہوا ہے، میرا یہاں کوئی نہیں رہتا۔'' وہ نم آنکھوں کو مسلتی ٹوٹے قدموں سے آگے بڑھ گئی سامنے ہی سرکاری ہائی اسکول کی عمارت نظر آ رہی تھی وہ اسکول میں سینئر ٹیچر تھی۔ پرنسپل اُس کی مشاورت سے اسکول کے ہر کام کیا کرتی تھیں۔

○……❖……○

عروا نے تیز آواز میں کمپیوٹر پر ''بلما'' لگا رکھا تھا اور بالکل ہیروئن کے انداز میں اسٹیپ لینا سیکھ رہی تھی۔ بہت دنوں سے اُس کی پریکٹس چل رہی تھی۔ تقریب کا سارا انتظام مس افشاں کر رہی تھیں۔ عروا نے کالج کی تقریب میں ڈانس کرنا تھا۔ امن نے بھی عروا کے ساتھ اسٹیج پر ڈانس کرنا تھا وہ دونوں کزن ڈانس میں بہت

دلچسپی رکھتی تھیں۔ امن اور عروا گھر پر اپنے طور پر اکٹھے ڈانس کر کے سیکھتی رہتی تھیں۔ وہ تقریب میں اپنی کارکردگی سے نمایاں نظر آنا چاہتی تھیں۔

عروا اس وقت کمر کو بل دے دے کر ناچ رہی تھی جب دروازے پر دستک ہوئی، مگر وہ تھرکنے میں اتنی گم تھی کہ اُسے دستک کی آواز سنائی ہی نہیں دی۔ ذرا توقف کے بعد دستک دوبارہ ہوئی۔ عروا کا دھیان بٹ گیا اور اُس کے پاؤں تھم گئے۔

''کون؟'' عروا نے درشتی سے پوچھا۔

''امن، دروازہ کھولو۔''

''آؤ، اتنی دیر لگا دی۔'' عروا نے امن کا ہاتھ پکڑ کر اندر کھینچا اور اندر سے دوبارہ کنڈی لگا دی۔

''تمہاری مما کہاں ہیں۔'' امن نے پوچھا۔ نہ جانے اُسے امن کی مما (تائی جان) سے ڈر کیوں لگتا تھا، عجیب منہ پھٹ سی تھیں۔ پل میں اگلے کو بے عزت کر کے رکھ دیتی تھیں۔

''اپنے 'دورے' پر نکلی ہیں بے فکر رہو۔'' عروا نے لاپروائی سے کہا اور امن کو آنکھ ماری اور پھر دونوں ہاتھ پر ہاتھ مار کر ہنسنے لگیں۔

''میری مما آنے نہیں دے رہی تھیں۔ میں بہت مشکل سے بہانے بنا بنا کر آئی ہوں۔''

''چل چھوڑ، اپنی اور میری مما کو، اتنا ڈرنے کی کوئی ضرورت نہیں۔ ڈانس ہی سیکھنا ہے نا کوئی فلموں میں تو کام کرنے نہیں جا رہیں ہم دونوں۔'' عروا ایسی ہی تھی۔ لاپروا من موجی، کسی کی نہیں سنتی تھی۔

''دراصل یار میں نے مما کو بتایا نہیں ہے نا کہ مجھے کالج فنکشن میں ڈانس کرنا ہے، چوری چھپے حصہ لے لیا، میری مما کو جانتی تو ہو کہ ذرا سخت طبیعت کی ہیں۔''

''چل چھوڑ! پراں کر ساری فکریں۔'' کہتے ہی عروا نے ایک بار پھر 'بلما' تیز آواز میں لگا دیا۔ عروا تو خیر سرے سے اپنی ماں کو خاطر میں ہی نہیں لاتی تھی۔ امن اپنی مما سے ذرا سا ڈرتی تھی مگر اس وقت بلما کی چھنک اور سُر میں وہ بھی سارے ڈر اور خوف دل سے نکال چکی تھی۔

''اُووف تھک گئی۔'' امن نے پنکھا فل اسپیڈ میں چلایا اور صوفے پر بے دم ہو کر گر گئی۔ اُس کی پوری قمیص پسینے سے بھیگ چکی تھی۔ وہ تھک چکی تھی مگر لگن ابھی باقی تھی۔ یہی حال عروا کا تھا دونوں ٹانگوں پر ٹانگیں رکھے۔ تھری سیٹر صوفے پر وہ دونوں پڑی ہانپ رہی تھیں۔

''پھر ناچیں۔'' ذرا سی سانس بحال ہوئی تو عروا نے پوچھا مگر امن نے دونوں ہاتھ اُٹھا کر انکار کر دیا۔

''نہیں یار ذرا بھی سکت نہیں، کل آؤں گی۔'' امن نے اٹھتے ہوئے کہا۔ باہر نکلی تو دیکھا فروا اپنے سامنے پالک کا ڈھیر لگائے خود کسی سے فون پر باتیں کر رہی تھی۔

''ہیلو فروا آپی کیسی ہو؟'' امن فروا کو سامنے پا کر بوکھلا گئی۔ وہ بھی تائی جان جیسی ہی تھی۔

''ہو گیا ناچ گانا۔'' فروا نے خشمگیں نگاہوں سے امن کو گھورا، وہ سٹپٹا گئی۔ اُس کو خدشہ لاحق ہوا کہیں فروا اُس کی مما کو نا بتا دے یہ سوچ کر امن کے اوسان خطا ہونے لگے۔

''میں چلتی ہوں۔'' وہ فروا کی گھورتی نظروں سے خائف ہو کر بھاگی۔

''اپنی مما کی آنکھوں میں دھول جھونکنا خوب سیکھ گئی ہو۔'' وہ طنز سے باز نہیں آ سکتی تھی۔ امن جانتی تھی کہ فروا کا عروا پر تو بس نہیں چلتا تھا مگر امن کو جلی کٹی سنانے پر تلی رہتی تھی اور امن دوبدو جواب نہیں دیتی تھی کچھ بھی تھا اتنا لحاظ مروت تو بہر طور اُس میں تھا۔

○......❖......○

عروا اور امن کے گھر ساتھ ساتھ تھے۔ دونوں ہم عمر، ہم مزاج ہی نہیں کلاس فیلو بھی تھیں۔ بہاولپور شہر کی مل والی گلی کی رہائشی یہ دونوں کزن ایک پرائیویٹ کالج میں 'آئی کام' فرسٹ ایئر کی اسٹوڈنٹس تھیں۔ کالج میں اُن دونوں کی دوستی ضویا سے ہوگئی جو کسی گاؤں سے پڑھنے کالج میں آتی تھی۔ یہ تینوں کالج میں ہر وقت اکٹھی نظر آتی تھیں۔ لڑکے اور لڑکیاں ایک ساتھ پڑھتے تھے مگر کالج میں لڑکے اور لڑکیوں کو آپس میں بہت زیادہ بات چیت کرنے کی اجازت نہیں تھی۔ گھلنا ملنا تو در کنار، بس سب اسٹوڈنٹس اسٹڈی کے متعلق بات کر لیتے تھے۔ لیکچر کے حوالے سے ڈسکشن ہوتی تھی۔

مگر کھلم کھلا گھومنا پھرنا یا عامیانہ گفتگو کی قطعی اجازت نہیں تھی۔ پھر بھی بہت سارے لڑکے لڑکیوں نے خفیہ دوستیاں گانٹھ رکھی تھیں۔

دونوں ہی واجبی سی شکل و صورت کی تھیں۔ پڑھائی میں بھی بس اتنی ہی اچھی تھیں کہ پاسنگ مارکس لے لیتی تھیں، اُن کے لیے یہ ہی کافی تھا۔

اُس دن جب جھلسا دینے والی دھوپ نے اُن کی رنگت جھلسا کر رکھ دی تھی۔ سورج اپنی پوری آب و تاب اور طمطراق سے اُن پر سایہ فگن تھا۔ عروا اور امن نے اپنی فائلز کا چھجا سا بنا کر آنکھوں پر تان رکھا تھا وہ کینٹین جا رہی تھیں۔

''میں نے تو صبح بھی ڈھنگ سے ناشتا نہیں کیا تھا۔ اس وقت شدید بھوک لگی ہے۔'' عروا نے بے چاری سی شکل کو مزید بسور کر کہا۔

''ہاں صبح صبح دل بھی نہیں چاہتا اور بھائی نے اتنا شور مچا رکھا ہوتا ہے کہ بس ایک کپ چائے پر ہی گزارا کرنا پڑتا ہے۔'' ضویا نے بھی اپنا مسئلہ بتایا۔

''میں تو ناشتا کر کے ہی آتی ہوں۔ میری مما مجھے کبھی بھوکا نہیں آنے دیتیں۔'' امن نے کہا۔

''اچھا آؤ! میری تو جان نکلی جا رہی ہے بھوک سے۔'' عروا نے پیٹ پر ہاتھ رکھ کر دہائی دی۔

''تم تو ہر وقت بھوک بھوک ہی کرتی رہتی ہو۔'' ضویا نے مذاق اُڑایا۔

عروا نے اُسے غصے سے گھورا مگر بولی کچھ نہیں کیونکہ وہ حقیقتاً بھوک سے ادھ موئی ہو رہی تھی۔

ضویا چلتے چلتے رُکی اور اپنے بیگ کی زپ کھول کر اُس میں سے کچھ ڈھونڈنے لگی۔ ساتھ ہی بیگ میں منہ گھسا لیا۔ عروا نے اُسے بیچ راستے میں رُکے دیکھا تو اُسے تپ چڑھ گئی۔

''کیا ہے! یہ احمقوں والی حرکتیں بند کرو۔'' عروا نے اُسے ٹھوکا دیا مگر اُس نے ذرا بھی دھیان نہیں دیا۔

تلاش بسیار کا کام ہنوز جاری رکھا، نہ جانے بیگ میں ایسا کیا گم کر بیٹھی تھی جو ملنے کا نام نہیں لے رہا تھا۔

''مل گیا۔'' تبھی ضویا چلائی اُس کی مطلوبہ چیز مل چکی تھی۔

''بدھو کہیں کی۔'' عروا نے اُسے گھر کا، کیونکہ اُسے ضویا کی یہ حرکات وسکنات ایک آنکھ نہیں بھاتی تھیں۔ اکثر لاپروائی سے بیگ میں سیل فون ٹھونس دیتی تھی پھر مل کے ہی نہیں دیتا تھا۔

''ہزار بار کہا ہے کہ اندر کی پاکٹ میں سیل فون رکھ لیا کرو، عمرو عیار کی زنبیل جیسا بیگ ہے تمہارا، جس میں زمانے بھر کا الم غلم بھرے رکھتی ہو پھر اُسی میں سیل فون پھینک کر گم کر لیتی ہو۔ اپنا بھی وقت برباد کرتی ہو اور ہمارا بھی، وہی رہنا بے وقوف گاؤں کی گوری۔'' امن نے بھی اُس کو پہلے ڈپٹا اور بعد میں اُس کا تمسخر بھی اُڑا ڈالا۔

بلکہ یوں کہو امن گاؤں کی کالی۔'' عروا بھی ہنسی۔

''ہاں تم دونوں تو حسینہ عالم ہو، پریاں ہو اور شہر کی شہزادیاں ہو۔'' وہ بھی دو بدو بولی تو سب ہنسنے لگیں۔ کینٹین پر آ چکی تھیں وہ۔

''تین پلیٹ سموسے اور تین کوک اسٹرا سمیت۔'' عروا نے کینٹین والے لڑکے کو آرڈر دیا۔

''جی ٹھیک ہے۔'' وہ مستعدی سے کاؤنٹر کے پیچھے غائب ہو گیا۔

ذرا دیر بعد وہ تینوں سموسوں پر ہاتھ صاف کرتے ہوئے بے تحاشا ہنس رہی تھیں۔ بے فکری اور لا اُبالی پن کی شوخ ہنسی، جو اس عمر کا خاصا ہوتی ہے، بے وجہ ہنسی آتی ہے اور بے حد زوروں کی ہنسی آتی ہے۔ ایسی ہنسی جو دل سے شگوفوں کی مانند پھوٹتی ہے۔ رُکتی نہیں آئے چلی جاتی ہے۔

○......❖......○

یہ گھر فرقان احمد کا ہے۔ اچھا پختہ بنا ہوا گھر اُن کی جنت ہے۔ اُن کی بیوی لبنیٰ میں وہ تمام خوبیاں بدرجہ اتم موجود ہیں جو اچھی بیوی اور اچھی ماں میں ہوتی ہیں۔

اُن کی بیٹی امن، بیٹے ہنزلہ اور حذیفہ اُن کی زندگی ہیں۔ اُن کا قیمتی سرمایہ ہیں۔ لبنیٰ سمجھدار اور معاملہ فہم ہیں، کچھ پڑھی لکھی باشعور بھی ہیں۔ اُن کو محلے میں اس وجہ سے عزت واحترام کی نگاہ سے دیکھا جاتا ہے کہ وہ خدا ترس خاتون بھی ہیں۔

اس وقت لبنیٰ دیوار کے ڈھلتے سائے میں بیٹھی سبزی کاٹ رہی تھی۔ امن پاس ہی دوسری چارپائی پر اپنی کتابیں پھیلائے بیٹھی تھی۔ ہنزلہ اور حذیفہ اس وقت ٹیوشن سینٹر گئے ہوئے تھے۔

امن ابھی واش روم سے نہا کر آئی تھی۔ اُس نے بال پشت پر کھلے چھوڑ رکھے تھے۔ تبھی دروازے پر دستک ہوئی تھی۔ لبنیٰ نے اُٹھ کر دروازہ کھولا سامنے فروا کھڑی تھی۔ امن نے اپنی جگہ سے اُٹھ کر لبنیٰ کے کندھے سے جھانکا ہنستی مسکراتی فروا پر نظر پڑتے ہی امن کا رنگ فق ہو گیا۔ سانولی رنگت متغیر ہو کر سیاہ نظر آنے لگی۔ لبنیٰ پُرتپاک انداز میں فروا کو گلے ملی اور اندر آنے کی جگہ دی۔

''کیسی ہیں آپ چاچی۔'' فروا نے نظریں امن پر ٹکاتے ہوئے کہا۔ جتاتی ہوئی نگاہیں دیکھ کر امن سٹپٹا کر رہ گئی دائیں بائیں دیکھنے لگی مگر دل کا خوف دائیں بائیں نہ ہو سکا۔

''میں ٹھیک ہوں بیٹا، تم سناؤ۔'' لبنیٰ نے خوشدلی سے پوچھا۔ فروا نے بتایا کہ وہ بھی ٹھیک ہے۔ فروا نے اپنا لان کا دوپٹہ اُتار کر گول مول کر کے اپنے چہرے اور گردن کا پسینہ صاف کیا۔

''میں سکنجبین بنا کر لاتی ہوں۔'' امن بہانے سے غائب ہوگئی۔

''آپ تو آتی ہی نہیں ہیں، میں نے سوچا کہ میں ہی مل آؤں چاچی سے۔''

''اچھا کیا بیٹا تم چلی آئیں، بس میں تو گھر داری میں ہی اُلجھی رہتی ہوں۔ چاہ کر بھی نکلنا نہیں ہوتا۔'' لبنیٰ نے انکساری سے نہ آنے کی وضاحت بھی دے ڈالی۔

امن سکنجبین بنا کر لے آئی جگ اور گلاس لبنیٰ کے پاس رکھے اور جان بوجھ کر دوبارہ کچن میں جا گھسی۔ فروا جاتے جاتے اپنا 'کام' کر گئی تھی۔ لبنیٰ کے چہرے کے تاثرات یک دم سنجیدہ ہوگئے تھے۔

○......❖......○

فرقان احمد کا شہر کے وسط میں جنرل اسٹور تھا۔ وہ علی الصبح اسٹور پر جایا کرتا تھا۔ اچھا چلتا ہوا اسٹور تھا۔ رات دیر تک بارش ہوتی رہی تھی۔ موسم بے حد سہانا ہوگیا تھا۔ ٹھنڈی ٹھنڈی ہوا چل رہی تھی۔

''فرقان اُٹھ جائیں نماز کا وقت نکل جائے گا۔'' لبنیٰ نے بیڈ کے سرہانے بیٹھ کر اُن کے بالوں میں ہاتھ پھیرا، بال سہلانے لگی پھر ہاتھ فرقان کی پیشانی پر آن رکا۔

''بارش رُک گئی کیا؟'' فرقان نے لبنیٰ کے ہاتھ کو نرمی سے اپنے ہاتھ میں جکڑ کر لبوں پر رکھ لیا۔

''جی رُک گئی۔''

''کپڑے استری کر دیئے۔''

''جی رات کو ہی کر کے رکھ دیئے تھے بلکہ جوتے بھی پالش کر کے رکھ دیئے تھے۔'' وہ مسکرائی۔

''اچھا اب اُٹھ جائیں نماز پڑھ لیں۔'' لبنیٰ اُٹھ کھڑی ہوئی کیونکہ وہ جانتی تھی کہ اگر وہ بیٹھی رہی تو فرقان یوں ہی کسلمندی سے لیٹے رہیں گے نماز نہیں پڑھیں گے۔

''اچھا جی بیگم صاحبہ!'' وہ اُٹھ کر سلیپر پہننے لگے۔

فرقان جلدی ناشتا کر کے اسٹور پر چلے گئے لبنیٰ اب امن اور حذیفہ و ہنزلہ کے لیے سلائس تل رہی تھیں۔ امن اور ہنزلہ ہر چیز چپ چاپ کھالیتے تھے جبکہ حذیفہ بہت نخرے کرتا تھا، شرارتی بھی بلا کا تھا۔

''امن میں ٹیبل لگاتی ہوں تم پلیز بیٹا حذیفہ کو دیکھو جا کر۔ ابھی تک نہیں اُٹھا، جاگنے میں بہت وقت لیتا ہے۔'' لبنیٰ بڑبڑاتی ہوئی ٹیبل پر ناشتے کے لوازمات رکھنے لگی۔

''وہ اُٹھ گیا ہے مما، واش روم میں ہے۔'' امن کرسی کھینچ کر بیٹھ گئی۔

''مجھ سے کچھ بھی مت چھپایا کرو امن۔'' امن سلائس پر جیم لگا کر مزے سے کھا رہی تھی۔ لبنیٰ کی بات پر اُس کا ہاتھ وہیں رُک گیا مگر بولی کچھ نہیں۔

''تم کالج کے فنکشن میں ڈانس کر رہی ہو۔'' لبنیٰ کی بات پر امن نے دانتوں تلے اُنگلی دبائی جس بات کا ڈر تھا وہی مجسم ہو کر سوال بن گیا تھا۔

''وہ مما، وہ......'' امن ہکلا رہی تھی۔ کوئی مناسب بہانہ نہیں سوجھ رہا تھا۔ اچانک پکڑی گئی تھی۔

''زندگی میں صرف پہلی بار جھوٹ بولنا مشکل لگتا ہے پھر انسان عادی ہو جاتا ہے۔ بیٹا زندگی میں کبھی جھوٹ نہیں بولنا ورنہ اپنا اعتبار کھو دو گی۔ سچ بھی بولو گی تو بھی کوئی اعتبار نہیں کرے گا اور ماں سے تو کبھی بھی جھوٹ نہیں بولنا چاہیے اور نہ کوئی بات چھپانی چاہیے۔ ماں سے بڑھ کر کوئی خیر خواہ نہیں ہوتا۔'' لبنیٰ نے سرزنش کی تھی یا کوئی وارننگ، امن کی سمجھ سے بالاتر تھا ہاں یہ ضرور ہوا کہ اُس نے کوئی عذر نہیں تراشا بس پریشان سی نظر آنے لگی۔

''بیٹی کے بارے میں کوئی بات یا اطلاع ماں کو بیٹی کے بجائے کوئی باہر کا بندہ دے تب کتنی شرمندگی اور خفت اٹھانا پڑتی ہے۔ بیٹا یہ یاد رکھنا بات کتنی ہی معمولی نوعیت کی کیوں نہ ہو گھر کے اندر مت چھپانا۔'' لبنیٰ نے ماں کا فرض ادا کرتے ہوئے رسانیت سے امن کو سمجھایا۔ وہ سمجھی یا نہیں اُس کا دوبارہ اس نصیحت پر عمل کرنے کا ارادہ تھا یا نہیں مگر فی الوقت اُس نے یوں سر جھکا دیا تھا جیسے وہ ندامت میں ڈوبی سر اٹھا نہیں پا رہی ہو۔

''سوری مما۔''

''ٹھیک ہے مگر دوبارہ خیال رکھنا۔ لڑکیوں کی چھوٹی چھوٹی غلطیاں (جو جانے انجانے میں اُن سے سرزد ہو جاتی ہیں) بعض اوقات اُن کو بہت بڑے نقصان سے دوچار کر دیتی ہیں۔'' امن نے اپنی کتابیں، فائل سیٹ کیں، اپنا بیگ اُٹھایا اور لبنیٰ کی بات کو بے توجہی سے سنتی باہر نکلی۔ اُسے یہ خواہش ہی نہیں تھی کہ وہ لبنیٰ کی بات دھیان سے سنے اور پھر اُن باتوں سے معنیٰ اور نتیجے اخذ کرے اور آنے والے دنوں میں اُن پر عمل بھی کرے۔ وہ تو لمبی چوڑی ڈانٹ یا لیکچر سے بچ جانے پر خوش تھی۔

''مما میں جا رہی ہوں۔'' امن نے دوپٹا اچھی طرح سر پر جما کر کہا۔

''اچھا بیٹا اپنا خیال رکھنا۔'' لبنیٰ نے آیت الکرسی پڑھ کر پھونکی اور تا دیر محویت سے امن کو جاتا دیکھتی رہی۔ وہ دہلیز پار بھی کر گئی مگر لبنیٰ دروازے کو ہی دیکھتی رہی۔

○......❖......○

اس وقت بھی وہ تینوں کالج گراؤنڈ میں اکٹھی بیٹھی تھیں گرمی آج بھی زوروں کی تھی۔

''ضویا سوٹ کا کیا فیصلہ کیا، مطلب فنکشن میں کیسا سوٹ پہنو گی۔'' عروا نے گھاس کے تنکے نوچتے ہوئے پوچھا۔

''میرے پاس سادہ سے چند جوڑے ہیں بس۔'' ضویا نے سادگی سے کہا۔

''یار پلیز کوئی سادہ سا جوڑا پہن کر نہ آ جانا۔'' عروا نے اُس کے آگے دونوں ہاتھ جوڑ دیئے تھے کیونکہ ضویا کا تعلق ایک غریب گھرانے سے تھا اس لیے وہ اسٹائلش جوڑے نہ ہی بنوا سکتی تھی اور نہ ہی وہ کریزی تھی ایسی چیزوں کو لے کر۔

''میری آپی کی نئی نئی شادی ہوئی ہے اُن کا جوڑا پہن لوں گی، ڈونٹ وری۔ مجھے دوست کہتے تمہاری شان میں کوئی کمی نہیں آنے دوں گی۔'' ضویا اسٹیٹس کانشس نہیں تھی۔ کوئی کیا سمجھتا ہے، کیا کہتا ہے اُسے کبھی بھی قطعی

کوئی پروا نہیں ہوتی تھی وہ جیسی تھی ویسی نظر بھی آتی تھی، پیچھے نہیں بھاگتی تھی چیزوں کے، لوگوں کے یا جھوٹے خوابوں کے۔

''امن تم کیا پہنو گی۔''

''میں اپنی مما سے کہوں گی ضرور کہ نیا سوٹ دلوا دیں مگر یہ بھی امکان ہے کہ وہ مجھے 'قناعت' پر لمبا چوڑا لیکچر دینے لگیں مگر ہو سکتا ہے سوٹ دلوا ہی دیں۔''

''میں تو بوتیک سے نیا سوٹ لوں گی اپنی مما سے، بھلے ضد ہی کرنی پڑے۔'' عروا نے آنکھوں کو گول گول گھما کر زعم سے کہا۔ اس سے اُس کی آنکھوں میں ایسی چمک تھی جیسے اُسے اپنی بات منوا لینے کا یقین ہی نہیں بلکہ 'زعم' بھی ہو۔

''ویسے عروا مجھے آج تک ایک بات کی سمجھ نہیں آئی۔'' امن نے کندھے اُچکا کر تجسس پھیلایا۔

''کس بات کی؟'' ضویا اور عروا نے یک زبان ہو کر پوچھا۔

''یہی کہ تمہاری آنکھیں کیسی ہیں عجیب سی۔'' امن نے کہا اور عروا کو منہ چڑاتی اپنی کتابیں اور بیگ وہیں چھوڑ کر اُٹھ کر بھاگی۔ اُسے پتا تھا عروا پہلے سٹپٹائے گی پھر امن کو مارے گی۔

''ناک بھی چپٹی ہے۔'' امن جاتے جاتے بولی۔ عروا اُس کے پیچھے بھاگی تھی۔ ابھی تو وہ نئے سوٹ کی جھلملاہٹوں میں گم تھی کہ امن نے سارا مزہ کرکرا کر دیا۔ خوابوں کی وادیوں سے حقیقت کی دنیا میں لا کھڑا کیا۔

''تم تو جیسے حور پری ہو نا، لیڈی ڈیانا جیسا فگر، مونا لیزا جیسی مسکراہٹ ہے نا۔'' وہ مسلسل امن کے پیچھے بھاگ رہی تھی مگر وہ پکڑائی میں ہی نہیں آ رہی تھی، تبھی وہ زور سے کسی سے ٹکرائی تھی۔ دن میں تارے کیسے نظر آتے ہیں امن کو لگ پتا گیا تھا۔

''کیا بدتمیزی ہے گرلز، چلیں اپنی اپنی کلاسز میں۔'' سامنے بی کام کا سی آر نیہات ضمیر تھا وہ اُن کو ڈپٹ رہا تھا۔ امن نیہات ضمیر سے ہی ٹکرائی تھی۔

''آپ لوگوں کو خیال رکھنا چاہیے۔ بی میچور گرلز، یہ اُچھل کود، یہ بھاگ دوڑ، فضول کے قہقہے بہت بچکانہ حرکتیں ہیں ویری سیڈ۔'' وہ تو شروع ہی ہو گیا تھا۔ لعنت ملامت کرنے پر تو یوں تل گیا تھا جیسے نہ جانے اُن دونوں سے کون سا گناہ سرزد ہو گیا تھا۔

وہ انہیں برا بھلا کہتا وہاں سے ہٹ گیا تھا۔ وہ دونوں گم صم کھڑی ایک دوسرے کو دیکھتی رہیں پھر ہونٹوں پر ہاتھ رکھ کر ہنسنے لگیں۔

''جہاں بھی جاتے ہیں بے عزت ہی ہوتے ہیں اور یہ ضویا ضمیر کا بھائی نیہات ضمیر سڑیل، کھڑوس، پتا نہیں کہاں سے ٹپک پڑتا ہے۔ مجال ہے ذرا ہلا گلا کرنے دے۔''

''اچھا یار معاف کر دے میں نے تمہیں گول آنکھوں والی چپٹی ناک والی کہا۔'' امن چہرے پر بے چارگی و مسکینی سجا کر چاپلوسی کرنے لگی بلکہ باقاعدہ ہاتھ جوڑ دیئے وہ پہلے ہی نیہات کے ہاتھوں خوار ہو چکی تھی۔

''تم تو مس کترینہ کیف ہو پراں دفع ہو۔'' عروا نے اُس کے بندھے ہاتھ جھٹکے اور تن فن کرتی یہ جا وہ جا۔
امن کو ماننا پڑا کہ آج کا دن بے عزت ہونے کا دن تھا۔
لبنیٰ گھر کے کام کاج سے فارغ ہو چکی تھی اُس کا ارادہ آج بازار جانے کا تھا۔ امن نے بہت لجاجت و منت بھرے انداز میں نئے سوٹ کا تقاضا کیا تھا، لاڈ سے عاجزی سے اور لبنیٰ نے ہامی بھر لی تھی۔ اس سے پہلے کہ امن ضد کرتی۔ لبنیٰ جو کم ہی اکیلی بازار جایا کرتی تھی مگر کچھ سوچ کر گھر سے چادر اوڑھ کر نکلی اور زمان بھائی کے گھر چلی گئی۔

○.....❖.....○

دن کے گیارہ بجے کا وقت تھا سب لوگ ابھی سو رہے تھے۔ لبنیٰ ٹی وی لاؤنج میں رکھے صوفے پر بیٹھ گئی۔
''السلام علیکم!'' زینت گھر کی صفائی کر رہی تھی لبنیٰ پر نظر پڑی تو اِدھر آ گئی۔
''وعلیکم السلام، بھابی عائشہ کہاں ہیں۔''
''وہ تو گھر نہیں ہیں، کہیں باہر گئی ہیں۔'' زینت کل وقتی ملازمہ تھی اس لیے گھر میں اُس کی کافی عزت تھی اور اُسے گھریلو معاملات کے بارے میں پتا ہوتا تھا۔
''کچھ پتا ہو گا کس کے گھر گئی ہیں۔'' لبنیٰ نے بیزاری سے پوچھا اُسے عائشہ بھابی کی گھر گھر پھرنے والی عادت سے بہت اُلجھن ہوتی تھی۔
''پتا نہیں جی۔''
''فروا بی بی کو جگا دوں۔'' زینت کہہ کر لبنیٰ کو دیکھنے لگی کہ وہ کیا جواب دیتی ہیں۔
''نہیں رہنے دو، ویسے یہ آج پارلر کیوں نہیں گئی۔''
''پتا نہیں جی، ناشتے کے لیے زمان صاحب نے بلوایا تھا تو اُس نے دروازے کے اندر سے ہی کہہ دیا کہ موڈ نہیں ہے پھر زمان صاحب نے کہہ دیا کہ جب اُس کا دل چاہے گا اٹھ جائے گی اور جب تک جی چاہے وہ سوئے۔''
''اچھا ٹھیک ہے میں چلتی ہوں پھر، بھابی کو بتا دینا۔'' یہ کہہ کر لبنیٰ بازار چلی گئی۔
امن کے لیے لبنیٰ نے ایک اسٹائلش سا سوٹ لیا۔ میچنگ شوز بھی لے لیے، چھوٹی موٹی کچھ اور گھریلو ضروریات کی چیزیں لے کر وہ سبزی لے رہی تھی جب کوئی اُس کے پاس آ کر رُکا تھا۔ لبنیٰ نے نظر اٹھا کر دیکھا اور اگلے ہی لمحے وہ دونوں گلے مل کر زار و قطار رونے لگیں تھیں۔ حال احوال بھی نہیں پوچھا تھا حال چھپا ہوا تو نہیں تھا۔
دونوں کی سسکیاں تیز ہو رہی تھیں۔ وہ دونوں اپنے اطراف سے بے خبر تڑپ تڑپ کر رو رہی تھیں۔ تبھی بشیراں نے اُن کو الگ کیا اور احساس دلایا کہ بازار میں سب لوگ اُن کو مشکوک نظروں سے دیکھ رہے تھے، کچھ لوگ تو اُن کے پاس آ کر پوچھنے لگے کہ کیا ہوا ہے خیریت تو ہے نا، اُن دونوں نے بروقت خود کو سنبھالا اور آنسو صاف کر لیے۔

''کیا ہوا ہے بہن، کوئی مر گیا ہے یا چوری وغیرہ ہوگئی ہے؟'' اُس اجنبی خاتون کی نگاہوں میں بیک وقت ترحم بھی تھا شک وشبہات بھی۔

''کچھ نہیں ہوا، پرانی سہیلیاں ہیں عرصے بعد ملی ہیں تو آبدیدہ ہوگئیں۔''

بشیراں نے جان چھڑانے والے انداز میں کہا تو وہ عورت ناک بھوں چڑھاتی پلٹ گئی لوگوں کا مجمع بھی چھٹ گیا اور سب معمول کے مطابق اپنے کاموں میں دوبارہ منہمک ہوگئے تھے۔

''کیسی ہو فاخرہ؟'' لبنٰی نے چادر کے پلو سے آنکھیں مسلتے ہوئے پوچھا۔

''کیسی ہوسکتی ہوں میں۔'' فاخرہ کی سوز میں ڈوبی بات پر لبنٰی کچھ لمحوں کے لیے بس گم سی ہوگئی۔ کبھی کبھی ایسا ہوتا ہے ناکہ تسلی وتشفی یا کسی کو دلاسہ دینے کے لیے لفظ ڈھونڈنے کے لیے جتن کرنے پڑتے ہیں۔ مگر مقابل کا دُکھ، اُس کا صدمہ بہت بڑا ہوتا ہے اور اس درد کے مداوے کے لیے لفظ بہت چھوٹے۔

''تم کیسی ہو لبنٰی، میں تو 'اپنوں' کی شکل دیکھنے کو ترس گئی ہوں۔ تمہیں دیکھا تو خود پر قابو نہیں رکھ سکی۔ نہ جانے میری آزمائش کب ختم ہوگی، ہوگی بھی یا نہیں۔'' عبایا میں چھپا اُس کا چہرہ نظر نہیں آرہا تھا مگر اُس کے لہجے کا اضطراب لبنٰی کے دل میں گڑھ گیا تھا۔

''سب ٹھیک ہوجائے گا فاخرہ، اللہ تعالیٰ کبھی بھی بندے کو اُس کی ہمت اور طاقت سے زیادہ نہیں آزماتا۔ اللہ پر بھروسہ رکھو، سب وسوسے اور خدشے دل سے نکال دو۔'' فاخرہ اذیت سے مسکرائی۔

''میں ہر رشتے کی مجرم ہوں لبنٰی، کوئی بھی مجھ سے کبھی خوش نہیں رہا حالانکہ بہت سے لوگ میری زندگی میں ایسے بھی ہیں جن کو خوش رکھنے کی کوشش میں، میں ہلکان ہورہی ہوں۔ اپنا آپ مٹا رہی ہوں مگر میری خطائیں شاید اتنی زیادہ ہیں کہ سزائیں ختم ہی نہیں ہوتیں۔ میں نے سدھارنے کے لیے بہت جتن کیے مگر میرا سفر ختم ہی نہیں ہوتا اور کوئی آس بھی نہیں کہ سفر کی تھکن بھری طوالت کے دوسرے کنارے پر کوئی سکھ، عزت، یا بچی کھچی کچھ محبت میرے حصے کی منتظر ہے۔'' اُس کی سانس پھولنے لگی۔

''میرے پاؤں اس آبلہ پائی کے سفر میں درد کی منزلیں طے کرتے تھک گئے ہیں۔ اذیت بھری مسافت نے میرا دل فگار کر ڈالا ہے۔ میں نے اب دوسروں کے ڈر خوف کو دل سے نکال دیا ہے۔ میرے بچے میری ڈھال بن جائیں تو مجھے سکھ مل جائے مگر میرا دل لرزتا ہے، یہ سوچ کر کہ اگر بچوں نے بھی میرے آگے سوال رکھ دیئے تو کیا کروں گی۔ کیسے سامنا کروں گی ان کی ملامت بھری نظروں کا۔'' فاخرہ کا دل اس سمے صرف ماں کا دل بنا کرب سے گزر رہا تھا۔

''تم فکر مت کرو، تمہاری بیٹیاں کوئی سوال نہیں کریں گی۔ وہ تمہاری درد آشنا بنیں گی۔''

''میں اب صرف 'ماں' بن کر زندہ رہ رہی ہوں۔ میری اولاد میری مضبوطی ہے۔ لبنٰی تم دعا کرنا میرے حق میں کہ میں کم از کم اپنی اولاد کی نظروں میں ہی سرخرو ہوجاؤں۔ وہ ہی مجھے معتبر کردیں، ہم کوشش کرتے ہیں مگر کبھی کبھی نتائج ہمارے ارادوں سے مختلف ہوتے ہیں۔ جانچ پڑتال کرتے بہت سا وقت گزر گیا۔ پچھتاووں کی آگ میں جل جل کر گزار دیئے اتنے سال مگر نہ ملال کم ہوا اور نہ ہی ندامت۔'' لبنٰی کے آنسو بہہ رہے تھے۔ وہ

اپنی کزن فاخرہ کے دکھ، اذیت اور تکلیف کو دل سے محسوس کرتی تھی مگر بہت سارے معاملوں میں مجبور تھی۔ کچھ کر نہیں سکتی تھی۔ شروع شروع میں لبنیٰ نے فرقان، زمان، رحمان اور اپنی ساس کو سمجھانے اور احساس دلانے کی کوشش کی تھی مگر سب بے سود تھا۔ اُسے منہ کی کھانی پڑی تھی۔ اُس کی بات ماننا تو درکنار کسی نے فاخرہ کے حوالے سے اُس کی بات سننا بھی گوارا نہیں کی تھی۔ پھر آخر کار لبنیٰ نے فاخرہ کی زندگی کے سارے معاملے اللہ پر چھوڑ دیئے تھے اور اپنی سسرالی فیملی کو سمجھانے کی کوشش ترک کردی تھی کیونکہ یہ سب خدا بن گئے تھے۔ فاخرہ کی قسمت کے فیصلے خود کرنے لگے، سزا دینے لگے، سزا تجویز کرنے لگے بھول گئے کہ یہ صرف اللہ تعالیٰ کا کام ہے۔

''اچھا میں چلتی ہوں، بچوں کو پیار دینا لبنیٰ۔'' فاخرہ نے لبنیٰ کو سوچوں کے بھنور سے نکالا۔ دونوں بھینچ بھینچ کر گلے ملیں، پھر وہ چلی گئی۔ ایک وقت تھا جب وہ دونوں گہری دوست ہوا کرتی تھیں۔ مگر آج ایک دوسرے کو ملنے کو ترستی تھیں۔

اے محبت تیری قسمت کہ تجھے مفت ملے
ہم سے منہ زور کمالات کیا کرتے تھے
خشک مٹی کو عمارات کیا کرتے تھے
اے محبت یہ تیرا بخت کہ بن مول ملے
ہم سے انمول جو ہیروں میں تلاش کرتے تھے
اور اب تیری سخاوت کے گھنے سائے میں
خلقت شہر کو ہم زندہ تماشا ٹھہرے

لبنیٰ کی آنکھوں سے آنسو نہیں یادیں بہہ رہی تھیں۔ فاخرہ کی بے وقعتی، اُس کی بے قدری پر اُس کا دل ہمیشہ کٹتا تھا مگر اُس کے بس میں کیا تھا۔ اُن کو ایک دوسرے سے ملنے کی اجازت بھی نہیں تھی، دکھ سکھ بانٹنا تو دور کی بات تھی۔ بہت سی یادوں کے منہ کھل گئے تھے۔

لبنیٰ دل گرفتہ سی گھر لوٹی تھی۔

O......❖......O

''چل معاف کردے نا، تو میری اچھی بہن ہے نا۔'' امن نے اس وقت اپنی چھت پر کھڑی عروا کی چھت پر جھانکتے ہوئے کہا۔ شام کا وقت تھا عروا چھت پر چارپائیاں بچھا رہی تھی۔ یہ لوگ چھت پر سوتے تھے۔ مگر عروا نے پیچھے پلٹ کر بھی نہیں دیکھا تھا بس اپنا کام کرتی رہی۔

''عروا سن نا، اِدھر دیکھ میری طرف چھپکلی!'' امن نے آخری لفظ دانتوں تلے دبا کر کہا۔ عروا نے نخوت سے سر جھٹکا اور ذرا سا درمیانی فاصلہ گھٹا کر امن کے سامنے آن رُکی مگر چہرے پر غصہ نظر آ رہا تھا۔

''ہاں بول، کیا ہے۔''

''معاف کردے، میں نہیں رہ سکتی نا تمہارے بنا، دوستوں میں ہنسی مذاق تو چلتا ہی رہتا ہے یار! اتنا برا ماننے کی بھلا کیا تک ہے۔'' وہ جلدی جلدی بول گئی۔

''چل ٹھیک ہے، یہ بتا تیرا سوٹ سِل گیا۔'' عروا نے نروٹھے پن سے کہا تو امن نے ہوائی بوسہ اُس کی طرف اچھالا۔ مقصد عروا کا موڈ ٹھیک کرنا تھا۔

''ہاں مما نے سی دیا ہے، گلابی رنگ کی لونگ شرٹ اور فیروزی پاجامہ ہے۔ نگوں اور موتیوں کا ہلکا ہلکا کام ہے، شوز بھی ہائی ہیل میچنگ۔'' امن کے دمکتے خوشی کے تمتماتے چہرے پر رنگ ہی رنگ تھے۔

''واہ کیا بات ہے۔ اس بار تمہاری مما نے تمہیں قناعت پر سبق نہیں پڑھایا۔''

''بس مما فضول خرچی کو پسند نہیں کرتیں نا اس لیے ورنہ تو وہ مجھے بہت پیار کرتی ہیں۔''

''خاک محبت کرتی ہیں۔ ہر وقت روک ٹوک، یہ نہ کرو وہ نہ کرو، یہاں نہ بیٹھو وہاں نہ بیٹھو، میری مما کو دیکھو۔ کبھی مجھ پر کوئی پابندی نہیں لگائی۔ جہاں دل چاہے جاتی ہوں۔ جو جی چاہے کرتی ہو، تو بھی اپنی ہر بات چاچی سے منوایا کر 'ضد' کر کے۔'' وہ اُسے اُکسا رہی تھی۔

''میں اپنی مما سے ''ضدیں'' نہیں لگا سکتی۔''

''چلو ترستی رہنا ساری عمر، اچھی بو بو بن کر گزار دینا زندگی'' وہ ہاتھ جھاڑ کر بولی جیسے کہہ رہی ہو قصہ ختم۔

''اچھا چھوڑو یہ بتاؤ تم کیا پہن رہی ہو؟'' امن کی آواز میں دبا دبا جوش اور اشتیاق جھلکا۔

''سی گرین فراک پیور دبکے کے کام والا۔''

''اچھا وہی جیسا فروا کا ریڈ ہے۔'' امن دیوار پر کہنیاں ٹکا کر ذرا سا آگے جھکی۔

''اچھا پھر تم نے نیا سوٹ نہیں خریدا پھر۔''

''خریدا ہے، وہ گھر سے پہن کر جاؤں گی اور سی گرین فراک ڈانس کرتے ہوئے پہنوں گی۔'' عروا اترائی۔

''اچھا یار تم اپنے فراک کے ساتھ وہ فروا کا ریڈ والا بھی ساتھ لے جانا پلیز میرے لیے۔''

''نا بابا فروا نہیں دیتی اپنی چیزیں، اور وہ فراک تو ہے بھی بہت قیمتی۔''

''مانگنے کی ضرورت بھی کیا ہے فروا سے، چوری لے آنا، پلیز میری خاطر۔'' امن ندیدوں کی طرح بولی۔

''ٹھیک ہے ٹھیک ہے۔'' عروا نے احسان کرتے ہوئے کہا۔

''بہت بڑا تھینکس۔'' امن اُس ریڈ دبکے والے شیفون کے فراک کی جھلملاہٹوں میں کھوگئی۔

O……❖……O

کالج بہت بڑا نہ ہونے کی وجہ سے کالج فنکشن کا اہتمام ایک ہوٹل کے ہال میں تھا۔ امن اور عروا نے منتیں کر کر کے فروا سے میک اَپ کروایا تھا۔ فروا نے لاکھ نخرے کیے مگر صد شکر کہ اُن کا میک اَپ کر دیا تھا اور جب وہ کالج کے لیے نکلنے لگیں تب فروا نے امن کو اپنا پنک پاؤچ بھی دیا اور حیرت کا مقام تھا کہ بن مانگے ہی دیا تھا۔ امن نے فروا کو ہونٹ سکوڑ کر یوں اشارہ دیا جیسے مشکور ہو کر اُسے کِس کر رہی ہو۔

''میں بھی چلتی ہوں۔'' فروا نے کہا تو اُس نے چونک کر دیکھا۔

''کہاں؟''

''سیلون تک۔'' فروا نے کہا تو اُن کی اٹکی سانسیں بحال ہوئیں۔

''اوہ اچھا۔'' دونوں نے ایک دوسرے کو دیکھا۔ فروا کا سوٹ وہ چوری سے لے کر جا رہی تھیں فروا کے ساتھ فنکشن میں جانے کی وجہ سے بھانڈا پھوٹ جاتا۔ شکر ہے خیر گزری۔

وہ ہوٹل میں داخل ہوئیں تو ہوٹل کی انٹرنس میں ہی نیہات ضمیر اور ضویا ضمیر کھڑے مل گئے۔ فروا پیچھے ہی رہ گئی تھی۔ نیہات نے گہری نظروں سے امن کو دیکھا۔ گلابی لونگ شرٹ، فیروزی پاجامہ، لمبے گھنے بال پشت پر کھلے چھوڑ رکھے تھے۔ فرنٹ سے بالوں کا بینڈ اسٹائل بنا رکھا تھا جس کی وجہ سے امن کا چہرہ بہت معصوم لگ رہا تھا۔ وہ بہت حسین تو نہیں تھی مگر پُرکشش تھی اور کم عمری کی سحر انگیز نوخیزی توجہ کھینچ لیتی تھی نیہات محویت سے اُسے تکتا رہا، وہ متوجہ نہیں تھی۔ ضویا سے باتوں میں مگن تھی، ہنسی مسکراتی، اٹھلاتی' دوپٹہ کندھے پر جھول رہا تھا۔

لوگوں کا ہجوم بڑھتا جا رہا تھا، نیہات کا ارتکاز ٹوٹ گیا۔ اُس کا دل زور سے دھڑکا۔ وہ نہیں چاہتا تھا کہ کوئی اور امن کو دیکھے۔ انہماک سے توجہ اور پھر دلچسپی سے۔

''چلو اندر جاؤ رش بڑھ رہا ہے۔'' وہ ایک دم روکھے پھیکے انداز میں بولا۔

''ضویا، امن چلو۔'' اب کے بار درشتی سے بھرپور لہجہ تھا۔

''ایک تو یہ تمہارا بھائی بھی نا، ہر وقت ڈانٹتا ہی رہتا ہے۔'' امن نے منہ بگاڑا۔

''سی آر ہے نا نیہات بھائی، نمائندہ ہیں وہ؟''

''اپنی کلاس کے ہیں، پورے کالج کے نہیں اور ویسے بھی آج تو ہم کالج میں ہیں بھی نہیں۔''

''اچھا چھوڑو، آج بہت پیاری لگ رہی ہو۔''

''تم بھی بہت کیوٹ لگ رہی ہو۔'' امن نے بھی ضویا کی تعریف کی تھی۔ وہ دونوں بہن بھائی قابل ہی نہیں بہت اچھے بھی تھے۔ بظاہر دیکھنے میں بھی دلکش تھے۔

ہال میں جا کر عروا نے اپنے بیگ سے چھوٹا سا آئینہ نکالا اور اپنا چہرہ آئینے کے سامنے کر کے آنکھیں پھیلا کر کبھی سکیڑ کر خود کو ہر زاویے سے دیکھا۔ آئینے نے جھوٹ بول کر ایک خوش فہمی اسے تھمائی کہ آج حسین ترین لگ رہی ہو۔ ہاں وہ معمول کے دنوں کی نسبت آج قدرے اچھی لگ رہی تھی مگر ایسی بھی نہیں کہ اُس کا حسن قیامت خیز دکھائی دے رہا تھا اور دیکھنے والی نظر کو اسیر کر کے راہ چلتوں کو رک جانے پر مجبور کر دے۔ نگاہوں کو خیرہ کر دے، مبہوت کر کے اردگرد سے بیگانہ کر ڈالے، مگر عروا کی خوش گمانیوں کی کوئی حد نہیں تھی۔ اُس کو کم از کم اس وقت ایسا ہی لگ رہا تھا۔

نیہات ضمیر اسٹیج پر کمپیئرنگ کے فرائض انجام دے رہا تھا۔ اُس کی آواز بے حد خوبصورت تھی۔ لوگ آ جا رہے تھے۔ اسٹوڈنٹس اپنی جگہوں پر بیٹھ چکے تھے۔ نیہات ضمیر اپنی دل موہ لینے والی آواز میں گانا سُنا رہا تھا۔ لڑکے اور لڑکیاں اپنے اپنے سیل فون سے اُس کی ویڈیو بنا رہے تھے۔ ہر چہرہ جوش و خروش سے تمتما رہا تھا۔ جب گانا ختم ہوا تو بے تحاشا تالیاں بجا کر اُسے داد دی گئی۔

پھر بہت سارے آئیٹم ہوئے، ڈرامے ہوئے پھر نیہات نے امن اور عروا کا نام اناؤنس کیا ڈانس کے لیے اور کس دل سے جلتے کڑھتے لیا یہ صرف وہی جانتا تھا یا اُس کا دل۔ گو کہ باہر کے لوگ چند ایک ہی تھے پھر بھی

اتنے لوگوں کے سامنے امن کو عجیب جھجک مانع آ رہی تھی۔ مرد اساتذہ نہیں تھے صرف فی میل ٹیچرز ہی تھیں۔ یہ سوچ کر امن نے خود کو تسلی بھری تھپکی دی۔

میوزک شروع ہوا تو انہوں نے بہت مہارت سے ڈانس کیا۔ کہیں بھی سُر اور تال کو اپنے اسٹیپ سے اوپر نیچے اِدھر اُدھر نہیں ہونے دیا۔ ردھم کے ساتھ ایک ساتھ ایک جیسا ناچتی رہیں۔ ہال سے اُٹھ اُٹھ کر گرلز اور بوائز سیٹیاں بجا رہے تھے۔ ہونٹوں اور ہاتھوں کی مدد سے ہوائی بوسے اُچھال رہے تھے۔ بوائز اپنی جگہ سے کھڑے ہو کر تھرک رہے تھے اور نیہات ضمیر کا بس نہیں چل رہا تھا کہ امن کو کہیں غائب کر دے۔ ان لڑکوں کی نظروں سے کہیں دور چھپا دے یا پھر خود کہیں روپوش ہو جائے۔ مگر ہوا کچھ بھی نہیں، وہ کمپیئر تھا۔ اسٹیج پر رہنا اُس کی مجبوری تھی۔ اسی نہج پر سوچ کر وہ وہاں سے خود کو ہٹا نہیں سکتا تھا۔

○......❖......○

صبا اور فضا کا زیادہ وقت فاخرہ جبیں کے ساتھ گزرتا تھا۔ صبا چھوٹی تھی تو فاخرہ اُسے اپنے ساتھ اسکول لے جاتی تھی۔ صحت مند بڑی بڑی آنکھوں والی صبا دوسروں کی توجہ اپنی طرف کھینچ لیتی تھی۔ خالہ اماں فاخرہ کو خود اسکول چھوڑ کر جاتی اور چھٹی سے آدھا گھنٹہ پہلے ہی اسکول کے آگے آ کر بیٹھ جاتی تھی۔ چھٹی ہوتی تو فاخرہ کو سر سے لے کر پاؤں تک گھورتی واپسی کی راہ لیتی۔

فاخرہ نے اسکول کے اندر ایک بچی صبا کو سنبھالنے کے لیے رکھی ہوئی تھی جو کہ چوکیدار نے ڈھونڈ کے دی تھی۔ فاخرہ کے اسکول کی ساری ٹیچرز صبا سے بہت پیار کرتی تھیں۔ وہ تھی بھی تو بہت پیاری، میدے جیسی رنگت، نرم و ملائم صبا کے بعد فضا کی ذمہ داری بھی فاخرہ نے اٹھالی۔ دونوں بچیاں چونکہ سارا وقت ماں کے ساتھ رہتی تھیں۔ اس وجہ سے ماں سے لگاؤ اور گہری اُنسیت ایک تو فطری عمل تھا اور دوسری بات اور تھا بھی کون جو اُن کو اپنے قریب رکھتا، اُن کا خیال کرتا۔ ددھیال میں صرف دو چاچو تھے، جو زمان کی فاخرہ سے شادی کے بعد باری باری بہانے بنا کر گھر چھوڑ گئے تھے۔ اُن کو فاخرہ کا وجود گوارا نہیں تھا۔ اُن کا خیال تھا کہ فاخرہ جیسی بے حیا عورت کے ساتھ رہ کر اُن کی بیویاں اور پھر اُن کی بیٹیاں بگڑ جائیں گی۔

وہ جو پہلے ہی اپنے اندھے ناکارہ بھائی سے چھٹکارا پانا چاہتے تھے۔ اُن کو زمان کی دیکھ بھال کرنا پڑتی تھی۔ فارغ بیٹھے نکھے، ناکارہ مرد کو کما کر کھلانا اُن کو عذاب لگتا تھا۔ وہ بات بے بات اُسے جھڑک دیتے تھے۔ اُن کی نظر میں زمان جیسے ادھورے مرد کا کوئی مقام نہیں تھا۔ جو گھر میں بے کار پرزے کی طرح پڑا ہوا تھا۔ جو کسی کام کا نہیں تھا۔ ماں زمان کے کھانے پینے کا، پہننے اوڑھنے کا خیال رکھتی تھی۔ ایسے میں فاخرہ کا زمان کی زندگی میں آنا سب کی خلاصی کا بہانہ بن گیا۔ زمین جائیداد وہ پہلے ہی دھوکے سے اپنے نام لکھوا چکے تھے۔ فرقان کا جنرل اسٹور تھا جبکہ رحمان کی سونے کی دکان تھی۔ دونوں بھائیوں کا چلتا ہوا کاروبار تھا مگر دونوں کو ہی زمان کی تین وقت کی روٹی بھاری معلوم ہوتی تھی۔ اُن کی بیویاں بھی ماتھے پر تیوریاں چڑھا کر دونوں ماں بیٹے کو کھانا دیتی تھیں۔ لبنیٰ تو پھر بھی اچھی فطرت کی تھی مگر عائشہ تو کسی اور کا وجود برداشت ہی نہیں کرتی تھی۔ اُسے اپنی ساس اور زمان کا وجود بھی کسی خار کی طرح چبھتا تھا۔

فاخرہ کا آنا اُن کی گلو خلاصی کرواگیا۔ دونوں چلے گئے کچھ ماہ کرائے پر رہے پھر ایک ساتھ دونوں بھائیوں نے گھر بنوائے اور شان سے رہنے لگے۔

فاخرہ ایم اے پاس سرکاری ٹیچر تھی۔ گوری چٹی اونچی لمبی، رسیلے ہونٹ، لمبے حسین چمکتے بال، وہ گلاب سے گلابی نازک بدن والی لڑکی اپنی ایک خطا کے عوض زمان کی جھولی میں پھینک دی گئی۔

وہ جو حسن میں یکتا تھی۔ خاندان کے سارے لڑکے اُس پر فدا تھے۔ سیکڑوں اُسے اپنی زندگی کا ساتھی بنانے کے خواہاں تھے۔ وہی باکمال لڑکی قدرت کی ستم ظریفی کا شکار ہوکر بے اعتبار ہوگئی، نامعتبر ٹھہرائی گئی، معتوب ٹھہرا دی گئی اور اُس کے نتیجے میں فاخرہ جبیں کی شادی زمان سے ہوگئی۔ انمول ہیرا بے مول ہوگیا۔ بے قیمت ہوگئی وہ، اُس کا معیار گر گیا پھر کیا بھاؤ لگتے اُس کے۔ کوئی مول تول کرنے پر آمادہ ہی نہیں تھا۔ اتنی ارزاں اور حقیر ہوگئی فاخرہ جبیں کے رُل گئی۔

سہاگ رات کو زمان کبھی رونے لگتا کبھی ہنسنے لگ جاتا۔ کبھی فاخرہ کی سنی سنائی تعریفیں کرتا، کبھی اُس کی سیاہ بختی پر رونے لگتا کہ اُس جیسی مکمل لڑکی نامکمل مرد کے پلے باندھ دی گئی۔

پورے خاندان میں فاخرہ جبیں کی قابلیت کے چرچے تھے۔ سب اُس کے حسن کے گن گاتے تھے جو زمان نے بھی سن رکھے تھے، واقف تھا مگر جہاں سب فاخرہ کے خواب دیکھتے تھے، فاخرہ کو پالینے کے تمنائی تھے۔ وہاں رحمان بھی اُس پر فریفتہ تھا مگر فاخرہ کسی کو بھی گھاس تک نہیں ڈالتی تھی۔

زمان نے تو کبھی اپنی بے نور آنکھوں میں اتنا مہنگا خواب سجانے کی کوشش بھی نہیں کی تھی۔ وہ ادھورا تھا پھر اتنا مکمل سپنا کیسے پرونے کی جسارت کرسکتا تھا اور وہ بن مانگے تعبیر بن کر اُس کے من آنگن میں اُتر آئی تھی۔ پڑھی لکھی برسرِ روزگار فاخرہ جبیں۔

ہونا تو یہ چاہیے تھا کہ خالہ اماں اور زمان اُسے دل سے قبول کرتے مگر انہوں نے بھی اُسے دھتکارنا اور ذہنی اذیت دینا شروع کردیا۔ جسمانی طور پر بھی خالہ اماں اُسے اذیت دینے سے باز نہیں آتی تھیں۔ زمان بھی اپنی لاٹھی سے اکثر اُسے پیٹ ڈالتا تھا۔ رات کے پُرکیف، سرور انگیز لمحوں میں کبھی کبھی زمان 'عاشق' بن جاتا تھا اور کبھی اک اَن دیکھی ہستی کا 'رقیب' بن کر فاخرہ کو بے عزت بھی کرتا تھا۔ اُس کے تیور بگڑ جاتے، چہرہ مزید بدصورت و کریہہ نظر آنے لگتا پھر وہ فاخرہ کے وجود کی دھجیاں اُڑانے لگتا۔ اُسے جسمانی اذیتیں دیتا۔ وحشت زدہ ہوکر اُسے بھنبھوڑ ڈالتا، بھڑک اٹھتا۔ طوفان اُٹھا دیتا۔ جو ہاتھ میں آتا فاخرہ کو مار دیتا، اپنا غصہ، اپنی ناکامی اپنا سارا زہر نکال کر فاخرہ کے بدن میں انڈیل دیتا۔ وہ ساری رات روتی رہتی، تڑپتی رہتی۔ سب کم ظرف تھے، سب اُس کا 'صبر' آزمانے پر تل گئے تھے۔

فاخرہ جبیں اس رشتے کو نبھاتے ہوئے پل صراط پر سے گزر رہی تھی۔ وہ پل پل سلگتی، تڑپتی، جیتی اور مرتی تھی۔ اُس کے اندر تپش، گھٹن، حبس، آگ بڑھتی جارہی تھی۔

زمان ساری تنخواہ اُس کے ہاتھ سے لے لیتا تھا اور فاخرہ اپنی ضرورتوں کے لیے پیسے زمان سے مانگا کرتی۔ وہ سب فاخرہ کو بلیک میل کررہے تھے، خوار کررہے تھے۔ اُس کی عزتِ نفس تار تار ہوچکی تھی۔ کہیں امان

نہیں تھی، کہیں آسودگی نہیں تھی۔ وہ خود کما کر بھی خالی ہاتھ رہ جاتی تھی۔ کیسی بے سروسامانی تھی، کیسے بے آسرا ہوئی تھی وہ۔ میکے والے منہ موڑ چکے تھے اور اب تو شہر ہی چھوڑ گئے تھے مگر فاخرہ کو تپتے الاؤ میں پھینک گئے تھے، جہاں وہ رات دن جلتی تھی، کٹتی مرتی تھی مگر زندہ تھی۔

پھر صبا آ گئی۔ فاخرہ کے بے قرار دل کو قرار آ گیا۔ وہ بہل گئی، سنبھل گئی، جینے لگی۔ صبا تھی بھی تو من موہنی سی، بالکل فاخرہ کی طرح۔ تب فاخرہ نے اپنے اندر توانائی جمع کی اپنی بیٹی کے لیے۔ اب وہ ایک ماں تھی اُسے اپنی بیٹی کے لیے جینا تھا۔ شاید اُس کے بچے اُس کا یقین بن جائیں، سہارا بن جائیں۔

صبا کے لیے اسکول کے اندر چوکیدار نے کسی بے آسرا بچی کا انتظام کر دیا تھا، صبا کو سنبھالنے کے لیے اور وہ بچی یتیم تھی۔ فاخرہ کو وہ بہت اچھی لگنے لگی تھی مگر وہ اُسے خالہ اماں کی وجہ سے اپنے گھر لے کر نہیں آ سکتی تھی، ورنہ اُس کا دل چاہتا تھا کہ وہ اُس بچی کو پڑھائے لکھائے، آسرا دے، پناہ دے مگر وہ تو خود بے اماں تھی، کمزور تھی، اُس کی قسمت کے فیصلے تو خود دوسروں کے ہاتھ میں تھے۔ پھر وہ کسی اور کی قسمت بدلنے کا ارادہ کیسے باندھ سکتی تھی۔ جب یقین ہی نہیں تھا کہ وہ اِن ارادوں کو پایہ تکمیل تک پہنچا بھی سکے گی۔

''لوگوں نے اپنی اپنی زندگیوں میں کیا کیا گل نہیں کھلائے اور میں نے ایسا کیا کر دیا جس کی سزا ساری زندگی بھگتنی پڑے گی۔ زمان اور خالہ میرا جینا حرام کیے رکھتے ہیں۔ آخر کب میری سچائی پر لوگ یقین کریں گے۔ کب تک مجھے بہتان تراشیوں اور تہمتوں کا سامنا کرنا پڑے گا۔'' فاخرہ ہر روز اپنا محاسبہ کرتی روز زندگی کے لمحے شمار کرتی۔ آسودگی کم اور اذیتیں زیادہ جمع ہو جاتیں، وہ روز جوڑ توڑ کرتی مگر حاصل وصول کچھ بھی نہیں۔

''تمام عمر لوگ گناہوں کی دلدل میں دھنسے رہتے ہیں اور اللہ تعالیٰ اُن لوگوں کے عیوب کو اپنی رحمتوں کی چادر سے ڈھانپے رہتا ہے۔ وہ لوگ زمانے میں قابلِ عزت بن کر شاہانہ زندگی گزار دیتے ہیں۔'' وہ تمام دن کُڑھتی رہتی سُلگتی رہتی۔

زندگی میں جب برا ہوتا ہے تو پھر ہوتا چلا جاتا ہے، پے در پے صدمات انسان کو توڑ دیتے ہیں۔ مگر فاخرہ اپنی اولاد کے کسی بھی معاملے میں کوئی کوتاہی و لاپروائی نہیں برتنا چاہتی تھی۔ زمان اور خالہ اماں سے مایوس ہو کر اُس نے اپنی تمام توجہ اور محبت صبا پر لگا دی، پھر فضا آ گئی۔ فاخرہ اُن پھول سی بچیوں کو دیکھ کر جینے لگی۔ اب زمان اُسے جتنی بھی لفظوں کی مار مارتا، کتنا ہی پیٹ ڈالتا وہ اپنی بیٹیوں کے لیے اپنی ساری اذیت بھول جاتی۔ فضا اور صبا میں بالترتیب ایک سال کا وقفہ تھا۔

جب بھی لبنیٰ یا عائشہ کے میکے سے عیدی آتی تھی تو خالہ اماں اسپیشلی صبا اور فضا کو ساتھ لے کر اُن کے گھر جاتی تھیں اور وہاں سے آنے کے بعد صبا اور فضا سو سوال کرتیں۔

''مما نانا ابو کہاں ہیں۔ ہمارے ماموں، ہماری نانو کہاں ہیں۔ ہماری عیدی کیوں نہیں آتی؟'' اُن کے تجسس میں ڈوبے سوال فاخرہ کے اندر بے چینی، اضطراب اور کڑواہٹ بھر دیتے۔

''عائشہ چاچی کی امی نے اتنے سارے سوٹ بھجوائے ہیں۔ فروا آپی اور عروا آپی کے لیے بھی سوٹ، جوتے، کیچر، پونیاں بھی بھجوائی ہیں۔''

''بتائیں ناں مما آپ کو نانو عیدی کیوں نہیں بھجواتیں۔ ہماری نانو کہاں ہیں؟'' صبا پوچھتی تو فاخرہ کا دل جیسے کوئی کند چھری سے کاٹتا رہتا۔ اُسے اپنی سانسیں بوجھ لگنے لگتیں۔ وہ بے بسی سے اپنی بیٹی کو دیکھتی رہتی۔ بے بسی کا دبیز احساس فاخرہ کو کچوکے لگاتا رہتا۔ اپنوں کی بے اعتباری، بے اعتنائی اور لاپروائی نے اُسے یہ دن دکھائے تھے۔ وہ قسمت پر شاکر رہنے والی اب شاکی رہنے لگی۔ اللہ سے شکوہ کرنے لگی، گلہ کرنے لگی۔ زندگی نے اُسے کس دوراہے پر لا کھڑا کیا تھا۔ ہر دن نئی تکلیف ہر دن نیا سوال۔

وہ صبا کو کیا جواب دے کر مطمئن کرتی، جھوٹ کا پلندہ یا سچ، جھوٹ بولنے سے وقتی طور پر تو وہ مان جاتی یقین کر لیتی مگر زندگی میں کبھی فاخرہ کا جھوٹ کھلنے پر اُس کا ردِعمل کیا ہوتا۔ کیسی بے یقینی صبا کی آنکھوں میں ٹھہر جاتی۔ فاخرہ جھرجھری سی لیتی، نہیں وہ سب کی بے یقینی و بے اعتباری سہہ گئی مگر وہ اپنی اولاد کی نظروں میں بے اعتبار نہیں ہونا چاہتی تھی۔ ہر ماں اپنی اولاد کی بے یقینی سے ڈرتی ہے۔ سوال کرنے سے ڈرتی ہے۔ ایسے سوال جن کا جواب اُن کے پاس نہیں ہوتا۔ اگر فاخرہ سچ بتا دیتی تو پھر صبا کے معصوم ننھے سے ذہن میں ہزاروں سوال اور اُگ آتے اور فاخرہ ٹال مٹول سے کام لیے جاتی، بس آئیں بائیں شائیں کرنے لگتی۔

لبنیٰ فاخرہ کی کزن تھی اور دوست بھی رہی تھی اس لیے کبھی کبھار چوری چھپے فاخرہ کو فون کر لیتی، تب فاخرہ بھی اپنے دکھ سکھ اُس سے بانٹ لیتی تھی اپنے دل کی بھڑاس نکال لیتی تھی۔

صبا اور فضا کی اسکولنگ کی وجہ سے اُن کے دل میں اُبھرتے کئی نوکیلے سوال وقتی طور پر دب گئے تھے۔ فاخرہ نے اپنی طرف سے کوشش کی کہ دوبارہ صبا فضا کو اپنے چاچو لوگوں کے گھر نہ جانے دے۔ عائشہ اور رحمان اس طرح تو اُس کی بچیوں کا ذہن اور زہر آلود کر دیں گے۔ ان میں شکوک وشبہات اور بدگمانیاں بھر دیں گے اور ایک دن اُس کی اپنی اولاد ہی اُس کی مخالف بن کر اُس کے سامنے کھڑی ہو جائے گی۔

فضا اور صبا کا ذہن بٹ جائے، اُن کے خیالات بکھر جائیں۔ ایسا فاخرہ کبھی سوچ بھی نہیں سکتی تھی۔ اس لیے اب وہ خالہ اماں کے سامنے اکڑنے لگی تھی۔ ضد کرنے لگی تھی اپنی بچیوں کے لیے۔ جب جب وہ صبا اور فضا کو رحمان یا فرقان کے گھر لے کر جانا چاہتی تھی۔ تب فاخرہ تن جاتی۔ اُن کو جانے نہیں دیتی تھی۔ بدلے میں خالہ اُسے مار مار کر اَدھ موا کر دیتیں مگر فاخرہ اس معاملے میں خالہ کو اپنی من مانی نہیں کرنے دیتی تھی۔ لبنیٰ اور عائشہ نے کبھی اپنی ساس کو درخورِ اعتنا نہیں سمجھا تھا اور وہ خبیث عورت سارے بدلے فاخرہ سے ہی لے رہی تھی۔ چار چوٹ کی مار دیتی تھی بات بے بات اُسے طلاق کی دھمکی دی جاتی تھی۔

پھر خالہ اماں نے فاخرہ کی 'رکھوالی' کے لیے ایک عورت رکھ لی۔ بشیراں اب کسی سائے کی مانند اُس کے ساتھ ہوتی تھی۔ فاخرہ کی تنخواہ سے ہی بشیراں کو تنخواہ دی جاتی تھی۔

اسی دوران اسوہ اور پھر اسد دُنیا میں آ گئے تھے۔ بشیراں نے جب فاخرہ کے حالاتِ زندگی دیکھے تو اُس کی تمام تر ہمدردیاں فاخرہ کے ساتھ ہو گئیں۔ وہ اُس کی خیر خواہ تھی۔ اُسے بہت ترس آتا فاخرہ پر اور ایسی بے جوڑ شادی پر وہ کفِ افسوس ملتی رہتی۔

صبا آٹھویں کے پیپرز دینے والی تھی، فضا ساتویں میں جبکہ اسوہ ابھی چوتھی کلاس میں تھی۔ تینوں بہنیں ہی

اپنی ماں کے ساتھ بہت اٹیچ تھیں۔ احساس کرنے والی حساس بچیاں تھیں۔ تابعدار بھی تھیں۔ مگر اسد کبھی کبھی اکھڑ پن اور بدتمیزی کا مظاہرہ کر جاتا تھا۔ دادی اُس کا ذہن خراب کر رہی تھیں۔

اتوار کا دن تھا۔ فاخرہ نے فجر کی نماز کے بعد واشنگ مشین لگالی تھی پھر ناشتا بنانے لگی۔ زمان کے لیے دودھ والا دلیہ بنانا تھا۔ آج کل زمان کا پیٹ خراب رہنے لگا تھا۔ فاخرہ نے پراٹھے بنائے، رات کا سالن گرم کیا پھر چائے بنانے لگی۔ تبھی باہر واشنگ مشین کی سیٹی بجی تھی۔ فاخرہ نے برنر کی آنچ ہلکی کی اور چھوٹے سے صحن میں نکل آئی۔ واشنگ مشین سے کپڑے نکال رہی تھی۔ تبھی اُس کی چٹیا کو زور کا جھٹکا لگا۔ فاخرہ بروقت سنبھلی اور پیچھے پلٹ کر دیکھنا چاہا مگر اُس کو موقع نہیں دیا گیا۔ اس بار کا جھٹکا شدید تھا اتنا شدید کہ وہ اگلے ہی پل زمین پر گر پڑی۔ ایک اسّی سالہ بوڑھی عورت کی نفرت میں اتنی طاقت تھی کہ وہ جب جی چاہے چھتیس سالا فاخرہ کو روئی کی مانند دھنک دیتی تھی، پٹخ دیتی تھی، گرادیتی تھی۔ فاخرہ نیچے گری زمین کا حصہ بن رہی تھی۔ ڈھول مٹی جیسی، بے توقیر کم مایہ۔

''ساری چائے اُبل گئی۔ چولہا خراب ہوگیا۔ اندھی ہے کیا۔'' اُس نے فاخرہ کے پیٹ پر لات ماری، اس سے پہلے کہ فاخرہ اپنا بچاؤ کرتی فضا، صبا اور اسوہ نے آ کر اپنی دادو کو پکڑ لیا تھا۔ خالہ اماں کی دردناک چیخیں فضا میں بلند ہونے لگیں۔ تینوں بچیوں نے اپنی دادو کو زمین پر گرایا ہوا تھا اور دانتوں اور ناخنوں سے اُسے کاٹ رہی تھیں۔ چٹکیاں کاٹ رہی تھیں۔ خالہ اماں واویلا مچا رہی تھی۔ فاخرہ زمین سے اُٹھی تو کچھ لمحے تو وہ شاک کی کیفیت میں یہ منظر دیکھتی رہی پھر آگے بڑھ کر خالہ کو اُن کے چنگل سے آزاد کروایا۔

''ہائے میرے ربا، مجھے کھا گئیں چڑیلیں، میرا خون نکال دیا، جیسی ماں حرافہ ویسی ہی چنڈالیں ہیں۔ یہ حرام زادیاں۔'' خالہ اماں اپنے بازوؤں کو دیکھ کر رودی، دانت کھبے ہوئے تھے اُن کی سوکھی کلائیوں میں۔ خون بھی رِس رہا تھا۔ وہ صحن میں پھسکڑا مار کر بیٹھ گئی، کوسنے بددعائیں دینے لگی۔

''اب پتا چلا کتنی تکلیف ہوتی ہے۔'' تینوں بہنوں نے زبانیں نکال کر دادو کو چڑایا اور اپنے کمرے میں بھاگ گئیں۔ فاخرہ بس دیکھتی رہ گئی تھی۔ وہ خوش ہوتی یا مغموم اُسے کچھ سمجھ نہیں آ رہی تھی۔

مگر آج پہلی بار اُس نے اپنے اندر ڈھیروں اطمینان اُترتا دیکھا وہ اکیلی نہیں تھی کوئی اُس کا تھا اُس کو بچانے والا، اُس کا اپنا۔ فاخرہ تو عادی ہو چکی تھی۔ مار کھانے کی یا شاید ڈھیٹ بھی، یا پھر اذیت پسند۔

خالہ اماں فاخرہ کو اور اس کی بیٹیوں کو گالیاں دیتی رہیں۔ برا بھلا کہتی رہی مگر وہ اتنی بے دم ہو چکی تھی اس وقت کہ دوبارہ اُس نے فاخرہ پر جھپٹنے کی کوشش نہیں کی اور بکتی جھکی اُٹھ کر اندر زمان کے پاس چلی گئی۔ فاخرہ نے کپڑے دھو کر تار پر پھیلائے اور کپڑے مشین میں ڈال کر پھر کچن میں آ گئی اور دلیہ بنانے لگی پھر دلیے کی بھاپ نکال کر اُسے ٹھنڈا کر کے پلیٹ میں ڈال کر فاخرہ زمان کو دینے گئی تو خالہ اماں اُس کے پاس بیٹھی رو رہی تھی، جلے دل کے پھپھولے پھوڑ رہی تھیں۔

''زمان دلیہ کھلاؤں۔'' فاخرہ نے پاس بیٹھ کر کہا۔

''نہیں مجھے نہیں کھانا۔'' وہ ساٹھ سال کا تھا آج کل اکثر بیمار رہنے لگا تھا۔

''کیوں نہیں کھانا۔''

''بچیوں نے اماں سے اتنی بدتمیزی کی، اُن کو کاٹ ڈالا اور تم چپ چاپ تماشا دیکھتی رہیں۔'' اُس نے ہاتھ اِدھر اُدھر مار کر اپنی لاٹھی ٹٹولی اور اندازے سے فاخرہ کو ماری جو اُس کی کمر میں لگی۔ ایک زوردار آہ بلند ہوئی اور کمرے کی فضا میں گم ہوگئی۔

''دفع ہو جا یہاں سے بدکردار عورت، گندگی کی پوٹ، نظروں سے دور ہو جا۔'' وہ پوری قوت سے دھاڑا۔

''زمان تمہیں میں کون سا نظر آتی ہوں جو تمہاری نظر سے دور ہو جاؤں۔''

''مجھے اندھا ہونے کا طعنہ دیتی ہے ناگھٹیا عورت، جا دفع ہو جا۔ تُو اِس قابل بھی نہیں تھی کہ تجھے کوئی اندھا لولا لنگڑا بھی قبول کر لیتا۔''

''کون جانے زمان، کون کس کے قابل تھا۔ یہ تو وقت کے ہیر پھیر ہیں۔ تقدیر کے فیصلے تھے یا اپنوں کی ستم ظریفی کہ آج میں ان حالوں میں ہوں۔'' وہ دکھ سے ہنسی...... ایسی ہنسی جیسے بہت سے کانچ ایک ساتھ ٹوٹے ہوں۔

''اب تیری زبان بھی چلنے لگی ہے بدتمیز عورت۔ بھول رہی ہو کہ شوہر کا اسلام میں کیا مقام ہے۔''

''جب خاموش رہتی ہوں مار کھاتی ہوں۔ کما کر لاتی ہوں اور تمہارے ہاتھ پر رکھ دیتی ہوں۔ کیا تب تم اور تمہاری اماں مجھ سے خوش ہوتے ہیں، بتاؤ زمان تمہارا اسلام عورتوں کے حقوق پر کیا کہتا ہے۔'' وہ آج کل اکثر ہی کبھی کبھی بحث و تکرار پر اُتر آتی تھی، اُکتا گئی تھی وہ زیادتیاں سہہ سہہ کر۔

''اس تیری بیوی کے تو رنگ ڈھنگ ہی بدل گئے ہیں میاں، اور اسی کی شہ پر تو اس کی بیٹیاں مجھ بوڑھی کی جان کو چمٹ گئیں۔ اللہ معافی، وہ تو اتنی جنونی ہوگئی تھیں جیسے میری جان ہی لے لیں گی۔'' خالہ جان نے جھرجھری سی لی۔

''صبا اور فضا کو بلواؤ اور اُن سے کہو کہ اماں سے معافی مانگیں، کوئی میری ماں سے بدتمیزی کرے میں برداشت نہیں کر سکتا، اپنی اوقات مت بھولو کہ تم ایک ٹھکرائی ہوئی، دھتکاری ہوئی عورت ہو۔ اپنی اوقات میں رہو ورنہ......'' وہ بڑھاپے کی حدوں میں داخل ہوتا مرد آج بھی سینہ پھیلا کر ایک عورت کو مبہم ڈھکے چھپے الفاظ میں گھر سے نکالنے کی دھمکی دے رہا تھا۔ طلاق کے طوق سے ڈرا رہا تھا۔ ہر عورت ساری زندگی اکیلے رہنے کے ڈر سے معاشرے کے خوف سے مرد کا ہر ظلم و ستم سہہ جاتی ہے ہر عورت، چاہے وہ کتنی ہی مکمل ہو۔

''میں سمجھاؤں گی بچیوں کو۔'' فاخرہ نے بات ختم کرنی چاہی ورنہ وہ بھی بات کو طول دے کر اُن ماں بیٹے کو اُن کی اوقات یاد دلا سکتی تھی مگر اُس کی فطرت کسی کو تکلیف دینا نہیں تھی۔ یہ لوگ اتنا تنگ کرتے تھے تو وہ اُکتا کر بول پڑی تھی۔

''ہائے اس کی وجہ سے میرے بیٹے، میرے لعل گھر چھوڑ کر چلے گئے۔ ہمیشہ کے لیے مجھ سے جدا ہو گئے۔ میں نے اس پر اتنا بڑا احسان کیا اور یہ دیکھو کیسی احسان فراموش بدبخت کرموں جلی۔'' اُس کا ارادہ بات کو لمبا کھینچنا تھا نہ جانے وہ کیا چاہتی تھی۔ سینہ کوبی کرنے لگی اور زمان کا ہاتھ اپنی لاٹھی ڈھونڈنے لگا۔

''بس کر دو یہ ڈرامہ خالہ۔ اب چھوڑ دو اس کہانی کو، اتنا ہی یاد آ رہے ہیں بیٹے تو جاؤ چلی جاؤ اُن کے گھر۔ وہ کون سا لندن میں رہتے ہیں۔ ویسے بھی تمہارا بیٹا رحمان سب لوٹ کھسوٹ کر شہر کا بہت بڑا جیولر بنا بیٹھا ہے۔ وہ میری وجہ سے گھر چھوڑ کر نہیں گئے ہیں بلکہ اُن کو ماں اور بھائی بوجھ لگتے تھے۔ اُن کو بہانہ چاہیے تھا، جیسے ہی ملا جان چھڑا کر بھاگ نکلے۔ پلٹ کر کبھی تم دونوں کی خیر خبر نہیں پوچھی۔'' فاخرہ نے اُن کو آئینہ دکھا دیا۔ زمان کے ہاتھ میں لاٹھی لہرائی، فاخرہ نے لاٹھی پکڑ کر دور اُچھالی تو دونوں ماں بیٹا ساکت وصامت دیکھتے رہ گئے۔

○......❖......○

فاخرہ نے صبا فضا کو سمجھایا تو ماں کے مجبور کرنے پر انہوں نے دادو سے معافی مانگ لی تھی۔

اکثر صبا فاخرہ کا گھر کے کام کاج میں ہاتھ بٹانے لگی تھی۔ فاخرہ سالن بنا رہی ہوتی تو صبا آٹا گوندھ دیتی۔ فاخرہ منع کرتی رہتی، مگر وہ زبردستی کچھ نہ کچھ کرتی رہتی۔ اُسے فاخرہ کا احساس تھا۔ وہ اپنی ماں کی تابعدار بیٹی تھی۔ اُس کی دیکھا دیکھی چھوٹی بہنیں بھی ماں کی بات توجہ سے سنتی تھیں، مانتی تھیں، فاخرہ کا خصوصی خیال رکھتی تھیں۔

''مما آپ کی ڈیٹ آف برتھ کیا ہے۔'' ایک دن صبا نے پوچھا۔

''ارے میری جان، بیٹھے بٹھائے تمہیں یہ سوال کیسے سوجھا۔'' فاخرہ نے صبا کا گال نرمی سے چھوا۔

''بتائیں نا مما۔'' وہ بضد ہو کر ٹھنکی۔

''25 مئی کو پیدا ہوئی تھی تمہاری مما......'' فاخرہ نے اُداسی اور دلگیری سے کہا۔

''موسم کیسا تھا اُس دن۔ نانو نے آپ کو بتایا نہیں کیا۔'' صبا اپنی ہی رو میں کہہ گئی پھر فاخرہ کی فق ہوتی رنگت دیکھ کر زبان ہونٹوں تلے دبالی، اُسے پتا تھا کہ مما اس ذکر سے کتراتی تھیں۔

''وہ مما پتا ہے میں آپ کی برتھ ڈے سیلبریٹ کرنا چاہتی ہوں۔ اس لیے آپ کی ڈیٹ آف برتھ پوچھی ہے۔'' صبا کا دل پتّے کی طرح لرزیدہ ہوا۔ اسے پشیمانی ہو رہی تھی کہ اُس نے اپنی ماں کو پریشان کر دیا۔ اس لیے اُن کا دھیان بٹانے کے لیے وہ بات بھی بتا دی۔ جسے وہ سرپرائز رکھنا چاہ رہی تھی۔

''ارے بیٹا رہنے دو، اب اس عمر میں ایسے چونچلے بھلا جچتے ہیں کیا۔'' فاخرہ آزردہ سی تھی۔

''مما چھوٹی چھوٹی خوشیاں سیلبریٹ کرنے سے زندگی کا احساس ہوتا ہے۔ زندہ رہنے کی اُمنگ خواہش دل میں جاگتی ہے۔'' فضا چمکتی آنکھوں سے بولی۔

''اتنی مشکل باتیں کرنے لگی ہے میری چندا۔'' فاخرہ احساسِ تفاخر سے صبا کو تکتی رہی۔

''نہبات بھیا کہتے ہیں کہ مایوس رہنا کم ہمتی کی علامت ہے۔ پُرعزم ہونا، پُرجوش رہنا، خواب دیکھنا اور خوابوں کی تکمیل کے لیے تگ و دو کرنا، چھوٹی چھوٹی خوشیاں ڈھونڈنا اور خوشیاں بانٹنا، تھکنے نہیں دیتا۔ ارادے ٹوٹ جائیں تو نئے سرے سے سفر باندھ لینا مضبوط قوت ارادی کی نشانی ہے۔''

''نہبات کون۔'' فاخرہ نے اچنبھے سے اُسے دیکھا۔

''ہمارے ٹیوشن سینٹر کے سر نہبات ضمیر، ضویا آپی کے بھائی۔'' اُس کے چہرے پر نوعمری کا بھولپن تھا۔

''اوہ اچھا۔''

''مما آج کیا پکانا ہے۔''

''دال پکانے کا ارادہ ہے، تم بتا دو کیا پکائیں۔''

''دال چاول۔''

''ٹھیک ہے، اب جا کر پڑھو، تمہارا بورڈ کا امتحان ہے اور تمہیں بہت محنت کرنی ہے۔''

''بس آپ دعا کریں۔''

○......❖......○

آنے والے دنوں میں ایک تبدیلی اور آ گئی تھی اس گھر میں۔ اب فاخرہ نے زمان کو تنخواہ پکڑانی چھوڑ دی تھی۔ اس میں صبا کا بہت ہاتھ تھا۔ اُس نے فاخرہ کو روک دیا تھا۔ زمان نے فاخرہ کو بہت گالیاں دیں۔ حسبِ معمول اُس کے کردار پر کیچڑ اُچھالا۔ اُس کی ذات میں کیڑے نکالے مگر اُس نے ایک چپ سادھ لی، جامد چپ۔

رحمان اور فرقان کو پتا چلا تو وہ دوڑے چلے آئے۔ خوب باتیں سنائیں فاخرہ کو اور اب فاخرہ بھی اُن کو جتلاتی رہی کہ وہ اس بھائی کی تمام زمین جائیداد دھوکا دہی سے چھین چکے ہیں۔ بس نام کی ہمدردیاں ہیں۔ خوب گرمی سردی ہوئی۔

''تمہاری خوبصورتی کو چاٹنا ہے کیا ہم نے، جب تم ہمارے بھائی کی وفادار ہی نہیں ہو۔'' فرقان گرجا۔

''خوبصورتی بھی وہ جو گہن زدہ ہے، برتی ہوئی استعمال شدہ۔'' رحمان نے طنزیہ کہا۔

''بکواس بند کرو اور نکل جاؤ میرے گھر سے۔'' فاخرہ بھی اشتعال سے بولی۔

''تیری تو......'' رحمان اُسے مارنے کو لپکا مگر فاخرہ نے ہاتھ اُٹھا کر اُسے روک دیا۔

''تم نے مجھے ہاتھ بھی لگایا تو میں تمہارے خلاف تھانے میں رپورٹ درج کروا دوں گی۔''

''میں تمہیں کیا ہاتھ لگاؤں گا تم تو پہلے ہی......''

''رحمان خدا کرے تم بھی اُسی کرب سے گزرو جس سے میرا باپ گزرا۔ خدا کرے تمہاری بیٹیاں بھی یوں ہی دھکے کھائیں، تم بھی پوری دنیا سے منہ چھپاتے پھرو۔ تمہاری زندگی بھی تماشا بن جائے، جیسا تم نے میرے ساتھ کیا۔ ویسے ہی تمہاری بیٹیوں کے ساتھ ہو۔ تم عبرت کا نشان بن جاؤ۔ تم پر خدا کی مار پڑے۔'' اُس کے دل سے بددعائیں نکل رہی تھیں مگر وہ بمشکل خود کو روک رہی تھی۔

''اتنا گھمنڈ، اتنا غرور تباہ کر دیتا ہے انسان کو، خدا کے غضب سے ڈرو، خدا کی پکڑ بہت سخت ہوتی ہے۔ کسی کا دل دکھانا، کسی کی زندگی سے کھیلنا بہت بڑا گناہ ہے۔'' وہ رو دی۔

''تمہارے جیسی تھوکی ہوئی عورت کو کون اپناتا ہے بھلا۔ کاش تم خوبصورت نہ ہوتیں باکردار ہوتیں تو میں فخر سے سر اُٹھا کر دنیا میں جی سکتا۔ مجھے تمہاری خوبصورتی سے کیا سروکار، میں تو اپنی اولاد کو بھی نہیں دیکھ سکتا۔''

زمان رونے لگا مگر فاخرہ کو ترس ورحم آنا تو دور کی بات آج زمان سے شدید نفرت محسوس ہو رہی تھی۔ اُس کی بیوی پر ہمیشہ اُس کے بھائی تاک تاک کر نشانے لگاتے رہے۔ وہ کبھی اپنی بیوی کا ساتھی نہیں بنا کبھی بھائیوں کی زبان

نہیں روکی۔ فاخرہ کی چھپر چھاؤں کیا خاک بنتا اُسے کیا پیار دیتا کیا تحفظ دیتا۔

فاخرہ نے خود کو کمرے میں بند کرلیا باہر رحمان اور فرقان کب تک رہے اُسے کوئی خبر نہیں تھی اور اُسے کوئی دلچسپی بھی نہیں تھی۔

O......❖......O

اتوار کا دن تھا اور ہر اتوار کو کبھی فرقان کے گھر رحمان کی فیملی کی دعوت ہوتی اور کبھی رحمان کے گھر میں فرقان کی بیوی اور بچے مدعو ہوتے۔

آج فرقان کے گھر دعوت تھی۔ لبنیٰ کھانے کی تیاریوں میں لگی ہوئی تھی۔ لبنیٰ بہت پھرتیلی تھی گھر کے کام کاج میں ماہر ہونے کے ساتھ ساتھ امورِ خانہ داری میں بھی طاق تھی۔ کھانا تیار کرنا اُس کے بائیں ہاتھ کا کھیل تھا اور پکانے کا اتنا شوق اور تجربہ کہ بند آنکھوں سے بھی مرچ مسالے ڈالیں تو پورے ہوں مجال ہے کبھی مرچ مسالا زائد ہو کبھی بھولے سے ہی کھانا بدمزا بن جائے کبھی نہیں۔

قیمہ مٹر، بھنا ہوا چکن، ڈھیروں پستوں باداموں والی کھیر جس میں کھویا بھی ڈالا گیا تھا۔ سب چیزیں تیار تھیں۔ لبنیٰ نے بریانی کو دم پر رکھا اور امن کو تاکید کی کہ کچن کا خیال رکھنا اور اگر رحمان بھائی یا اُن کے گھر والے آئیں تو اُن کو ڈیل کرنا وغیرہ۔ لبنیٰ خود نہانے چلی گئی۔

امن کپڑے پہن کر تیار ہو چکی تھی۔ فرقان اور رحمان کی ایک دوسرے سے محبت مثالی تھی۔ میزبان خاندان یوں تیار ہوتا جیسے مہمان بہت دور سے آئے ہوں۔ اُن کا جوش و خروش دیکھنے سے تعلق رکھتا تھا۔

لبنیٰ بھی تیار ہو چکی تھی۔ تیاری کے نام پر اُس نے صاف ستھرے کپڑے پہن کر ہلکی سی لپ اسٹک لگا لی تھی۔ گیلے بال سلجھا کر پشت پر کھلے چھوڑ رکھے تھے۔ تبھی زور کی دستک ہوئی تھی۔

رحمان اور اُس کی بیوی عائشہ، فروا، عروا، احتشام، ریان آ گئے تھے سب گرمجوشی کے ساتھ ایک دوسرے کو گلے مل رہے تھے۔ جیسے وہ سب برسوں بعد مل رہے ہوں۔

کھانا ڈائننگ ٹیبل پر رکھا جانے لگا۔ امن لبنیٰ کے ساتھ مدد کروا رہی تھی۔ بھلے ناک منہ چڑھا کر ہی سہی۔ کھانا بہت خوشگوار ماحول میں کھایا گیا ہنسی مذاق چلتا رہا۔ کھانے کی بہت تعریف کی گئی جسے لبنیٰ نے شکریہ کے ساتھ وصول کیا۔

کھانے کے بعد جب چائے کا دور چلا تب فرقان، رحمان اور عائشہ لبنیٰ ہال کمرے میں بیٹھ گئے جبکہ ینگ پارٹی امن کے کمرے میں تھے۔ احتشام امن کے کمرے میں دندناتا ہوا چیزیں اِدھر اُدھر بکھیر رہا تھا۔ امن کو چڑ تھی اپنے اِن کزنوں سے مجال ہے کسی کے گھر آ کر ٹک کر بیٹھ جائیں اگلے کے گھر کو بھی اپنا ہی گھر سمجھ کر من مانیاں کرتے تھے ابھی بھی وہ امن کی الماری کھولے نہ جانے کیا تلاش کر رہا تھا۔

''احتشام کیا چاہیے۔'' وہ تنگ آ کر بولی۔ وہ پلٹا اور گھور کر امن کو دیکھا۔

''میرے چچا کا گھر ہے جو چاہیے ہوگا خود لے لوں گا۔'' وہ منہ پھاڑ کر بولا امن نے تعجب سے اُسے زہریلی نظروں سے تاڑا تمیز تہذیب تو اُسے چھو کے بھی نہیں گزری تھی۔

''دفع کرواسے، یہ تو ہے ہی ڈھیٹ۔'' عروا نے امن کو کچھ بھی کہنے سے روکا۔ حالانکہ وہ تو کچھ کہہ بھی نہیں سکتی تھی گو کہ اتنی تمیز دار تو امن بھی نہیں تھی مگر اتنی بدلحاظ بے مروت بھی نہیں تھی کہ گھر آنے والوں کو روک ٹو کرے، لڑائی جھگڑے کرے۔ احتشام اب ٹیبل لیمپ کو اُٹھا اُٹھا کر دیکھ رہا تھا۔ اوپر نیچے کر کے یوں دیکھ رہا تھا جیسے پوسٹ مارٹم کر رہا ہو۔ نظروں ہی نظروں میں امن اندر سے تلملا رہی تھی مگر......

ریان احتشام کو مگن دیکھ کر اُس کے سیل فون پر گیم کھیلنے لگا۔ ہنزلہ اور حذیفہ بھی احتشام کے ساتھ مل کر شرارتوں میں لگے ہوئے تھے۔ اتنا شور اتنی اٹھا پٹخ کہ کان پڑی آواز سنائی نہیں دے رہی تھی جبکہ فروا جہاں ہوتے ہوئے بھی ان سب کے درمیان 'موجود' نہیں تھی۔ اطراف کے اتنے شور اور ہنگامے میں بھی وہ سیل فون پر میسجنگ میں بزی تھی۔ اُس کی لمبی مخروطی سفید انگلیوں میں دبا قیمتی سیل فون اور تیزی سے بٹنوں پر چلتا انگوٹھا میسج بنا تا سینڈ کرتا چہرے پر بے چینی پھیل جاتی، انتظار جواب کا۔ پھر ریپلائی آتا مسکراتے ہونٹوں اور جگمگاتی نگاہوں سے پڑھا جاتا پھر نئے سرے سے انگوٹھا حرکت میں آجاتا۔ بے نیازی کی انتہا تھی کمال ہے ایک سیل فون کسی بھی انسان کو اتنے لوگوں سے دور کر دیتا ہے اور فروا بھی اپنے ماحول سے کٹ کر الگ تھلگ بیٹھی تھی۔ چائے کا کپ اُس کے سامنے پڑا ٹھنڈا ہو چکا تھا۔ اُس پر بالائی کی تہہ جم چکی تھی۔

''آؤ باہر چلتے ہیں۔'' امن نے عروا سے کہا کمرے کی ابتری امن کا موڈ خراب کر گئی تھی مگر وہ جتنی بھی زچ ہوتی کہہ تو نہیں سکتی تھی نا ویسے بھی انہوں نے کون سا سامان لینا تھا۔

وہ دونوں باہر آئیں تو ماحول کافی سنجیدہ سا تھا۔ لبنیٰ تو کافی رنجیدہ بھی نظر آرہی تھی۔ وہ چپکے سے ایک کونے میں آکر بیٹھ گئیں۔

''اُس عورت کی بدلحاظی اور بے شرمی کی انتہا تو دیکھ کہ ہماری ماں اور بھائی کو دیوار سے لگا دیا ہے۔ تنخواہ دینے سے انکار کر دیا۔'' فرقان نے تنفر سے سر جھٹکا اور لبنیٰ نے تاسف سے اپنے شوہر کو دیکھا۔

''جوان ہوتی بیٹی کا سہارا پا کر شیر ہوگئی ہے۔ اپنے آپ کو تیس مار خان سمجھتی ہے، جس دن بیٹی بھاگ جائے گی تب اُس عورت کو سمجھ آئے گی کہ بیٹیوں کو سر نہیں چڑھاتے۔'' رحمان نے حقارت و نخوت سے کہا عروا اور امن نے نا فہمی سے ایک دوسرے کو دیکھا اور رحمان کی بات پر لبنیٰ کا دل دھاڑیں مار مار کر رونے لگا اور اُس کا شدت سے دل چاہا کہ سامنے بیٹھے اس گھمنڈی مرد کا منہ نوچ لے یا اس کی زبان گدی سے کھینچ لے جو اپنی خود ساختہ نفرت کی بنا پر اپنے ہی بھائی کی معصوم بیٹی کے بارے میں ایسی لغو اور فضول بات کر رہا تھا۔ کاش ہم زندگی میں اتنے مجبور نہ ہوا کریں کہ سب کچھ کہنے کی خواہش رکھتے ہوئے بھی کچھ نہ کہہ سکیں۔ مجبوریاں کیسے بعض دفعہ زبان پر تالے ڈال دیتی ہیں اور زبان کو سی لینا کبھی کبھی کتنی اذیت سے دوچار کرتا ہے۔ اس سمے کوئی لبنیٰ سے پوچھتا۔

عائشہ ٹانگ پر ٹانگ رکھے ہونٹوں پر طنزیہ مسکراہٹ سجائے بس سنے جا رہی تھی۔ وہ خود تمام ان لوگوں میں سرِفہرست تھی جو فاخرہ کو ذلیل و خوار کرتے تھے۔

''فرقان بھائی پہلے نمبر پر تو آپ لوگوں کو اُس نجس و ناپاک عورت کو اپنے خاندان میں شامل ہی نہیں کرنا چاہیے تھا۔'' عائشہ تکبرانہ لہجے میں بولی۔

''ہم کہاں ایسا چاہتے تھے بس......'' رحمان نے بات ادھوری چھوڑ کر سر جھٹکا۔
''اور اگر کسی مجبوری میں اُسے اپنی زندگیوں میں شامل کر بھی لیا تھا تو بعد میں اُس کے کرتوتوں کو دیکھ کر نکال باہر کرتے۔'' عائشہ کی بات پر جہاں لبنیٰ نے مضطرب ہو کر پہلو بدلا وہاں امن اور عروا نے بھی حیرت و اچنبھے میں گھِر کر باری باری سب کے چہروں کو دیکھا۔
''بھابی پلیز کچھ بچیوں کا ہی خیال کریں کیا سوچیں گی۔ جب ہم سب فاخرہ کا بائیکاٹ ہی کر چکے ہیں تو ہمیں ان کی زندگیوں میں دخل دینے کا بھی کوئی حق نہیں اور کردار ہر آدمی کا ذاتی معاملہ ہوتا ہے اگر آپ لوگوں کی نظر میں وہ کمزور کردار کی ہے، اُس نے کوئی لغزش کوئی گناہ کیا ہے تو وہ اپنے ہر جرم کی خود ذمہ دار ہے اپنے ہر عمل اپنے ہر گناہ کا روزِ محشر اُسے خود جواب دہی کرنی پڑے گی خدا کے لیے اُس پر مٹی ڈال دیں، رحمان بھائی، اُسے اُس کی زندگی گزارنے دیں۔ اُسے اُس کے حال پر چھوڑ دیں۔'' لبنیٰ نے اپنی تمام ہمتیں جمع کر کے بالآخر کہہ ہی دیا۔ یہی وہ لمحہ تھا جب کمرے سے کوئی چیز گرنے اور ٹوٹ کے بکھرنے کی آواز آئی سب کا دھیان آواز کی سمت لگ گیا ورنہ لبنیٰ کی بات پر دونوں بھائیوں نے لبنیٰ کے خوب لتے لینے لگ جانا تھا خیر گزری بات دب گئی۔
''کمینہ، بے غیرت، اندھا ہو گیا کیا تُو بھی تایا زمان کی طرح۔'' احتشام ریان کو نیچے گرا کر مارنے لگا۔ طوفانِ بدتمیزی تھا جو کمرے میں بگولوں کی مانند اٹھا تھا مختلف آوازیں، چیخیں، مار دھاڑ، سب آگے پیچھے کمرے میں گھس گئے۔ احتشام ریان کی درگت بنا رہا تھا۔ اُسے لاتوں گھونسوں سے مار رہا تھا اور پانچ سالا ریان نیچے فرش پر لیٹا تڑپ رہا تھا۔
رحمان نے ایسی صورتِ حال دیکھی تو اُس کا کلیجہ اُچھل کر حلق میں گیا وہ پھرتی سے آگے بڑھا اور احتشام کی گرفت سے ریان کو نکال کر کھڑا کیا۔ پیار سے اُس کے بالوں میں ہاتھ پھیرا اور اُسے اٹھا کر سینے سے لگا کر چومنے لگا۔
''بابا اس خبیث نے میرا سیل فون توڑ دیا۔'' احتشام ابھی تک غصے میں تھا اتنی دھنائی کر کے بھی۔
''اتنی سی بات۔'' رحمان نے کہا تو تاسف سے لبنیٰ نے ہاتھ ہونٹوں پر رکھ لیا بجائے بچے کو سمجھانے یا سرزنش کرنے کے اتنی آسانی سے کہہ دیا۔ ''اتنی سی بات'' لبنیٰ دل مسوس کر رہ گئی۔
''مگر بابا اتنا قیمتی سیل فون تھا۔'' احتشام نے جتلایا۔
''بیٹا میں اور لے دوں گا تمہیں مگر آپس میں بھائی بھائی لڑا نہ کرو، بھائیوں کو سلوک اتفاق سے رہنا چاہیے۔'' رحمان کی بات پر فرقان نے واضح لبنیٰ سے نظریں چرائی تھیں۔
''اور بیٹا بھائی لڑ رہے تھے اور تم چپ چاپ بیٹھی دیکھتی رہی۔'' عائشہ نے فروا سے کہا تو وہ جھنجلا کر اُٹھی اور قہر آلود نگاہوں سے اپنے چھوٹے بھائیوں کو دیکھا۔
''یہ ایک نمبر کے ڈھیٹ اور بے شرم ہیں۔ میں تو ان کے منہ ہی نہیں لگنا چاہتی، مائی فٹ۔'' وہ پاؤں پٹختی باہر نکل گئی نہ جانے وہ اتنی بے زار کیوں ہو رہی تھی آج کل سب سے۔
''یہ حقیقتاً بہت چیپ ہیں مما، ہر جگہ اپنا ہی تماشا بنا کر بیٹھ جاتے ہیں، آپ نے ہی اُن کو سر چڑھا رکھا ہے،

اب بھگتیں۔'' یہ عروا تھی۔

''مرو پرے، ہاتھ دھو کر میرے بیٹوں کے پیچھے ہی پڑ گئیں کلموہیاں، ایک سیل فون ہی ہے نا اور لے لیں گے مگر خبردار جو کسی نے ریان کو کچھ کہا۔'' عائشہ آگے بڑھی اور ریان کو ساتھ لگا کر لاڈ کرنے لگی۔ اُس کے بالوں میں ہاتھ پھیرتی وہ لبنیٰ اور فرقان سے گھر جانے کی اجازت طلب کرنے لگے۔

''اچھا بھائی صاحب بہت مزہ آیا مل بیٹھنے کا، اب چلتے ہیں ابھی گھر جا کر میں نے اپنی بیٹیوں کو بھی منانا ہے نا، خراب موڈ کے ساتھ گئی ہیں۔''

''اب وہ آئس کریم کی فرمائش کریں گی۔'' عائشہ ہنسی۔

''آئس کریم کھلانے لے چلوں گا اپنی بیٹیوں کو۔'' رحمان بھی کھلکھلایا اور باہر چلے گئے اُن کے جانے کے بعد لبنیٰ پھوٹ پھوٹ کر رو دی اُسے ہر بار رحمان کا رویہ فاخرہ کے لیے ہرٹ کرتا تھا۔

○......❖......○

اگلے دن لبنیٰ کا دل بہت اُداس تھا۔ رہ رہ کر فاخرہ یاد آ رہی تھی رات والے واقعہ کے تناظر میں لبنیٰ کی فرقان سے بھی ٹھیک ٹھاک جھڑپ ہو گئی تھی۔ امن کالج ہنزلہ حذیفہ اسکول تھے۔ لبنیٰ نے فاخرہ کو فون کرنے کا سوچا۔ گلی کا داخلی دروازہ اچھی طرح بند کیا کہیں عائشہ بھابی نہ آ جائے ویسے بھی اُن کو گھر پھرنے اور کن سوئیاں لینے کی عادت تھی۔

لبنیٰ نے کمرے میں آ کر فاخرہ کو کال ملائی تیسری بیل پر فون پک کر لیا گیا۔

''السلام علیکم، کیسی ہو؟''

''وعلیکم السلام میں ٹھیک ہوں۔''

''فاخرہ مجھے بے حد خوشی ہے تمہارے اس فیصلے پر تمہیں یہ قدم بہت پہلے اٹھا لینا چاہیے تھا۔'' لبنیٰ اُسے سراہ رہی تھی دوسری طرف شاید فاخرہ نے لمبی سانس لی تھی۔

''ہر عورت کو اپنی اولاد کو خوشیاں دینے کا حق ہے اپنے بچوں کی ضروریات اور چھوٹی چھوٹی جائز خواہشات پورا کرنا ہر ماں باپ کا فرض ہے اور زمان بھائی تو خود کچھ نہیں کر سکتے تم ہی نے سب کچھ کرنا ہے میری بہن، شکر ہے تم نے بروقت تو نہیں بھلے دیر سے ہی سہی مگر ایک قدم تو اٹھا لیا اپنی زندگی کے لیے۔'' لبنیٰ کا دل رات سے بھرا ہوا تھا مگر اطمینان بھی تھا کہ فاخرہ نے اپنی ہی کمائی اپنی مرضی سے خرچ کرنے والا مضبوط فیصلہ کر لیا۔

''لبنیٰ میں نے تو خود کو وقت کے دھارے پر چھوڑ رکھا تھا۔ بس اللہ کا شکر ہے صبا بہت سمجھدار اور حساس بچی ہے اُسی نے مجھے اُکسایا مجبور کیا تو میں مان گئی۔ پتا ہے لبنیٰ صبا میری بچی میری ڈھال بن گئی ہے۔ بہت تعاون کرنے لگی ہے مشورے دیتی ہے ہاتھ بٹاتی ہے۔ میرے اندر ہمت پیدا ہونے لگی ہے۔'' وہ نم لہجے میں بتا رہی تھی۔ لبنیٰ مسرور سی سن رہی تھی فاخرہ کی آواز میں آسودگی در آئی تھی یہ خوش آئند بات تھی۔

''لبنیٰ میں چاہتی تو اپنے حق کے لیے بہت پہلے لڑ سکتی تھی مگر میں نہ جانے کیوں لڑنا ہی نہیں چاہتی تھی۔ مگر اب دل کرتا ہے اپنی بیٹیوں کے حصے کی ساری آسودگیاں خرید لوں۔''

''ہاں فاخرہ اپنی کمائی کو اپنی مرضی سے خرچ کرو اپنی بچیوں کی تعلیم و تربیت پر پیسہ خرچ کرو تمہارے پیسے پر صرف تمہارا اور تمہاری اولاد کا ہی حق ہے اللہ تمہیں صحت دے اپنی اولاد کی خوشیاں دیکھنا نصیب کرے۔'' لبنیٰ نے صدقِ دل سے دعا دی۔

''آمین، بس دعا کرنا میری بیٹیوں کے نصیب میرے جیسے نہ ہوں، مجھے بہت ڈر لگتا ہے۔'' ایک ماں کا اندیشوں سے اٹا دل بول رہا تھا۔

''فاخرہ خدا پر بھروسہ رکھو میری جان، کثرت سے استغفار پڑھا کرو اور خدا سے 'اچھے' کے لیے بہت گریہ زاری و عاجزی سے دعا مانگا کرو۔ مجھے دعاؤں پر بہت یقین ہے صرف دعائیں ہی ہیں جو تقدیریں بدل سکتی ہیں۔''

''ہاں لبنیٰ میں نے بھی آج کل اللہ کو ''منانا'' شروع کر دیا ہے۔ مجھے یقین کامل ہے کہ اللہ مجھ سے راضی ہو جائے گا دنیا والوں کو راضی کرتے کرتے میری جانِ ناتواں ادھ موئی ہوگئی مگر کوئی مجھ سے راضی نہیں ہوا مگر میرا اللہ میری کٹھنائیوں میری تکلیفوں کو اپنی بے پایاں رحمتوں سے رفع ضرور کرے گا، اچھا لبنیٰ بہت شکریہ فون کے لیے اب میری کلاس کا وقت ہو رہا ہے۔'' فاخرہ نے متانت سے کہا۔

''ارے نہیں ایسی کوئی بات نہیں، ٹھیک ہے پھر بات کریں گے، بچیوں کو پیار دینا اور پریشان مت ہونا سب ٹھیک ہو جائے گا سب ٹھیک ہونے کے لیے ہی غلط ہوتا ہے، زندگی میں بگاڑ پیدا ہوتا ہے تو کبھی نہ کبھی سب سدھر بھی جاتا ہے۔ درست ہو جاتا ہے۔'' لبنیٰ نے بُردباری سے سمجھایا۔

''اچھا خدا حافظ۔''

''خدا حافظ۔'' لبنیٰ نے اپنے اندر طمانیت کی لہریں سارے وجود میں دوڑتی محسوس کی تھیں۔

O......❖......O

''دھیان سے کچھ کھا لینا۔''

''جی ضرور۔'' فروا کہتی ہوئی باہر نکلی اپنے پرس میں سے چھوٹا شیشہ نکال کر لبوں پر لپ اسٹک لگائی، ہونٹوں کو پھیلا کر آئینے میں دیکھا پھر دوبارہ لپ اسٹک اور شیشہ پرس میں ڈال کر باہر نکلی۔

گھر سے تھوڑے سے فاصلے پر اُسے رکشہ مل گیا۔ اگلے ہی لمحے رکشے اندھا دھند اریز کے گھر کی طرف بھاگ رہا تھا۔ ماڈل ٹاؤن B میں رکشہ رُکا۔ فروا کا دل تیز تیز دھڑک رہا تھا۔ اُس نے پرس سے پانچ سو کا نوٹ نکال کر رکشے والے کو تھمایا۔ رکشے والے کے پاس بقایا دینے کے لیے نہیں تھا۔ اُس نے اپنی مجبوری بتائی۔ فروا نے سارے رکھنے کا عندیہ دیا تو چند ثانیے رکشے والا ٹکر ٹکر اُسے دیکھتا رہا۔ اس قدر مہنگائی میں اتنا دیالو ہونا۔ اُسے اس لڑکی کی دماغی حالت پر شبہ ہوا مگر پھر کندھے اُچکاتا دانت نکوستا رکشہ لے بھاگا۔

فروا شاندار بنگلوز کی لائن میں کھڑی نمبر پلیٹ پر نگاہیں گھما رہی تھی پھر 'ابرار چوہدری' پر اُس کی نظریں تھم گئیں۔ اُس کی نظریں گیٹ سے شروع ہو کر اوپر اُٹھی تھیں۔ اتنی بلند و بانگ، آسمان کو چھوتی عمارت، فروا کی آنکھوں تلے اندھیرا سا چھانے لگا، سر گھوما، نظر جھک کر پیروں سے جا لگی۔

اُس نے اسٹائلش سی انڈے کی شکل کی بیل کو ہلکا سا دبایا، مدھر سی گنگناہٹ گھر کے اندر کسی رسیلے سر کی طرح بکھری تھی۔ فروا کا دل عجیب بے کل سا ہو کر دھڑ دھڑ کرنے لگا۔

''واؤ زبردست، ویلکم مجھے یقین نہیں آ رہا۔'' تبھی اریز دروازے میں سے نکلا تھا۔

''یقین کیوں نہیں آ رہا۔'' فروا نے جذبے لٹاتی نگاہیں اریز کے دل آویز چہرے پر ٹکا دیں۔

''بس یار خواب سا لگ رہا ہے سب۔ آؤ اندر آؤ۔'' اس نے لپک کر فروا کی کلائی تھامی۔

''یہ خواب نہیں مسٹر، زندہ حقیقت ہے کہ میں تمہارے گھر آئی ہوں۔'' اُس کا دل اب بھی بے ہنگم انداز میں دھڑک دھڑک کر بے حال ہو رہا تھا مگر بظاہر وہ خود کو بااعتماد شو کر رہی تھی۔

''ہاں یہ حقیقت ہے مگر کاش مجھے یقین آ جائے۔'' وہ سینے پر ہاتھ رکھ کر اک ادائے خاص سے ذرا سا جھک کر بولا تو فروا ہنسنے لگی۔

گھر بہت عالیشان تھا فروا نے دل ہی دل میں سراہا مگر گھر میں خاموشی اور سناٹے کا راج تھا۔ کسی اور کا وجود اتنے بڑے گھر میں دکھائی نہیں دے رہا تھا یہ خیال اُسے چھو کر بھی گزرا نہیں تھا۔ بس اس بھید بھری خاموشی میں سرخ روش پر فروا کی ہائی ہیل کی ٹک ٹک کی آواز سنائی دے رہی تھی۔ وہ ذرا کی ذرا نظریں اُٹھا کر دیکھتی، یہ عمارت کیسی تمکنت سے سر اٹھا کر کھڑی تھی۔ کیا شاہانہ اسٹائل تھا۔ اریز اپنی سنگت میں اُس کا ہاتھ تھامے سیدھا اپنے بیڈ روم میں ہی لے آیا تھا۔ فروا ذرا سی جز بز ہوئی۔ کسی اجنبی جوان لڑکے کے کمرے میں آنے کا اُس کا پہلا اتفاق تھا۔

''میرے بدن میں ایک چٹکی تو کاٹو فروا رحمان تا کہ مجھے یقین آ جائے کہ تم نے سچ مچ میرے غریب خانے کو رونق بخشی ہے۔'' اریز کی نیم وا آنکھوں میں شرارت بھرا تبسم تھا۔

''کاٹو نا......'' وہ بضد تھا۔ فروا نے تنک کر اریز کے بازو میں زور کی چٹکی نہیں، چٹکا کاٹا۔ اب اُس نے واویلا مچانا شروع کر دیا۔ چٹکی والی جگہ کو مسلسل مسل رہا تھا۔

''آیا یقین۔'' فروا شرارتی مسکان لبوں پر سجا کر استہزائیہ لہجے میں بولی تو وہ پیار بھری خفگی سے اُسے گھورتا، فروا کی ناک کھینچ کر کمرے سے نکل گیا۔ فروا اُس کی بے تکلفی پر غور کرنے لگی، کیسے لمحوں میں بے تکلف ہو گیا تھا۔

اریز کا بیڈ روم خصوصی توجہ مانگتا تھا اور فروا اریز کے باہر نکلتے ہی پورے انہاک و دلچسپی سے بیڈ روم کا جائزہ لینے لگی، بیڈ کی سجاوٹ دیکھنے سے تعلق رکھتی تھی۔ قیمتی فرنیچر، مخملیں صوفے، دبیز ریشمی پردے خوبصورت اور پُر آسائش کمرہ، خواب ناک ماحول، بیڈ روم کی ہر چیز توجہ کھینچ رہی تھی۔ فروا مسحور و مبہوت سی دیکھے جا رہی تھی۔ کمرے کی فضا میں کسی غیر ملکی ایئر فریشنر کی مہک پھیلی ہوئی تھی۔ وہ دلفریب سی خوشبو فروا کے حواسوں پر چھاتی جا رہی تھی۔

''کیا میں مرعوب ہو رہی ہوں۔'' فروا نے خود سے سوال کیا۔ اُس کے بیڈ روم میں بھی کسی چیز کی کمی نہیں تھی مگر یہ سچ تھا کہ اریز چوہدری کے بیڈ روم کی ہر چیز سے امارت ٹپکتی تھی۔ ہر چیز اپنی قیمت خود بتا کر اپنی مانگ میں اضافہ کر رہی تھی۔

تبھی اریز ہاتھ سے ٹرالی دھکیلتا اندر آیا، ہلکے سے کھٹکے پر فروا چونکی۔

''ارے میں کوئی مہمان تھوڑی ہوں جو تم نے اتنا انتظام کرلیا۔'' فروا نے کوک کے ساتھ طرح طرح کے بسکٹس، نمکو، مٹھائی اور پزے کی طرف اشارہ کیا۔

''یہ تو ہلکا پھلکا سا ابتدائیہ ہے جانِ من، تم مت بھولو کہ ہمیں لنچ اکٹھے کرنا ہے۔'' وہ اک ادائے دلبری سے بولا تو فروا نے مسکرا کر سر اثبات میں ہلا دیا۔

''اگر تم آج بھی نہیں آتیں تو میں نے پھر تم سے روٹھ جانا تھا۔'' اریز نے بوتل میں اِسٹرا ڈال کر فروا کو بوتل تھمائی اور پھر اپنی بوتل کھولنے لگا۔

''میں منا لیتی۔'' فروا ناز بھرے انداز میں اِترا کر بولی۔

''منانے سے بھی نہیں ماننا تھا میں نے۔'' اریز نے کہا تو فروا نے اُسے گھورا۔

''اچھا جی۔''

''ہاں جی۔'' اریز نے اُسی کے اسٹائل میں کہا۔

''پھر میں تمہیں چھوڑ دیتی کھڑوس، پلٹ کر بھی نہیں دیکھتی۔''

''پھر میں ہجر کے الاؤ میں دہک دہک کر انگارہ بن کر بھسم ہو کر ختم ہو جاتا۔'' اریز کی بات پر فروا کی آنکھیں پانیوں سے دھندلا کر ڈبڈبانے لگیں۔

''کیا ہوا جان۔'' اریز نے فروا کو کندھوں سے پکڑ کر سینے سے لگالیا اور دونوں باہم پیوست ہو گئے تھے۔

کچھ لمحے یونہی بے خودی کے ہاتھ پر ہاتھ دھرے بیتتے چلتے چلے گئے۔ پُرجوش اور مگن، پھر فروا چونک کر الگ ہوئی تھی۔ مگر اریز کے بازوؤں کے حصار میں جکڑی ہوئی تھی۔ اتنی آسانی سے علیحدہ کیسے ہوتی۔ بس یہ تھا کہ وہ خفت زدہ سی نظریں جھکائے کھڑی تھی۔ اریز کی پُرشوق نظریں اُس کے چہرے سے نیچے یہاں وہاں بھٹک رہی تھیں۔ اُس کی گرم سانسیں فروا کے بدن کو جھلسا رہی تھیں۔

''پلیز پلیز......'' فروا کا لہجہ ملتجی ہوا۔ پلکوں کی تتلیاں اُس کے عارضوں پر لرز رہی تھیں اور دل کی دھڑکنوں نے جیسے دوڑ لگا رکھی تھی اور اریز اُس کی سراسیمہ کیفیت سے لطف اندوز ہو رہا تھا۔

''پلیز چھوڑو اریز......'' اب کی بار اُس نے قدرے برہمی سے کہا، اریز کی بانہوں کا حلقہ ڈھیلا پڑ گیا۔

میرے لیے تو زمین پر بس اک ذات ہے تُو
اسی لیے تو میری پوری کائنات ہے تُو

''یہ شعر میرے جذبات کا ترجمان ہے فروا۔'' وہ والہانہ پن سے بولا۔ فروا اتنا شیریں لب ولہجہ سن کر کچھ نرم پڑ گئی۔ اندر کہیں دور شرمندگی نے سر اٹھایا تھا مگر اریز چوہدری کے محبت سے بوجھل اقرار نے شرمندگی کا سر کچل ڈالا۔

''فروا میں تم سے بے حد محبت کرتا ہوں۔'' اریز اک جذب سے آنکھیں موند کر بولا۔ یہ بھی اک ادا ٹھہری۔ فروا کا دل پگھلنے لگا۔ برہمی ہوا میں تحلیل ہونے لگی۔

''یہ خوبصورت پل، یہ تنہائی، نزدیکی کاش لمحے امر ہو جائیں۔ وقت تھم جائے۔ کبھی نہ گزرنے پائے۔ محبت کی شمع فروزاں رہے۔'' اریز نے وارفتگی سے فروا کو تکتے ہوئے دعا کی۔ ''کاش ہماری محبت، ملن بن کر ہمیشہ سلامت رہے۔'' اریز نے پھر کہا۔

''محبت پیاسی ہوتی ہے فروا اور ہر وقت دیدار کی خواہاں رہتی ہے۔''

فروا بس اپنے ہاتھوں کی انگلیاں مروڑے جا رہی تھی۔ اُس کے کنوارے بدن نے آج محبوب کے لمس کا ذائقہ چکھا تھا۔ وہ ہوش وحواس کھو بیٹھی تھی۔ اُس سے کچھ بولنا تو درکنار، نظریں بھی نہیں اٹھائی جا رہی تھیں۔ اُس کا تن بدن دھیمی سی آنچ میں سلگ رہا تھا۔ اُس کا اس سمے وہی حال تھا کہ عشق مہنگا پڑے۔ پھر بھی سودا کرے۔ سود و زیاں سے بالاتر سودا۔

''مجھے جانا چاہیے۔'' فروا نے کہا۔ نہ جانے کیوں اُس کا دل چاہ رہا تھا۔ فوراً یہاں سے چلی جائے۔ دل باغی ہو کر بغاوتوں پر اُکسا رہا تھا۔ دل اریز کے سینے میں گم ہو جانے کے لیے مچل رہا تھا۔ مگر وہ خسارے چاہ کر بھی نہیں خرید سکتی تھی۔

''میم آپ بھول رہی ہو کہ میں نے آپ کو لنچ پر انوائٹ کیا ہے۔'' اریز نے جتلایا۔ اُس کی نگاہیں مسلسل فروا کے سراپے میں اُلجھی ہوئی تھیں۔

''پھر کبھی سہی، ابھی مجھے گھر جانا ہے۔'' اریز نے اُس کے گال کو اپنی اُنگلی کی پور سے چھوا اور پھر شہادت کی اُنگلی گال سے گردن پر رینگنے لگی فروا بدک کر پیچھے ہٹی۔

''کیا کرتے ہو اریز، ڈونٹ ٹچ می۔'' فروا محبت کے اسرار و رموز سے نابلد سہی مگر اتنا ضرور جانتی تھی کہ اریز کا بار بار فروا کے قریب آنا اُن دونوں کے لیے قطعی ٹھیک نہیں ہے۔

''کیا ہو گیا ہے فروا، اتنی برہمی کا مظاہرہ کیوں کر رہی ہو، دقیانوسی لڑکیوں کی طرح۔''

دن کے اس پہر میں جادو تھا۔ وہ اس سمے فروا کی ہمراہی کا طلب گار تھا تو وہ کیوں اتنی اجنبیت اور روکھے پن کا مظاہرہ کر رہی تھی، کیوں گریز پائی برت رہی تھی۔ اگر محبت کرتی تھی تو پھر ہاتھ کیوں کھینچ رہی تھی۔

''کیا وہ حقیقتاً محبت تھی جس سے وہ ہاتھ کھینچ رہی تھی۔ یا کوئی ایسی کشش جس کے بہاؤ میں بہہ کر لڑکیاں اپنا گوہرِ آبدار گنوا بیٹھتی تھیں اور خطا کار بھی وہی ٹھہرتی ہیں، مرد سدا کا پارسا۔''

''کیا تم مجھ سے محبت نہیں کرتیں۔'' اریز تحیر و تاسف میں گھرا سوال کرنے لگا۔

''تمہیں کیا لگتا ہے۔'' فروا تنک کر بولی۔

''اس وقت صرف یہ لگ رہا ہے کہ محبت کے راستے کا میں اکیلا مسافر ہوں۔'' وہ روٹھے پن سے بولا۔

''اریز اس وقت ہم دونوں جذباتی کشمکش کا شکار ہیں۔ تم مجھے بار بار اپنے قریب مت کرو، میں تمہاری قربت کے طلسم میں قید ہو کر کمزور نہیں پڑنا چاہتی۔ پلیز ٹرائی ٹو انڈر اسٹینڈ۔'' فروا رونے والی ہو رہی تھی۔

''تم مجھ سے ڈر رہی ہو کیا۔'' وہ مسکرایا اور پھر ملائمت سے فروا کا گال چھوا۔

''تمہیں ڈر لگ رہا ہے۔ خوفزدہ ہو، مجھ پر بھروسہ نہیں نا، تمہیں ایسا کیوں لگتا ہے کہ میں تمہیں کوئی نقصان

پہنچنے دوں گا۔'' مدھم لہجے میں کی گئی بات میں اثر ہونا چاہیے تھا، دل جیت لینے والا انداز تھا۔ وہ بس چپ چاپ دیکھے گئی۔ مگر بولی کچھ نہیں۔

''تمہاری جان اور عزت کی حفاظت کرنا میرے فرائض میں شامل ہے پگلی! کیونکہ تم میری جان ہی نہیں عزت بھی ہو، تمہیں محفوظ رکھنا، تمہاری حفاظت کرنا میری ذمے داری ہے۔'' اریز کا انداز بہت تحفظ دلانے والا تھا، بہت مختلف اپنائیت بھرا، فروا کو اچھا لگا خوف کا اثر زائل ہونے لگا۔

''بہت افسوس کی بات ہے کہ تمہیں لگتا ہے کہ میں نقب زنی کروں گا اور وہ بھی اپنے ہی گھر میں...... تم میری ہو اور اپنوں کی حفاظت کی جاتی ہے ڈفر، اُن کو لوٹا نہیں جاتا۔'' فروا نے دیکھا وہ مسلسل فروا کے چہرے کو تکے جا رہا تھا۔ اُسے سطر سطر پڑھ رہا تھا۔

''سوری اریز......'' اب اریز کی اتنی لمبی چوڑی وضاحتیں پا کر وہ شرمندہ ہو رہی تھیں۔

''تم پر میرا اور مجھ پر تمہارا مکمل حق اور اختیار ہے، مگر اپنے دل سے تمام خوف وسوسے اُکھاڑ پھینکو۔ میں نفس کا اتنا برا نہیں ہوں اور نہ ہی میرا کریکٹر لوز ہے۔'' اریز نے خفگی بھری نگاہ کی۔

''اچھا معاف کر دو۔'' فروا نے ہاتھ جوڑ دیئے۔

''اچھا یہ بتاؤ گھر میں اتنا سناٹا کیوں ہے، باقی لوگ کہاں ہیں۔'' جو بات اُس احمق لڑکی کو سب سے پہلے پوچھنی چاہیے تھی۔ وہ اب پوچھ رہی تھی۔ اُسے ایسا کوئی خیال آیا ہی نہیں تھا کہ وہ دونوں اتنے بڑے گھر میں اکیلے ہیں۔

''ڈیڈی سنگاپور میں ہوتے ہیں وہاں اُن کا بزنس ہے، ایک بہن اور بھائی لندن پڑھنے گئے ہوئے ہیں۔ اور ممی آج کراچی گئی ہوئی ہیں، ماموں کے پاس۔''

''اوہ اچھا......''

''پھر بے اعتباری......'' اریز نے محبت پاش نظروں سے گھورا۔

''ارے نہیں نہیں۔ اچھا یار کھانا کھلاؤ تاکہ میں جانے والی بنوں، پانچ بجے سے پہلے میں پارلر سے گھر پہنچ جاتی ہوں۔''

''ابھی تو صرف تین بجے ہیں یار، اور تم یہ کیا مڈل کلاس لڑکیوں جیسی حرکتیں کر رہی ہو، آج کل کون اپنی اولاد سے پوچھتا ہے۔ کہاں گئے کیوں گئے کب آئے کب گئے۔''

''ہم لوگ اتنے بھی آزاد خیال نہیں ہیں جتنا تم سمجھ رہے ہو۔ ٹھیک ہے بابا نے کبھی ہم پر بے جا پابندیاں نہیں عائد کر رکھیں مگر شتر بے مہار بھی نہیں چھوڑ رکھا مسٹر۔'' اریز نے ہوم ڈلیوری کے لیے شہر کے مشہور ہوٹل فون کیا۔ دونوں نے اکٹھے کھانا کھایا۔ وہ اپنی گاڑی میں فروا کو بٹھا کر پارلر کے سامنے چھوڑنے آیا۔

''سنو میں ہر بات برداشت کر سکتا ہے مگر تمہاری بے اعتنائی اور بے اعتباری نہیں، دھیان رکھنا۔'' اریز کی بات پر فروا نے اثبات میں سر ہلایا اور بائے کہہ کر چلی گئی۔

اخبار میں چھپی صبا زمان کی تصویر نے رحمان اور عائشہ کو کیسی جلن کڑھن میں مبتلا کیا تھا۔ یہ کوئی بتانے والی بات تو تھی نہیں۔ دونوں میاں بیوی کے اندر تک سناٹوں کے ساتھ کوئی اور چیز بھی بے حد برق رفتاری سے پھیلی تھی، دکھ، حسد، شاک...... ہاں احتشام اور عروا کو اندر سے بہت خوشی ہوئی تھی کہ اُن کی کزن ہے وہ لڑکی جس کی پورے شہر میں واہ واہ ہو رہی تھی اور ریان ابھی ایسی چیزوں سے واقف نہیں تھا اور فروا کی تو آج کل پوری توجہ اریز چوہدری نے سمیٹ رکھی تھی۔ اُس کے اطراف میں کیا ہو رہا ہے؟ کون خوش ہے؟ کون آزردہ؟ فروا رحمان کو کوئی غرض نہیں تھی۔ وہ محبت کرنے والی اور خیال رکھنے والی بہن یا بیٹی تو کبھی بھی نہیں تھی مگر آج کل تو عجیب خود فراموشی کا عالم تھا۔

آج فرقان کی فیملی رحمان کے گھر مدعو تھی۔ یہ کھانا تو بقول رحمان فرقان کے مل بیٹھنے کا بہانہ تھا، گپ شپ لگائی جاتی، بچے بھی آپس میں وقت گزار لیتے۔ مگر آج صبا زمان کا موضوع نا چاہتے بھی اِن دو گھروں کے مکینوں کی نوکِ زباں پر ٹھہرا رہا۔

''کیا پتا یہ وہ والی صبا زمان نہ ہو، کوئی اور ہو۔'' فرقان نے کہا تو عائشہ اور رحمان کا دل بیک وقت دھڑکا اور شدت سے یہ خواہش دل میں اُبھری۔

'کاش یہ کوئی اور صبا ہو' مگر ضروری تو نہیں کہ انسان جو خواہش کرے وہ پوری بھی ہو اور ہر بار ہو۔ لبنیٰ حقیقت سے آگاہ تھی مگر اُسے تصدیق کے لیے تائید کرنا مہنگا پڑ سکتا تھا۔ اس لیے اُس نے سختی سے اپنے ہونٹ بھینچ رکھے تھے مگر دل...... سرتاپا بھرتا جا رہا تھا طمانیت سے احساسِ تفاخر سے۔

''یہ وہی والی صبا ہے، دیکھ رکھا ہے میں نے اِس کلموہی کو۔'' عائشہ نے حقارت سے کہا۔ رحمان کو سانپ سونگھ گیا اور وہ غصے سے دانت پیسنے لگا اور پھر اپنی پاکٹ سے سیل فون نکال کر کوئی نمبر ملانے لگا مگر کال آگے سے اٹھائی نہیں گئی تھی۔

''سو یا مرا پڑا ہوگا اندھا کہیں کا......'' رحمان نے نخوت و تنفر سے دوبارہ نمبر ملاتے ہوئے کہا۔ فرقان نے بے ساختہ بچوں سے نظریں چرائی تھیں اپنے بڑے بھائی کے لیے رحمان کے ایسے الفاظ فرقان کو پسند نہیں آئے تھے۔ لبنیٰ نے بھی بے ساختہ اپنا ہاتھ لبوں پر رکھا تھا۔ رحمان گھمنڈی تھا مگر فاخرہ سے نفرت کرتا تھا۔

''سلام بھائی۔'' کال ملنے پر رحمان نے لٹھ مار انداز میں کہا۔ آگے سے زمان کیا بولا۔ پتا نہیں تھا۔

''ایک بات پوچھنی ہے۔ یہ جو صبا زمان لڑکی ہے، جس نے بورڈ میں پوزیشن لی ہے......'' مگر نہ جانے آگے سے ایسا کیا کہا گیا تھا کہ رحمان نے کال کاٹ دی اب وہ اضطرابی انداز میں اپنی پیشانی مسل رہا تھا سب کی نظریں رحمان پر تھیں۔

''رحمان کیا ہوا۔'' بالآخر فرقان نے ہی خاموشی کے دورانیے کو کم کیا۔

''خوشی سے پاگل ہو گیا ہے۔ مجھے مبارکباد دے رہا تھا وہ اندھا۔'' وہ نفرت میں اس قدر ڈوب چکا تھا کہ سب تمیز و تہذیب بھول چکا تھا۔ اس سے رحمان کا دل آگ میں جل رہا تھا۔

''ارے واہ یہ تو بہت اچھی بات ہے۔'' فرقان نے متبسم لہجے میں کہا، جہاں لبنیٰ نے تحیر بھری مسرت سے

فرقان کو دیکھا وہیں رحمان نے انتہائی اشتعال سے قہر و غضب سے دہکتی نگاہ اُس پر ڈالی۔

''کیا اچھی بات ہے۔'' رحمان تڑپ کر بولا۔ اِس سمے وہ کسی اَن دیکھی تپش میں سلگ رہا تھا۔ نفرت کرنا دنیا کا سب سے مشکل ترین کام ہے اور رحمان کتنے سالوں سے پوری دلجمعی کے ساتھ یہ مشکل اور کٹھن کام کر رہا تھا اور کیے جا رہا تھا۔ تھک ہی نہیں رہا تھا۔

''یار وہ ہماری بھتیجی ہے۔ ہمارے بھائی کی بیٹی ہے۔ ہمارے خاندان کا حصہ ہے جس سے انکار کسی طور ممکن نہیں ہے۔'' یہ فرقان تھا جو صرف فاخرہ کو تو ضرور برا سمجھتا تھا اور رحمان کا ہم نوا اور ہم خیال بن جاتا تھا۔ مگر صرف فاخرہ کے لیے۔

''مت بھولو کہ وہ فاخرہ کی بیٹی ہے جس کا ہماری بھابی ہونا ہمارے لیے ہمیشہ تذلیل کا باعث بنا ہے۔ کیسے کیسے شرمندہ نہیں ہوئے ہم۔'' وہ نہ جانے کیا جتلانا چاہ رہا تھا۔

''یار رحمان ماضی کی راکھ کریدنے سے بھلا کیا حاصل ہوگا۔ اُلٹا ہاتھ کی پوریں ہی جھلس جاتی ہیں۔ مجھے تو بہر حال بہت خوشی ہوئی ہے کہ ہمارے خاندان میں کوئی بچی اتنی قابل نکلی ہے۔ فاخرہ ہمارے خاندان کی پہلی لڑکی تھی، جس نے ہمیشہ بورڈ میں پوزیشن لی۔ اسکالرشپ لینے کا اعزاز بھی اُسے ہی حاصل ہے۔'' فرقان روانی میں کہتا ہی چلا گیا۔

''ہاں ہاں ایسی نوکھی اور جان لیوا 'حرکتیں' کرنے والی بھی تو فاخرہ ہی خاندان کی پہلی لڑکی تھی۔'' عائشہ نے زہر میں بجھا ہوا ایسا طنز کیا جس میں تنفر کی آمیزش بھی شامل تھی۔ فاخرہ کی کوئی تعریف کرے وہ کہاں برداشت کر سکتی تھی۔

''تم کچھ بھی کہو فرقان مگر مجھے بے حد دکھ ہوا ہے کہ میرا بیٹا مڈل اسٹینڈرڈز میں بری طرح ناکام ہو گیا اور اُس حرافہ کی بیٹی......'' اصل بات ہونٹوں پر آ ہی گئی تھی اور رحمان کا بس نہیں چل رہا تھا کہ فاخرہ اور اُس کی بیٹی کا منہ نوچ لے، یا اُن کو صفحۂ ہستی سے مٹا کر زمین کا رزق بنا ڈالے۔ فرقان نے مزید کچھ کہنے کے لیے منہ کھولا ہی تھا کہ لبنیٰ نے آنکھ کے اشارے سے اُسے روک دیا کیونکہ رحمان سے اس وقت کوئی بھی بات کرنا مناسب نہیں تھا۔

رحمان اذیت و بے کسی کے عالم میں ڈائننگ روم سے نکل کر ٹی وی لاؤنج میں چکر کاٹنے لگا۔ اُس کی زبان زہر اُگلتی رہی، سب سنتے رہے۔ کبھی کبھی عائشہ بھی جلے دل کے پھپھولے پھوڑنے لگتی۔

جب ماں باپ اپنے خون کے رشتوں کے لیے ایسے جذبات رکھتے ہوں اور اُن کا بے لاگ اور بے دھڑک اظہار بھی کرتے ہوں۔ اپنے بڑوں کی عزت نہ کریں۔ چھوٹوں پر رحم نہ کریں۔ کسی بہت اپنے کے کردار کی دھجیاں اُڑا کر رکھ دیں اور انتہائی بے حسی اور خود غرضی کا مظاہرہ کرتے ہوئے بڑے بھائی کو 'اندھا' کہیں، بے دریغ کسی کی ذات پر کیچڑ اُچھالیں۔ صرف اپنی ذات کی تسکین کے لیے، ایسے بات کریں جیسے خود بہت برگزیدہ اور نیکوکار ہوں، ذرا سوچیے وہاں بچوں کی کیسی تربیت ہوگی؟ وہ کہاں انسانیت سے محبت کرنا سیکھیں گے، جب بے حسی و خود غرضی ہی ورثے میں ملی ہو۔

مگر حیرت کی بات تو یہ تھی کہ رحمان اور عائشہ کے اندر پلتی کدورت اور کینہ و بغض اُن کی اولاد کے اندر

سرایت نہیں کر پایا تھا۔ دونوں گھروں کے بچے تایا زمان، فاخرہ اور اُن کے بچوں سے ملنے کا شوق دل میں رکھتے تھے، بھلے دبا دبا ہی سہی۔

○......❖......○

''بھوک سے میری جان نکلی جا رہی ہے لبنیٰ، پے در پے صدمات نے جیسے اَدھ موا بھی تو کر ڈالا ہے۔ مانو بھوک پیاس ہی مٹ گئی۔'' عائشہ شاید ابھی ابھی سو کر اُٹھی تھی اور لبنیٰ کے گھر کا رُخ کیا تھا۔

''آپ کیا کھائیں گی۔''، لبنیٰ نے عائشہ کے اُجڑے بکھرے حلیے سے نظریں ہٹائیں۔

''تم چائے بناؤ، میں فریج میں بریڈ وغیرہ دیکھتی ہوں۔'' عائشہ نے فریج کھولا، بریڈ کا پیکٹ رکھا تھا۔ وہ بریڈ کا پیکٹ اور دو انڈے ہاتھ میں پکڑے لبنیٰ کے قریب آئی۔ لبنیٰ اکثر عائشہ بھابی کی دیدہ دلیری پر ششدر رہ جاتی تھی۔ اُن کو عادت تھی خوامخواہ کی اجارہ داری قائم کرنے کی۔ گھر بھلے کسی کا بھی ہو۔ یوں کسی کے گھر آ کر دندناتے پھرنا یا اپنی من مانیاں کرنا کم از کم لبنیٰ کی سرشت میں شامل نہیں تھا۔ رکھ رکھاؤ والی خاتون تھی۔ گھر سے کم کم نکلتی تھی۔ بلا ضرورت کسی کے حتیٰ کے عائشہ کے گھر بھی نہیں جاتی تھی۔

''ہا...... ہائے تمہارے برتن ابھی تک دھونے والے پڑے ہیں۔'' عائشہ بھی لبنیٰ کے پیچھے ہی کچن میں آن گھسی تھی اور سنک میں دھرے برتن دیکھ کر یوں ناک بھوں چڑھانے لگی جیسے خود سارا گھر سمیٹ سماٹ کر آئی ہو۔

''بھابی آپ کمرے میں جا کر بیٹھیں میں آتی ہوں لے کر۔'' لبنیٰ بدزبان نہیں تھی، لحاظ مروت بھی بہت تھا اسی لیے غصے کو ضبط کر کے نہایت شائستگی سے کہا۔

''ارے اسی لیے تو کہتی ہوں کہ کوئی کام والی رکھ لو، اب اتنا سا تو تم افورڈ کر ہی سکتی ہو۔'' عائشہ نے شاید اپنے تئیں جتلایا تھا کہ تمہاری مالی حیثیت مجھ سے کم سہی مگر پھر بھی اتنی تو ہے کہ برتن دھونے والی رکھ سکو۔

''بھابی یہ برتن ابھی ابھی گندے ہوئے ہیں کیونکہ ابھی تھوڑی دیر پہلے بچے ناشتا کر کے فارغ ہوئے ہیں میں دھونے لگی تھی کہ آپ آ گئیں۔ اس لیے وہیں چھوڑ دیئے۔''لبنیٰ نے ناچاہتے ہوئے بھی وضاحت دے ڈالی۔ عائشہ پورے محلے کی ذاتیات میں دخل در معقولات اپنا اولین فریضہ سمجھتی تھی۔ زبردستی دوسروں کے اعصاب پر بھاری سل کی مانند مسلط رہتی تھی۔ محلے والیاں اگر سامنے لحاظ بھی کر جاتی تھیں تو پھر پیٹھ پیچھے عائشہ کی ٹوہ میں رہنے کی عادت پر اختلاف کرتی تھیں اور دوسروں کے معاملات میں زبردستی گھسنے والی عادت سے بھی خائف ہی نہیں بیزار بھی تھیں۔

''لبنیٰ میرا تو دم گھٹ رہا ہے، مجھے کمرے میں ہی چلنا چاہیے۔'' عائشہ نے کچن سے باہر نکلتے ہوئے کہا۔ تو مارے ضبط کے لبنیٰ کی آنکھیں نم ہو گئیں۔ وہ عائشہ بھابی کی بلاوجہ کی تنقید پر کلس کر رہ گئی مگر وہ عائشہ بھابی کی حاکمانہ طبیعت سے اچھی طرح واقف تھی۔ عائشہ جیسے نافہم لوگ انتہائی بے دید اور ناقص العقل ہوتے ہیں جو تیرے میرے گھر کی خبر تو رکھتے ہیں۔ مگر اپنے گھر کی دیکھ بھال بچوں کی تعلیم و تربیت پر توجہ دینا بھول جاتے ہیں۔ لبنیٰ بس چپ سادھ لیتی تھی دوبدو جواب دینا اُسے بھی آتا تھا مگر کسی ممکنہ بدمزگی کے خوف کے زیر اثر وہ

رواداری اور بڑے پن کا مظاہرہ کرتی اور اپنی ناگواری کمالِ مہارت سے چھپا جاتی۔

''یہ لیں بھابی......'' لبنیٰ ذرا سی دیر بعد ٹرے میں چائے بریڈ اور ہاف بوائل انڈے لیے حاضر تھی۔

''بہت شکریہ۔''

''ارے بھابی آپ کا اپنا گھر ہے۔'' لبنیٰ خوش دلی سے اخلاق کا دامن پکڑے ہوئے کہنے لگی۔ لبنیٰ اُن کے پاس بیٹھ کر کریلے چھیلنے لگی۔ عائشہ بھابی اِدھر اُدھر کی لایعنی باتیں کیے جا رہی تھیں۔ لبنیٰ بے دلی اور بے توجہی سے سنتی رہی بے تکی بے سروپا گفتگو، منفی سوچ بے مقصد باتیں، لبنیٰ ہوں ہاں کرتی رہی۔ ہاں اتنا وہ جانتی تھی کہ وقت اب جلدی نہیں گزرنے والا۔ عائشہ اب صبا کا ذکر لے بیٹھی تھی۔ فاخرہ کی برائیاں، صبا کی اُٹھتی جوانی کے بارے ناگوار جملے لبنیٰ کو بہت گراں گزر رہے تھے عائشہ کا دھواں دھواں چہرہ صاف بتا رہا تھا کہ صبا کی شاندار کامیابی نے کیسے اُس کے دل کو جلا کر خاکستر کر ڈالا تھا۔ کیسے بھوک اُڑا کر رکھ دی تھی۔

''بھابی اب آپ لوگوں نے احتشام کا کیا سوچا ہے۔'' لبنیٰ نے سمجھداری سے موضوع بدل دیا تھا۔

''بس کرنا کیا ہے۔ دوبارہ امتحان دے گا، اب کے اُس نے وعدہ کیا ہے کہ وہ سخت محنت کرے گا۔ رحمان سے اُس نے معافی بھی مانگ لی ہے۔''

''ہاں بس اللہ ہمارے بچوں کو محنت بلکہ سخت محنت کرنے کی توفیق دے۔''

''ہاں احتشام پڑھ لکھ جائے تو اچھی بات ورنہ تو اپنے باپ کا کام ہی سنبھالنا ہے نا، کون سا نوکری کرنی ہے اُس نے۔'' لبنیٰ عائشہ بھابی کا تعلیم کے بارے میں 'خیال' سن کر دنگ رہ گئی یعنی کہ لاپروائی کی کوئی حد تھی بھلا۔ وہ اپنی اولاد کے مستقبل کی پلاننگ کیے بیٹھی تھیں۔

عائشہ بھابی نے کھا پی کہ برتن پرے کھسکائے اور نمایت پُراسرار انداز میں کھسک کر لبنیٰ کے بالکل پاس ہوئی انداز سرگوشیانہ اور قدرے رازدارانہ تھا۔

''الٰہی خیر......'' لبنیٰ نے کوفت سے عائشہ بھابی کی حرکات وسکنات کا جائزہ لیا۔

''پتا ہے کل کیا ہوا؟'' عائشہ نے اپنی گول گول آنکھیں شاطرانہ انداز میں گھمائیں۔

''نہیں تو......'' لبنیٰ نے بمشکل کہا۔ ایسی کون سی افتاد آن پڑی جو عائشہ بھابی کان میں گھس رہی تھیں۔

''سلمیٰ کی بہو کل کہیں بھاگ گئی ہے اور جاتے ہوئے اپنے دو بچے بھی ساتھ لے گئی۔''

''یہ کیا کہہ رہی ہیں، ایسا کیسے ہو سکتا ہے، آپ تو اپنے گھر کی پریشانی (احتشام کا فیل ہونا) میں تھیں۔ کس نے بتایا۔'' لبنیٰ کی ایک ایک کر کے تمام حسیات بیدار ہوئی تھیں کیونکہ وہ سلمیٰ خالہ کی بہو جویریہ کو اچھی طرح جانتی تھی۔ کسی اسکول میں پڑھاتی تھی۔ اچھی ملنسار خاتون تھی۔

''مجھے بس سن گن مل ہی جاتی ہے، جاؤں گی میں سلمیٰ آپا کی طرف، اتنا بڑا صدمہ ہے اور کیسی بدنامی اور جگ ہنسائی ہوگی، دو بچوں کی ماں اپنے آشنا کے ساتھ گھر سے بھاگ گئی۔'' عائشہ بھابی نے قہقہہ لگایا۔ یہ کوئی ہنسنے، مضحکہ اُڑانے والی بات تھی کیا۔

''پلیز بھابی! کسی پر بہتان باندھنا ہمیں زیب نہیں دیتا۔ ہر بات کا تاریک پہلو مت دیکھا کریں، بات

کوئی اور بھی ہو سکتی ہے۔ جویریہ میری کلاس فیلو رہی ہے۔ میٹرک کے بعد ہم نے اکٹھے پی ٹی سی کی تھی اور پھر اکٹھے ہماری نوکریاں بھی لگی تھیں۔'' لبنیٰ کو بہت کچھ یاد آیا تھا۔

''ارے وہ تمہاری سہیلی نکلی تو بی بی اب تم بھی خاطر جمع رکھو' تم سے بھی تفتیش ہو سکتی ہے۔'' عائشہ نے بات کو قطعی دوسرا ہی رُخ دے ڈالا۔ لبنیٰ نے ایک شکوہ کناں نظر اُس پر ڈالی۔

''لو بھلا ایسے کیا دیکھ رہی ہو، سچ تو کہہ رہی ہوں۔ ویسے وہ گئی کہاں اُستانی صاحبہ۔'' دوسروں کی ذات کے بخیے اُدھیڑنے میں وہ ماہر تھیں۔ اب ایک نئی بات اُس کے ہاتھ لگ گئی تھی۔ کچھ دن تو اچھے گزر جاتے۔ لبنیٰ نے بے چینی سے پہلو بدلا۔ باتیں عائشہ کر رہی تھی ندامت و پشیمانی لبنیٰ کو ہو رہی تھی۔ خدا کا خوف لبنیٰ کے دل کو لرزا رہا تھا یوں کسی بے بنیاد بات پر اُنگلی اٹھانا نہایت قبیح عمل ہے۔ خدا تو دوسروں کے عیبوں پر پردہ ڈالنے کا حکم دیتا ہے۔ جب ہم بغیر ثبوت کسی پر الزام تراشی کر سکتے ہیں تو اتنا ظرف کہاں کہ دوسروں کے گناہوں کو دلوں میں چھپا سکیں۔

''اچھا بھابی آپ بیٹھیں میں کھانا بنالوں۔'' لبنیٰ نے اپنے سامنے رکھی کریلوں، پیاز، ٹماٹر کی ٹوکریاں اُٹھائیں اور اُٹھ گئی۔

''میں بھی چلتی ہوں، شام کو سلمیٰ کے گھر کا چکر لگاؤں گی۔ ساری بات پتا لگا کر آؤں گی۔'' عائشہ جانے کے لیے اُٹھی تو لبنیٰ کا بھی روکنے کو دل نہیں چاہا۔ لبنیٰ تاسف اور آزردگی میں گھر کر اُسے جاتا دیکھتی رہی۔

لبنیٰ بہت اچھی طرح سے عائشہ کی فطرت کو جانتی تھی۔ دوسروں کی ٹوہ میں رہنا دوسروں کے گھروں میں جھانکنا کسی کی ذراسی کمزوری ہاتھ کیا آتی۔ اُس کے کردار میں وہ اتنے جھول اور خامیاں نکال لیتی کہ اُف توبہ۔

نہ جانے اُن کی شخصیت میں کیا اُدھورا پن تھا، کیا تشنگی تھی جو وہ ایسی نازیبا و اخلاق سے گری ہوئی حرکتیں کر کے اپنی ذات کی تکمیل کرتی تھی یا خود کو تسکین دینے کے لیے حربے آزماتی تھی۔ فطرت کبھی نہیں بدلتی بدنیت بدفطرت۔ دو لوگ میاں بیوی بن کر ایک گھر میں کیسی زندگی گزار رہے تھے یہ کوئی ڈھکی چھپی بات تو نہیں جیسا رحمان ویسی عائشہ۔ جو اچھا سوچتا نہیں وہ اچھا کر بھی کیسے سکتا ہے۔ ایسے دلوں پر کٹھور پن اور سنگدلی کی مہریں لگی ہوتی ہیں۔ ایسے لوگوں پر اچھا برتاؤ، اعلیٰ رویہ کبھی اثر انداز نہیں ہوتا۔

اتنا سارا وقت بے کار گزر گیا۔ حاصل وصول کچھ بھی نہیں۔ لبنیٰ کے دل پر ایک نادیدہ بوجھ آ گرا۔ کھانا بناتے ہوئے لبنیٰ کا ذہن مسلسل جویریہ اور اُس کے بچوں میں اٹکا رہا۔ وہ زیرلب خیریت کی دعائیں مانگتی رہی۔ اللہ تعالیٰ سے رحم کی اپیل کرتی رہی۔

O......❖......O

خالہ اماں کو اکثر ہی بخار رہنے لگا تھا۔ وہ زمان کے پاس لیٹی رہتی، فاخرہ بساط بھر اُس کا خیال رکھتی۔ صبا اور فضا کو بھی اصرار کر کے اُن کی دادی کے پاس بھجواتی، وہ دونوں نا چاہتے ہوئے بھی اُن کے پاس چلی جاتی تھیں۔ اُن کو دباتی تھیں مگر باوجود کوشش کے بھی وہ اپنی دادی سے محبت جتا نہیں پاتی تھیں۔ بس اُن کی ہر بات کے جواب میں ہوں ہاں کرتی رہتی تھیں۔

''بیٹا اپنی دادی کے لیے دودھ والا دلیہ بنادو، میں اُن کے کپڑے دھودوں۔'' فاخرہ نے کہا۔

''آپ اُن کو اُن کے حال پر چھوڑ دیں مما، پروانہ کریں، جیسے انہوں نے ساری زندگی آپ کی پروانہیں کی۔ آپ کی ذات پر ستم کے ہنر آزمانے میں کوئی کسر نہیں چھوڑی۔'' صبا غصے سے منہ پھلا کر بولی۔

''نہیں بیٹا ایسانہیں کہتے، وہ جتنی بھی سفا کی اور ظلم کا مظاہرہ کرتی رہیں مگر وہ بزرگ ہیں، بڑی ہیں اور پھر بیمار بھی۔ اُن کا خیال رکھنا ہمارا فرض ہے۔'' فاخرہ نے اُسے سمجھایا۔

''مما آپ کے صبر کی کوئی حد بھی ہے بھلا، کسی کو مصلوب کر کے غمگین رکھنا مضمحل و آزردہ کرنا ظلم و بربریت کی انتہا کر دینا اور آپ ہیں کہ تھکتی نہیں درد سہہ سہہ کر۔'' صبا کا نمناک لہجہ فاخرہ کا کلیجہ شق کر گیا۔ اُس نے تھرا کر صبا کو دیکھا اور اُسے سینے سے لگالیا۔

''طاقت رکھتے ہوئے بھی درگزر سے کام لینا ہی کسی انسان کو انسانیت کے درجے پر فائز کرتا ہے ورنہ تو اس وقت کسی کو یہ کہنا کہ ہم نے معاف کیا۔ جب ہم انتقام لینے کی استعداد و ہمت ہی نہیں رکھتے کوئی معنی نہیں رکھتا۔'' فاخرہ بے اختیار سسکنے لگی۔

''ہم کسی کو سزا دینے پر قادر نہیں ہیں بیٹا۔ ایسی منفی باتیں دوبارہ کبھی مت سوچنا، جو درگزر کرتا ہے وہی دلی سکون کی دولت سے مالا مال ہوجاتا ہے۔ نیکی اور خیر کا راستہ اپنانے والے بھی دنیا و آخرت میں سرخرو ہوتے ہیں اور میں چاہتی ہوں کہ تم لوگ اپنا دل صاف کر کے اپنے بابا اور دادی کو وقت دو۔ اُن سے باتیں کرو۔ اُن کی خدمت کرو۔ ماں ہونے کے ناتے میرا فرض ہے کہ میں تم لوگوں کو مثبت طرزِ زندگی گزارنے کا درس دوں۔''

فاخرہ نے رسانیت سے ایک ایک بات صبا کے ذہن میں ڈالنے کی کوشش کی جبکہ فاخرہ کا اپنا دل پھٹا جارہا تھا۔ وہ سرتاپا لرز رہی تھی۔ صبا کے پیچھے فضا بھی آ کر کھڑی ہوگئی تھی۔

''اللہ تعالیٰ ہر انسان کو جب آزمائش میں ڈالتا ہے نا بیٹا تب ہی ہماری اچھائی اور برائی کا پتا چلتا ہے۔ جو اللہ کی دی ہوئی آزمائش کو رحمت سمجھتا ہے۔ جھیل جاتا ہے، نبھا جاتا ہے، پھر بھی اُس کی زبان پر شکر کا کلمہ ہو وہی صابر ہے۔ خدا کی ذات پر کامل یقین رکھنے والا، کوئی بھی مرتبہ و مقام بغیر تکلیف یا درد کے کہاں ممکن ہوتا ہے۔ تم لوگ صلہ ہو، خدا تعالیٰ کی طرف سے، نیک صالح اولاد جو ماں باپ کا نام روشن کرتی ہے۔ اُس سے بڑھ کر کیا صلہ ہوسکتا ہے بھلا۔''

پُر رسان، دھیما، بے حد سبک پُر اثر اندازِ گفتگو، صبا نے عقیدت سے فاخرہ کے سینے سے سر اٹھا دیکھا۔ کتنا سحر انگیز چہرہ تھا اُنکی مما کا۔

وہ آج جان گئی تھی کہ ایسے جان لیوا حالات میں رہ کر بھی، اتنا کرب، اتنی صعوبتیں کاٹ کر بھی اگر اُن کا چہرہ اتنا تر و تازہ اور بارونق تھا، جیسے گزرتے ہوئے وقت نے فاخرہ کے دلنواز چہرے کو چھوا تک نہیں تھا۔ تو یہ فاخرہ کے من کا اُجلا پن تھا جو نور بن کر اُس کے نقوش کو مزید پُرکشش و جاذبِ نظر بنا گیا تھا۔

''مما آپ کا ظرف بہت بڑا ہے آپ عظیم ہیں۔ مجھے فخر ہے آپ پر۔'' صبا نے فاخرہ کے دونوں ہاتھ پکڑ کر آنکھوں سے لگالیے۔ اُس کا سر جھکا ہوا تھا۔

"ممامجھے معاف کردیں، مجھے اتنی چھوٹی اور گری ہوئی بات نہیں کرنی چاہیے تھی۔ بدلہ لینا، کسی کو سزا دینا بہت گھٹیا فعل ہیں اور مجھے ایسا سوچنا بھی نہیں چاہیے تھا۔" اُس کی آواز پھر سے آنسوؤں کی نمی سمیٹ لائی۔

فاخرہ زیرلب مسکرائی۔ وہ نہیں چاہتی تھی کہ وہ اپنی اولاد کے دل بغاوت، سرکشی تلخی وہٹ دھرمی سے بھر کر اُن کو بھٹکا ڈالے اس لیے جب بھی صبا دادی کے حوالے سے یا زمان کے حوالے سے بھر جاتی اور کسی تند خیز موج کی طرح سر پٹخ کر سوال کرتی۔ تب اُس کی وحشت چھلکاتی نظروں کو دیکھ کر فاخرہ کے حواس مختل ہو جاتے۔ اُس کے اپنے اندر خوف وہراس پھیل جاتا۔ تب وہ دل پر بھاری پتھر کی سل رکھ کر اُن کو پیار سے سمجھاتی ورنہ اُس کا اپنا دل کیسے لہولہان تھا۔ اُس کو بتا کر دکھی نہیں کرنا چاہتی تھی، ورنہ اُس کی اولاد سب سے بدگمان اور بے گانہ ہو جاتی اور فاخرہ ایسا کیسے چاہ سکتی تھی اُس نے خود سارے رشتے کھوئے تھے۔ وہ اپنوں کی بے رخی اور بے اعتنائی برداشت کرتے کرتے جیسے پتھر کی ہو چکی تھی۔ وہ اپنی اولاد کو رشتے دینا چاہتی تھی چھیننا نہیں۔

"ارے نہیں میری ننھی پری، معافی کیسی، جاؤ دادی کے لیے دلیہ بناؤ، اللہ کی رضا کے لیے اللہ کے بندوں سے محبت کرو اور اللہ انسان کی اُمیدوں سے بڑھ کر صلہ اور جزا دینے والا ہے۔"

"جی مما میں بناتی ہوں۔" صبا پلٹ گئی تو فاخرہ کپڑے دھونے لگی مگر اُس کے بے آواز آنسو مسلسل گرتے رہے۔

کہاں اتنا آسان ہوتا ہے ایسے لوگوں کو معاف کرنا جنھوں نے ساری زندگی آپ کو کانٹوں پر گھسیٹ کر زخم زخم کیا ہو۔ آپ کے اندر سے جینے کی اُمنگ ہی ختم کردی ہو۔ بھری دنیا میں تماشا بنایا ہو۔ آپ کی تقدیر اپنے ہاتھوں سے لکھ کر اپنی پسند کی "سزا" تجویز کی ہو۔ زندگی کے ایک ایک پل کو جاں گسل عذاب میں مبتلا کر کے صدیوں پر لٹکایا ہو مگر وہ فاخرہ جبیں تھی۔ صابر شاکر اپنے سارے فیصلے اللہ کے ہاتھ میں دینے والی اور اللہ بہتر انصاف کرنے والا ہے۔

○......❖......○

صبا کا غصہ اور برہمی دوسرا رُخ اختیار کر چکی تھی۔ یہ سب فاخرہ کی باتوں کا اثر تھا۔ اب اُسے دادی بہت ہی قابلِ رحم لگ رہی تھیں۔ ترس اُمنڈ اُمنڈ کر آرہا تھا۔ رحم وہمدردی دل میں جگہ بنا رہی تھی۔

"دلیہ کھالیں۔" صبا جب کمرے میں آئی تو وہ سیدھی لیٹی ہوئی تھیں۔ دادی کی نظریں کمرے کی چھت میں اُلجھی نہ جانے کیا تلاش کر رہی تھیں۔ چہرے پر اَن گنت سوچوں کی پرچھائیاں لرز رہی تھیں۔ "اُٹھیں میں آپ کو خود کھلاتی ہوں۔"

صبا نے محبت سے سہارا دے کر اُٹھایا اور خود اُن کے منہ میں چمچ سے دلیہ ڈالنے لگی۔ دادی کی آنکھوں میں آنسو جھلملائے تھے اور اُن کا جھریوں زدہ چہرہ آنسوؤں سے تر ہونے لگا۔ صبا نے اپنے ہاتھ سے اُن کے آنسو صاف کیے پھر تھوڑا تھوڑا دلیہ اُن کے منہ میں ڈالتی رہی۔ دلیہ کھلایا، پانی پلایا پھر دادی کا چہرہ صاف کیا اور سہارا دے کر پھر لٹا دیا۔

"دادی آپ بیمار ہیں اس لیے رو رہی ہیں کیا؟" صبا نے کہا تو وہ اور بھی شدت سے رونے لگیں۔

''آپ فکر مت کریں آپ ٹھیک ہو جائیں گی۔'' صبا کی بات پر وہ بچوں کی طرح ہچکیاں بھرنے لگیں۔ ڈاکٹرز کا کہنا تھا کہ ذہنی خلفشار اور اعصابی دباؤ کی بدولت وہ اس قدر نڈھال ہو کر اور بیمار پڑ گئی ہیں مگر اُن کے اندر بیماری کے خلاف لڑنے کی قوتِ مدافعت ختم ہو چکی تھی۔

صبا نے دادی کو دوا کھلائی پھر دوبارہ اُن کو لٹا کر باہر آ گئی مگر تھوڑی دیر بعد بھی واپس لوٹ آئی۔

''بابا......مما کہہ رہی ہیں ابھی نہائیں گے یا صبح۔'' وہ اب زمان سے پوچھ رہی تھی۔

''بیٹا پرسوں نہلایا تھا تمہاری مما نے، میرا خیال ہے صبح نہالوں گا۔'' پھر کچھ خیال آنے پر دوبارہ بولا۔''صبح تو تمہاری مما اسکول چلی جائے گی، مجھے اُس کے سوا کون نہلا سکتا ہے۔'' صبا کو اپنے بابا کی آواز بہت تھکی تھکی سی لگی تھی۔ صبا کو تشویش ہونے لگی۔

''بابا کیا ہوا۔'' صبا نے آگے بڑھ کر اُن کے کندھے پر ہاتھ رکھا۔

''اماں بیمار ہیں نا اس لیے اُداس ہوں۔''

''وہ ٹھیک ہو جائیں گی، آپ اُٹھیں نہالیں پھر شام ہو جائے گی۔ خدانخواستہ آپ کو ٹھنڈ لگ گئی تو۔'' صبا نے ایک ہاتھ کندھے پر رکھا جبکہ دوسرے ہاتھ سے اُس کی ٹانگوں کو بیڈ سے فرش پر اُتارا پھر بیڈ کے نیچے سے چپل نکال کر اُس کے پیروں میں ڈالی اور پھر دونوں ہاتھوں سے اُسے سہارا دے کر صحن میں لے آئی۔ فاخرہ نے آگے بڑھ کر زمان کو اپنی بانہوں میں بھر لیا پھر اپنا بازو زمان کی کمر میں ڈال کر اُسے واش روم میں لے گئی۔

خالہ اماں چھت کی کڑیاں ملا رہی تھیں، کسی غیر مرئی نقطے پر نگاہیں مرکوز کیے آنکھیں مسلسل رو رہی تھیں۔ اُس کے دماغ میں آندھیوں کے جھکڑ چل رہے تھے۔ بیمار ہو جانے کے باعث کوئی چیز اُن کے اندر بہت گہرائی میں بیٹھ گئی تھی۔ وہ چیز تھی 'خوف' برا ہونے کا خوف، خوف بس خوف۔

وہ تمام زندگی جو کچھ فاخرہ کے ساتھ کرتی رہی تھیں ظاہر ہے اب اُن کا خوفزدہ ہونا بنتا بھی تھا کہ کہیں فاخرہ اور اُس کی بیٹیاں اُسے تنہا اور بے آسرا نہ چھوڑ دیں۔ ایسا ضرور ہوتا اگر فاخرہ تنگ نظر اور خدائی فیصلوں میں دخل دینے والی ہوتی۔ کسی سے نفرت کرنا فاخرہ کے بس کی بات ہی نہیں تھی۔ وہ چاہ کر بھی کسی سے نفرت نہیں کر سکتی تھی، چاہے کوئی اُس کے ساتھ کچھ بھی کرتا۔

مگر ہوا کیا؟ فاخرہ خالہ اماں کو ڈاکٹر کے پاس لے کر گئی، دوا لی، گھر میں بھی اُس کی دیکھ بھال محبت اور لگاؤ سے ہونے لگی۔

اب اُن کی نگاہوں سے خوف ڈھل گیا مگر آنکھیں خالی نہیں رہی تھیں۔ ایک اور احساس اُن میں جگہ بنا چکا تھا، ندامت و پچھتاوے کا احساس، جو نظریں اٹھنے نہیں دیتا تھا۔ جھکی آنکھوں میں آنسو آتے اور پھر آتے ہی رہتے۔ آنسو بہہ بہہ کر دامن بھگوتے رہتے۔ نہ جانے یہ کیسی ندامت تھی جو ڈھلتی ہی نہ تھی۔

کیسا پچھتاوا تھا جو کم ہونے میں ہی نہیں آ رہا تھا۔ وہ گنگ سی چھت کو گھورے جاتیں بے حس و حرکت لیٹی رہتیں۔ ہونٹوں پر ملال و شرمندگی کے قفل پڑ چکے تھے۔

وہ انتہائی دلگیری اور بے بسی کی تصویر بنتی جا رہی تھیں۔ وہ عجیب سے سرد اندھیروں میں خود کو بھٹکتا پاتی

تھیں۔ کوئی احساس اُنہیں چبھن دے کر ذہنی کچوکے لگاتا، ضمیر جاگ گیا تھا مگر کب جاگا جب وہ عمر کی پونجی ہارنے والی تھیں۔

فاخرہ نے زمان کو نہلا کر تولیے سے اُس کا بدن خشک کیا۔ اپنے وجود کا سہارا دے کر اُسے کپڑے پہنائے اور اُن کو ساتھ لیے باہر آئی۔ صحن میں بچھی چارپائی پر آرام سے زمان کو بٹھایا۔

''فضا بیٹا برش لے کر آؤ اور صبا اپنے بابا کے لیے چائے بناؤ۔'' فضا برش لے کر آئی تو فاخرہ زمان کے بال بنانے لگی۔ پھر زمان کے پیروں کی طرف بیٹھ گئی۔

''بہت شکریہ فاخرہ۔'' فاخرہ نے ٹھٹک کر زمان کو دیکھا۔

''یہ میرا فرض ہے۔'' فاخرہ نے مدھم آواز میں کہا۔ زمان بولا کچھ نہیں مگر اُس کے ہاتھوں کی انگلیاں اضطراری انداز میں کپکپانے لگیں۔ اُس کے ہاتھوں کی لرزش فاخرہ سے مخفی نہیں تھی۔

''بابا چائے۔'' تبھی صبا چائے لے کر آ گئی۔

''میں بھی چائے پیوں گا۔'' تبھی اسد بھاگتا ہوا آیا تھا۔

''بچے چائے نہیں پیتے بیٹا۔'' فاخرہ نے کہا تو وہ مچلنے لگا۔ اسد بہت ضد کرنے لگا تھا۔

''تم گندی مما ہو، دادی کہتی ہیں تمہاری مما گندی ہیں۔'' وہ چیخنے لگا۔ اور فاخرہ تو 'کاٹو تو بدن میں لہو نہیں' کی عملی تفسیر بن گئی گنگ سی بیٹھی رہی۔

''شرم نہیں آتی مما سے بدتمیزی کرتے ہوئے'' صبا نے سختی سے اُسے ٹوکا تو اسد اور بھی اُچھلنے لگا۔

''کروں گا کروں گا دادی کہتی ہے مما گندی ہے گندی ہے۔'' اُس نے کپ کو ہاتھ مارا چائے کا بھرا ہوا کپ ہوا میں اُچھل کر زمین بوس ہو گیا مگر اسد کو چنداں پروا نہیں تھی۔

''لفظوں کے ناخن نہیں ہوتے مگر یہ روح و بدن میں پیوست ہو کر اندر تک اُدھیڑ کر رکھ دیتے ہیں دل کو خون آلود کر سکتے ہیں 'گندی مما' لفظ نے جیسے فاخرہ کی ساری توانائی اپنے اندر جذب کر لی تھی۔

یہ سب کیا دھرا اُسی عورت کا تھا جو کمرے میں لیٹی بے بس آنسو بہاتی رہتی تھی۔

اندر بے حس و حرکت لیٹی خالہ اماں نے باہر کا سارا تماشا دیکھا نہیں مگر سنا ضرور تھا۔ مگر اُنہیں خوشی نہیں ہوئی تھی۔ وہی تو اسد کو ہر وقت خود سے لگائے رکھتی تھیں۔ اُلٹی سیدھی باتیں اُس کے معصوم ذہن میں ڈالتی تھیں۔ صبا اور فضا نے جب سے فاخرہ کا دفاع کرنا شروع کیا تھا تب کوئی اور راہ نہ پا کر خالہ اماں نے اسد کو اپنا ہدف بنا لیا تھا۔ اب وہ اپنی ساری چالبازیاں اسد پر آزمانا چاہ رہی تھیں۔ فاخرہ کو چاروں شانے چت گرانے کے واسطے وہ اسد کا ذہن خراب کرنے لگیں تاکہ وہ اپنی مما کے مقابل آ کر بدتمیزی کر لے اور آج دوسری بار اسد نے فاخرہ سے بدتمیزی کی تھی۔ اُسے تو اپنی فتح پر، اپنی کامیابی پر مسرور ہونا چاہیے تھا مگر خالہ اماں خوش نہیں تھی بلکہ ڈر گئی تھی۔ اب فاخرہ بھڑک اُٹھے گی اور...... مگر کچھ بھی نہیں ہوا۔ ہمیشہ کی طرح اس درد کو بھی فاخرہ نے اندر چھپا لیا تھا۔ ہاں بہت دن اُس کی آنکھیں گیلی گیلی رہی تھیں اور دوسرا اُس نے اسد پر خصوصی توجہ دینی شروع کر دی تھی۔ بگڑی ہوئی چیزیں صرف محبت و توجہ سے ہی سنورتی ہیں۔ فاخرہ نا اُمید نہیں تھی۔

جویریہ کی گمشدگی پُراسرار معمہ بنی ہوئی تھی آخر وہ کہاں گئی۔ اُسے زمین نگل گئی یا آسمان کھا گیا لوگ طرح طرح کی باتیں کررہے تھے۔ کوئی اسے اغوا کی واردات کہہ رہا تھا تو کوئی اُسے گھر سے بھاگ جانے والی مشکوک عورت گردان رہا تھا۔ کوئی اس واقعے کو حادثے سے موسوم کررہا تھا، جتنے منہ اتنی ہی باتیں۔

ابھی لبنیٰ سلمیٰ خالہ کے گھر جانے کا سوچ ہی رہی تھی مگر اُس کی ہمت نہیں پڑرہی تھی اُن کے گھر جانے کی۔ نجانے وہ کیا خیال کریں۔ لوگ طرح طرح کے جملوں میں اظہارِ افسوس کرکے جویریہ کے میاں کی نہ صرف دل شکنی کررہے تھے بلکہ اُن کی غیرت پر بھی اُنگلی اٹھائی جارہی تھی۔ اُن کو تسلی کے دو بول کہنے والا کوئی نہیں تھا مگر اُن کے حوصلے منہدم کرنے والے بہت تھے۔

یہ تو صدیوں سے زمانے کا چلن رہا ہے کہ آگے بڑھ کر اُمید دلانے والے، زخموں پر پھاہے رکھنے والے کم ہوتے ہیں بلکہ کم یاب ہی نہیں نایاب ہوتے ہیں لیکن...... لیکن ایسے لوگ بہت ہوتے ہیں بلکہ خودرو پودوں کی طرح جگہ جگہ ہوتے ہیں جو زخموں پر نمک پاشی کرنا خوب جانتے ہیں، تماش گیر۔ دوسروں کی زندگی میں کانٹے بونے والے، بے حس بے مروت لوگ۔

ابھی جویریہ والے واقعے پر دھول نہیں بیٹھی تھی۔ اس سانحے کی گونج ابھی شہر میں لہراتی پھررہی تھی کہ ایک اور ہراساں کردینے والا واقعہ ہوگیا۔ پچھلی گلی کے قریشی صاحب کے بیٹے کو اسکول سے واپسی پر کسی نے اغوا کرلیا تھا۔ حقیقی معنوں میں گردونواح میں ہراس پھیل گیا۔ قریشی صاحب اور اُن کی بیگم کا رو رو کر حال برا تھا۔ وہ دھاڑیں مار مار کر رو رہے تھے۔ کچھ معزز حضرات نے ان کی حالتِ زار کے پیشِ نظر تھانے میں رپورٹ درج کروادی تھی۔

ایس ایچ او حمدان گیلانی خود شہر میں ہونے والے واقعات سے حواس باختہ تھے۔ کچھ سمجھ نہیں آرہا تھا کہ آخر یہ کون لوگ تھے اور اُن کے اس گھناؤنے فعل کے پیچھے کیا مقاصد واغراض پوشیدہ تھے۔

حمدان جیسے مضبوط شخص کا رنگ ایک دم سے اُڑ گیا تھا۔ چہرا پتھرانے لگا تعجب بے یقینی، صدمہ کیا یہ الفاظ کافی ہوتے اُن کی کیفیت بیان کرنے کے لیے، قطعی نہیں، پے در پے پڑنے والی اُفتاد نے گویا حمدان کے حواس سلب کرلیے تھے۔ ایک دن میں ایک ہی شہر سے چار بچوں کا غائب ہوجانا معمولی واقعہ نہیں تھا۔ اوپر سے بہت دباؤ تھا۔ خدشات کی یلغار اُن کو سہار ہی تھی۔

پورے شہر کی فضا بوجھل ہوکر رہ گئی تھی۔ موت جیسا سناٹا چہار سُو پھیلا ہوا تھا۔ صدمے سے زبانیں گنگ ہوکر رہ گئی تھیں۔ لوگ ڈرنے لگے تھے۔ سب کو اپنے اپنے بچوں کی فکر پڑگئی تھی۔ سب نے رکشے لگوادیئے تھے، کچھ لوگ خود ہی اپنے بچوں کو اسکول چھوڑنے اور لے کر آنے لگے تھے۔ شہر جیسے سکتہ زدہ تھا۔ گہری، خوفناک خاموشی جیسے کسی بڑے طوفان کا پیش خیمہ تھی۔

عروا اور امن بھی آج کل رکشے سے کالج جانے آنے لگی تھیں۔ باقی دونوں گھروں کے چھوٹے بچوں کو بھی بطورِ خاص رکشے لگوادیئے گئے تھے۔

امن کو وہ ہینڈسم کافی دنوں سے نظر نہیں آ رہا تھا مگر آج اُس وقت امن کی خوشی کی انتہا نہ رہی جب اُس نے اُسے کالج میں دیکھا۔ امن نے حیرت سے آنکھیں جھپکائیں، اُسے یقین نہیں آ رہا تھا وہ نایاب لودھی کے پاس کھڑا تھا۔ بلیک شلوار سوٹ میں اُس کی گوری رنگت دمک رہی تھی۔ امن محویت سے دیکھے گئی بنا پلک جھپکائے، جبھی وہ کسی بات پر زور سے ہنسا تھا۔ اُس کے کالے گھنے سیاہ بالوں والا سر اور آدھا چہرہ امن کی نگاہوں کی رسائی میں تھا۔ امن کا دل جذبات کی یورش سے بوجھل ہو رہا تھا۔ امن کا بس نہیں چل رہا تھا کہ درمیانی فاصلہ پاٹ کر منحوس دوری کو دور اُچھال دے۔ ہر طرف وہی دکھائی دے رہا تھا۔ وہ اتنا بھرپور اور مکمل تھا کہ ہزاروں میں نمایاں جھلکتا تھا۔ اُسے دیکھ کر اپنائیت کا احساس جاگتا تھا۔ اُس کا ہونا تقویت کا باعث تھا۔ اُس کے وجود سے خوشبوئیں بکھر رہی تھیں۔ وہ مسحور سی اپنے اطراف سے بے گانہ بس اُسے ہی تکے جا رہی تھی۔ دھڑکن کو سنبھالنا بے حال ہو رہی تھی، تبھی وہ نایاب لودھی کو گلے مل کر پلٹا اور اُس کی امن سے مڈبھیڑ ہوگئی۔ سجاد بلوچ کی آنکھوں میں شناسائی کی لہر اُبھری پھر اُس کے لبوں پر دھیمی مسکان آن رکی۔

''کیسی ہو، فون نمبر۔'' اُس نے کہا تو امن نے میکانکی انداز میں اپنا نمبر کہہ سنایا۔ سجاد نے سیل فون کی چمکتی اسکرین پر نمبر لکھا اور پھر پریس کا بٹن دبایا۔ اگلے ہی لمحے امن کے سیل فون پر 'بے بی ڈول میں سونے دی' کی آواز اُبھری امن کی آنکھیں بے پایاں مسرت کا احساس لیے چمکنے لگیں۔

''شام کو فون کروں گا۔'' سجاد نے امن کی آنکھوں میں جھانکتے ہوئے کہا۔ گہری وارفتگی، والہانہ پن، جاں نثاری کیا کچھ نہیں تھا سجاد کی آنکھوں میں، اور کیسے پل پل بدلتے رنگ تھے۔ چہرے کا تاثر معنی رکھتا تھا۔ نگاہوں کی حدت و تپش، بند لبوں کی گویائی، کچھ بھی نہیں بولا مگر جیسے سب کچھ کہہ دیا۔ نظروں کا تصادم دل کے پیغام، دل کی بے چینی و بے کلی کا پیغام بن رہا تھا۔ سارے جذبے آشکار ہو گئے تھے۔

''او کے چلتا ہوں بائے۔'' وہ گھوما اور چلا گیا۔ امن کے دل کی دھڑکنیں یک دم ہی تھمنے لگی تھیں۔ ہر منظر دھندلانے لگا۔ وہ جو پیار، محبت، عشق، جنون جیسے ان لفظوں سے آشنا نہیں تھی۔ تب تک سب ٹھیک تھا، جب تک اُسے کسی کی پروا نہیں تھی۔ محبت کی خودرو کونپل نے دل کی سرزمین سے سر کیا نکالا سب کچھ بدل رہا تھا۔ تڑپ جاگتی ہے تو تن من پیاسا صحرا بن جاتا ہے۔

وہ نظروں سے اوجھل ہوگیا۔ امن کی آنکھوں میں دھند اُتر آئی اور پہلو میں دل جیسے سرکشی و بغاوت پر آمادہ ہو کر سجاد کے پیچھے لپک رہا تھا۔

''یہاں کیوں کھڑی ہو، کلاس نہیں لینی کیا؟'' نیہات ضمیر کی آواز قریب سے ہی اُبھری تھی مگر وہ متوجہ ہی کہاں تھی۔ وہ مسلسل کالج گیٹ کی طرف دیکھے جا رہی تھی، جہاں سے ابھی ابھی وہ ساحر گزر گیا تھا۔ امن کو کچھ بھی ہوش نہیں تھا، وہ کہاں ہے کیسی ہے، محبت یوں ہی تو ہر چیز سے بے گانہ کر دیا کرتی ہے، لاتعلق و اجنبی۔ ابھی تو خود حیران تھی۔ ابھی تو وہ ہاتھ چھڑانے والی ہی تھی۔

''امن، آر یُو آل رائٹ۔'' نیہات نے نرمی سے پکارا۔ امن چونکی جیسے نیند سے جاگی ہو۔ خالی خالی نگاہیں، بوکھلا کر رہ گئی۔

''ہاں، ٹھیک ہوں۔'' امن عجلت میں کہہ کر رُکی نہیں۔ نیہات نے اچنبھے سے امن کے بکھرے حواسوں کو سوچا پھر سر جھٹک کر وہیں درخت سے ٹیک لگا کر کھڑا ہو گیا اور تادیر آنکھیں موندے غافل سا کھڑا رہا۔

○......❖......○

حمزہ اور حذیفہ ایک چھوٹی سی بال کے پیچھے لڑ رہے تھے۔ لبنیٰ اور فرقان اُن کی نوک جھونک دیکھ رہے تھے، تبھی حذیفہ نے حمزہ کو گرا کر بال اُس سے چھین لی تو حمزہ رونے لگا۔ لبنیٰ نے بھاگ کر روتے ہوئے حمزہ کو اٹھایا اور اُس کی کمر سہلانے لگی۔

''غلط بات بیٹا، مل کر کھیلو، لڑتے نہیں ہیں۔'' لبنیٰ نے نرمی سے حذیفہ کو تنبیہ کی۔

''مما سوری۔'' حذیفہ نے شرمندہ ہو کر کہا۔

''مما یہ بھائی حذیفہ اکثر میرے ساتھ زیادتی کر جاتا ہے۔'' حمزہ بسورا۔

''بری بات ہے میری جان، چلو گلے ملو، صلح کرو، اچھے بچے لڑائی جھگڑا نہیں کرتے، اور بھائی بھائی کا رشتہ تو انمول ہوتا ہے۔'' لبنیٰ نے دونوں کو پکڑ کر قریب کیا۔ ایک کے چہرے پر شرمندگی تھی اور دوسرے کے غصہ، لبنیٰ اور فرقان نے حمزہ کے غصے سے تمتماتے گالوں کو چھوا۔ حمزہ سے حذیفہ نے سوری بولا پھر بانہیں پھیلا دیں کچھ دیر پھولے منہ کے ساتھ وہ گریزاں رہا پھر گلے لگ گیا۔ لبنیٰ اور فرقان نے تالیاں بجا کر خوشی کا اظہار کیا۔ بچے تو بچے ہی ہوتے ہیں، جو سکھاؤ سیکھ جاتے ہیں۔ جو اُن کے دل و ذہن میں بھرتے جاؤ پھر وہی باہر آتا ہے۔ اچھا یا برا، یہ بھرنے والے پر منحصر ہے کہ وہ کیا بھرتا ہے۔ اچھائی، نیکی، صلۂ رحمی یا تنفر، حقارت، انتقام، غصہ و عداوت، ماں باپ کی ذمہ داری ہے۔

بچے اب اُسی بال کے ساتھ دوبارہ کھیل رہے تھے، چند لمحے بیشتر ہونے والی بدمزگی کا نام و نشان بھی اُن کے رویوں میں نہیں جھلک رہا تھا۔ کوئی چپقلش نہیں تھی۔

''چائے بناؤں آپ کے لیے۔''

''ہاں یار، اور ایک ٹیبلٹ بھی، سر میں درد ہو رہا ہے اسی لیے جنرل اسٹور سے جلدی اُٹھ آیا۔''

''میں ابھی آئی۔'' لبنیٰ نے فریج سے دودھ نکالا اور کچن میں چلی آئی۔ ٹھیک دس منٹ بعد وہ چھوٹی سی ٹرے میں جب ایک کپ چائے ایک گلاس پانی لے کر آئی تو دیکھا فرقان کے ہاتھ میں اخبار تھا اور وہ گہری سوچوں میں مستغرق تھا۔

''یہ لیں جناب چائے۔'' لبنیٰ نے ٹرے صوفے کے سامنے رکھے میز پر رکھی اور ٹیبلٹ فرقان کی ہتھیلی پر رکھ کر پانی کا گلاس تھمایا۔

''صبا کتنی پیاری بچی ہے نا؟'' فرقان نے کھوئے کھوئے انداز میں کہا تو لبنیٰ نے چونک کر دیکھا۔ یہ دوسرا موقع تھا جب فرقان نے صبا کی تعریف کی تھی۔ لبنیٰ کو اچھا نہیں بہت اچھا لگا۔

''جی بہت کیوٹ ہے اور قابل بھی۔''

''ہوں......'' فرقان کی مبہم سی 'ہوں' بھی لبنیٰ کو معنی خیز لگی تھی۔ یہ خوش آئند بات تھی کہ فرقان کا طرزِ عمل

مثبت ہو رہا تھا۔لبنیٰ کے دل سے اچھی اُمیدیں بندھ گئیں۔

"یہ چائے......" لبنیٰ نے کپ اُسے تھمایا۔فرقان کپ پکڑ کر چائے کی چسکیاں لینے لگا مگر اب بھی صبا کا معصوم چہرہ، جاذب نقوش فرقان کے دل کو گدگدا رہے تھے۔

"نجانے کیوں مگر میرا دل کرتا ہے کہ میں......"

"کیا دل کرتا ہے۔" لبنیٰ نے فرقان کے ادھورے جملے کو مکمل کرنے کے لیے سوال کیا۔

"میں تذبذب کا شکار ہوں لبنیٰ، ورنہ دل چاہتا ہے صبا کو گلے لگا کر پیار کروں، اُس کی محنت پر، اُس کی کامیابی پر اُسے سراہوں، اُسے انعام دوں مگر......"

"مگر کیا فرقان......" لبنیٰ نے مزید بولنے پر اُکسایا۔لبنیٰ اِس سے فرقان کے اندر ہلچل مچاتی کیفیات کو سمجھ رہی تھی۔لوہا گرم تھا اور لبنیٰ اپنی طرف سے گرم لوہے پر ضرب لگانا چاہتی تھی۔اچھا موقع تھا۔

"مگر......اتنے فاصلے، اتنی دوریاں ہیں کہ بس ایسا ممکن ہوتا دکھائی نہیں دیتا۔"

"دنیا کا ہر کام مشکل ضرور ہے ناممکن تو قطعی نہیں، فاصلے مٹائے بھی تو جا سکتے ہیں نا۔دوریاں نزدیکیوں میں بھی تو بدل سکتی ہیں نا۔" فرقان کی صبا کی ذات میں دلچسپی نے لبنیٰ کا بھی حوصلہ بڑھا دیا تھا۔جو وہ ایسے بات کر رہی تھی ورنہ فاخرہ اور اُس کی اولاد کے دفاع میں بولنے کی کب اجازت تھی۔

"مگر رحمان......" فرقان اٹکا۔

"رحمان بھائی کو تو خدا واسطے کا بیر ہے اُن سے، نہ جانے کیا حد ہے اُن کی نفرت و بے گانگی کی۔صبا تو آپ لوگوں کا اپنا خون ہے۔اُس کی حوصلہ افزائی کرنا چاہیے۔اتنی ہونہار بچی ہے۔"

"ہاں میں ملوں گا صبا سے، میرے لیے وہ امن جیسی ہے اور میں اُسے انعام بھی ضرور دوں گا۔"

"کب ملیں گے؟" لبنیٰ کا چہرہ مسکرانے لگا۔اُس کی خوشی کے مارے آنسو نکلنے لگے۔

"پتا نہیں۔"

"کیا انعام دیں گے۔"

"یہ بھی نہیں پتا۔" فرقان نے کہا۔مگر لبنیٰ کی خوشی دیدنی تھی۔فرقان کی صبا کے لیے تڑپ خوش آئند بات تھی۔ابھی وہ رحمان سے ڈر رہا تھا شاید کبھی صبا کی یا اُس کے بہن بھائی کی محبت فرقان کے دل میں غالب آ جائے اور رحمان کا ڈر مغلوب ہو جائے۔شاید کبھی ختم ہی ہو جائے۔لبنیٰ پُر امید تھی۔فی الفور جو کچھ فرقان نے محسوس کیا تھا وہ بھی کمال کامیابی تھی۔

لبنیٰ جانتی تھی کہ فرقان نے جو کچھ کہا ہے وہ اُس پر عمل بھی ضرور کرے گا۔وہ اُس کی شریکِ سفر تھی اور فرقان کی مزاج آشنا بھی۔جانتی تھی وہ اپنے قول کا سچا ہے۔جو کہتا ہے کرتا بھی ہے۔اپنے ارادوں کا اٹل ہے۔جو ٹھان لے وہ کر دکھاتا ہے۔

○......❖......○

احتشام والے واقعے کی وجہ سے عجیب سی سوگوار فضا تھی اسی لیے اِن دونوں گھرانوں نے گھومنے کا پروگرام

بنالیا تاکہ اُداسی دور ہوجائے۔ رحمان اپنے کام کے سلسلے میں لاہور جارہا تھا۔ اُس نے اِن لوگوں کو بھی تیار ہونے کا کہہ دیا۔ عروااور امن بے تحاشا پُرجوش تھیں۔ چھوٹے لڑکے بھی لاہور دیکھنے کا اشتیاق رکھتے تھے۔ پہلی بار لاہور جارہے تھے۔

اُن کا دودن کا ٹوُر تھا۔ احتشام سب عزت افزائی (مارکٹائی) بھول بھال کر تیاری میں مگن تھا۔ رحمان کا ارادہ ہوٹل میں ٹھہرنے کا تھا۔

پروگرام دونوں گھروں میں ترتیب دیا جارہا تھا۔ لڑکیاں تیاریاں کرنے لگیں کہ کون کون سے کپڑے پہن کر جانا ہیں اور کون کون سے ساتھ لے کر جانا ہیں۔ امن اور عروا آپس میں ڈسکس کررہی تھیں۔ جبکہ فروا اس پروگرام سے آگاہ نہیں تھی۔ وہ اب بھی اریز چوہدری کے پاس تھی۔

فروا رحمان بہت سے مہکتے خوابوں کی اُنگلی تھامے گھر میں داخل ہوئی تھی۔ خوش باش، بےفکر، وہ زندگی کو ایسے ہی دیکھتی تھی، جیسے ہم سمندر کے کنارے کھڑے ہوکر لہروں کا رقص دیکھتے ہیں۔ لطف اندوز ہوتے ہیں۔ اس بات سے قطعی بے خبر کہ سمندر اپنے اندر کتنے طوفان چھپائے بیٹھا ہے۔ سمندر میں سیپ ڈھونڈنے نکلیں تو کبھی کبھی جان سے بھی ہاتھ دھو بیٹھتے ہیں۔

''ہیلو مما......'' فروا نے خوش دلی سے کہا۔ عائشہ شاید سوکراٹھی تھی۔

''آ گیا میرا بچہ۔'' عائشہ نے آگے بڑھ کر لاڈ سے کہا۔ فروا چہکتی ہوئی عائشہ کے گلے کا ہار بن گئی۔

''بڑا پیار آرہا ہے آج ماں پر، خیر تو ہے نا۔'' عائشہ نے آبرو اُچکا کر کہا۔

''مجھے تو ہمیشہ سے آپ پر ایسے ہی پیار آتا ہے۔'' فروا نے عائشہ کا گال چوم کر کہا۔

''اب جلدی سے بتادو کہ کیا چاہیے۔ کیوں مسکہ لگایا جارہا ہے۔'' وہ بھی ماں تھی۔

''گاڑی، نئی نکور، اپنی ذاتی۔'' فروا نے بھی ٹال مٹول سے کام نہیں لیا بے دھڑک کہہ ڈالا۔

''الگ سے گاڑی کیا کرنی ہے، یہ پاس ہی تو تمہارا پارلر ہے۔''

''میں اپنی ذاتی گاڑی لینا چاہتی ہوں بعد میں، میں اپنا ذاتی سیلون بناؤں گی، ابھی تو میں کام سیکھ لوں، بعد میں اس حوالے سے فیصلہ کروں گی کہ میں شہر کے کس علاقے میں سیلون کھولوں۔'' وہ قطعیت سے سارے فیصلے کرکے اب بس سُنا رہی تھی۔ کوئی رائے یا اجازت نہیں مانگ رہی تھی۔ مشورہ بھی نہیں کررہی تھی۔ بس بتا رہی تھی اور عائشہ بس آنکھیں کھولے ٹکر ٹکر دیکھے جارہی تھی۔ عائشہ کو کچھ سمجھ نہیں آرہا تھا کہ وہ کیا کہے، تائید کرے یا تردید اُس کے خیال کی۔ عائشہ کچھ دیر کھڑی سوچتی رہی پھر سر جھٹک کر سیڑھیاں چڑھنے لگی۔

○......❖......○

سجاد بلوچ نے امن کو فون کیا تھا۔ امن نے دھڑ دھڑ کرتے دل کو بمشکل سنبھالا تھا مگر باوجود کوشش کے بھی وہ سوائے جی، جی کے کوئی بھی بات نہیں کرپائی تھی۔ زبان بار بار لڑکھڑائی، ہاتھ پاؤں ٹھنڈے پڑرہے تھے وہ اکیلا ہی باتیں کررہا تھا۔

''کیسی ہو؟'' اُس کی آواز بہت خوبصورت تھی، گھمبیر، دلکش۔

''جی......'' امن ہکلائی۔

''کیا......جی......'' سجاد نے اُس کی حالت کا مزا لیا۔ یقیناً وہ گھبراہٹ کا شکار تھی۔

''امن بات کرو نا۔'' وہ اشتیاق سے اصرار کر رہا تھا مگر اُس کی جھجک مانع آ رہی تھی۔

''کک......کیا بات......'' امن نے خشک ہوتے لبوں پر زبان پھیری، ہونٹ ہی نہیں گلا بھی خشک ہو رہا تھا۔ وہ بات کرنا چاہ رہی تھی مگر اُس سے بات ہو نہیں پائی تھی۔

''اپنی بات، میری بات، کچھ اپنے بارے میں بتاؤ میری جان، کچھ میرے بارے میں پوچھو۔''

وہ اور بھی کچھ کہہ رہا تھا مگر امن کی تو گویا زبان تالو سے ہی چپک گئی تھی وہ 'میری جان' میری جان کی پھوار میں بھیگنے لگی اور پھر بھیگتی چلی گئی۔ اُسے لگا کوئی محبت کے خوش نما رنگوں کے پھول امن پر نچھاور کر رہا ہے اور وہ پھولوں کے ڈھیر میں ڈوبتی چلی جا رہی ہے۔ وہ بھرپور مردانہ وجاہت کا شاہکار مرد امن پر اس طرح فریفتہ ہو رہا تھا کہ امن کو یقین ہی نہیں آ رہا تھا۔ کہاں وہ عام سی شکل صورت کی مالک، کہاں وہ اپالو جیسا مرد۔

''امن......'' اُس نے پکارا تھا مگر امن اتنی بے خودی کے عالم میں تھی چونک گئی۔

''جج، جی......'' وہی مرغ کی ایک ٹانگ۔

''گھبرا رہی ہو یا شرما رہی ہو، بتاؤ مجھے۔'' دل کی دھڑکنوں میں ہلچل مچا دینے والا سحر طراز لب ولہجہ۔

''پتا نہیں......'' امن کی آواز کانپ رہی تھی۔

''لگتا ہے تم بہت نروس ہو، چلو ٹھیک ہے۔ اپنی حالت درست کرو بعد میں بات کرتے ہیں۔'' وہ شاید اُکتا گیا تھا یا اُس کی حالتِ زار کو سمجھ گیا تھا۔ جو بھی تھا وہ بھانپ گیا تھا کہ تھوڑا وقت لگے گا اُس کو راہِ راست پر لانے کے لیے، رام کرنے کے لیے اور سجاد کو کوئی جلدی نہیں تھی وہ سمجھ گیا تھا کہ وہ ایسے معاملوں میں اناڑی لڑکی ہے اسی لیے ایسی دقیانوسی حرکتیں کر رہی ہے۔

''اللہ حافظ میری جان۔'' سجاد کو اس پر کافی 'محنت' کرنی تھی وہ خود کو سمجھا رہا تھا۔ تیار کر رہا تھا۔ پڑ جاتا ہے کبھی کبھی ایسی پھوہڑ لڑکیوں سے بھی واسطہ جن کو سب کچھ سکھانا پڑتا ہے۔

''خدا حافظ۔'' امن کی مری مری آواز پر سجاد کے ہونٹوں پر مسکراہٹ رینگنے لگی۔

سجاد روزانہ امن کو کال کرنے لگا تھا۔ وہ امن سے چھوٹی چھوٹی اِدھر اُدھر کی بے معنی سی باتیں کرتا رہتا۔ اُس کا واضح مقصد امن کو خود سے بے تکلف کرنا تھا اور وہ سر توڑ کوششوں میں لگا ہوا تھا۔ امن کو بات کرنے کے لیے چھت پر جانا پڑتا تھا کیونکہ لبنیٰ ہمہ وقت گھر میں ہی رہتی تھیں، لہٰذا گھر کے اندر یا کمرے میں گھس کر امن زیادہ بات نہیں کر سکتی تھی، اس لیے وہ پڑھائی کا بہانہ کر کے شام کو چھت پر چلی جاتی اور وہیں سجاد کے ساتھ امن کی بات ہو پاتی تھی۔

○......❖......○

وزیرِ اعلیٰ پنجاب نے بورڈ پوزیشن ہولڈر لڑکیوں کے لیے ایک تقریب کا انعقاد کرنے کا اعلان کیا تھا، جس میں نقد انعامات اور شیلڈز دینے کا اعلان کیا گیا تھا۔ صبا زمان کو بھی بلایا گیا تھا۔ ایک بار پھر گھر بھر میں خوشی

کی لہر دوڑ گئی۔ فاخرہ پھولے نہیں سما رہی تھی اور بار ہا شکرانے کے نوافل خدا کے حضور ادا کر رہی تھی۔ زمان بھی بہت خوش تھا۔ فاخرہ نے سب سے پہلے لبنیٰ کو فون کر کے یہ خوش خبری سنائی تھی۔ لبنیٰ نے مبارکباد کے ساتھ ساتھ صبا کے لیے بہت ساری دعائیں بھی دی تھیں۔

نیہات ضمیر بھی اپنی بہن اور ماں کے ساتھ ایک بار پھر اس گھرانے کی خوشی میں شامل ہونے آیا تھا۔ فاخرہ کا سیروں خون بڑھ گیا اور احساسِ تشکر سے اُس کا دل اور بھی اس فیملی کی جانب جھکنے لگا۔ اِن پُر خلوص لوگوں کی محبتیں قرض تھیں جو احساس کا رشتہ نبھا رہے تھے۔

فاخرہ صبا کے ساتھ لاہور اُس تقریب میں جانا چاہ رہی تھی مگر خالہ اماں کی بگڑی ہوئی حالت کی بنا پر وہ تذبذب کا شکار تھی اور بچے بھی چھوٹے تھے، اُن کو یوں گھر میں اکیلا چھوڑ کر جانا بھی قطعی مناسب نہیں تھا۔ فاخرہ نے جب یہی مسئلہ صغریٰ ضمیر کے سامنے رکھا تو انہوں نے بلا جھجک اپنی خدمات پیش کر دیں۔ انہوں نے اپنے خلوص سے فاخرہ کو زیر بار کر لیا تھا۔

طے یہ پایا کہ صغریٰ، صبا، ضویا اور نیہات لاہور جائیں گے۔

فاخرہ نے زمان سے بھی مشورہ کیا اور صد شکر کہ وہ مان گیا تھا اور فاخرہ کا دل طمانیت سے بھر گیا۔

○......❖......○

لاہور جانے سے پہلے فروا نے اریز چوہدری کو فون کر کے بتایا تھا کہ وہ اپنی اور چاچو کی فیملی کے ساتھ آؤٹنگ پر جا رہی ہے۔ اریز بے تاب ہو گیا۔

''میں کیسے رہوں گا تم بن اتنے دن۔''

''بس دو دن کی تو بات ہے، واپسی پر ملوں گی۔''

''تمہارے لیے دو دن ہیں فروا مگر میرے لیے یہ دو دن دو طویل سالوں کی مانند ہوں گے۔'' اریز رونے والا ہو رہا تھا۔ فروا کی ہنسی چھوٹ گئی۔

''تم ہنس لو، اُڑا لو میرا مذاق، مگر جب تک واپس آؤ گی زندہ نہیں بچوں گا، ہجر مجھے نگل لے گا۔''

''کیا بے تکی ہانک رہے ہو اریز ایسی باتیں مت کرو، تم بھی ہمارے ساتھ چلو۔''

''میں...... میں کیسے جا سکتا ہوں۔'' اریز کی حیرت میں ڈوبی آواز اُبھری۔

''جیسے جاتے ہیں بھئی......'' فروا کھلکھلائی انداز استفہامیہ تھا۔

''ڈفر لڑکی، میرا مطلب تمہاری فیملی ساتھ ہو گی تو ہمیں کہاں موقع ملے گا ایک دوسرے سے ملنے کا۔''

''اوہ تو یہ بات ہے کہ تم صرف مجھ سے ملنا اور مجھے ہی دیکھنا چاہتے ہو۔'' زعم ناز مان فروا کے لفظوں سے چھلکنے لگا۔ وہ مسرور سی مسکرائے گئی مسکراہٹ اُس کے لبوں پر کھیلتی رہی۔ دوسری طرف اریز نے لطف لیا تھا۔ فروا کی سرمستی و خماری کا، جو اس سمے فروا کے انگ انگ سے پھوٹتی اُسے نظر تو نہیں آ رہی تھی مگر محسوس ضرور ہو رہی تھی۔

''مگر میں تمہیں اپنی فیملی سے ملوانا چاہتی ہوں۔'' اریز کا حلق یک دم ایسے کڑوا ہو گیا جیسے اُس نے کونین کی

ڈھیر ساری گولیاں ایک ساتھ چبالی ہوں۔

''اریز میں چاہتی ہوں کہ تم میرے گھر والوں سے مل لو۔'' فروا نے اپنی بات دہرائی۔ اُسے لگا شاید اریز نے سُنا نہیں۔

''مگر کیوں، کس لیے۔'' اریز کا دل اُچاٹ ہوا، تلخی سے مٹھیاں بھینچ گئیں مگر جب بولا تو تلخی کا شائبہ تک نہیں جھلکا۔

''کیوں کا جواب یہ ہے کہ میرا لائف پارٹنر بننے کے لیے میرے والدین سے تمہارا ملنا بے حد ضروری ہے۔ اور کس لیے، کا جواب ہے کہ تم اُن سے ملو گے تو ہی ہمارے لیے راہیں ہموار ہوں گی، مستقبل کی بنیاد بنے گی۔ تمہارا اُن سے ملنا بے حد ضروری ہے اور اس سے اچھا موقع اور کیا ہوگا۔'' فروا اپنی بات پر زور دے رہی تھی۔ وہ اپنی دانست میں اریز کو ٹھیک رہنمائی کر رہی تھی۔ راستہ دکھا رہی تھی، طریقے بتا رہی تھی مگر دوسری طرف وہ جی بھر کر بے زار ہو چکا تھا۔ وہ ایسی باتوں سے اُوب جاتا تھا۔

''یار بور مت کرو پلیز، پہلے ہی چھوڑ کر جا رہی ہو اوپر سے اتنی سنجیدہ گفتگو شروع کر دی۔'' اریز اُکتا رہا تھا۔

''تو کیا تم مجھ سے شادی نہیں کرنا چاہتے، میرے خاندان کا حصہ نہیں بننا چاہتے۔'' فروا برہم ہوئی۔ اریز بدک گیا اور اُس نے بروقت بات سنبھالنے کے لیے ساری تلخی، ساری بے زاری اپنے اوپر ہٹا کر دور اُچھال دی۔

''میری جان ایسا کیوں سوچتی ہو۔ ملوں گا مگر ابھی نہیں۔ شادی کا ابھی وقت نہیں آیا۔ مما آئیں گی تو اُن کو ساتھ لے کر تمہاری فیملی سے ملنے ضرور آؤں گا۔ مما بھی اپنی ہونے والی بہو سے مل لیں گی، اور پھر ملنا ملانا شروع ہو جائے گا۔ شادی بیاہ کے معاملات بہت وقت مانگتے ہیں۔ ایسے ہی رشتے طے نہیں ہو جاتے۔'' اریز رسانیت سے کہہ رہا تھا اور فروا تو سدا کی اُس کی دیوانی، محویت سے سُنے گئی۔

'ٹھیک ہی تو کہہ رہا تھا۔' وہ فروا مرعوب سی ہو کر سوچنے لگی۔ 'میں لڑکی ہو کر کیسی جلد بازی کا مظاہرہ کر رہی تھی۔ ہلکی بات کر رہی تھی جبکہ اریز کی بات میں وزن تھا۔'

''ہاں تم ٹھیک کہتے ہو۔'' اب کی بار فروا بہت دھیمی آواز میں مؤدب سی ہو کر بولی۔ اریز نے خود کو تھپکی دی۔ فخر سے سینہ پھلایا۔ کندھے اُچکائے۔ وہ قائل کرنا جانتا تھا اور فروا قائل ہو گئی تھی بلکہ کچھ کچھ شرمندہ بھی کہ اُس نے خود سے شادی کی بات کیوں کی۔ اُسے خفت نے آن گھیرا تھا۔

''فروا مجھے کسی کام سے جانا ہے پھر بات کرتے ہیں جان۔''

''ٹھیک ہے، رابطے میں رہنا۔''

''اوکے، میری جان کا حکم سر آنکھوں پر۔''

''اوکے اریز۔'' فون بند ہو گیا۔ اریز نے آنکھیں سکیڑ کر فون کو دیکھا اور اُسے بیڈ پر اُچھال دیا۔ گالوں میں ہوا بھرے غبارے کی مانند گال پھول گئے پھر ہونٹ کھول کر ہوا نکال دی۔ پھر وہ بیڈ پر گرا اور چاروں شانے چت لیٹ گیا۔ اپنے دونوں ہاتھوں کی انگلیاں بالوں میں پھنسا لیں۔

''دقیانوسی لڑکی، شادی کے خواب دیکھنے والی، شادی شادی شادی نہ جانے کیا چارم نظر آتا ہے شادی میں، شادی ہر وقت چک چک ہر وقت مسئلے، ڈفر کہیں کی، اس سال شادی کرلو اگلے سال گھر میں کیا نظر آتا ہے۔ بے ڈول بھدی سی عورت، گود میں بچہ، کبھی بچہ بیمار کبھی ماں، شادی مصیبت پابندی، جبر، ہونہہ شادی کرلو۔'' ہاہاہاہا وہ ہنسا پھر ہنستا چلا گیا تمسخرانہ ہنسی۔

○......❖......○

امن رات بھر خوابوں خیالوں میں بھٹکتی رہی تھی، کروٹیں بدل بدل کر بدن دکھ گیا تھا۔ وہ ٹھیک سے سو نہیں پائی تھی کچھ عجیب سی بے کلی تھی جو اُسے بے چین و مضطرب کرگئی تھی۔

آنکھ کھلی تو بے خوابی اور رتجگے کی وجہ سے اُس کی آنکھیں سلگ رہی تھیں۔ امن بیڈ پر اُٹھ بیٹھی اُس کا جوڑ جوڑ دکھ رہا تھا۔ بدن سے درد کی ٹیسیں اُٹھ رہی تھیں۔

امن نے اُمڈتی ہوئی جمائیوں کو زبردستی ہاتھ سے روکا، بیڈ سے نیچے ٹانگیں اُتار کر چپلیں پہنیں اور اُٹھ کھڑی ہوئی، کھلے بالوں کو جُوڑے کی شکل دی اور ہاتھوں سے سوٹ کی شکنیں درست کرکے لاپروائی سے دوپٹہ کندھے پر ڈالا اور سیڑھیاں چڑھ کر چھت پر چلی آئی۔

قطار میں رکھے گملوں میں تین پھول کھلے ہوئے تھے، امن کا دل خوش ہوگیا۔

ملگجا سا اندھیرا چھایا ہوا تھا۔ صبح کی سفیدی ابھی نمودار نہیں ہوئی تھی۔ نماز کا وقت بھی نہیں رہا تھا۔ امن نے ٹیرس پر کھڑے ہو کر ریلنگ سے کہنیاں ٹکا دیں۔ نیچے سے برتنوں کے بجنے کا شور اُوپر آرہا تھا جس کا مطلب تھا کہ مما اُٹھ چکی تھیں۔ وہ بے خیالی میں ہی گلی میں جھانکتی رہی۔ ٹھنڈی ہوا مردہ اعصاب پر اچھا اثر چھوڑ رہی تھی تبھی امن کی نظر سامنے رُک گئی۔ فرقان سفید جالی والی ٹوپی پہنے مسجد سے نماز پڑھ کر آرہے تھے۔ نہ جانے امن کا دل کیوں بھرانے لگا۔ پرندے آسمان کی طرف گامزن سفر تھے اُڑتے پھدکتے، سکون تھا نور تھا مگر امن کے اندر بے سکونی چھاگئی۔ وہ یک دم رنجیدہ ہوگئی، تبھی فرقان کی نظر اوپر اٹھی۔

''امن گڑیا نیچے آجاؤ۔'' اُس نے ہاتھ کے اشارے سے کہا تھا امن نے نمناک آنکھوں سے سر اثبات میں ہلا دیا۔ امن نے دوپٹہ سر پر اچھی طرح اوڑھا اور بے جان قدموں سے سیڑھیاں اُترنے لگی۔

فرقان نے اپنی باہیں وا کیں، امن اُن بازوؤں میں سما گئی، جو بچپن سے اُسے جھولا جھلاتے رہے تھے۔ کسی چیز نے امن کے دل میں زور کی چٹکی لی تھی اور اُس کے اندر انگارے سے بھرنے لگے۔ آنکھوں سے آنسو بہتے رہے اور دل میں ندامت و آزردگی۔

''ارے ارے میرا بچہ کیوں رو رہا ہے۔'' فرقان نے امن کا ہولے ہولے کانپتا نازک سا بدن اپنے بازوؤں میں تھام رکھا تھا۔ امن کی ہچکی بندھ گئی۔ فرقان نے اچنبھے سے امن کا چہرہ دونوں ہاتھوں میں تھاما۔ امن کا چہرہ آنسوؤں سے تر تھا۔ فرقان کو تشویش ہوئی۔

''امن میرا بچہ مت رو، مجھے بتاؤ کیا ہوا ہے، تمہاری آنکھیں اتنی سرخ کیوں ہو رہی ہیں۔ چہرہ بھی سُتا ہوا نڈھال سا ہے۔'' اپنی اولاد خصوصاً اپنی بیٹی کو روتے دیکھنا ایک باپ کے لیے کتنا کٹھن اور صبر آزما لمحہ ہے کاش

اس سے کوئی فرقان احمد سے پوچھتا۔

''سر میں بہت درد ہے بابا۔'' امن کی آنکھیں بے دریغ آنسو لٹا رہی تھیں۔ فرقان کا دل تکلیف کی زد میں تھا۔ فرقان نے دل سے اٹھتی درد کی لہر کو دباتے ہوئے امن کی پیشانی پر اپنے ہونٹ رکھ دیئے۔ اُسے شانت ہو جانا چاہیے تھا مگر وہ اور بھی بے کل ہوگئی۔

''لبنیٰ امن کو جلدی سے ناشتا کرواؤ پھر میں اسے ڈاکٹر کے پاس لے کر جاتا ہوں۔'' فرقان فکر مند تھے۔

''ارے آپ تو ایسے ہی چھوٹی چھوٹی باتوں پر پریشان ہو جاتے ہیں۔ ڈھنگ سے کچھ کھاتی پیتی نہیں ہے اس لیے کمزور بھی ہو رہی ہے۔ خوراک کی کمی کے سارے مسئلے ہیں۔ رات بھر پڑھتی رہتی ہے۔ نیند پوری نہیں ہوتی، ڈاکٹر کے پاس جانے کی قطعی ضرورت نہیں، بس ڈھنگ سے کھائے پیے۔'' لبنیٰ ٹھیک ہی تو کہہ رہی تھی امن کا کھانا پینا ختم ہو کر رہ گیا تھا۔

''آؤ اِدھر بیٹھو۔'' فرقان اُسے یونہی ساتھ لپٹائے لپٹائے صوفے تک آیا اور اپنے ساتھ بٹھا لیا۔ لبنیٰ کو ناشتا بنانے کا کہا وہ کچن میں چلی گئی۔

''کیا بات ہے امن، مجھے بتاؤ۔'' فرقان نے امن کا ہاتھ اپنے ہاتھ میں پکڑ کر دبایا۔ امن نے اپنا سر فرقان کے کندھے پر ٹکا دیا۔

''کچھ نہیں بابا بس سر درد ہے ٹیبلٹ لوں گی تو ٹھیک ہو جاؤں گی۔''

''امن، بیٹیاں دعاؤں جیسی ہوتی ہیں۔ انہیں اللہ سے بہت چاؤ سے مانگا جاتا ہے۔ بہت محبت سے عنایت کرتا ہے خدا بیٹی۔ ایک نعمت ہو، رحمت ہو تم، دوبارہ کبھی مت رونا ورنہ بابا کا دل پھٹ جائے گا۔'' فرقان آبدیدہ ہو گیا۔ وہ امن کی ذرا سی تکلیف پر تڑپ اٹھتا تھا۔

''اتنی محبت، ایسی توجہ، وارفتگی و والہانہ پن، اعتبار و بھروسہ، اور میں کیا کرتی پھر رہی ہوں۔ اگر بابا کو پتا چل جائے تو......'' امن کے دل میں دراڑیں پڑنے لگیں۔

''اِن محبت لٹاتی آنکھوں میں اپنے لیے نفرت و بے گانگی دیکھنا آسان ہوگا کیا؟'' وہ کس جان لیوا درد کے دوراہے پر آن کھڑی ہوئی تھی۔ اُس کا دل خدشوں کی زد پر تھا۔ بابا کی محبت، دوسری طرف سجاد بلوچ کی جنوں خیز محبت، جس نے امن کو بے حال کر دیا تھا۔

○......❖......○

امن کو فرقان نے خود ناشتا کروایا تھا۔ اپنے ہاتھوں سے ٹیبلیٹ دی تھی۔ لبنیٰ کے اصرار پر وہ چلا گیا تھا اسٹور پر مگر دھیان امن کی طرف ہی لگا رہا تھا۔

''امن آرام کرو، کالج مت جاؤ آج۔''

''جی مما......'' وہ نظریں جھکائے جھکائے بولی خفت و شرمندگی نظریں اٹھانے ہی نہیں دے رہی تھی۔

''کیا بات ہے، خیریت تو ہے نا۔'' لبنیٰ کافی دنوں سے امن کا اُترا ہوا چہرہ دیکھ رہی تھی۔ ماں تھی فکر مندی سے پوچھا۔

''مما کیا ہوگیا ہے، سب ٹھیک ہے، پریشان مت ہوں۔'' نظریں اب بھی جھکی ہوئی تھیں۔
''او کے بیٹا ٹھیک ہے جاؤ کمرے میں جا کر آرام سے سو جاؤ۔'' لبنیٰ نے اُس کا گال تھپتھپایا۔
امن کمرے میں جا کر لیٹ گئی۔ رات بھر کی جاگی ہوئی تھی تھوڑی دیر کسلمندی سے کروٹیں بدلتی رہی پھر اُس کی آنکھ لگ گئی۔ وہ گہری میٹھی نیند میں تھی کہ سیل فون بجنے لگا 'بے بی ڈول میں سونے دی' کی بے ہنگم تان آج سے پہلے اُسے کبھی بری نہیں لگی تھی۔ امن کے اعصاب جھنجلا اٹھے۔ مگر اُس کا ذہن ابھی بھی سویا سویا تھا۔
امن نے بے دلی سے کال کاٹ کر سیل ہاتھ میں ہی تھا کہ اُسے پھر مہربان نیند کی دیوی نے اپنی آغوش میں بھر لیا اور وہ پُرسکون ہو کر سوگئی مگر یہ سکون عارضی ثابت ہوا۔ سیل فون کی بیل پھر بجنے لگی۔ امن نے نیم وا آنکھوں سے سیل فون کی چمکتی اسکرین کو دیکھا۔ ''سجاد کالنگ'' جگمگا رہا تھا وہ ہر روز اُسے کال کرتا۔ وہ اس اہمیت پر پھولے نہیں سماتی تھی مگر نہ جانے کیوں آج اُس کا دل سجاد سے بات کرنے کے لیے آمادہ نہیں ہو رہا تھا مگر وہ ٹلنے والا بھی نہیں تھا۔
''ہیلو۔'' امن نے بادل نخواستہ کال اٹھائی۔
''گڈ مارننگ میری جان۔'' سجاد بلوچ کی خوابیدہ آواز اُبھری۔ یقیناً وہ ابھی بستر پر ہی تھا۔
''سیم ٹو یو۔''
''کیا بات ہے، اُداس ہو۔'' سجاد نے اُس کی مری مری آواز سے اندازہ لگایا۔
''نہیں تو۔'' امن نے بات سمیٹی۔
''پھر کیا بات ہے اُلجھی سی ہو، کوئی گرم جوشی نہیں، تازگی نہیں۔''
''طبیعت ٹھیک نہیں ہے۔''
''کالج میں ہو گیا۔'' سجاد نے طبیعت کے متعلق نہیں پوچھا تھا امن نے محسوس کیا۔
''سجاد میں بہتر فیل نہیں کر رہی۔ تم کہو تو شام میں بات کریں۔'' امن آزردگی سے بولی۔
''مجھ سے بات کرو امن پلیز۔'' سجاد کے لہجے میں پیار بھری دھونس تھی یا حکمیہ انداز جو بھی تھا امن بائے کہتی کہتی رُک گئی۔
''میں گھر میں ہوں اچھا نہیں لگتا، مما نے ہماری باتیں سن لیں تو پھر......''
''سنتی ہیں تو سن لیں، جہاں اُن کو کل پتا چلنا ہے آج ہی لگ جائے۔ میری نیا تو پار لگے۔ جسے تم نے بیچ منجدھار میں پھنسا رکھا ہے۔ نہ ملتی ہو، نا بات کرتی ہو کل سے اکیلا گھر میں پڑا بخار میں پھنک رہا ہوں مگر تمہیں کیا۔ میرا تو تمہارے سوا کوئی اور ہے بھی نہیں، مگر تمہیں کیا پروا۔'' وہ رو رہا تھا یا امن کو لگا تھا۔ امن حقیقتاً سجاد سے سچی محبت کرتی تھی بے ریا اور خالص۔
''کیوں پروا نہیں ہے سجاد، مجھے سب سے زیادہ تمہاری ہی پروا ہے خود سے بھی زیادہ۔'' وہ سرتاپا پگھل گئی۔ سارے خیال درہم برہم ہو گئے۔ یاد رہا تو یہ کہ سجاد بیمار ہے، اکیلا ہے اور وہ اُس کا محبوب تھا، دوست تھا۔ اُسے اس سمے امن کی ضرورت تھی۔ وہ سب بھول گئی سب کچھ۔ یاد رہا تو صرف سجاد بلوچ، یہ سب اُس نے اپنے

تئیں خود ہی فرض کر لیا تھا کہ محبت کرنے والے لوگ ایسے ہی ہوتے ہیں۔ خیال رکھنے والے، ٹوٹ کر چاہنے والے۔

''تمہیں بخار کیوں ہوا۔'' امن کا سوال احمقانہ تھا۔

''پتا نہیں جان۔'' سجاد بے بسی سے بولا تو آواز میں بھاری پن تھا۔

''دوا لی۔'' وہ مسیحا تھی۔

''میں بہت اکیلا ہوں۔ بھری دنیا میں اکیلا ہوں۔'' سجاد بلوچ نے سسکاری بھر کر لمبی سرد آہ خارج کی۔ امن کی تو جیسے کسی نے روح کھینچ لی ہو۔

''میں ہوں نا تمہاری سب کچھ۔'' وہ معصوم تھی۔ نوخیز کلی تھی۔ سجاد بلوچ جیسے گرگٹ کے پل پل بدلتے تیوروں سے نا آشنا۔

''تم میری کہاں ہو۔'' وہ اُسے اُکسا رہا تھا جذباتی کر رہا تھا۔

''تمہاری ہوں یقین کر لو۔ اب تو میں خود اپنی بھی نہیں رہی۔'' امن بے کسی سے رو دی۔ سجاد بلوچ نے امن کی تڑپ کو جی بھر کر انجوائے کیا تھا۔

''میری ہوتی تو اس وقت میرے پاس ہوتی۔''

''تم محسوس کرو میں تمہارے پاس ہوں سجاد۔'' وہ بلک رہی تھی۔ اپنے انداز میں سادگی و معصومیت سے بات کر رہی تھی۔

''میرے پاس آجاؤ، میرے سینے پر سر رکھ کر لیٹ جاؤ، اس دوری کو ملن میں بدل دو۔ مجھے مکمل کر دو جان! میں تم بن ادھورا ہوں۔ خود کو میرے سپرد کر دو۔'' سجاد گھاگ شکاری تھا۔ اچھی طرح سے جانتا تھا کہ اس سمے وہ کس قسم کی نازک کیفیات کا شکار ہو رہی ہے۔ اس لیے تاک تاک کر نشانے لگا رہا تھا۔

''فضول باتیں مت کرو سجاد۔'' امن کا چہرہ خفت سے لال بھبھوکا ہو گیا۔

''تم میری ہو نا تو پھر مجھ میں سما جاؤ نا۔'' سجاد نے جیسے سنا ہی نہیں اپنی ہی ہانکے گیا۔

''اتنی بے باکی ٹھیک نہیں ہے سجاد، آئی ڈونٹ لائک دِس۔''

دوسری طرف سجاد کا بس نہیں چل رہا تھا کہ اس لڑکی کو چوک میں کھڑا کر کے گولی مار دے۔ اِسے لاجواب کر دے۔ اِس کے منہ پر اُلٹے ہاتھ کا تھپڑ مارے۔

''فون پر میٹھی میٹھی باتیں کرتی ہے۔ دل کو دہکتی آنچ میں دہکاتی ہے، جب ملنے کا کہو تو نیک بننے کا ناٹک کرتی ہے اُلو کی پٹھی۔'' وہ یہ ساری باتیں اُسے جتلانا چاہ رہا تھا مگر وہ ٹھنڈا کر کے کھانے کا عادی تھا۔ اپنی وقتی جذباتیت کے ہاتھوں اُسے کھونا نہیں چاہتا تھا۔ وہ جو بہت قیمتی تھی۔

''مجھے ملو نا پلیز۔ میں تمہیں سامنے بٹھا کر تمہارا ایک ایک نقش اپنے دل پر اُتارنا چاہتا ہوں۔ ملو گی نا۔'' وہ بہت آس کی کیفیت میں بولا۔

''ہاں۔''

''کب، آج ہی آ جاؤ۔''

''نہیں ہم لوگ لاہور جانے والے ہیں، جب آؤں گی تب۔'' دوسری طرف سجاد تلملا کر دانت پیسنے لگا۔ غصے اور اشتعال کی لہریں اُس کے فشارِ خون کو بلند کرنے لگیں۔

''اوکے اب میں سونے لگا ہوں۔'' وہ بے رخی سے کہتا کال کاٹ گیا۔

○......❖......○

فاخرہ بے انتہا خوش تھی۔ وہ صبا کے لیے بوتیک سے سرخ' سیاہ امتزاج کا جوڑا لے کر آئی تھی۔ نئے جوتے چوڑیاں، اُس کا بس نہیں چل رہا تھا کہ وہ کیا کر دے۔ وہ اپنی بیٹی سے بہت محبت کرتی تھی اور وہ اپنی بیٹی کو کھلی فضا دینا چاہتی تھی، پورے یقین اور اعتماد کے ساتھ۔ وہ اپنی بیٹیوں کو سر اُٹھا کر شان سے جینا سکھا رہی تھی۔ بلاوجہ کی پابندیاں عائد کر کے وہ صبا کی صلاحیتوں کو زنگ آلود کیسے ہونے دے سکتی تھی۔

صغریٰ اور ضویا کے ساتھ نیہات ضمیر آ گیا تھا۔ اُن کو رات گئے بہاول پور سے لاہور کے لیے نکلنا تھا۔ فاخرہ نے رات کے کھانے کا انتظام کر رکھا تھا۔ سب لوگوں نے رات کا کھانا اکٹھے کھایا۔ خوشگوار ماحول میں باتیں ہوتی رہیں۔ بشیراں اور فاخرہ نے کھانا مل کر بنایا تھا۔

فاخرہ اور بشیراں اُن سب کو بس اسٹاپ تک چھوڑنے گئی تھیں۔ صبا بار بار فاخرہ سے لپٹتی رہی۔ یہ پہلا موقع تھا کہ وہ اپنی ماں کے بنا لمبے سفر پر جا رہی تھی۔ خوش بھی تھی غمگین بھی۔

بشیراں اور فاخرہ تب تک صبا کو ہاتھ ہلاتی رہیں جب تک بس نظروں سے اوجھل نہیں ہو گئی۔

وہ تیز قدموں سے چلتی گھر آئیں اور باتوں میں مگن کچن سمیٹنے لگیں۔

○......❖......○

تاحدِ نظر پھیلا کوئی میدان تھا۔ وہ کیسا میدان تھا کچھ واضح اور صاف دکھائی نہیں دے رہا تھا۔ چلچلاتی ہوئی آگ برساتی ہوئی کڑی دھوپ تھی جھلساتی ہوئی۔ سورج قہر و غضب کی تصویر بنا تپ رہا تھا۔

اُسے لگا اُس کا نحیف و نزار وجود کسی فولادی آدمی کے آہنی شکنجے میں جکڑا ہوا ہے۔ کوئی اُسے بھینچ رہا تھا، اتنی زور سے کہ اُسے سانس لینے میں دقت ہو رہی ہے۔

''انسان خدا نہیں ہوتا کہ دوسروں کی زندگیوں کے فیصلے کرتا چلا جائے وہ بھی سفاکی سے۔'' اُسی تنومند آدمی نے اُس کے کمزور وجود کو زور کا دھکا دے کر کانٹوں بھرے میدان میں پھینک دیا۔ اُس کی چیخ مہیب سناٹے میں تیزی سے پھیلی۔ بازگشت تیز لہر کی مانند گونجی پھر معدوم ہوتی چلی گئی۔

○......❖......○

''تم سب نے اُس کی تقدیر اپنے ہاتھوں سے لکھنی شروع کر دی، اپنی من مانی کی، اُسے خطاکار بنا کر معتوب ٹھہرا دیا۔ اپنی پسند کی سزا سنا دی۔ اُسے تختہ دار پر لٹکا کر اُس کی خودی، انا، خودداری کو اپنی جھوٹی شان اور انا کی بھینٹ چڑھا دیا، تم قاتل ہو کسی کی خوشیوں کی، کسی کی جوانی کو قدموں تلے روندنے کی مجرم ہو، قابلِ نفرت ہو، قابلِ مذمت۔'' اُس لمبے تڑنگے شخص نے اپنے دونوں ہاتھ اُس کی جھریوں سے اٹی گردن پر رکھ کر اُس کی

ہڈیوں بھری گردن کو دبوچ لیا اُس کی سانس رُک گئی۔

''زمان! پانی۔'' اُس کی آواز نہیں نکلی تھی بس زمان کا نام لبوں پر تھرتھرا کر رہ گیا مگر کون تھا جو اُس کی آواز سنتا۔ پھر اُس کی گردن پر دباؤ کم ہوتا چلا گیا۔ نہ جانے وہ کون تھا جو اتنا بھرا ہوا تھا جیسے کوئی وحشی جنونی اُس کی جان لے لینا چاہتا ہو۔ اُسے لگا وہ مرگئی ہے مگر وہ زندہ تھی۔

''تم گناہ گار ہو، زمین پر بوجھ ہو، تمہیں صفحۂ ہستی سے مٹ جانا چاہیے۔'' وہ کف اُڑا رہا تھا، چلا رہا تھا۔ غیض وغضب سے وہ پھر اُس کے ناتواں وجود پر جھپٹنا چاہتا تھا کہ اُس نے اپنے رعشہ زدہ ہاتھ جوڑ دیئے۔ کچھ کہنے کی کوشش میں اُس کے خشک پپڑی زدہ ہونٹ کپکپا کر رہ گئے۔

''رحم مانگ رہی ہو کیا۔'' اُس اجنبی، کرخت چہرے والے آدمی نے سوال کیا۔

''ہاں۔'' اُس نے ذرا سا سر ہلایا اُس کی سرد آنکھوں میں موت کا خوف پھیل رہا تھا۔

''ہاہاہا......تم نے کبھی 'رحم' کیا ہے جو میں تم پر رحم کروں۔'' اُس نے بے ہنگم قہقہہ لگایا۔

''تم ظالم ہو ظلم ڈھاتی رہیں، میں دیکھتا رہا کہ شاید تمہارے اندر احساس کی آنکھ پھوٹ پڑے۔ شاید تم نادم ہو کر توبہ کر لو مگر نہیں، تمہارے جیسے لوگوں کو توبہ کی توفیق نہیں ہوتی۔ اگر توبہ کا احساس جاگ جائے تو کبھی کبھی توبہ کرنے کی مہلت بھی نہیں ملتی۔ تم قابلِ نفرت ہو۔'' وہ چیخنے لگا۔ چلانے لگا۔

''رحمان، پانی۔'' اُس کے ہونٹ پھڑ پھڑائے مگر کون تھا جو سنتا۔ کوئی بھی نہیں۔ وہ باری باری سب کو پکارتی رہی۔ اُس کی دم توڑتی آواز حلق میں ہی گھٹتی رہی۔ وہ سانس کھینچنے کے لیے پوری طاقت لگا رہی تھی۔ اُس کو جتنی دشواری سانس اندر اُتارنے میں ہو رہی تھی۔ اُس سے کہیں بڑھ کر اذیت سانس باہر نکالنے میں ہو رہی تھی۔ وہ شدتِ کرب سے سر اِدھر اُدھر مار رہی تھی۔ اُسے وہ اُس کانٹوں بھرے میدان میں گھسیٹ رہا تھا۔ اُس کی کمر زخم زخم ہو کر لہولہان ہو رہی تھی گردن میں سانس پھنس رہی تھی۔ گھٹن وحبس سانس روک رہی تھی۔

''کیا میں مر رہی ہوں۔ نہیں نہیں مجھے ڈر لگ رہا ہے۔ مجھے مرنے سے ڈر لگتا ہے۔'' اُس کی سوچیں شل تھیں اُسے خوف آ رہا تھا موت سے خوف 'مر جانے کا خوف' سب سے بڑا خوف، سب سے آخری خوف۔

''میں تمہارا ضمیر ہوں ہاہاہا۔ میں تم پر یوں ہی کوڑے برساتا رہوں گا۔ روز تمہیں عدالت میں گھسیٹوں گا لعنت ملامت کروں گا۔ تمہیں کنکر ماروں گا، تم پر جوتے پھینکوں گا۔ کون بچائے گا تمہیں۔ کون پُرسان حال ہے تمہارا اس وقت، بتاؤ جواب دو، ساری زندگی تنفر، حقارت، تکبر میں گزار دی۔ خدا کی مخلوق سے کبھی محبت نہیں کی۔ صلہ رحمی اور ایثار کو اپنا شعار نہیں بنایا۔ اب بتاؤ کیا ہے زادِ راہ، آخرت کے لیے، کیا منہ دکھاؤ گی روزِ محشر خدا کو۔ کیا تیاری کی تم نے خدا کے پاس جانے کے لیے، کچھ بھی نہیں، اسی لیے تو موت سے ڈر رہی ہو۔ اپنے اعمال سے ڈر رہی ہو، خدا کی بنائی ہستی کو حقیر و بے مایہ سمجھ کر ستم ڈھانے والی عورت! کیا تم اس قابل ہو کہ تم پر رحم کیا جائے۔ دفع ہو جاؤ میری نظروں سے دور ہو جاؤ بد بخت عورت۔''

اُس دیو ہیکل شکل نے اُسے دونوں بازوؤں سے پکڑ کر کسی ننھی گیند کی طرح فضا میں اُچھال دیا۔ چیتھڑے ہی چیتھڑے، خون آلود، اُف ہر طرف خون ہی خون، انسانی ہڈیاں بکھری ہوئی تھیں۔

وہ بے حس وحرکت لیٹی ہوئی تھی۔ وہ سمجھ رہی تھی کہ وہ مر چکی ہے۔ جان کنی کے عذاب سے گزر چکی ہے۔ سب کام پایہ تکمیل تک پہنچ چکے مگر نہیں وہ زندہ تھی جب اُس کا تاریکیوں میں ڈوبا ذہن بیدار ہوا تو اُسے یہ لگا بدن گو کہ بے جان سا ہے مگر وہ زندہ ہے۔ سانس چل رہی ہے۔ آتی جاتی مدھم سانس زندگی کا پتا دے رہی تھی۔

''یہ لیں پانی پی لیں۔'' کوئی بہت قریب سے بولا تھا۔ کون۔ کچھ سمجھ نہیں آئی تھی۔

''خالہ پانی پی لیں۔'' کسی نے اُس کی گردن کے نیچے بہت نرمی سے ہاتھ ڈالا تھا اور سہارا دے کر اوپر اٹھایا اور پانی کا گلاس خالہ کے لبوں سے لگا دیا۔ پانی کے چند قطروں سے حلق تر ہوا تو بکھرے حواس بھی بحال ہونے لگے۔ سارا گلاس وہ غٹا غٹ پی گئی جیسے برسوں کی پیاسی ہو۔

''خالہ لگتا ہے آپ سوتے میں ڈر گئی ہیں۔ آپ کی چیخیں اتنی بلند تھیں کہ میری سوتے میں آنکھ کھل گئی بتائیں نا، کہیں درد ہے کیا۔ بہت کرب ناک دھاڑیں ماری ہیں آپ نے۔'' فاخرہ نے خالہ کا ہاتھ اپنے ہاتھوں میں لے کر کہا۔ وہ اس وقت صحن میں تھیں۔ خالہ کی آنکھیں بند تھیں۔ سانس دھونکنی کی مانند چل رہی تھی۔ وہ بولنا چاہتی تھی، بہت کچھ کہنا چاہتی تھی مگر یوں لگتا تھا جیسے یا تو خالہ کی زبان تالو سے چپک گئی تھی یا پھر کسی نادیدہ طاقت نے اُن کی قوتِ گویائی سلب کر ڈالی تھی۔ وہ اُسی ڈراؤنے اور خوفناک خواب کے زیر اثر تھی۔ وہ ہاتھ جوڑ کر فاخرہ سے معافی مانگنا چاہتی تھی۔ اپنے ہر ستم کی اپنے ہر ظلم و زیادتی کی۔ وہ اللہ سے بھی توبہ کرنا چاہ رہی تھی۔ اپنے گھمنڈ و برتری میں کیے گئے وار اب سارے اُسے نظر آ رہے تھے۔ قطار در قطار لمبی فہرست تھی۔ آج اپنی ہر زیادتی اُسے دکھائی دے رہی تھی اور دل شرمندگی کی اتھاہ گہرائیوں میں ڈوبتا جا رہا تھا اور ساتھ ہی بدن کی سکت بھی ہاتھ چھڑا رہی تھی۔ وہ توبہ کرنا چاہ رہی تھی۔ مگر زبان ساتھ نہیں دے رہی تھی۔ جب طاقت سلامت تھی تب 'احساس' سے دل خالی تھا اور اب ضمیر اور احساس ایک ساتھ اُس کے اندر اپنی تمام تر توانائیوں سے جاگے تھے تو اُس کا تن بدن مردنی اوڑھ بیٹھا تھا...... یہ کیسی بے بسی ولاچاری تھی کہ وہ بہت کچھ کہنا چاہ رہی تھی مگر کچھ بھی نہیں کہہ پا رہی تھی۔ اُس کے رعشہ زدہ بدن میں جان اٹکی ہوئی تھی۔

فاخرہ اپنے آنچل کے پلو سے خالہ کا چہرہ صاف کر رہی تھی جو بار بار عرق آلود ہو رہا تھا۔ فاخرہ خالہ پر جھکی قرآنی آیات پڑھ پڑھ کر اُس پر پھونک رہی تھی۔ فاخرہ کی آنکھوں سے آنسو بہہ رہے تھے وہ اُس عورت کے لیے رو رہی تھی جس نے تمام عمر اُسے سکھ کا سانس نہیں لینے دیا تھا۔ فاخرہ کا احساس سے لبریز دل اُس سامنے لیٹی بوڑھی عورت کی لاچاری پر رو رہا تھا جس نے فاخرہ کی زندگی پر حکومت کی تھی۔ جواز، سمجھوتے، اصول، دلیل کسی زندہ انسان کی زندگی سے بڑھ کر تو نہیں ہوتے پھر بھی لوگ دوسروں کے دلوں کو خوشیوں کو کتنے دھڑلے سے روند ڈالتے ہیں۔ خدا کی پناہ۔

''خالہ کیا ہوا ہے مجھے بتائیں، دن چڑھ جائے پھر میں آپ کو اسپتال لے کر چلوں گی یا پھر ڈاکٹر کو گھر بلوالوں گی۔'' فاخرہ خالہ کے گال سہلا رہی تھی بار بار پانی پلا رہی تھی۔

اعمال ناموں میں گناہ کبیرہ کے زمرے میں کیا کچھ درج ہوتا ہوگا۔ کسی کو خبر نہیں ہوئی کسی کو فکر نہیں ہوتی۔

اُس کی زبان گنگ دل شرمندگی سے جھکا جارہا تھا۔ دل کی گہرائی سے اللہ کے حضور وہ معافی مانگ رہی تھی قبول ہونی تھی یا نہیں۔ کون جانے۔ مگر فاخرہ سے معافی مانگنے کے لیے زبان کی ضرورت تھی۔ جو اس وقت کام نہیں کررہی تھی۔

خونی رشتوں سے جڑی محبتیں، اور اُن محبتوں کے ساتھ ساتھ ازل سے ایک درد کا سلسلہ بھی جاری وساری ہے۔ خودغرضی، بے حسی، منافقت کی اذیت سے لبریز، ظلم کی آخری حدوں کو پار کرتا۔

فاخرہ اب خالہ کی ٹانگیں داب رہی تھی۔ خالہ کے خون میں اس وقت ندامت پر ندامت، ندامت ہی ندامت ٹھوکریں ماررہی تھی۔

معصوم، سادہ دل فاخرہ بلا کی حسین عورت کس غضب کی آزمائش کی نذر ہوئی تھی۔

فاخرہ کی مضطرب سی نگاہیں خالہ کے تھکن زدہ بے بس وجود کو دیکھتی رہیں۔ وہ آگاہ تھی اس بات سے کہ دنیا میں دوسروں کا درد اپنے دل میں محسوس کرنے کا شرف ہی انسان کو اشرف المخلوقات بناتا ہے۔ انسان دنیا میں آتا ہے، مرجاتا ہے، انسان سب کچھ کرتا ہے مگر موت جو اٹل حقیقت ہے اُس کو فراموش کردیتا ہے۔ فجر کی اذانیں ہورہی تھیں فاخرہ اٹھی اور وضو کرنے چلی گئی۔

''میری زیادتیوں کا جتنا بوجھ تمہارے دل نے سہا ہے فاخرہ، کیا وہ کبھی اُتر سکے گا، جتنے زخم میں نے تمہیں دیے، کیا کبھی وہ تم بھول سکوگی، کیا تمہارے ہونٹ میرے لیے دعا مانگ سکیں گے، میرا دل کبھی سکون پاسکے گا۔''
خالہ نے سوچا تھا۔

O......❖......O

فاخرہ نے نماز کی ادائیگی کے بعد دعا مانگی تھی، گریہ زاری کی تھی۔ خالہ کے لیے سچے دل سے دعا مانگی تھی۔ فاخرہ نے اپنے وجود سے چمٹے سارے اگر مگر اُتار پھینکے تھے۔ خالہ کو معاف کردیا تھا۔ کیا یہ ضروری ہوتا ہے کہ کوئی زبان سے اقرار کرے، ہاتھ جوڑ کر معافی مانگے تب ہم کسی کو معاف کریں۔

ہمیں ہر کسی کو معاف کردینا چاہیے۔ اللہ کی رضا کے لیے رحم کرنا چاہیے، ایثار کو اللہ پسند فرماتا ہے۔

خالہ کی شاید آنکھ لگ گئی تھی۔ فاخرہ قرآن پاک پڑھنے لگی، لوہے کے تخت پر وہ بیٹھ گئی تھی۔ بشیراں بھی فاخرہ کے ساتھ ہی جاگی تھی۔ خالہ کی دردناک چیخوں نے انہیں ڈرادیا تھا۔ الٰہی خیر! کہتی وہ دونوں ایک ساتھ خالہ کے پاس آئی تھیں تب سے اب تک بشیراں فاخرہ کے رویے کو دیکھتی رہی تھی۔ حیرت واستعجاب سے، انتہائی تعجب سے، اتنا صبر، ایسی اعلیٰ ظرفی، اتنا کشادہ دل۔

''چائے بناؤں۔'' بشیراں نے پوچھا تو فاخرہ نے ذرا کی ذرا نگاہ اٹھائی اور اثبات میں سرہلادیا۔ آنسوؤں سے لبالب بھری گلابی آنکھیں، اضطرابی انداز میں ہونٹ کچلتی فاخرہ کیوں رورہی تھی؟ یہ بشیراں کی سمجھ سے بالاتر چیز تھی۔

فاخرہ نے قرآن پاک بند کرکے آنکھوں سے لگایا بشیراں وہیں چائے لے آئی، فاخرہ کے ہاتھ سے قرآن پاک پکڑ کر کمرے میں رکھنے چلی گئی۔ واپس آئی تو فاخرہ جوں کی توں بیٹھی ہوئی تھی۔

''کیوں رو رہی ہیں آپ۔'' بشیراں نے آخر وہ بات پوچھ ہی لی جو اُسے بے چین کر رہی تھی۔

''خالہ کے لیے......'' بشیراں نے تحیر سے دیکھا فاخرہ کا چہرہ حزن و ملال کے سارے رنگ سمیٹے ہوئے تھا۔

''ایسے مت دیکھو بشیراں، بات خالہ کی نہیں ہے ہر بزرگ کی بے بسی مجھے رُلاتی ہے، ہر بزرگ کی آنکھ کی پتلیوں کے پیچھے چھپا درد مجھے نظر آتا ہے، وہ مجھے رُلاتا ہے۔''

''بشیراں جو تم نے دیکھا وہ بھی اور جو تم نے نہیں دیکھا وہ بھی بہت برا تھا، بے انتہا برا۔ مگر وہ ان کا اپنا فعل اپنا عمل ہے۔ مجھے برا نہیں کرنا۔'' بشیراں یک ٹک فاخرہ کو دیکھے گئی۔

''اللہ نے مجھے بہت نوازا ہے اور اس کی بے پایاں رحمتوں کے بدلے، میں نے خالہ کو معاف کر دیا ہے۔ مجھے اللہ کی ناراضی سے بہت ڈر لگتا ہے۔ بس یہی دعا کرتی ہوں کہ اللہ مجھ سے خوش رہے۔''

''مگر......'' فاخرہ نے ہاتھ اُٹھا کر بشیراں کو ٹوک دیا، آگے کچھ بھی کہنے سے منع کر دیا۔

''بشیراں جب ہماری زندگی میں بہت سارے اگر مگر آجاتے ہیں تو راہیں مسدود ہو جاتی ہیں۔ دل تنگ پڑ جاتے ہیں جو جواز ڈھونڈنے لگتے ہیں اگر مگر راستہ روک کر کھڑے ہو جائے ہیں، میں نے بھی شروع میں اللہ سے کچھ گلے شکوے کیے تھے مگر اُن کو اپنا معمول نہیں بنایا۔ اللہ کے ہر فیصلے پر راضی بہ رضا ہو گئی تو دل میں طمانیت نے جگہ بنالی۔ میرا یقین کامل ہونے لگا۔ مجھے قرار آ گیا۔ مجھے صبر کرنا آ گیا۔ میں نے صبر کرنا سیکھ لیا۔'' فاخرہ نے چائے کا گھونٹ بھرا بشیراں کی نگاہوں میں تا حال اُلجھن تیر رہی تھی۔ ہلکی سی خفگی بھی اُس کے انداز سے عیاں تھی۔ وہ سمجھی کہ نہیں مگر بولی کچھ نہیں۔

''پتا۔ ہے بشیراں جو انسان شکر ادا نہ کر سکے وہ پھر زندگی میں کچھ بھی کرنے کے قابل نہیں رہتا۔ شیخ سعدی فرماتے ہیں 'میں رو رہا تھا جب میرے پاؤں میں جوتے نہیں تھے لیکن میں اچانک چپ ہو گیا جب میں نے دیکھا کہ ایک شخص کے تو پاؤں ہی نہیں تھے۔ اللہ رب العزت نے مجھے ہزاروں لوگوں سے بہت بہتر بنایا، پھر میں شکر ادا کیوں نہ کروں، دل کو چھوٹا نہیں رکھنا چاہیے۔'' فاخرہ کی بات پر بشیراں بھی رونے لگی تھی نہ جانے کیوں۔

رحمان اور فرقان لاہور پہنچ چکے تھے پی سی میں دو بیڈ روم کی انہوں نے دو دن کی بکنگ کروالی تھی۔ ان کا ارادہ خوب گھومنے پھرنے کا تھا۔ وہ بچوں کو گھمانے پھرانے کے لیے ہی تو لے کر آئے تھے۔

''ہائے اتنی شاندار عمارت......'' احتشام بچوں کا سا اشتیاق لیے چلایا، فروا نے اُسے ٹھوکا دیا۔

''ہائے پسلی میں کہنی چبھودی۔'' وہ مچلا۔

''چپ کر جاہل کہیں کا! سب لوگ دیکھ رہے ہیں، پینڈو سمجھیں گے تمہیں۔'' فروا نے دانت کچکچائے اور اُسے اُس کی ندیدی حرکت پر تنبیہ کی مگر وہ باز آنے والا کہاں تھا، ہر پانچ منٹ بعد آپے سے باہر ہو جاتا۔

''ہائے کتنی اسٹوریز ہیں اس ہوٹل کی، میری تو آنکھیں تھک گئیں آسمان تک پہنچ گئیں۔''

''اتنی زور کا مکہ ماروں گی کمر میں کہ دن میں تارے نظر آجائیں گے، منہ بند کر اپنا۔'' ایک طرف فروا جبکہ احتشام کے دوسری طرف عروا چپک گئی تھی۔ اُن کا بس نہیں چل رہا تھا کہ احتشام کی درگت بنا ڈالیں۔ امن کی ہنسی چھوٹ گئی صورتِ حال ہی اتنی مضحکہ خیز ہو گئی تھی۔ احتشام دیدے پھاڑ پھاڑ کر ارد گرد دیکھ رہا تھا اور جب بھی وہ مارے شوق کے منہ سے ہائے وائے نکالتا، دو کہنیاں اس کی پسلیاں توڑنے کے در پے ہو جاتیں۔ امن ہنسے جارہی تھی۔ سب بڑے آگے آگے تھے، جبکہ چاروں پیچھے باقی بچے بڑوں کے ساتھ تھے۔ اٹھکیلیاں کر رہے تھے سب خوش تھے مگن تھے۔

سیکنڈ فلور پر دونوں فیملیز کے بیڈ روم تھے۔ دونوں اپنے اپنے بیڈ رومز میں چلے گئے۔ صاف ستھرا اسٹائلش بیڈ روم، فرقان نہانے چلا گیا تو حذیفہ اور ہنزلا جو اُس کی موجودگی میں مؤدب سے تھے چہکنے لگے۔ امن نے لبنٰی کی نظر بچا کر اپنے پاؤچ کو شولڈر بیگ سے نکال کر سیل فون کو دیکھا۔ سجاد کی چار مس کالز اور لاتعداد میسجز تھے۔ امن نے پھر لبنٰی کی طرف دیکھا مگر وہ متوجہ نہیں تھی۔ بچوں کے ساتھ مگن تھیں۔ ہنزلا حذیفہ کے کپڑے بیگ سے نکال رہی تھی۔ امن نے ایک کے بعد ایک سارے میسجز پڑھ ڈالے امن کا چہرہ جگمگانے لگا۔ اُس نے کہا تھا کہ پہنچ کر بتانا مجھے فکر رہے گی۔ امن اب میسجز کر کے اُسے بتا رہی تھی۔

''بات کریں جان۔'' اُس کا ریپلائی آیا تھا۔

''نہیں ابھی ممکن نہیں، بعد میں جب موقع ملا۔'' اُس نے سینڈ کر کے سیل دوبارہ پاؤچ میں ڈال لیا۔ فرقان فریش ہو آیا تھا۔ طویل سفر کی تکان اُتارنے کے لیے سب لوگ باری باری نہانے گئے۔

ٹھیک ایک گھنٹے بعد رحمان کی کال آئی تھی۔ نیچے ہال میں ناشتے کے لیے جانا تھا، سب لوگ ناشتے کے لیے چلے گئے سب نے اپنی اپنی پسند کا ناشتا کیا تھا۔ رحمان کو کام سے جانا تھا وہ وہیں سے چلا گیا۔ فرقان اور لبنیٰ کمرے میں آ کر سو گئے۔ ہنزلا حذیفہ بھی کچھ دیر ٹی وی پر کارٹون دیکھتے رہے پھر اُونگھنے لگے، ماں کے برابر میں لیٹے تو ذرا دیر میں ہی بے خبر سو گئے۔

دونوں بیڈ رومز کے مکیں سو چکے تھے مگر دو لوگ ایسے بھی تھے جن کے دل بے تاب تھے اور آنکھیں نیند سے خالی۔ پپوٹے بوجھل سے، تھکن سے مگر نیند آنکھوں سے کوسوں دور۔

○......❖......○

''وہ آج لاہور چلی گئی ہیں دونوں بہنیں۔'' اریز چوہدری کسی کو فون پر بتا رہا تھا۔

''تم بھی لاہور پہنچ جاؤ۔'' مقابل نے تجویز پیش کی تھی یا حکم دیا تھا کچھ اندازہ نہیں ہو رہا تھا۔

''جی ٹھیک ہے مگر کب؟'' اریز نے پوچھا۔

''اُن کا کیا پروگرام ہے۔''

''دو دن کے لیے آؤٹنگ کا پروگرام ہے۔'' اریز بہت اطمینان سے بات کر رہا تھا یوں لگ رہا تھا مقابل سے اُس کا کوئی بہت قریبی تعلق ہے۔ وہ دونوں کمال کے مزاج آشنا لگ رہے تھے۔

''تم آج ہی لاہور پہنچو اور رابطے میں رہو، او کے۔''

''جی بہتر۔''

''ایک بات دھیان میں رکھنا لڑکی کو قریب کرنے کا طریقہ، اُسے اہمیت دو اُس کے جذبات کو سمجھو اور لڑکی مرد کے وجود میں تب سماتی ہے جب وہ اُسے تحفظ دیتا ہے۔ لڑکی کو محبت بہت عزت کے ساتھ دی جائے تو اسے اچھا لگتا ہے۔ محبت کرنے کا ڈھنڈورا پیٹتے رہو مگر اُس کی عزت نہ کرو تو وہ کبھی ہاتھ نہیں آتی۔ لڑکی کے لیے اپنا وقار اپنی سیلف ریسپکٹ بہت معنی رکھتی ہے۔ لڑکیوں کی نفسیات بہت عجیب ہوتی ہے حد سے زیادہ جذباتی، ذرا بے وقوف، چھوٹی چھوٹی باتوں پر بہل جانے والی، اپنا ضبط، اپنا غصہ کنٹرول میں رکھنا کڑوی کسیلی بات بھی امرت سمجھ کر پی جاؤ، سمجھ گئے۔''

''جی بالکل سمجھ گیا۔''

''عمل بھی کرنا ہے اور بھرپور چوکس رہنا، تمہاری دو آنکھیں پشت پر بھی ہونی چاہئیں تمہاری چار آنکھوں کو ہر وقت کھلا ہونا چاہیے۔'' وہ بہت مدھم لہجے میں ٹھہر ٹھہر کر بول رہا تھا۔

''جی ایسا ہی ہے۔ ایسا ہی ہو گا میں آپ کو مایوس نہیں کروں گا۔''

''ویل ڈن مائی سن، ایم پراؤڈ آف یو۔''

''آج کا کیا پروگرام ہے۔''

''آج مجھے بیا ہمدانی سے ملنا ہے۔ اس وقت میں ہوٹل میں اُس کا انتظار کر رہا ہوں۔''

''اوہ گڈ ویری گڈ۔'' اُس کے لہجے میں فخر انبساط جھلکا۔

"گاڑی ہے اس وقت تمہارے پاس۔"

"جی نایاب کی گاڑی ہے میرے پاس۔"

"ٹھیک ہے میں لاہور والے بنگلے کی صفائی کرواتا ہوں ابھی خدا بخش کو فون کرتا ہوں تم بیا کو نپٹا کر لاہور پہنچو، مگر اچھے موہ لینے والے، نثار ہو جانے والے انداز میں نپٹانا، پہلے پہل لڑکی پر لگاؤ سے محنت کرنا پڑتی ہے جب وہ پٹا ہوا مہرہ بن جاتی ہے۔ تم بہت مکار ہو، شاطر ہو میں جانتا ہوں۔"

"بس آپ کی محبت ہے، اوہ بیا آ رہی ہے بعد میں بات کرتے ہیں۔" اریز نے دور سے بیا کو دیکھ لیا تھا وہ پارکنگ میں گاڑی پارک کر رہی تھی۔

وہ قدرے الگ تھلگ سی میز تھی تاریک سا گوشا، وہ عموماً اسی میز کو اپنا مسکن بناتا تھا جب بھی اُسے کسی سے ملنا ہوتا۔

"بے بی پنک کلر میں قیامت ڈھا رہی ہے بیا ہمدانی، ہاہا مگر ابھی میری دسترس سے کوسوں دور ہے۔ تڑپا کے رکھ دیتی ہے۔ چلتی پھرتی آگ ہے۔" اریز نے اوپر نیچے بہت سی آہیں ایک ساتھ بھری تھیں۔ مقابل نے قہقہہ لگایا تھا زوردار قہقہہ۔

"او کے بائے آ گئی۔" عجلت میں فون ہی بند کر دیا تھا۔ مقابل اُس کی پھرتی پر تادیر ہنستا رہا۔ لگتا تھا اریز نے اثر لیا تھا باتوں کا، اور لڑکی کو عزت و تکریم دینے کا ثبوت بھی ساتھ ہی فراہم کر دیا تھا۔

○......❖......○

"ہائے کیسے ہو۔" بیا کے لبوں پر دلربا مسکراہٹ تھی، اریز سو جان سے فدا ہونے لگا۔

"ٹھیک ہوں، تم کیسی ہو، بہت انتظار کروایا۔" وہ محبت پاش نظروں سے اُسے تکے جا رہا تھا۔

"مصروف تھی مگر تمہارے لیے وقت نکالا جا سکتا ہے۔" وہ اِترائی 'اِتراہٹ اُس پر سجتی بھی تو بہت تھی۔ بڑی فرصت سے بنایا تھا خدا نے اُسے، اُسے اپنی حسن و رعنائی کا ادارک بھی تھا پوری طرح۔

"بہت نوازش میری جان، بندہ ناچیز کے لیے تم نے اپنے قیمتی وقت میں سے فرصت کے کچھ لمحات نکال لیے۔" وہ کھلکھلائی اور اریز کے ساتھ بیٹھ گئی۔ اُس کی ریشمی زلفیں ہوا سے لہراتے ہوئے اریز کے چہرے کو چھو رہی تھیں۔ وہ اجتناب برت رہا تھا ورنہ بیا کی ہوش ربا ادائیں گھائل کرنا بخوبی جانتی تھیں۔ مگر وہ بار بار ایک ادا سے زلفیں جھٹک کر اریز کے شانوں پر بکھیر دیتی تھی۔

"تم نے ٹھان رکھا ہے کہ میری جان مشکل میں رکھو گی۔" اریز نے شانے جھٹکے تو وہ دلکشی سے مسکرا دی۔

"کیا کھاؤ گی۔" اریز پوری طرح اُس کی طرف جھک گیا وہ حیران کرنے میں اپنا ثانی نہیں رکھتا تھا۔ وہ غیر محسوس طریقے سے اپنی سانسیں بیا کی سانسوں سے ٹکرا چکا تھا۔ خود غافل سا ہو کر مینیو کارڈ دیکھنے لگا۔ بیا پگھل رہی تھی۔ اپنی دھڑکنوں کی بے قراری پر حیران جبکہ وہ اپنی توجہ کا رُخ موڑ چکا تھا۔ اُس کا گھنے سیاہ بالوں والا سر جھکا ہوا تھا۔ مینیو کارڈ اریز کے ہاتھوں میں تھا اور بیا اُس کے ہاتھ دیکھ رہی تھی۔ مضبوط مردانہ ہاتھ سفید سنہری روئیں والے ہاتھ۔

''کیا کھاؤ گی؟'' اُس نے ہلکے پھلکے لہجے میں کہا بیا کی توجہ کا ارتکاز بکھر گیا۔

''جو تم کھاؤ گے میں بھی کھالوں گی۔'' وہ کھانے پینے میں بہت نخریلی تھی اریز جانتا تھا۔

''رئیلی!'' اریز نے تعجب سے بیا کی براؤن آنکھوں میں جھانکا۔

''ہاں۔'' وہ ہونٹ بھینچ کر زور زور سے سر ہلانے لگی اس سمے وہ اریز کو بڑی معصوم لگی۔

وہ پل میں منظر بدلنے کی طاقت رکھتا تھا جیسے وقت اُس کے اختیار میں ہو اور وہ لمحوں میں زمانے کو اپنے سنگ باندھ سکتا تھا۔ ایک لمحے میں اُس نے ہنستی مسکراتی اتراتی لڑکی کے ہونٹوں پر چپ بٹھا دی تھی۔ سارے نخرے، ساری ادائیں اپنی موت آپ مر گئے تھے۔ اریز میں ایسا کیا جادو تھا کہ وہ اُس کے بدن کی ذرا سی تپش برداشت نہ کر سکی اُس کی لمحوں کی قربت نے سینے کے اندر کیسی آگ دہکا دی تھی۔ یہ کیا ہو گیا تھا وہ اتنی کمزور تو کبھی بھی نہیں تھی۔

کھانا آچکا تھا مگر بیا ڈھنگ سے کب کھا رہی تھی۔ وہ لاتعلق سی بیٹھی تھی۔

''کھا کیوں نہیں رہی ہو جان، تمہیں تو بہت پسند ہے یہاں کا کھانا نہیں دل چاہ رہا تو کچھ اور منگوالو۔'' وہ اُس کے ساتھ خصوصی التفات برت رہا تھا توجہ وانہاک سے نواز رہا تھا۔

''نہیں دل نہیں چاہ رہا۔'' وہ بے دلی سے بولی، اریز کی تو جان پر بن آئی۔

''کیا ہوا طبیعت تو ٹھیک ہے نا جان، تم نازک بھی تو بہت ہو۔'' وہ فکرمندی سے بولا بیا کا روں رواں سماعت بن گیا۔ اتنا خیال ہے اسے میرا۔ اریز کی حدت بھری نظروں کے حصار میں بیا کی پلکیں لرز رہی تھیں۔ عارض تمتما اٹھے تھے اریز اُس کے چہرے کی تمام کیفیات کا بغور جائزہ لے رہا تھا۔

اریز چوہدری بیا کے اندر طوفان اُٹھا چکا تھا۔ اُس کا سکون متزلزل کر چکا تھا۔

''اریز مجھے ڈر لگ رہا ہے۔'' بہت دیر بعد وہ بولنے کے قابل ہوئی تھی۔

''کس بات کا ڈر۔'' وہ مکمل محبت سے اُس کی طرف رُخ موڑ گیا۔

''تم سے بچھڑنے کا ڈر۔'' شدید جذبات کی یورش تھی یا وہ اندر سے ادھ موئی ہو رہی تھی کہ آنکھیں جلنے لگیں۔ گرم گرم کھولتے ہوئے آنسو رخساروں پر بہہ آئے تھے۔

''رومت تم سے بچھڑنے کا خیال بھی سوہانِ روح ہے بیا۔ آئی لو یو مائی ڈیئر! سارے وسوسے، سارے خوف دل سے نکال دو۔ میں صرف تم سے محبت کرتا ہوں۔'' اُس نے نرمی وحلاوت سے کہا اور بہت ملائمت سے بیا کے آنسو صاف کرنے لگا۔

''شیور......'' وہ تذبذب کا شکار تھی، اُسے آگے بڑھنے میں کسی رکاوٹ کا سامنا تھا۔

''ہاں میری جان بے حد بے حساب محبت کرتا ہوں یقین محبت کی پہلی سیڑھی ہے یقین کر لو یا لوٹ جاؤ تمہاری مرضی، میں زبردستی کا قطعی قائل نہیں ہوں۔ محبت میں زور زبردستی ہوتی بھی نہیں ہے۔ میں تو سمجھتا ہوں کہ میں تم سے محبت کرتا ہوں تو تمہارے سوا کسی اور کو اپنے خیال میں لانا بھی گناہ ہے تمہیں خیالوں میں بسایا ہے بیا تو میں اِن خیالوں اور خوابوں میں خیانت کا مرتکب کیسے ہو سکتا ہوں۔ میرا ہر جذبہ تمہاری امانت ہے، مجھے اُن

فضاؤں سے محبت ہے جہاں تم سانس لیتی ہو۔ مجھے اُن جگھوں سے عقیدت ہے تم جہاں پاؤں رکھتی ہو۔ میں تمہارے ظاہر سے نہیں باطن سے محبت کرتا ہوں جان، میں تمہارا احترام کرتا ہوں۔'' بیا کا سر اریز کے شانے پر آن رکا۔

''میں بھی اریز محبت کرنے لگی ہوں۔ میری محبت کو گھن مت لگنے دینا، ہوس کا گھن!'' وہ آبدیدہ سی تھی۔

''میں ہوس پرست لوگوں پر لعنت بھیجتا ہوں۔ سرسبز پودوں کو، لہلہاتے گھنے درختوں کو گھن اس لیے کھا جاتا ہے کہ اُن کا خیال نہیں رکھا جاتا، بیا میں وعدہ نہیں کرتا مگر اتنا جان لو کہ بقول روسو جو شخص وعدہ کرنے سے جتنا گریز کرتا ہے وہ وعدے کا اتنا ہی زیادہ پابند ہوتا ہے۔''

''مجھے یقین ہے دل و جان سے کہ تم مجھے کبھی بھی خود سے الگ نہیں کرو گے ویسے بھی میرے بھیا کہتے ہیں کہ تم شہد جیسی مٹھاس رکھتی ہو، کوئی تمہاری محبت کا شہد ایک دفعہ چکھ لے تو اُس کا ذائقہ کبھی نہیں بھول پاتا۔'' بیا کا ہاتھ اریز کے سینے پر آن رُکا صبیح چہرے سے کرب و رنجیدگی کی لکیریں مٹنے لگیں، آنکھیں اور ہونٹ مسکرا اٹھے شاید یقین اعتماد کی ڈور تھام بیٹھے تھے۔

''اُس کی مردانہ وجاہت کی چہار سو دھوم ہے۔ اس کا چہرہ جیسے صبح ازل کا تعارف، اس کی آنکھوں میں جادو ہے، اس کی قامت دل کو چھو لیتی ہے۔ اس مرد کی مردانہ چال دل دھڑکاتی کتنی لڑکیاں اریز کی ہونے کے خواب دیکھتی ہوں گی۔ اُس کی آواز سحر انگیز ہے۔ مسحور کن اور یہ مرد میرا ہو گیا ہے، صرف میرا۔'' بیا پگلی دیوانی 'وجود' پر مرمٹی تھی اور اریز کو 'وجود' سے محبت کرنے سے روک رہی تھی۔ کیا ایسا ممکن تھا۔ وہ اُس کے شاندار سراپے پر مرمٹی تھی۔ پہلا وار ہی اریز کا سہہ نہیں پائی تھی ابھی تو اریز کے ترکش میں بہت تیر تھے۔ جنہیں وہ آہستہ آہستہ استعمال میں لانا چاہتا تھا مگر وہ تو بہت بودی بہت عام سی نکلی ایک تپش بھری سانس سے ہی ڈھے گئی۔ اریز چوہدری باکمال تھا باہنر تھا مگر بیا ہمدانی نے اُسے کوئی داؤ پیچ کھیلنے کی زحمت سے بچالیا تھا۔ وہ تو اچھے اچھوں کو آزمائش میں ڈال دیتا تھا۔ پھر بیا کیا چیز تھی مگر پھر بھی اریز کو توقع نہیں تھی کہ بیا ہمدانی دوسری ملاقات میں ہی اس طرح فریفتہ ہو جائے گی وہ بھی بغیر محنت اور وقت برباد کیے ہی سب ہوتا چلا گیا۔

دوبارہ تازہ کھانا منگوایا گیا خوش گپیوں کے دوران ایک ہی پلیٹ میں دونوں نے کھایا۔

''میں سرتاپا محبت ہوں۔'' بیا نے اِک جذب سے آنکھیں موند کر کہا۔

''میں سرتاپا عاشق ہوں۔'' دونوں ہنسنے لگے۔

''تم حسن ہو لطافت ہو خوشبو کا مسکن ہو، تم میری جان ہو، میری ہو صرف میری۔''

''ہاں صرف تمہاری۔'' اک نزاکت بھری ادا سے بیا نے سر جھٹکا۔

''تمہارے لبوں کی تازگی اپنے اندر بہت دلکشی سموئے بیٹھی ہے۔'' وہ 'ظاہر' کی بات کر رہا تھا۔

''مجھے پتا ہے۔'' وہ کھلکھلائی۔

''مجھے لگتا ہے میں تمہارے سحر طراز چہرے کی شادابی کا شیدا ہو کر سب گنوا دوں گا ہوش و خرد سے بے گانہ ہو کر دیوانہ ہو جاؤں گا تم اور تمہارا ہونا سچائی ہے۔ باقی سب جھوٹ، ساری دنیا ہیچ لگنے لگی ایک ہی دن میں، کیا

جادو کردیا کیا سحر پھونک دیا۔'' بیا کے اندر باہر روشنی سی بھر گئی اُجالا ہو گیا۔

''شہد جیسی ہوں نا، مانتے ہونا۔'' اُس نے جانچتی نظروں سے ایسے وثوق سے کہا جیسے اُسے یقین ہو کہ وہ اُس کی بات سے نکار کر ہی نہیں سکتا انکار کی نہ گنجائش ہے اور نہ ہی وجہ۔

''ہاں مان لیا مگر چکھ کر ضرور دیکھوں گا کہ شہد جیسی ہو کہ نمک جیسی۔'' اریز کے بے ساختہ کہنے پر وہ پہلے سٹپٹائی پھر کھسیا گئی۔

''میرا خیال ہے اب چلنا چاہیے۔'' وہ بوکھلا کر اُٹھ کھڑی ہوئی۔

''ہاں کیوں نہیں۔'' اریز بھی ہم قدم ہوا۔ وہ مسلسل کن اکھیوں سے اُس کی حرکات وسکنات کا جائزہ لے رہا تھا وہ بخوبی آگاہ تھا کہ بیا کے ذہن میں متضاد قسم کی سوچیں ٹکرا رہی ہیں یعنی کہ وہ اُس کی 'چکھنے' والی بات پر ہچکچا رہی تھی۔

وہ گاڑی میں بیٹھی اریز کو ہاتھ 'بائے' کے انداز میں ہلایا جواباً اریز نے بھی ہاتھ کی تین انگلیاں ہلائی تھیں وہ کچھ دیر بیا ہمدانی کی جاتی ہوئی گاڑی کی پشت کو تکتا رہا۔

''آگ سے کھیلتی بھی ہے اور جل مرنے سے بھی ڈرتی ہے، ہونہہ اوور اسمارٹ، ڈپلومیٹک۔'' اُس نے اپنے دائیں ہاتھ کی ہتھیلی پر بائیں ہاتھ کا مکا بنا کر مارا تھا اور اپنی پراڈو کی طرف قدم بڑھا دیئے۔

○......❖......○

فاخرہ نے خالہ کی پریشانی میں صبا سے بھی رابطہ نہیں کیا تھا۔ ابھی صبا کی کال آئی تھی۔

''السلام علیکم! مما کیسی ہیں آپ۔''

''جی بیٹا ٹھیک ہوں، تم سناؤ سفر کیسا گزرا۔''

''بہت اچھا رہا سفر مما، ہم لوگ صبح سات آٹھ بجے پہنچ گئے تھے۔ میں فوری آپ کو خیریت سے مطلع کرنا چاہ رہی تھی مگر فریش ہونے اور ناشتے میں کافی وقت لگ گیا اور پھر میری آنکھ لگ گئی۔ سوری مما مجھے ایسے لاپروائی نہیں کرنی چاہیے تھی۔'' وہ بے تکان بولے گئی۔

''کوئی بات نہیں بیٹا، ہوجاتا ہے۔''

''مما کیا ہوا آپ اتنی بجھی بجھی سی کیوں ہیں۔'' صبا نے قیاس آرائی نہیں کی تھی۔ وہ اپنی مما کی خاموشی کو بھانپ گئی تھی اور اک دم سے صبا کے الفاظ میں فکرمندی گھل گئی اور وہ لمحوں میں سنجیدہ ہوئی تھی۔

''بس بیٹا خالہ کی طبیعت ٹھیک نہیں ہے۔'' فاخرہ آزردگی سے بولی۔

''ایسا کیا ہوگیا۔''

''بس بیٹا گم صم سی ہوگئی ہیں، کچھ بھی بات نہیں کر رہی ہیں نہ صبح سے کچھ کھایا پیا۔''

''ڈاکٹر کو بلوا لینا تھا۔''

''اپائنٹمنٹ لی ہے ڈاکٹر ہاشمی سے، شام چار بجے لے کر جاؤں گی۔''

''اوہ سیڈ، کاش میں نہ آئی ہوتی، اس وقت میں آپ کے پاس ہوتی، آپ خود کو اکیلا محسوس کر رہی ہوں

گی۔'' اُسے 'صرف' فاخرہ کی فکر تھی خیال بھی تھا احساس بھی، فاخرہ کو ہمیشہ کی طرح اچھا لگا بہت اچھا لگا، ڈھیروں سکون دل کے پار اُتر گیا۔

''تم پریشان مت ہو صبا، بشیراں ہے نا، اللہ نے چاہا تو سب ٹھیک ہو جائے گا۔''

''مما ریلیکس پلیز۔'' وہ روہانسی ہو رہی تھی۔

''میں ٹھیک ہوں بیٹا صغریٰ سے بات کرواؤ۔'' فاخرہ نے صبا کی توجہ بٹانے کے لیے کہا تھا۔

''میں دیتی ہوں مما۔'' کچھ ثانیے بالکل خاموشی چھا گئی پھر صغریٰ کی آواز اُبھری تھی۔

''کتنے بجے تقریب ہے صغریٰ بہن۔'' دعا سلام کے بعد فاخرہ نے پوچھا۔

''شام پانچ یا چھ بجے کا وقت ہے ٹھیک سے پتا نہیں ہے۔''

''رات کی واپسی کو یقینی بناؤ خالہ کی طبیعت ٹھیک نہیں ہے اور کچھ اُمید نظر نہیں آ رہی صغریٰ، اُن کا بدن بالکل بے جان ہوتا جا رہا ہے۔ تہجد کے وقت وہ بہت چیخیں، تڑپیں پھر ساکت ہو گئیں۔ اُن کی آنکھیں بند ہیں اور جسم زندگی کی حرارت چھوڑتا جا رہا ہے۔'' فاخرہ رو دی۔

''اللہ بہتر کرے گا پریشان نہ ہو۔''

''صبا کا خیال رکھنا اور جلدی لوٹ آؤ، مجھے کوئی اچھی امید نہیں ہے۔'' وہ افسردگی سے بولی۔

''اچھا ٹھیک ہے۔''

''او کے رکھتی ہوں فی امان اللہ۔''

''فی امان اللہ۔''

''کس کا فون تھا۔'' بشیراں گیلے ہاتھ آنچل کے پلو سے صاف کرتی وہیں چلی آئی۔ فاخرہ اپنا سر دونوں ہاتھوں میں گرا کر بیٹھی تھی چونک کر نگاہ اٹھائی، مضطرب سی پرنم نگاہ۔

''صبا کا تھا۔''

''اچھا کیا کہہ رہی تھی۔''

''کچھ نہیں، خیریت سے پہنچنے کا بتا رہی تھی، سالن بن گیا کیا۔'' فاخرہ کا دل اُداس تھا بات کو طول دینے کو من مائل نہ ہوا تو بات ہی پلٹ دی۔

''جی آٹا بھی گوندھ لیا ہے، روٹیاں پکا لوں یا تنور سے لگوا لاؤں۔''

''جیسے تمہارا دل چاہے بشیراں۔'' بشیراں چپ چاپ پلٹ گئی۔

فاخرہ نے خالہ کے متعلق زمان کو کچھ نہیں بتایا تھا۔ بتانے کا کوئی فائدہ بھی نہیں تھا۔ اُلٹا پریشان ہو کر بیمار پڑ جاتا اِس لیے فاخرہ نے بتانے سے چھپانا زیادہ بہتر سمجھا تھا۔ فاخرہ خود پر ہی سب جھیل رہی تھی۔ بشیراں اور فاخرہ دو تھیں، اُن دونوں کو ایک وجود اٹھانا مشکل ہو رہا تھا۔ بہت ہی دقتوں کے ساتھ اُن دونوں نے خالہ کو گاڑی میں ڈالا تھا۔ وہ رکشے میں جانے کے قابل نہیں تھی۔ اس کی ٹانگیں اُس کے وجود کا بوجھ اٹھانے سے انکاری ہو گئی تھیں۔

فاخرہ نے آنسوؤں کی دھند کے پار گلاس وال کو دیکھا جہاں ڈاکٹر ہاشمی خالہ کے مختلف ٹیسٹ لے رہے تھے۔ فاخرہ کا دل تکلیف میں تھا اور اُس کے دل کی تکلیف آنکھوں میں پھیل رہی تھی۔ اس کے دل میں کربناک وسوسے اور بے شمار اندیشے کسی سانپ کی طرح پھن پھیلائے کھڑے تھے۔ وہ اُن کا سر کچلنے کی سرتوڑ کوشش کررہی تھی مگر وہ حقیقت سے نظریں بھی تو نہیں چرا سکتی تھی۔ حقیقت کتنی بھی بھیانک اور سفاک کیوں نہ ہو اُس کا سامنا تو کھلی آنکھوں سے ہی کرنا چاہیے نا۔ وہ ساکن کھڑی تھی۔ دل میں یاسیت کا گہرا احساس لیے، نہ جانے کتنا وقت بہہ گیا تبھی ڈاکٹر ہاشمی نے فاخرہ جبیں کو پکارا تھا وہ چونک کر سیدھی ہوئی۔

''اُن کو فالج کا اٹیک ہوا ہے، شوگر بھی خطرناک حد تک لو ہے، وہ اپنی وِل پاور استعمال کرنے کے قابل نہیں رہیں، کسی بھی مرض میں شفایابی کے لیے مریض کا وِل پاور کا استعمال بے حد اہم کردار ادا کرتا ہے۔ آئی ایم سوری ٹو سے بٹ ان کی بہتری کی کوئی گنجائش نہیں ہے۔ ہاں دعا کریں ان کو ان کے قریبی لوگوں سے ملوائیں جن سے مریضہ کو محبت ہو۔'' وہ کہہ کر جانے لگے۔

''مگر ڈاکٹر صاحب۔'' فاخرہ کے بدترین خدشات کی تصدیق ہو چکی تھی پھر بھی وہ ہاتھ چھوڑ کر تو نہیں بیٹھ سکتی تھی۔ وہ اپنی سی کوشش کرنا چاہ رہی تھی۔

''اگر مگر سے کیا ہوگا محترمہ، اِن کی تشویشناک بگڑی ہوئی حالت آپ کے سامنے ہے۔''

''آپ اُن کو ایڈمٹ کرلیں، اُن کا علاج کریں۔''

''ٹھیک ہے جیسے آپ کہیں، زیادہ بہتر ہوتا کہ آپ لوگ اُن کو گھر لے جاتیں۔''

''نہیں، یہاں اُن کی دیکھ بھال ہوگی، علاج ہوگا تو شاید......''

''ٹھیک ہے آپ ان کی رپورٹس دیکھ لیں۔ وہ اندر سے خالی ہو چکی ہیں بس زندہ لاش ہیں پھر بھی میں اُن کو ایڈمٹ کرلیتا ہوں۔''

''بہت شکریہ ڈاکٹر صاحب۔''

''اِٹس او کے ویسے یہ آپ کی کون ہیں؟'' ڈاکٹر نے گلاس وال کے پار اشارہ کیا۔

''میری خالہ ہیں۔'' وہ مدھم سی آواز میں بولی۔

''اوہ اسی لیے آپ اتنی غم زدہ ہیں، ماں جیسی ہوتی ہے خالہ بھی۔''

''ماں جیسی خالہ۔'' فاخرہ تلخی سے ہنسی۔

○......❖......○

کوہِ نور ہال میں تقسیمِ انعامات کی تقریب کا انتظام تھا۔ بہت سے طلبہ و طالبات اُن کے ماں باپ کرسیوں پر بیٹھ چکے تھے۔ کچھ مہمان مقامی تھے، کچھ شہر کی مشہور شخصیات بھی مدعو تھیں۔ بہت سارے مہمان آچکے تھے۔ آہستہ آہستہ ہال بھرتا جارہا تھا۔ بہت سی معزز ہستیاں انتظامی امور کو خوش اسلوبی سے سنبھال رہی تھیں۔ یہ محض اتفاق تھا کہ رحمان فرقان لوگ بھی 'پی سی' میں ہی ٹھہرے ہوئے تھے اور تقریب اور صبا زمان بھی 'پی سی' میں ہی تھے۔

اس وقت شام کا وقت تھا۔ رحمان سب کو ساتھ لے کر نکلا تھا۔ مینار پاکستان کی اونچائی پر کھڑے ہو کر عروا، امن، فروا نے واؤ کہا تھا اُن کی پرجوش آواز گونجی تھی۔ آسمان جتنی بلندی پر کھڑے ہو کر نیچے جھانکنے کا اپنا ہی لطف تھا۔ لوگ چھوٹے چھوٹے بونے لگ رہے تھے۔ سڑکوں پر تیز رفتاری سے بھاگی گاڑیاں کھلونا گاڑیاں لگ رہی تھیں۔ چکر آ رہے تھے، سر گھومنے لگے مگر وہ تینوں بے تحاشا ہنستی ہوئی تا دیر وہیں کھڑی رہیں،اور پھر جب احتشام ریان، ہنزلہ، حذیفہ کشتی میں بیٹھے تو جھیل کنارے جنگلے سے لگی کھڑی لڑکیاں عروا، امن اور فروا دھڑکتے دلوں سے اُن کو تب تک ہاتھ ہلاتی رہیں، جب تک کشتی نظروں سے اوجھل نہیں ہوگئی کیا حسین منظر تھا۔ کشتی کی وی کی شکل والی نوک فرنٹ سے پانی کے سینے میں آگے ہی آگے دھنستی تو پانی کی بہت سی لہریں بن کر کشتی کے آگے بڑھنے کی راہیں ہموار کرتیں۔ پیچھے رہ جانے والے پانی میں بہت سارے بھنور پڑتے، ابھرتے ڈوبتے۔

کچھ ہی دیر بعد کشتی واپس لوٹی لنبی اور عائشہ نے گہری سانس بھر کر طمانیت سے آنکھیں کھولیں۔ اُن کو اس پانی سے خوف آ رہا تھا۔ شائیں شائیں کرتا پانی اُن کو تب تک ہولاتا رہا جب تک بچے واپس نہیں آ گئے۔ پھر انہوں نے شام کے گہرے پڑتے سائے میں بھٹے کھائے تھے چبوترے پر بیٹھ کر، یوں ایک ساتھ گھومنا پھرنا اُن کو بہت اچھا لگ رہا تھا۔

بادشاہی مسجد، مقبرہ جہانگیر، باغ جناح کا فل پروگرام تھا۔

رحمان نے عروا اور فروا کو گولڈ کے سیٹ دلوائے تھے، پھر نہ جانے کیا سوچ کر امن کو بھی اُن کے جیسا ہی گولڈ کا سیٹ دلوا دیا۔ عائشہ کو جلن تو بہت ہوئی مگر وہ بولی کچھ نہیں تھی۔

فرقان کو کوئی شدت سے یاد آیا۔ وہ بھی تو ایسے ہی سیٹ کی حقدار تھی، کون بھلا۔ صبا زمان۔ لڑکوں کو بھی کپڑے جوتے اور قیمتی کھلونے دلوائے تھے، سب شاد تھے مسرور تھے زندگی آسودہ تھی۔ اب سب لوگ گاڑی خریدنے کے لیے شوروم جا رہے تھے، فروا کی گاڑی لینے۔

○......❖......○

خوش و خرم جب سب لوگ ہوٹل واپس آئے تو وہاں کی انتظامیہ سے پتا چلا کہ کوہِ نور ہال میں وزیر اعلیٰ پنجاب تشریف لائے ہیں اسی لیے ایسے حفاظتی انتظامات حکومت کی طرف سے 'پولیس' کی صورت کیے گئے ہیں۔ پولیس کی موجودگی اس بات کا ثبوت تھی وہ سب بھی کوہِ نور ہال میں بن بلائے مہمان کی صورت جا گھسے اور سب سے پیچھے کچھ نشستیں خالی تھیں اُن پر بیٹھ گئے۔ مقصد صرف وزیر اعلیٰ کا دیدار تھا۔ وزیر اعلیٰ نے بچوں کو پچاس ہزار نقد انعام اور کچھ شیلڈز دی تھیں۔ باری باری پوزیشن ہولڈرز کو بلوایا جاتا اُس کو سراہا جاتا۔ اُس کی قابلیت کی داد دی جاتی۔ بچے چند جملوں میں اظہارِ خیال کرتے اور بند لفافہ لے کر چلے جاتے، تبھی اُس کا نام پکارا گیا تھا۔ ہونہار طالبہ صبا زمان کا نام گونج اٹھا۔ پھر وہ پُراعتماد چال چلتی اسٹیج پر چلی آئی۔ بڑے سے سفید دوپٹے کے ہالے میں اُس کا معصوم دل نواز چہرہ دمک رہا تھا۔ پچھلی نشستوں میں ہلچل مچ گئی، مختلف دل مختلف کیفیات میں گھر گئے۔ اِک بھگدڑ مچ گئی تھی۔ اُسے انعام دیا جا رہا تھا۔ بہت سے دل حسد کی لپیٹ میں آ گئے، ہر نظر میں ستائش تھی مگر کچھ نظروں میں قہر تھا غضب تھا۔

وزیراعلیٰ نے پوزیشن ہولڈر بچوں کو تمام زندگی کی تعلیمی مراعات دینے کا اعلان کیا تھا۔ کوئی بچہ کسی بھی اسکول کالج پھر یونیورسٹی میں پڑھے خرچا حکومت کرے گی۔

وزیراعلیٰ کی کوئی ضروری کال آ گئی تھی وہ چلے گئے تو ہال میں ہاہو کی آوازیں گونجنے لگیں۔ لوگ جا رہے تھے ہال خالی ہو رہا تھا تبھی کوئی بہت تیزی سے چلتا ہوا صبا زمان کے پاس آن رکا۔

''بہت بہت مبارک ہو بیٹا۔'' فرقان نے لرزیدہ آواز میں کہا۔

''آپ کون؟'' صبا اعتماد سے بولی۔

''مم، میں تمہارا چاچو فرقان ہوں۔'' فرقان کو جیسے ڈھیروں شرم آئی تھی۔ دل پاتال میں ڈوبا تھا۔ دونوں کے درمیان خاموشی آن بیٹھی پھر کئی ساعتیں چپکے سے کھسک گئیں۔ دونوں ایک دوسرے کو دیکھتے رہے بہت دیر بعد وہ خود کو بولنے کے قابل کر پائی تھی۔

''بہت شکریہ۔'' وہ سر جھکا کر دھیمے لہجے میں بولی۔ فرقان نے بازو پھیلائے صبا ذرا جھجکی پھر اُس کے سینے سے لگ گئی دونوں ہی رو رہے تھے۔

''بیٹا مجھے معاف کر دو پلیز دل سے معاف کر دو، میرے دل پر اَن جانا سا بوجھ ہے۔'' وہ بس روتی رہی سسکتی رہی، زندگی میں پہلی بار کوئی اُس کا اپنا اُسے گلے لگا رہا تھا۔

''صبا بیٹا مجھے معاف کر دو۔'' اُس نے دوبارہ اپنے الفاظ دہرائے تھے۔

''نہیں چاچو ایسے مت کہیں، میں ناراض نہیں ہوں، آپ کا آنا، مجھ سے ملنا مجھے کتنی بڑی خوشی دے رہا ہے...... آپ نہیں جان سکتے کہ ہم کیسے ترسے ہیں 'اپنوں' کے لیے۔''

''بیٹا مجھے معاف کر دو، تم بہت اچھی بیٹی ہو۔ قابل ہونہار منفرد اور مضبوط پُر اعتماد۔''

''چاچو آپ مجھے شرمندہ نہ کریں پلیز، آپ میرے بڑے ہیں۔ ایسے نہ کہیں مجھے شرمندگی ہو رہی ہے۔''

''بیٹا آپ کو بہت بہت مبارک ہو۔'' تبھی لُبنیٰ بھی قریب چلی آئی صبا نے فرقان کے سینے سے سر اٹھایا۔

''آپ لُبنیٰ آنٹی ہیں نا، میں نے مما سے آپ کا ذکر سنا ہے۔''

''جی بیٹا میں اور فرقان کزن ہیں، یہ میری بیٹی امن اور یہ میرے بیٹے ہنزلا حذیفہ۔'' سب اُسے مبارک باد دینے لگے۔ آج اُسے اتنی جھولی بھر کے خوشیاں ملی تھیں کہ صبا زمان کو اپنا دامن تنگ لگ رہا تھا۔ اتنے سارے 'اپنے' مل گئے تھے۔

''ارے ضویا تم اور یہاں!'' تبھی امن کی نظر ضویا پر پڑی، پھر نہبات پر جو پوری محویت سے امن کو تکے جا رہا تھا۔ وہ آج صبح سے خواب دیکھ رہا تھا خواہش کر رہا تھا کہ کاش امن بھی آ جاتی اور ابھی وہ اپنی دعا کی قبولیت پر شاداں و فرحاں امن کو نگاہوں کی گرفت میں لیے رہا۔

''میں اور نہبات بھائی صبا کے ساتھ آئے ہیں یہ میری مدر ہیں۔'' پھر یہیں سے تعارفی پروگرام شروع ہو گیا۔ امن نے اپنے بابا اور مما کا تعارف ضویا اور نہبات سے کروایا صبا کا چہرہ رویا رویا سا بہت معصوم لگ رہا تھا۔ لُبنیٰ اور امن نے اُسے باری باری گلے لگایا فرقان صبا کو انعام دینا چاہ رہا تھا۔ ایسے میں امن نے اپنا گولڈ کا

سیٹ پیش کر دیا جو ابھی شام میں خرید ا گیا تھا۔

''بیٹا یہ آپ کا انعام......'' فرقان نے امن کو جیولری بکس تھمایا تو عائشہ کا کلیجہ جل بھن گیا۔ وہ تلملاتی ہوئی پاؤں پٹختی اپنے بیڈ روم میں چلی گئی۔ رحمان میں بھی اب اس تازہ ترین پیدا شدہ محبت کے مظاہرے دیکھنے کی مزید سکت نہیں رہی تھی۔ پاؤں من من بھر کے ہو رہے تھے۔ خون دماغ میں ٹھوکریں مار مار کر بدحال کر رہا تھا، وہ جل جل کر بھسم ہو رہا تھا۔ یہاں وہ ہنگامہ نہیں کرنا چاہتا تھا ورنہ اس کا یا پلٹ پر سب کی ایسی کی تیسی کر دیتا۔ اُس کی حالت غیر ہو رہی تھی۔ دماغ کی رگیں پھٹ رہی تھیں۔ وہ کھولتا ہوا دندناتا ہوا کمرے کی طرف بڑھ گیا۔ بادل نخواستہ بچوں کو بھی ماں باپ کے پیچھے جانا پڑا اور نہ دل تو صبا کی طرف کھینچ رہا تھا۔ منہ کے زاویے بگاڑتی عروا اور فروا بار بار پیچھے مڑ مڑ کر دیکھ رہی تھیں۔ مگر بابا کی حالت کے پیش نظر وہ مجبور تھیں۔

''چاچو آپ مجھے مل گئے اس سے بڑا انعام کوئی نہیں ہے۔'' صبا پھر رو دی۔

''بیٹا جب کوئی اچھا کام کرتا ہے تو صلے کے طور پر خوش ہو کر انعام دیا جاتا ہے۔''

''چاچو بہت شکریہ، یہ آنٹی صغریٰ میری مما کی بہن بنی ہوئی ہیں۔ دراصل مما نے خود میرے ساتھ آنا تھا مگر دادو اور بابا کی وجہ سے نہیں آئیں۔ ایسے میں آنٹی صغریٰ نہ ہوتیں تو شاید میں نہ آپاتی۔'' صبا کی بات پر فرقان بہت شرمندہ ہوا اُسے اپنی غفلت اور لاپروائی کا شدت سے احساس ہو رہا تھا صبا اور اس کے بہن بھائیوں کی خبر گیری کرنا اُس کا فرض تھا مگر نام نہاد انا میں جکڑ کر وہ اتنی دوریاں پیدا کر چکے تھے کہ آج خون کے ساتھ بس ندامت گردش کر رہی تھی۔

O......❖......O

رات گیارہ بجے صبا لوگ واپس چلے گئے تھے۔ رات بارہ بجے کے قریب رحمان فرقان کے کمرے میں آیا تھا۔ خوب لعنت ملامت کرتا رہا بولتا رہا۔ نشتر زنی کرتا رہا، چلاتا رہا فرقان چپ سادھے بیٹھا رہا۔ اُس کے لب باہم پیوست تھے وہ کسی نادیدہ نقطے پر نظریں جمائے بیٹھا تھا۔

''ابھی وہ جس نیہات نامی لڑکے کے ساتھ آئی تھی بتا سکتے ہو وہ کون تھا۔'' رحمان دھاڑا۔

''امن اور عروا کے کالج میں اِن سے سینئر ہے بہت اچھا نفیس سا لڑکا ہے۔''

''یہ میرا سوال نہیں تھا۔'' رحمان نے خشک لہجے میں کہا دوسری جانب لمحہ بھر کو سکون سا طاری ہوا۔

''اُس لڑکے کی اکیڈمی میں صبا پڑھتی ہے، اُس لڑکے کی ماں بھی تھی ساتھ۔''

''جیسی ماں ویسی بیٹی، یار ہے وہ اُس کا، سب کی آنکھوں میں دھول جھونک کر گلچھرے اڑاتی پھر رہی ہے۔'' اُس کا بس نہیں چل رہا تھا کہ وہ کیا کر ڈالے۔ اُس کا موی دل کسی تیز شعلے پر ٹھہرا ہوا تھا، قطرہ قطرہ، لہو کی بوندیں ٹپک رہی تھیں۔

''چپ کر جاؤ رحمان خدا کے قہر سے ڈرو، بس کر دو اب، اُن کو اُن کے حصے کی زندگی جی لینے دو۔ اگر خدا نے ہم سب کی چمکتی دمکتی، قسمتیں لکھی ہیں تو کچھ تو اُن کے بخت میں بھی لکھا ہی ہوگا۔ خدا کے لیے رحم کرو اُن کی زندگیوں سے مت کھیلو بہت ہو گیا خدا کے لیے۔'' فرقان دھاڑیں مار مار کر رونے لگا۔ بہت زور زور سے بولنے

کی وجہ سے اُس کا بدن لرز رہا تھا۔ شدتِ غم سے فرقان کا چہرہ سرخ ہو گیا۔ آنکھوں سے آنسو رواں تھے۔

''تم آج کے بعد اُس حرافہ لڑکی......''

''بس رحمان چپ ہو جاؤ۔ حوصلہ نہیں ہے مجھ میں، ہمت نہیں ہے صبا کے بارے میں ایسے الفاظ سننے کی اور سہنے کی۔'' فرقان نے ملتجی لہجے میں کہا تو رحمان نے حقارت سے ہنکارا بھرا۔

''بڑی محبت جاگ پڑی ہے تمہارے دل میں اُس کے لیے۔ جانتے بھی ہو کہ مجھے اُس عورت سے کتنی نفرت ہے جس کی وہ بیٹی ہے۔ میں فاخرہ کو بھوبھل ہوتا، بھسم ہوتا دیکھنا چاہتا ہوں۔'' رحمان سانپ کی طرح پھنکارا وہ اتنے تنفر، اتنی بے اعتنائی ولا تعلقی سے بات کر رہا تھا کہ جیسے صبا سے اُس کا کوئی رشتہ ہی نہ ہو۔

''مجھے نہیں پتا کہ مجھے فاخرہ سے نفرت ہے کہ نہیں مگر رحمان صبا سے محبت فطری ہے وہ بھی ہماری بیٹی ہے۔ ہمارا خون ہے۔ ہمارے بڑے بھائی کی بیٹی ہے۔'' فرقان کی آواز بھرا گئی۔ لبنیٰ اور بچے چپ خاموش تماشائی بنے بیٹھے تھے۔ کیا کہہ سکتے تھے۔ ساری زندگی فرقان، رحمان کے زیر اثر رہا تھا۔

''ٹھیک ہے تم محبت نبھاؤ اُن سے، آج کے بعد ہمارا ملنا جلنا ختم، تمہارا میرا کوئی رشتہ نہیں۔'' وہ گھمنڈ کی آخری حدوں کو چھو رہا تھا پے در پے غلطیاں کر رہا تھا۔ سدھار وہ چاہتا ہی نہیں تھا۔

''رحمان میرے بھائی بس کر دو۔ نفرت سے کچھ حاصل نہیں ہونے والا، وہ ہماری بیٹی ہے آج اتنے لوگوں کے سامنے ہمارا سر فخر سے بلند ہو گیا کہ وہ ہماری بچی ہے۔ اُسے اپنا لو رحمان، ہم نے اُن کی بہت حق تلفی کی ہے۔ ابھی بھی وقت ہے ہم ازالہ کر سکتے ہیں اپنی خطاؤں کا، اپنی دانستہ کی گئی زیادتیوں کا کفارہ ادا کر سکتے ہیں۔'' فرقان نے رحمان کا بازو چھوا تو رحمان نے اُس کا بازو اشتعال سے جھٹک دیا اور تیکھی نظروں سے فرقان کو دیکھا۔ سرد مہری اور رکھائی اس کے ہر ہر انداز سے عیاں تھی۔ فرقان کا ضبط تنکا تنکا بکھرتا جا رہا تھا اُس کے دماغ کی نسیں کھنچ گئی تھیں۔

''سوچو رحمان اگر وہ تمہاری بیٹی ہوتی۔''

''ایسی بیٹی مجھے نہیں چاہیے جو ایسی اخلاق سے گری حرکتیں کرتی پھر رہی ہے۔ خدا کی پناہ فاخرہ کی بیٹی ہے بے حیا تو ہو گی نا، ایسی میری بیٹی ہوتی تو میں اُس کے ٹکڑے ٹکڑے کر کے چیل کوؤں کو کھلا دیتا۔ زمین میں زندہ گاڑ دیتا۔'' نفرت میں وہ بکے جا رہا تھا۔

''رحمان تم بڑے بول بول رہے ہو۔ اللہ سے معافی مانگو، خدا کے غضب سے ڈرو۔ اس عورت کی آہ سے ڈرو! تم اسے ساری زندگی ذلیل کرتے رہے اور وہ سہتی رہی...... جبر و ظلم کو ہر الزام کو صبر کے ساتھ اپنی جان پر جھیلتی رہی۔ کیا اُس کا گناہ اتنا بڑا تھا۔ کیا ہم اسے سزا دینے کا حق رکھتے تھے۔ اُس نے جو بھی کیا ہو گا وہ اُس کا اپنا عمل تھا مگر کیا زمان بھائی جیسے شخص کے ساتھ اُس کی شادی ظلم نہیں تھی۔ ہم نے کیا کیا آج تک اپنے بھائی کے لیے۔ مجھے بہت دکھ ہے کہ ہم نے اُن بچوں کا خیال نہیں رکھا، اُن کے سر پر دستِ شفقت نہیں رکھا۔ کیا اُن کے اندر بچپن سے محرومیاں نہیں پلی ہوں گی۔ ہمارے ظلم کی حد دیکھو اور اُس عورت کے صبر کی، جو اپنی اولاد کو بھی پالتی رہی زمان بھائی کو بھی سنبھالا اور ہم نے کیا کیا۔ اپنی ماں کی ذمہ داری سے بھی منہ موڑا۔ اماں کی ذمہ داری بھی

اُسی پر ڈال دی۔''

''اماں خود بھی زمان کے ساتھ رہنا چاہتی تھی۔ بہت لاڈلا ہے اماں کا نا۔'' رحمان طنزیہ بولا۔

''مان لو رحمان کہ ہمارا ظرف اتنا بڑا نہیں ہے کہ ہم اپنی غلطیوں اور کوتاہیوں کو مان کر اُن کا اعتراف کر سکیں اور پھر نادم ہو کر مداوا کرنے کا سوچیں۔ مان لو رحمان کہ ہماری بیویاں زمان کو بوجھ سمجھتی تھیں۔ ہم نے وہ بوجھ فاخرہ کے گلے ڈال دیا اور اماں کی کڑوی کسیلی سن کر عائشہ بھابی اُن کو دو منٹ میں بے عزت کر ڈالتی تھیں۔ سب کچھ مان لو، ہم نے اپنے گھروں میں سکون رکھنے کے لیے اماں کا بوجھ بھی اُسی پر لاد دیا۔ ہم نے طنز کیے، نفرت کی، الزام لگائے، بہت کچھ کیا مگر خبر گیری نہیں کی۔ آخر کب تک ہم اُس عورت کی ہمت کو ڈھال بنا کر اپنی پسند کا شکار کھیلتے رہیں گے۔ تم دھوکے باز ہو، ظالم ہو، مفاد پرست ہو، مجبوریوں کی ساری گھنٹیاں اُس کے گھر میں باندھ کر خود شانت ہو گئے، تمہیں خدا سے ڈر کیوں نہیں لگتا رحمان۔ خدا دیکھ رہا ہے سب۔'' بولتے بولتے اُس کا گلا خشک ہو گیا وہ اپنی ہتھیلیاں مسل رہا تھا، رو رہا تھا۔ اُس کا تنفس تیز تھا۔

''سارے بوجھ اُسی پر ڈال دیئے اور اُس کے بوجھ کا کچھ سوچا ہی نہیں، جس پر بیتے جو اپنی جان پر سہے دن رات کے چرکے، اور وہ واویلا بھی نہ کرے تو بتاؤ اس کے درد کی کوئی انتہا ہو سکتی ہے۔ میں بھی ظالم ہوں کیونکہ میں نے تمہارا ساتھ دیا۔ میں بہت نادم ہوں۔ اب اُن کے ساتھ کھڑا پاؤ گے تم مجھے۔ تم نے اُن کا حق مارا اسی لیے آج تم اتنی شاہانہ زندگی گزار رہے ہو۔ کسی کا حق کھا رہے ہو۔ ورنہ تم بھی میری طرح ہوتے کسی جنرل اسٹور کے مالک......''

''بکواس بند کرو، کر لو جو کر سکتے ہو۔'' رحمان لڑنے مرنے پر اتر آیا پھر بہت تُو تُو مَیں مَیں ہوتی رہی۔ کمرے میں سب نفوس خاموش تھے۔ اُن کی مدھم سانسیں بھی کانپ رہی تھیں۔

اور پھر اُسی رات فرقان بھی اپنی فیملی کے ساتھ واپس آ گیا بہاولپور، وہ اگلا دن وہاں رحمان کے ساتھ نہیں گزارنا چاہتا تھا۔

○......❖......○

رحمان کسی کے ساتھ مل کر کوئی نیا کاروبار ترتیب دے رہا تھا۔ آج بھی اُسے کسی سے ملنے جانا تھا اس لیے وہ کچھ کھائے پیے بنا ہی نکل گیا تھا سب افراد بے سدھ سوئے ہوئے تھے۔ ویسے بھی اِن نحوست ماروں کو مردوں سے شرط باندھ کر سونے کی عادت تھی۔ فروا کی آنکھ سیل فون کی مسلسل بجتی بیل سے کھلی تھی۔ اُس نے مندی مندی آنکھوں سے دیکھا اریز تھا۔ خوشی سے اُس کی آنکھیں پٹ سے کھل گئیں۔ وہ کمرے سے نکل کر ٹیرس پر آ گئی۔

''ہیلو کیسی ہو ظالم!'' اریز نے چھوٹتے ہی کہا۔

''نہ دعا نہ سلام، دل جلے عاشق بنے بیٹھے ہو۔''

''مجھے چھوڑ کر آ گئی تو جلے دل کے پھپھولے تو پھوڑوں گا ہی، اچھا کیسی ہو۔''

''مزے میں ہوں۔'' وہ کھلکھلائی۔

''اور میں بے چارہ آہیں بھر بھر کے دو دن سے آدھا رہ گیا ہوں مگر تمہیں کوئی پروا بھی نہیں۔'' وہ بسورا۔

''پروا ہے یار، ایسے ہی مذاق کر رہی تھی۔''

''اچھا یہ بتاؤ تم نے گاڑی لے لی۔''

''ہاں کل شام بابا نے مجھے مرسیڈیز لے کر دی ہے۔ عروا کہتی رہی فراری لے لو مگر مجھے مرسیڈیز دیکھنے میں زیادہ اچھی لگتی ہے اس لیے۔''

''واؤ بہت بہت مبارک ہو۔'' وہ خوش تھا خوش لگ بھی رہا تھا۔

''بہت بہت مہربانی آپ کی جنابِ والا۔'' وہ چہکی۔

''تمہاری ہر خوشی میری بھی تو ہے جان۔'' اریز نے گھمبیر لہجے میں کہا۔

''ہاں یہ تو ہے نو ڈاؤٹ۔''

''اچھا ذرا گیس کرو تمہارا اریز اس وقت کہاں ہے۔'' اُس نے تجسس پھیلایا۔

''اپنے بیڈروم میں۔''

''اوں، اوں، نہیں۔''

''پھر......''

''میں اپنی جان کے لیے اتنا اُداس ہوا کہ لاہور آ گیا۔ رات لیٹ پہنچا تھا اس لیے بتایا نہیں۔''

''رئیلی......آر یُو شیور......''

''ہاں اور اس وقت مال روڈ پر ہوں، مجھ سے ملو جان، اپنا دیدار کرا دو۔ باہر آؤ۔''

''مگر اریز......''

''اگر مگر کچھ نہیں بس آ جاؤ۔'' فروا نے ایک نظر اپنے شکن آلود لباس پر ڈالی اور ہاتھوں سے شکنیں درست کرتی کمرے میں گئی، گاڑی کی چابی اٹھائی اور ہاتھوں سے اپنے بال درست کرتی پرس اُٹھا کر باہر نکلی۔ پارکنگ میں گاڑی نکالتے ہوئے ایک خیال فروا کو ہواؤں میں اُڑا رہا تھا۔

''اریز مجھے اتنا زیادہ چاہتا ہے کہ رہ نہیں پایا میرے بغیر، میرے پیچھے یہاں تک آ گیا۔'' اُس کے کنوارے بدن میں پُرتپش کیفیت ابھرنے لگی، زعم بھری سرشاری۔ یوں لگ رہا تھا جیسے اُس کے قدم زمین پر ٹک ہی نہیں پا رہے۔ وہ فضاؤں میں کہیں اُڑتی جھومتی پھر رہی ہے۔

''کہاں پر ہو۔'' فروا نے گیٹ سے نکل کر میسج کیا۔

''سامنے دیکھو۔'' فوری رپلائی آیا۔ وہ چند فرلانگ کے فاصلے پر ہی کھڑا تھا۔ فروا کا دل بلیوں اچھلنے لگا۔ وہ نک سک سے درست، بہت چارمنگ لگ رہا تھا۔ فروا نے اپنے ملگجے سے لباس پر نظر کی جو شکن آلود تھا۔ اُسے عجیب سی کوفت ہوئی۔ آہستہ سے گاڑی روک کر ہاتھ بڑھا کر اُس نے فرنٹ ڈور کھولا خوشبوؤں میں بسا اریز اُس کے پہلو میں بیٹھ گیا۔

''بہت پیاری لگ رہی ہو۔'' اریز نے اُس کا ہاتھ اپنے ہاتھ میں لے کر دبایا۔

''خود اتنا تیار شیار ہو کر آئے ہو اور مجھے منہ بھی نہیں دھونے دیا۔ ماسی لگ رہی ہوں۔'' فروا نے خفگی سے منہ بسور کر کہا اور اپنا ہاتھ اریز کے ہاتھ سے چھڑا کر اُس کے بال اپنی مٹھی میں جکڑ لیے۔

''بدتمیز جنگلی حسینہ، سارے بال خراب کر دیئے۔'' وہ مصنوعی خفگی سے اپنے بال چھڑانے لگا۔

''اچھا موڈ ٹھیک کرو، پوری شہزادی لگ رہی ہو مجھے، ڈونٹ وری کپڑوں کا غم نہ کرو تم ہر حال میں ہر وقت اچھی لگتی ہو، ایسے ہی تو میں تمہارے پیچھے کھنچا نہیں آیا جان۔'' اب پھر فروا کا ہاتھ اریز کے ہاتھوں میں دبا تھا جسے وہ گرم جوشی سے دبا رہا تھا تبھی اُس کا ہاتھ اُس کی گولڈ رِنگ پر رک گیا۔

''یہ کب لی، بہت جدید اور نفیس ڈیزائن ہے۔''

''گولڈ کا پورا سیٹ دلوایا ہے کل بابا نے، ہم تینوں کو۔''

''واؤ گڈ مگر تین کون۔'' اب وہ رِنگ کو فروا کی انگلی میں گھما رہا تھا ملائم گورے ہاتھوں میں اچھی بھی بہت لگ رہی تھی۔

''میں میری بہن عروا اور چاچو کی بیٹی امن کو۔''

''اُسے کیوں دلایا سیٹ۔''

''فرقان چاچو کے مالی حالات کچھ اتنے خاص نہیں ہیں اس لیے جب بابا نے ہم دونوں بہنوں کو شاپنگ کروائی تو اُن کے بچوں کو بھی کروادی۔''

''اوہ اچھا، اتنے دیالو ہمیں کیا تمہارے بابا۔''

ہاں، بابا کے پاس کون سا روپے پیسے کی کوئی کمی ہے۔ لاکھوں نہیں کروڑوں کے مالک ہیں اور بزنس مائنڈ رکھتے ہیں۔ بہت سارے کاروبار شروع کر رکھے ہیں انہوں نے۔ ہر مہینے لاکھوں میں کرایہ آتا ہے دکانوں کا۔'' فروا بہت فخر سے بتا رہی تھی۔

''اور پتا ہے امن کے بابا نے کیا کیا۔''

''نہیں پتا۔'' اریز نے شرارت سے سر نفی میں ہلا دیا۔

''میں نے تمہیں بتایا تھا نا کہ احتشام کو بابا نے مارا کیونکہ وہ فیل ہو گیا تھا۔'' اریز اندر سے کھولنے لگا اُس کے دل میں شدت سے خواہش جاگی کہ اس لڑکی کو اُٹھا کر گاڑی سے باہر پھینک دوں مگر 'لڑکی کو عزت اور اہمیت کے ساتھ محبت دو تب ہاتھ آتی ہے۔' یاد آ گیا تو ہونٹوں پر مسکراہٹ چپکا لی۔

''ہاں جان یاد ہے مجھے، تمہارے گداز ہونٹوں سے نکلی ہر ہر بات دل پر لکھی ہے۔'' وہ کھسک کر پاس ہوا۔

''میرے تایا زمان کی بیٹی نے بورڈ میں فرسٹ پوزیشن لی تھی اور آج اُسی سلسلے میں یہاں تقریب تھی صبا زمان بھی آئی ہوئی تھی۔ وزیر اعلیٰ نے سب پوزیشن ہولڈرز کو نقد رقم دی اور ایسے میں فرقان چاچو بہت جذباتی ہو کر صبا سے ملے اور معافیاں مانگنے لگے اور امن کا گولڈ کا سیٹ انعام کے طور پر صبا کو دے دیا۔ بابا بہت ناراض ہیں چاچو فرقان سے۔'' فروا آج اپنے خاندان کا تعارف کروانے پر تلی ہوئی تھی اور وہ دل ہی دل میں تلملاتا سلگتا رہا۔ وہ ساری بات سناتی رہی۔ فاخرہ کے بائیکاٹ کے متعلق زمان کے اندھے پن کا اپنے بابا کی ناپسندیدگی و

نفرت کا، وہ بے دلی سے ہوں ہاں کرتا رہا۔ انہوں نے چمن کی آئس کریم کھائی پھر ایک ہوٹل سے ناشتا کیا بہت گھوما بلاوجہ۔

''اب میرے گھر چلتے ہیں۔''

''لاہور میں بھی تمہارا گھر ہے کیا۔ واؤ کیا بات ہے، لاہور میں گھر بنانا میرا بھی خواب ہے۔''

''میرا گھر بھی تو تمہارا ہی ہے یوں سمجھو تم اس وقت اپنے گھر جا رہی ہو، اپنے گھر کی مالکن بن کر اور میرے پاس تمہارے لیے زبردست سرپرائز بھی ہے۔'' وہ ٹھہر ٹھہر کر کہہ رہا تھا۔

''کیا...... بتاؤ بتاؤ۔'' وہ چمکتی آنکھوں سے پُرجوش انداز میں بولی۔

''او میری باربی ڈول اگر بتا دیا تو سرپرائز تو نہ رہا۔''

''کدھر جانا ہے۔''

''گلبرگ اس طرف گاڑی موڑو۔'' وہ اُسے راستہ بتاتا رہا۔ گاڑی ایک محل نما گھر میں داخل ہوئی تھی۔ وہ یک ٹک اپنے اطراف میں دیکھے جا رہی تھی۔

''اتنا شاندار گھر، میرے خوابوں کا محل۔'' وہ سفید سنگِ مرمر کی روش پر ہی ٹک گئی اُس کی آنکھیں مارے خوشی کے پھٹ پڑیں وہ محویت سے اس گھر کو دیکھ رہی تھی۔ وہ وثوق سے کہہ سکتی تھی کہ ایسا گھر اُس نے زندگی میں پہلی بار دیکھا ہے۔

''چلو یار رُک کیوں گئیں۔'' اریز نے اُس کے شانوں کے اطراف اپنا بازو پھیلایا اور ساتھ لگائے کمرے میں لے آیا۔ اُسے بیڈ پر بٹھا کر خود الماری میں کچھ ڈھونڈنے لگا۔

''یہ سوٹ میں تمہارے لیے لے کر آیا ہوں اپنی پسند سے، تمہیں میری خواہش کا احترام کرتے ہوئے لازمی پہننا ہے۔ ورنہ میں ناراض ہو جاؤں گا اور پھر بھلے لاکھ منانا مگر نہیں مانوں گا۔'' وہ یک دم سنجیدہ ہو گیا تھا۔ فروا نے جلدی سے لباس کی پیکنگ کھولی تو دنگ رہ گئی۔

''اریز کیا ہو گیا ہے۔ یہ کیسا لباس ہے جو تم نے میرے لیے خریدا ہے۔ سوری میں یہ نہیں پہن سکتی۔'' فروا نے قطعیت سے کہا اور وہ کپڑے پرے پھینک دیئے۔ ریشمی ذرا سا ڈارک میرون ٹاپ اور شارٹ تھا جیسے انڈین اداکارائیں پہنتی ہیں۔

''پلیز میری جان میری خوشی کے لیے۔'' اریز منمناتے ہوئے بولا۔ بہت ہی ملتجی لب و لہجہ تھا۔

''میں نے ایسا لباس کبھی نہیں پہنا، مجھے عجیب سی جھجک ہو رہی ہے اریز، تم بات کو سمجھو۔''

''اس کمرے میں صرف تم ہو اور میں، کوئی تیسرا تو نہیں ہے۔''

''مجھے شرم آ رہی ہے اریز۔'' فروا اب پھر وہی نیم برہنہ سا لباس اُلٹ پلٹ کر دیکھ رہی تھی یعنی یہ بات اس بات کی طرف اشارہ کر رہی تھی کہ وہ نیم رضامند تھی اور اُسے پوری طرح راضی کرنا اریز کے لیے کوئی مسئلہ ہی نہیں تھا۔ تھوڑی سی تگ و دو کرنا پڑتی، ذرا سی خوشامد ذرا سی خفگی، فروا اس کی ہر بات مانتی تھی۔ ہر لڑکی اپنے محبوب کی ہر بات مانتی ہے، ماننی بھی چاہیے مگر جائز بات، مگر وہ اریز چوہدری تھا جسے چھا جانے کا فن آتا تھا۔ جو لڑکی

کے اعصابوں پر حاوی ہونے کے ہنر میں طاق تھا۔

''چلو یہ واش روم ہے فریش ہو کر چینج کر لو۔'' کافی سر کھپانا پڑا تھا بہر حال مان گئی تھی۔

اریز دوسرے کمرے میں چلا گیا اور فروا واش روم میں گھس گئی۔ جدید طرز کا بنا واش روم جس میں ہر چیز دیکھنے سے تعلق رکھتی تھی، ہر چیز صاف شفاف تھی۔ ایک تازگی کا احساس فروا کے رگ و پے میں سرایت کرنے لگا۔ گولائی میں بنا ٹب اور اس کے اندر سے جھانکتی سفید سنگ مرمر کی دلکشی و رعنائی، ہر چیز فروا کو اپنی طرف کھینچ رہی تھی۔ فروا غیر محسوس انداز میں جیسے لپک رہی تھی، شریر ہو رہی تھی۔ پھر اُس نے فریش ہونے کے لیے شاور کی بجائے ٹب کا انتخاب کیا تھا۔

فروا نے جب اریز کا پسندیدہ ڈریس پہنا تو وہ اپنے ہی وجود میں سمٹنے لگی۔ اُسے ٹوٹ کر شرم آئی، اُس کے سامنے قدِ آدم آئینہ تھا اور فروا آئینے سے نظریں چرا رہی تھی۔

اِس نے بال سلجھا کر پشت پر کھلے چھوڑ دیئے۔ فروا نے ڈرتے ڈرتے نظریں اٹھا کر آئینے کی نظروں سے ملائیں، گورے دودھیا بازو ننگے تھے، چمکتی ہوئی جلد، فروا نے اپنے دونوں ہاتھ اپنے بازوؤں پر پھیرے، نرم و ملائم ریشمی سی گرفت میں وہ خود کو چھپانے لگی۔

فروا ڈریسنگ روم سے باہر نکلی تو اریز کو اپنا منتظر پایا اریز کی نظریں فروا کے سحر طراز چہرے سے ہوتی ہوئی اس کے دلکش سراپے میں ٹک گئیں، توجہ و مرعوبیت کا بھرپور ارتکاز' فروا بے ساختہ نظریں جھکا گئی اور جیسے نادانستہ خود کو خود میں چھپانے لگی، اریز اُس کی اس ادا کو دیکھ کر ہنسا۔

''بہت ہاٹ لگ رہی ہو جان۔'' اریز نے فروا کی کمر میں بازو ڈالا وہ کسمسائی۔

''اُف خود کو جان تم نے اپنے اریز سے اتنا چھپا چھپا کر کیوں رکھا۔'' اب اُس کے دونوں ہاتھ فروا کی کمر کے گرد حمائل ہو کر اُس کے جسم پر سرسرانے لگے تھے فروا کا دل اتنی زور سے دھڑکا گویا پسلیاں توڑ ڈالے گا۔ وہ اپنے آپ کو چھڑا رہی تھی یا چھڑانے کی کوشش کر رہی تھی۔ اُس کے اندر احتجاج تھا نازک سا کمزور سا، جو اُسے مزاحمت کرنے پر اُکسا رہا تھا۔

وہ بدک گئی اور بھرپور اشتعال سے ایک ہی جھٹکے سے الگ ہو کر دور ہو گئی۔

''دقیانوسی، شہزادی۔'' وہ کہتا ہوا کمرے سے نکل گیا۔ فروا کا چہرہ تپ رہا تھا۔ ایک سنسناہٹ سی سلگتی آنچ کوئی تپش تھی کہ حد نہیں، وہ بدحواس ہو کر بوکھلا رہی تھی، گھبرا رہی تھی۔ مگر اُسے کچھ اچھا بھی لگ رہا تھا، پُرلطف، سحر انگیز، مقناطیسی کشش تھی اریز کی قربت میں اُس کا بدن دہک دہک کر بھاپ چھوڑ رہا تھا۔

فروا کے اندر اتنی گھٹن ہو رہی تھی کہ وہ آگے بڑھی اور اس نے کمرے کی گلاس ونڈو کے آگے لٹکتے دبیز پردے سرکا دیئے تا حدِ نظر سبزہ ہی سبزہ واہ کیا منظر تھا، گول ستونوں والے پورٹیکو کے گرد بھی خوب صورت بیلیں لپٹی اپنی مانگ بڑھا رہی تھیں۔ لان ملکی و غیر ملکی پھولوں سے بھرا اپنے مکینوں کی پسند اور ذوق کو ظاہر کر رہا تھا۔ دیکھنے والی نگاہ کو خیرہ کرنے کی طاقت رکھتا تھا۔

فروا بھی اب شاداب دل کے ساتھ آنکھوں میں شوق کا جہان بسائے ہریالی، درخت، درختوں کے

اطراف گھومتے رنگ برنگے طوطے، چڑیوں کو محویت سے دیکھے جا رہی تھی۔

"سرپرائز تیار ہے۔" اریز کب آیا فروا انجان تھی۔

"اچھا، دکھاؤ کیا ہے اور مجھے اجازت دو تا کہ میں یہ بے ہودہ لباس اُتار پھینکوں۔"

"لباس اُتار پھینکنے کا نادر موقع آپ کو ضرور دیا جائے گا ملکہ عالیہ۔" وہ ذومعنی لہجے میں بولا۔ اریز نے فروا کے چہرے کی تمام تر نرماہٹوں کو جی بھر کر دیکھا۔ روپہلی جوانی کا بانکپن اس کی ہوش ربا اداؤں کے تال میل سے اس کے دلربا نقوش کو جلا بخشتا تھا۔

نازک لب، کانچ سی آنکھیں، صراحی دار فخر سی تنی دودھیا گردن، مناسب قد و قامت مگر قیامت خیز فگر نازک سے لبوں پر چمکتی لکیریں، کچھ بھی تو نظر انداز کیے جانے کے قابل نہیں تھا۔ ہر ادا قاتلانہ ہر انداز شاہانہ۔

"آجاؤ دوسرے کمرے میں۔"

"تمہارا لان بہت خوبصورت ہے دل کرتا ہے دیکھتی رہوں۔" فروا نے اریز کی بات سنی اَن سنی کر دی تھی اور ہاتھ بڑھا کر گلاس ونڈو ہٹا دی۔ ٹھنڈی ہوا اپنے ساتھ نمی سمیٹ لائی۔

مغرب کی جانب سے بہت تیزی کے ساتھ بادل کے ٹکڑے پورے آسمان کو ڈھانپتے جا رہے تھے فروا کی زلفیں اِدھر اُدھر بکھرنے لگیں دیکھتے ہی دیکھتے ہوا کا شور بڑھنے لگا۔ ہلکی سی گڑگڑاہٹ کی آواز اُبھری اگلے ہی لمحے بوندیں گلاس ونڈو پر گریں اور پھسلنے لگیں۔

وہ دونوں ساتھ کھڑے تھے۔ خود فراموشی کا عالم تھا جبھی فروا کو پھر اپنی کمر پر دھیرے دھیرے سرکتی نرم پوروں کے لمس کا احساس ہوا تھا۔ اس بار اُس نے اور زیادہ غصے سے اریز کا ہاتھ جھٹکا تھا۔ موسم کی سحر انگیزی کا سارا نشہ ہرن ہو گیا جوش و خروش مدھم پڑ گیا۔

"ایسے کیا دیکھ رہی ہو سویٹ۔" اریز نے فروا کا بڑھایا ہوا فاصلہ پھر گھٹا دیا۔

"تم بار بار مجھے کیوں چھوتے ہو۔" وہ ہراساں سی فق چہرے کے ساتھ بولی۔

"تمہارے بال بہت خوب صورت ہیں چھو کر اندازہ کر رہا تھا کہ بالوں کی گھٹاؤں میں کتنی نرماہٹ ہے۔" اریز شہد آگیں لہجے میں بولا۔ خمار آلود سانسیں بھرتا وہ اتنا قریب کھڑا تھا کہ یہ فاصلہ نہ ہونے کے برابر تھا۔ لہجے کا مسحور کن بھاری پن فروا کو حواس باختہ کر گیا۔

"ڈرنے کی کیا بات ہے جان، میں کوئی غیر ہوں پگلی، تم تو میری محبت ہو، تم کوئی بے مایہ اور ارزاں ہستی ہو جسے میں پامال ہونے دوں گا۔ تم تو میری عزت ہو۔ اریز چوہدری کی ہونے والی بیوی۔" اریز نے پینترا بدلا۔ مجبوری تھی اُس کی کہ وہ جبر نہیں کر سکتا تھا۔ اریز نے گلاس ونڈو بند کرنی چاہی فروا نے دیکھا اُس پار سرسبز گھاس پر ہلکی ہلکی بوندا باندی نے سماں باندھ رکھا تھا۔ یوں لگ رہا تھا جیسے مخملیں گھاس پر کرسٹل کے موتی بکھر رہے ہوں۔

اریز نے اُس کا ہاتھ پکڑا دوسرے کمرے میں فروا کی سالگرہ کا انتظام کیا گیا تھا۔ گلاب کے پھولوں سے کمرے کی سجاوٹ کی گئی تھی۔ لاہور کی بہت اچھی بیکری سے کیک خریدا گیا تھا۔ یہ محبت کا اظہار تھا۔ بنت حوا کو ابنِ آدم نے چارا ڈالا تھا اور بنتِ حوا سدا کی محبت میں لٹ جانے والی لٹ گئی، تنہائی تھی دو دھڑکتے دل تھے اور کوئی تیسرا بھی تھا

جواُن کے تن بدن میں پُر لطف ولذت بھرے شرارے وانگارے سمورہا تھا۔

وہ کون تھا جی ہاں شیطان۔ وہ شیطان جوار یز چوہدری کا ساتھی تھا، سنگی تھا اور دو شیطان اس وقت مل کرحوا کی بیٹی کو بہکا چکے تھے۔

تین سے چار گھنٹے گزار کر جب فروا واپسی کے سفر پر نکلی تو اریز کے گھر سے ابھی پندرہ منٹ کی مسافت طے کر پائی تھی کہ تین غنڈوں نے اُسے روک لیا۔ قدرے ویران سی جگہ تھی اُن تینوں لڑکوں نے فروا سے دو سیل فون، سونے کا نیا سیٹ، کچھ کریڈٹ، سونے کا بریسلیٹ اور گاڑی چھین لی۔ وہ تھکی ٹوٹی، مردہ سی ٹوٹی پھوٹی چال چلتی قریبی پی سی او گئی اریز کو کال کی، اُس کا نمبر بند تھا پھر اُس نے رحمان کو کال کی اور روتے ہچکیاں بھرتے اپنے ساتھ ہونے والے حادثے کی روداد سنا دی۔ یاد رہے کہ صرف گاڑی لٹنے والے سانحے کی خبر دی تھی باقی جو کچھ لٹا فروا چاہ کر بھی نہیں بتا سکتی تھی۔ رحمان اُسے لینے آرہا تھا۔ اپنی بیٹی کو لینے جو دن دیہاڑے لٹ گئی تھی۔

○......❖......○

رحمان کے گلے لگ کر پھوٹ پھوٹ کر روئی تھی فروا رحمان، رحمان بھی غمگین تھا۔ ایک کروڑ کے لگ بھگ کی مالیت کا نقصان ہو گیا تھا رحمان کا آزردہ ہونا تو بنتا تھا۔ مگر فروا ایسے بلک بلک کر روئی کہ رحمان نے اپنے دل کو مضبوط کر کے اُسے دلاسا دیا اور اس بات کو یوں شو کیا جیسے کوئی بات ہی نہیں ہے۔ وہ ایک باپ تھا اور باپ کا اپنی بیٹی کو روتے دیکھنا کتنا دشوار ترین عمل ہے۔ آپ بھی جانتے ہیں نا۔ مگر یاد رہے صرف 'اپنی بیٹی' کو روتے دیکھنا مشکل کام ہے۔ رحمان فروا کو ساتھ لگائے تھپکتا رہا۔ اُسے تسلی و تشفی دیتا رہا۔

"بابا......" فروا روئے جا رہی تھی۔ آج کا دن خسارے کا دن تھا۔

"جی میری گڑیا!" رحمان تڑپ ہی تو اُٹھا فروا کی مخدوش حالت پر، جو خوابوں کی ردا اوڑھے گلاب چننے نکلی تھی، محبت کی راہِ پُر مگر خار سے اُلجھ بیٹھی۔ نقصان نا قابلِ تلافی تھا، نیکی اور بدی میں ذرا سا ہی تو فاصلہ ہوتا ہے سوئی برابر فاصلہ، ذرا سی لغزش انسان کو گناہ کی دلدل میں ڈبو کر دھنسا دیتی ہے۔ پُر اعتماد ہونا اچھی بات ہے، محبت کا ہو جانا بھی فطری عمل ہے مگر محبت میں حرص و ہوس سب کچھ نگل لیتی ہے۔ حدود کو کراس کرنا ڈس لیتا ہے۔ اعتبار واعتماد کو اور عزت کو بھی۔

"بابا مجھے معاف کر دیں۔"

"نہیں بیٹا ایسے مت کرو۔ یہ تو کوئی مسئلہ نہیں ہے مالی نقصان کوئی معنی نہیں رکھتا۔ شکر ہے میری بیٹی کی جان بچ گئی۔ عزت بچ گئی۔" رحمان نے طمانیت سے کہا تو فروا اور بھی شدت سے رونے لگ گئی۔ نہ جانے کہاں سے اتنے آنسو آرہے تھے، آنسو ہی آنسو، ابھی رحمان اس شاک سے سنبھل بھی نہیں پایا تبھی اُس کے سیل فون کی بیل ہوئی وہ دونوں چونکے۔

"اِنا للہ واِنا الیہ راجعون۔" رحمان نے کہا اور فون بند کر دیا۔

"اماں کا انتقال ہو گیا ہے۔ لبنیٰ بھابی کی کال تھی، ہمیں ابھی جانا ہو گا۔"

اماں کے انتقال پر جانا تو تھا مگر غیروں کی طرح، پھر اُس پتھر دل انسان کے شیطانی ذہن میں ایک بات

سما گئی۔ اماں کی ڈیڈ باڈی کو اپنے گھر لا کر دفنانے کی۔ بڑے پیمانے پر قل اور چہلم کرنے کی، کسی کو کیا پتا رحمان جیولرز والے کی اماں اب تک کہاں رہی تھی۔ ہاں اب پتا چلے گا جب پورا شہر جنازے میں شریک ہو گا۔

رحمان احمد پتھر تھا اور پتھروں سے کبھی بھی خیر کی روشنی نہیں پھوٹا کرتی۔

O.......❖.......O

فاخرہ ہوسپٹل میں ہی تھی اور صبا مسلسل رابطے میں تھی جب وہ لوگ پہنچے تو سیدھے ہوسپٹل ہی آ گئے تھے۔ نیہات تھوڑی دیر بیٹھ کر ضویا کو ساتھ لے کر چلا گیا صغریٰ فاخرہ کے پاس ہی تھی، صبا دادو کے متعلق فاخرہ سے پوچھتی رہی۔ پھر تقریب کی باتیں بتاتی رہی۔ فرقان والی ساری بات صبا نے فاخرہ کو بتائی۔ فاخرہ کبھی رونے لگتی کبھی مسکراتی مگر آنسو بھری آنکھوں سے۔

''ماما چاچو نے مجھے گولڈ کا سیٹ گفٹ کیا۔'' صبا خوش تھی بے تحاشا خوش۔

''ماما مجھے چیزوں کی حرص نہیں ہے آپ جانتی ہیں مگر......''

''مگر کیا۔''

''مجھے اتنے بڑے مجمع میں کسی نے سراہا۔ وہ جو میرا اپنا تھا، میرا خون کا رشتہ، میرا چاچو۔ اتنا سکون تھا جب انہوں نے مجھے گلے لگایا۔ مجھے پیار کیا۔ وہ لمحات بہت قیمتی تھے صبا زمان کی زندگی کے انمول لمحات۔''

صبا جیسے ابھی تک انہی لمحوں کی دلکشی میں کھوئی ہوئی تھی دور کہیں، جہاں وہ کسی اپنے کے سینے میں سمائی تھی۔ کسی بہت اپنے نے اُسے اپنائیت سے اپنایا تھا، اس کی آنکھوں میں جیسے کسی نے مٹھی بھر جگنو بھر دیئے تھے۔ صبا کی آنکھیں جگمگا رہی تھیں، گال تمتما رہے تھے۔

فاخرہ کیا کہتی بس خوش تھی۔ فاخرہ کب چاہتی تھی کہ اُس کی اولاد اپنوں سے دور رہے۔ وہ تو خود دل سے چاہتی تھی کہ ایسا کوئی جادو ہو کہ وہ سب پر پھونکے اور اُس کے بچے اپنے کھوئے ہوئے رشتے پالیں۔

یہ ساری بات چیت ہو رہی تھی کہ بشیراں ناشتا لے کر ہوسپٹل آ گئی۔ سب نے مل کر ناشتہ کیا۔ فاخرہ نے بشیراں کو بھی بتایا کہ فرقان لبنیٰ اور اُس کے بچے صبا سے ملے ہیں اور فرقان بہت شرمندہ ہے۔ صبا سے معافی بھی مانگ رہا تھا۔ بشیراں کی آنکھوں میں خوشگوار حیرت تھی۔

فرقان کا ارادہ تھا کہ بہاول پور پہنچتے ہی زمان بھائی کے گھر اماں کی خیریت پوچھنے جائے گا مگر طویل سفر کی تکان نے جیسے جوڑ جوڑ ہلا دیا۔ گھر آتے ہی اُسے کچھ ہوش نہیں رہا، وہ بے سدھ سو گیا۔ نہانے کا، فریش ہونے کا بھی موقع نہیں ملا تھا۔ کچھ رحمان سے ہونے والی بدمزگی نے جیسے فرقان کو نڈھال و پژمردہ کر دیا تھا۔

گھر مٹی سے اٹا پڑا تھا لبنیٰ کا بھی مارے تھکن کے برا حال تھا۔ مگر اُسے مٹی اور جا بجا بکھرے پتے، کاغذ اور الم غلم سے وحشت ہو رہی تھی۔ لگتا تھا کوئی آندھی آئی تھی پیچھے، جس وجہ سے گلی سے گند بلا، گرد و غبار اُڑ اُڑ کر گھر میں بکھر گیا تھا۔ لبنیٰ کو اُلجھن ہو رہی تھی۔

اُسے زوروں کی نیند آ رہی تھی مگر وہ اچھی طرح جانتی تھی کہ اگر وہ گھر ایسے ہی گندا سندا چھوڑ کر سو بھی گئی تو پہلی بات کہ وہ سو نہیں سکے گی دوسرا وہ پُر سکون نیند نہیں سو سکے گی۔ اس لیے لبنیٰ نے پائپ لگا کر اپنے پائنچے

اُڑس لیے اور گھر دھونے لگی۔ اُس نے دل لگا کر، گھر دھویا، واش روم دھوئے تب تک اُس کا اپنا حلیہ بگڑ چکا تھا۔

لبنیٰ الماری سے اپنے کپڑے لینے گئی دروازہ نیم وا تھا اور اندر سے دبی دبی سسکیوں کی آواز آ رہی تھی۔ لبنیٰ چونکی، امن تھی اندر، لبنیٰ کا دماغ بھک سے اُڑ گیا۔

''امن تم رو کیوں رہی ہو۔'' لبنیٰ نے عجلت میں دروازہ کھولا تو امن سٹپٹا گئی۔ وہ فون پر بات کر رہی تھی اور رو رہی تھی مگر کیوں...... امن نے بوکھلا کر کال ڈس کنیکٹ کر دی۔

''نن...... نہیں، رو تو نہیں رہی۔'' امن نے بدحواسی میں آنسو صاف کیے۔

''امن سب ٹھیک تو ہے نا بیٹا، کس کا فون تھا، میرا تو دل بیٹھا جا رہا ہے۔'' لبنیٰ کا رنگ فق ہو گیا۔ دل بہت سے خدشات سمیٹ لایا۔ وہم آ کر دل کے کناروں سے لپٹنے لگے۔

''جی مما......'' امن خشک لبوں پر زبان پھیرنے لگی۔ اُس کی حرکات و سکنات مشکوک سی تھیں۔ تبھی امن کے سیل پر 'کملی' کی تانیں بکھرنے لگیں امن نے کال کاٹ دی۔

''کس کا فون ہے کال کاٹ کیوں دی۔'' لبنیٰ نے درشتی سے کہا۔ اب اُسے غصہ آ رہا تھا۔ امن کا رویہ اُسے مشتعل کر رہا تھا۔ امن عجیب 'چوروں' جیسی حرکتیں کر رہی تھی۔ تبھی کال دوبارہ آنے لگی۔ امن پک نہیں کر رہی تھی۔ لبنیٰ نے امن کے ہاتھ سے سیل فون جھپٹ لیا۔ کال او کے کر کے سیل فون کان سے لگایا مگر بولی کچھ نہیں۔

''ہیلو جان، ناراض مت ہو میں مصروف تھا۔ رابطہ نہیں کر سکا سوری نا۔'' سجاد بلوچ بول رہا تھا اور لبنیٰ کو لگ رہا تھا کہ اُس کے بدن سے کسی نے سارا خون نچوڑ لیا ہے۔ وہ وہیں دیوار سے لگتی گھسٹتی ہوئی فرش پر بیٹھتی چلی گئی۔ لبنیٰ کا جسم تھر تھر کانپ رہا تھا۔ سیل فون نیچے گر پڑا تھا۔

''مما کیا ہوا، مما......'' امن حواس باختہ سی لبنیٰ کو پکارتی رہی مگر وہ کوئی جواب نہیں دے رہی تھی۔ امن سراسیمہ سی گھبراہٹ کے مارے روئے جا رہی تھی۔ اُسے کچھ سمجھ نہیں آ رہی تھی، امن کے ہاتھ پاؤں پھول رہے تھے۔ سجاد کی بار بار کال آ رہی تھی۔ امن نے فون ہی بند کر دیا۔

''بابا...... بابا...... مما کو پتا نہیں کیا ہو گیا ہے۔'' امن کو کچھ اور نہیں سوجھا تو دوسرے کمرے میں سوئے ہوئے فرقان کو جگا دیا۔ فرقان کی تو جان پر بن آئی۔ وہ لبنیٰ کے پاس آیا، وہ بے سدھ پڑی تھی۔ فرقان نے پانی کے چھینٹے لبنیٰ کے چہرے پر مارے۔ لبنیٰ نے نقاہت سے آنکھیں کھولیں پھر بند کر لیں۔ فرقان نے سہارا دے کر لبنیٰ کو فرش سے اٹھایا اور بیڈ پر ذرا سا بٹھا کر پانی پلایا تو لبنیٰ کی جان میں جان آئی۔ فرقان نے اِسے بیڈ پر لٹا دیا اور فرقان بی پی آپریٹر اٹھا لایا اور لبنیٰ کا بی پی چیک کرنے لگا وہ فکر مند تھا۔

''بی پی بہت لو ہے، اپنی مما کی میڈیسن اٹھا لاؤ۔'' پاس کھڑی امن سے کہا تو وہ بھاگ کر دوا اٹھا لائی۔ فرقان نے لبنیٰ کو خود دوا کھلائی، امن چور سی بنی کھڑی تھی لرزیدہ سی۔

''بیٹا تم کہاں تھیں۔ جب تمہاری مما گریں۔'' فرقان نے امن سے پوچھا تو اُس سے بروقت کوئی جواب

نہیں بن پایا۔ وہ آئیں بائیں شائیں کرنے لگی۔ لبنیٰ نے امن پر نظر ڈالی...... وہ کیسی نظر تھی سلگتی سی چبھتی ہوئی، جس میں شکایت کی لپک تھی۔ امن بے ساختہ نظریں چرانے لگی۔

''امن ایسی لاپروائی ٹھیک نہیں بیٹا۔ اپنی مما کا خیال رکھا کرو۔ وہ تھک جاتی ہے۔ ہاتھ بٹایا کرو۔ بیٹیوں کو ماؤں کی تھکن بانٹ لینی چاہیے۔ وہ آتے ہی کام میں لگ گئی۔ تھک کر ایسا ہوا ہوگا۔''

لبنیٰ کا ذہن غنودگی میں جا رہا تھا پھر فرقان تب تک وہیں بیٹھا رہا جب تک لبنیٰ سو نہیں گئی۔

امن نے بیگ سے کپڑے نکال نکال کر الماری میں رکھے۔ خالی بیگ کو الماری کے اوپری خانے میں رکھا۔ ہنزلا و حذیفہ بھی سو رہے تھے کچھ کھائے پیے بنا سو گئے تھے۔ ناشتا نہیں کیا تھا۔ اب امن سوچ میں غلطاں کہ کیا کرے ناشتا بنائے کہ کھانا۔

''بابا ناشتا بناؤں۔'' فرقان ابھی تک لبنیٰ کے پاس متفکر سا بیٹھا ہوا تھا۔

''نہیں بیٹا، بہت وقت لگ جائے گا۔ اماں کی تیمارداری کے لیے جانا ہے۔ ناشتا میں بازار سے لے آتا ہوں، تم اپنی مما کا خیال رکھنا۔'' فرقان نے اپنے والٹ کو کھول کر پیسے دیکھے اور بازار چلا گیا۔ امن شرمندہ شرمندہ سی لبنیٰ کے پاس بیٹھ گئی۔ اُس کی آنکھیں بھر آئیں۔ آنسو گالوں پر لڑھک آئے۔ وہ نادم تھی۔ اُس کا دل کٹ رہا تھا۔ وہ اپنی ناک اور آنکھیں مسلے جا رہی تھی۔

فرقان نان چھولے لے آیا تھا۔ دودھ کے ڈبے بھی ساتھ لایا تھا چائے بنانے کے لیے۔

فرقان اور امن نے مل کر ناشتا کیا مگر بے دلی سے، امن کچن میں چائے بنانے گئی، مگر فرقان کے رونے کی آواز سن کر ساس پین اُس کے ہاتھ سے گر گیا، چینی پتی بکھر گئی۔

''اماں مر گئی میری اماں مر گئی۔ مجھے معافی مانگنے کا بھی موقع نہیں ملا۔ او میرے اللہ! مجھے معافی مانگنے کا موقع نہیں ملا۔ میں بہت بدقسمت انسان ہوں۔ اپنے گناہوں کی معافی نہیں مانگ سکا۔ اپنی غلطیوں کا کفارہ ادا نہیں کر سکا۔ اپنی خطاؤں کا ازالہ نہیں کر پایا۔ مجھے معافی مانگنی تھی۔ مجھے مداوا کرنا تھا۔'' فرقان دھاڑیں مار مار کر رو رہا تھا۔ پچھتاووں کے ناگ اُسے ڈس رہے تھے۔

ہنزلا، حذیفہ اور لبنیٰ جاگ گئے تھے۔ فرقان کیسے پچھاڑیں کھا کھا کر رو رہا تھا۔ کھونے پر رو رہا تھا یا ماں کے ہمیشہ کے لیے ابدی نیند سو جانے پر رو رہا تھا۔ اُسے لگ رہا تھا کوئی اُس کے منہ پر تھپڑ مار رہا تھا کسی نے اُسے بہت بلندی سے نیچے پاتال میں دھکا دے دیا ہو۔

لبنیٰ بھی آنسو بہا رہی تھی مگر اُس میں اتنی سکت نہیں تھی کہ وہ اٹھ کر بیٹھ سکے۔ بچے اپنے ماں باپ کو دیکھ کر رو رہے تھے۔ جب کوئی زندہ ہوتا ہے ہم پروا نہیں کرتے، پھر اب پچھتائے کیا ہوت جب چڑیاں چگ گئیں کھیت۔ اب کوئی لاکھ واویلا مچائے جانے والے چلے گئے سب درد جھیل کر۔

○......❖......○

فرقان رحمان کی باتوں میں آ کر اپنے بھائی سے قطع تعلق کر چکا تھا۔ جب بھی کسی بات پر فاخرہ کو زدوکوب کرنا ہوتا، ذلیل کرنا ہوتا۔ رحمان فرقان کو اشارہ کرتا فرقان بغیر سوچے سمجھے رحمان کا ہم نوا بن جاتا۔

فرقان لبنیٰ کو ساتھ نہیں لایا تھا، امن اور ہنزلا حذیفہ کو وہ ساتھ لے آیا تھا۔ سفید چادر میں لپٹا وجود کسی غیر کا نہیں اُس کی ماں کا تھا۔ پیدا کرنے والی ماں کا۔ فرقان چارپائی سے لپٹ لپٹ کر رو رہا تھا۔ بہت سا وقت گزر گیا۔

''چاچو...... بابا......'' صبا پاس کھڑی تھی۔ زمان کو سہارا دیے کھڑی تھی۔ دونوں بھائی گلے مل کر رونے لگے۔ روتے رہے، صبا، فضا، اسد اور اسوہ بھی باری باری سب سے مل کر روتے رہے تھے۔

فاخرہ سفید دوپٹا اوڑھے آنسو بہا رہی تھی۔ دیوار سے ٹیک لگائے وہ آج بھی اتنی ہی خاموش اور سوبر لگ رہی تھی جیسی ہمیشہ سے تھی۔ فرقان نے نظریں جھکا کر بیٹھی فاخرہ کو دیکھا۔

رحمان ابھی تک نہیں آیا تھا۔ فرقان زمان کو ساتھ لیے باہر نکلا اور گلی میں بچھی دریوں پر زمان کو بٹھایا۔ لوگ اکٹھے ہو رہے تھے، جنازے کا پوچھ رہے تھے۔ فرقان نے نیہات کو دوسری بار دیکھا تھا۔ وہ ہر کام میں آگے آگے تھا۔ سُلجھا ہوا کم گو سا لڑکا۔ وہ منفرد تھا آج کل کے لڑکوں سے، ذمہ داری کا احساس کرنے والا۔

رحمان آ گیا تھا اور اُس نے آتے ہی ایسی دھما چوکڑی مچائی کہ حد نہیں، دیکھتے ہی دیکھتے اُس نے اماں کا مردہ وجود اٹھایا اور اپنے گھر لے گیا۔ فاخرہ کے بدن میں جنبش بھی نہیں ہوئی تھی۔ زمان رو رو کر ہلکان ہو رہا تھا۔ اُس کے بچے اُس کے اطراف گھیرا ڈال کر بیٹھے تھے۔ زمان ماں کے بہت قریب تھا، شخصی طور پر بہت کمزور قوتِ ارادی کا مالک تھا۔ اپنی بیوی کے بارے جو بھائیوں اور ماں نے کہہ دیا زمان نے مان لیا۔ اب وہ اکیلا رہ گیا تھا۔ بچوں کی طرح پھوٹ پھوٹ کر رو رہا تھا۔

فرقان نے فاخرہ کے سر پر ہاتھ رکھا تھا اور چلا گیا جنازے میں شرکت کے لیے تو جانا ہی تھا ورنہ اُسے رحمان پر بہت غصہ تھا مگر اُس نے اپنے ضبط کو آزما کر خود پر کنٹرول رکھا۔ ماں کی خدمت تو کر نہ سکے اب وہ اپنی ماں کی میت خراب کر کے تماشا بنانا نہیں چاہتا تھا کیونکہ میت صرف قبر کی ملکیت ہوتی ہے۔

O......❖......O

لبنیٰ اور فرقان رحمان کے گھر جاتے رہے، جنازے پر، قل خوانی پر، مگر اُن سب کے منہ پھولے ہوئے تھے۔ کسی نے بھی ڈھنگ سے بات نہیں کی تھی۔ رحمان اور عائشہ کا رویہ تو اتنی بے گانگی اور اجنبیت لیے ہوئے تھا کہ حد نہیں۔ فاخرہ اور اُس کے بچوں میں سے کوئی بھی نہیں آیا تھا۔

فرقان اور لبنیٰ اُداس اور دلگرفتہ سے تھے۔ لبنیٰ نے امن سے کچھ نہیں پوچھا تھا۔ پوچھنے کا وقت ہی نہیں ملا تھا۔ اماں کی موت نے حواس معطل کر ڈالے تھے۔ اوپر سے رحمان کی بے اعتنائی و بے رُخی۔

فرقان دل سے شرمندہ تھا اور فاخرہ سے معافی مانگنا چاہتا تھا۔ خدا نے اُسے بروقت نہ سہی دیر سے ہی سہی بالآخر ہدایت کا راستہ دکھا تو دیا تھا نا، اس سے پہلے کہ دیر ہو جائے وہ اپنے بھتیجے بھتیجیوں کے سر پر دستِ شفقت رکھنا چاہتا تھا اور اُس کی دلی تمنا تھی کہ فاخرہ اُسے معاف کر دے۔

لبنیٰ کچن کی تفصیلی صفائی کر رہی تھی۔ مسالا جات کے ڈبے بکھرے ہوئے تھے، وہ ہر ڈبہ دھو دھو کر خشک کر رہی تھی۔ تبھی فرقان کی بائیک رکنے کی آواز آئی۔ لبنیٰ نے کچن سے جھانک کر دیکھنا چاہا کہ واقعی فرقان ہی

ہے۔ فرقان اِدھر اُدھر جھانکتا آوازیں لگاتا کچن میں ہی آ گیا۔

"السلام علیکم!"

"وعلیکم السلام!" لبنٰی نے استفہامیہ انداز میں فرقان کو دیکھا۔ اس کے چہرے پر نا قابلِ فہم قسم کی تاثرات تھے۔

"مجھے تم سے ضروری بات کرنی ہے۔" فرقان نے لبنٰی کا ہاتھ پکڑ کر اپنے ساتھ باہر لے آیا۔

"جی۔"

"تمہارا دل نہیں کرتا فاخرہ سے ملنے کو۔"

"آپ لوگوں نے ہی تو مجھے منع کیا تھا۔"

"لبنٰی میں فاخرہ سے ہاتھ جوڑ کر، پاؤں پکڑ کر معافی مانگنا چاہتا ہوں۔ میں بہت شرمسار ہوں۔ تم میرے ساتھ چلو میری سفارش کرو گی تو وہ مجھے ضرور معاف کر دے گی۔"

فرقان ملتجی لہجے میں کہہ رہا تھا۔ اُس کا دل پسیج گیا تھا اُس کے دل میں پڑی ساری گرہیں خدا نے اپنی رحمت سے ایک ایک کر کے کھول دی تھیں۔ ساری بدگمانیاں خود بخود دھل گئی تھیں۔

"فاخرہ بہت بڑے دل والی ہے۔ اعلیٰ ظرف، وہ معاف کر دے گی، مجھے یقین ہے۔ میں ساتھ چلتی ہوں مگر پہلے دو نفل شکرانے کے ادا کرلوں اُس مالک دو جہاں کے سامنے جس نے آپ کی رہنمائی فرمائی اور آپ کے دل سے ساری کثافتیں دھل گئیں۔"

O......❖......O

آج کل پولیس والے بہت متحرک تھے۔ بہت سارے مجرم انہوں نے پکڑ لیے تھے اور اُن مجرموں نے اقرارِ جرم بھی کرلیا تھا کہ شہر سے بچے انہوں نے اغوا کیے ہیں۔ اُن کا کہنا یہ تھا کہ وہ بچوں کو اغوا کر کے آگے بیچ دیتے ہیں۔ خریدنے والے اُن بچوں کا کیا کرتے ہیں ہمیں خبر نہیں۔ پولیس نے اُن مجرموں کے ساتھ وہاں وہاں چھاپے مارے جہاں جہاں وہ بچے فروخت کرنے جاتے تھے۔ مگر پولیس والوں کو ناکام لوٹنا پڑا۔ اُن کے ہاتھ کوئی بھی قابلِ ذکر ثبوت نہیں لگ پایا۔ ہاں اتنا ضرور ہوا کہ بچوں کے اغوا کی وارداتوں میں کمی ہوتے ہوتے یہ سلسلہ بند ہو گیا۔ شہر میں پہلے کی سی امن کی فضا قائم ہو گئی۔ شہریوں کی زندگی پُرسکون ہو گئی۔ لوگ خوف کے حصار سے نکل آئے مگر جن کے بچے اور عورتیں غائب تھے اُن کو کسی پل قرار نہیں تھا وہ ہر تیسرے دن تھانے پہنچ جاتے تھے۔

اس کے ہاتھ میں مقامی اخبار تھا۔ وہ سرسری سا دیکھ رہی تھی۔ تبھی اُس کے دل میں خیال آیا بابا اور مما آنٹی فاخرہ کے گھر گئے ہیں کیوں نہ سجاد کو کال کروں۔ اُس نے اپنا سیل فون الماری سے نکال کر آن کیا اور چھت پر چلی آئی۔ اُس نے سجاد بلوچ کا نمبر ملایا۔ نمبر بزی جا رہا تھا۔ اُس نے دس منٹ انتظار کیا پھر کال کی نمبر پھر بزی تھا۔ امن کو بہت کوفت ہوئی وقت کم تھا۔ وہ انتظار کرنے لگی ٹھیک پینتالیس منٹ کے جان لیوا انتظار کے بعد اُس کا نمبر فری ہوا تھا۔

''ہیلو سجاد۔''

''آ گیا خیال، اتنے دن سے نمبر آف کیا ہوا ہے۔'' وہ پھاڑ کھانے کو دوڑا۔

''دادی فوت ہوگئی تھی، مما کی طبیعت ٹھیک نہیں تھی۔''

''بتا نہیں سکتی تھی، میں اتنا پریشان رہا۔'' وہ اب کچھ مدھم پڑ گیا۔ اُسے اپنے لہجے کی تندی کا اندازہ ہوگیا تھا اس لیے نرم پڑ گیا۔

''میری مما کو ہم دونوں کے تعلق کا پتا چل گیا ہے۔ انہوں نے اُس دن مجھے روتے دیکھ لیا تھا، جب تم نے پھر کال کی میں نے کاٹ دی تم نے پھر کی تو مما نے پک کرلی۔ انہوں نے تمہاری باتیں سنیں تو اُن کا بی پی لو ہوگیا تھا بہت، اسی لیے میں نے سیل آف کردیا تھا۔ میں ناراض نہیں تھی پھر اُسی دن دادی کا انتقال ہوگیا۔'' وہ ساری تفصیل بتاتی چلی گئی۔

''تمہاری مما نے تمہیں کچھ کہا تو نہیں۔''

''نہیں ابھی تو کچھ نہیں کہا، کیونکہ دادی کی ڈیتھ ہوگئی تو ماحول سوگوار ہوگیا، خاموش سی ہیں مما۔''

''تم پریشان نہیں ہونا سب ٹھیک ہو جائے گا۔ میں ہوں نا تمہارے ساتھ۔'' سجاد نے نہایت محبت و لگاوٹ سے کہا۔ امن رونے لگی۔ سجاد کو اُلجھن ہورہی تھی۔ اسے ہر وقت روتی بسورتی لڑکیاں بہت چیپ لگتی تھیں، احمق اور جذباتی۔ مگر اس وقت امن کو چپ تو کروانا تھا، پھر وہ اُسے بہلاتا رہا، مطمئن کرتا رہا، اِدھر اُدھر کی باتیں کر کے اُس کا دھیان بٹانے کی کوشش کرتا رہا۔

''ریلیکس جان، اچھا ایسا کرو کل میں تمہیں کالج سے اٹھاتا ہوں، ایک بھی کلاس مت لینا، بیٹھ کر اطمینان سے بات کرتے ہیں، دیکھو انکار مت کرنا۔''

''مگر سجاد......'' وہ ہچکچائی وہ ملنا نہیں چاہتی تھی اور ایسے حالات میں تو قطعاً نہیں۔

''پلیز جان۔'' وہ اک جذب سے التجا کررہا تھا۔

''اوکے۔''

''بائے...... ملتے ہیں کل۔''

○......❖......○

لبنیٰ اور فاخرہ ایک دوسرے سے لپٹی نہ جانے کون کون سے دکھ رو رہی تھیں۔ کس کس دکھ کے آنسو اُن کی آنکھوں سے بہہ رہے تھے۔ کون جانے رنج والم کی کیا کیفیت تھی۔

صبا بہت خوش تھی وہ چائے بنا کر لے آئی تھی۔ زمان کی بے نور آنکھیں بھی مارے خوشی کے چمک اٹھی تھیں۔ صبا نے چائے سب کو سرو کی اور پھر فرقان سے جڑ کر بیٹھ گئی۔ سب اُن کے گھر آئے تھے تو صبا کو بہت اچھا لگا تھا۔ فاخرہ اور لبنیٰ اب ایک دوسرے کا ہاتھ تھامے وفورِ جذبات سے ایک دوسرے کو دیکھے جارہی تھیں۔ جیسے برسوں کی پیاس بجھا رہی ہوں۔ وقت کیسے بدل گیا تھا۔ کہاں تو وہ ایک دوسرے کی شکل دیکھنے کو ترستی تھیں اور اب اللہ نے کیسا کرم کردیا تھا کہ فرقان خود لبنیٰ کو اُس کے گھر لے کر آیا تھا۔ اللہ نے فرقان کے دل میں رحم ڈال دیا تھا

اور وہ پلٹ گیا تھا۔ فاخرہ اور اُس کی اولاد کی طرف۔ یہ اچھا قدم تھا۔ دل خوشی سے لبریز تھا۔

''فاخرہ میری بہن، میں تمہارا گنہگار ہوں۔ میں نے تمہاری بہت حق تلفی کی۔ تمہارا دل دکھایا۔ مجھے معاف کردو۔'' فرقان نے نیچے بیٹھ کر سر، جھکا کر فاخرہ کے سامنے ہاتھ جوڑ دیئے۔ وہ انگشت بدنداں اُسے دیکھ کر رہ گئی۔ فاخرہ کے ہاتھ پاؤں پھول گئے۔ اسے کچھ سمجھ نہیں آ رہی تھی کہ وہ کیا کہے بس فرقان کے اس اقدام کے لیے وہ ذہنی طور پر تیار نہیں تھی اسی لیے ششدر سی بھونچکی رہ گئی۔

''ایسے مت کریں فرقان بھائی۔'' لفظ ٹوٹ پھوٹ گئے ایک عرصہ ہو گیا تھا لفظ 'بھائی' کو فاخرہ کے لبوں نے نہیں چھوا تھا۔ اب اُسے تامل سے کام تو لینا ہی تھا، زبان نے لڑکھڑانا تو تھا ہی۔

''فاخرہ مجھے 'خدا' کے لیے معاف کردو۔ میں نے تمہارے ساتھ بہت برا کیا۔'' فرقان رو دیا۔

''پلیز...... میں ناراض نہیں ہوں اور آپ نے میرے ساتھ کچھ برا نہیں کیا۔'' فاخرہ نے فرقان کے جڑے ہوئے کپکپاتے ہاتھ اپنے ہاتھوں میں جکڑ لیے۔ 'لفظ خدا کے لیے' نے فاخرہ کو اندر سے ہلا ڈالا تھا۔ جب فرقان نے خدا کا واسطہ ہی دے دیا تو باقی کیا بچا تھا۔ فاخرہ اب تک اللہ کی رضا کے لیے ہی تو 'بھلائی' کرتی آئی تھی ورنہ عام انسان کا دل کہاں اُن لوگوں کے ساتھ بھلائی پہ مائل ہوتا ہے جنہوں نے 'برا' کیا ہوتا ہے۔

''میں نے برا کیا یا نہیں مگر برائی کا آنکھیں بند کر کے ساتھ دیتا رہا۔ کیا میں اندھا تھا مجھے نظر نہیں آتا تھا جو میں رحمان کی آنکھوں سے دیکھتا رہا۔ کیا میرا دماغ کام کرنے کی سوچنے سمجھنے کی صلاحیت نہیں رکھتا تھا جو میں گدھوں کی طرح رحمان کی پیروی کرتا رہا۔ اُس کا ساتھ دیتا رہا۔ ظالم کا ساتھ دینے والا، اُس کی ہاں میں ہاں ملانے والا بھی ظالم ہی ہوتا ہے۔ فاخرہ میں نے جب جب تم سے بدتمیزی کی مجھے بڑا بھائی سمجھ کر معاف کردو۔ تم میرے بڑے بھائی کی بیوی ہو۔ مجھے تمہاری بے ادبی نہیں کرنی چاہیے تھی۔'' وہ خود کو کوس رہا تھا۔ اپنا محاسبہ کر رہا تھا۔

''زندگی سے بڑی بے ادبی تو کوئی بھی نہیں ہے۔ میری تو پوری زندگی گزر گئی کچھ گزر جائے گی۔ آپ صبا سے ملے، اُس کی تعریف کی اُسے تحفہ دیا۔ میں نے صبا کی آنکھوں میں خوشی دیکھی، اُس نے فخر و انبساط سے چھلکتے جذبوں سے معمور لہجے میں مجھے بتایا رشتے زندگی میں ہوا اور پانی کی طرح ہوتے ہیں۔ جیسے ہوا اور پانی کے بنا انسان کا دم گھٹتا ہے اسی طرح رشتوں کے بغیر زندگی نامکمل ہے۔ آپ کا بہت شکریہ، آپ نے میری اولاد کو اُن کا ٹوٹا ہوا رشتہ دوبارہ دے کر پُر اعتماد بنا دیا۔''

''صبا تو میری بہت پیاری بیٹی ہے۔ اس پر جتنا بھی فخر کیا جائے کم ہے۔'' فرقان اٹھا اور اُس نے اپنی خفت اور جھینپ مٹانے کے لیے صبا کو گلے لگا لیا۔ اُس نے فاخرہ کو کافی حد تک منا لیا تھا۔ وہ جانتا تھا کہ برسوں کا تکلف درمیان کھڑا ہے۔ تکلف، بے گانگی واجنبیت کو وقت تو لگے گا، اُنسیت لگاؤ اور محبت میں تبدیل ہونے میں۔ اور فرقان پُرعزم تھا۔ اُس کا ارادہ اٹل تھا۔ وہ پہلے ہی اپنی عاقبت نااندیشی کی بدولت اماں کو کھو چکا تھا اب مزید کچھ کھونے کی سکت نہیں تھی۔

O......❖......O

فروا کی بہت دنوں سے اریز سے بات نہیں ہوئی، پے در پے صدمات نے فروا کو نڈھال سا کر دیا تھا۔ اُس کے پاس آج کل سیل فون بھی نہیں تھا۔ دوبارہ نیا سیل فون لینے اور سم دوبارہ نکلوانے کا موقع ہی نہیں مل سکا تھا۔ گھر میں مہمانوں کا تانتا سا بندھا ہوا تھا۔ فروا مارے اُکتاہٹ کے تلملاتی پھر رہی تھی۔ وہ اریز سے بات کرنا چاہ رہی تھی مگر کیسے...... عروا کا سیل فون چارجنگ پر تھا۔ فروا کی نگاہوں میں چمک اُبھری۔ عروا کہاں تھی...... کوئی خبر نہیں تھی۔

فروا نے سیل فون سے چارجر نکالا، کریڈٹ چیک کیا اور اپنے بیڈ روم میں گھس گئی۔ فروا نے اریز کو کال کی۔ ذرا سے توقف سے کال اٹھا لی گئی۔ ہیلو ہائے کے بعد باتوں کا لامتناہی سلسلہ چل نکلا۔ وہ دونوں اپنی اپنی بے چینیوں بے تابیوں کی داستان سناتے رہے۔ پیار کی باتیں، سرگوشیاں، دبے دبے قہقہے، پھر فروا بتانے لگ گئی کہ اُسے کیسے راہ گیر لٹیروں نے لوٹا۔ کیسے ہوا، کیا ہوا سب بتاتی رہی۔ اریز تاسف وافسردگی کا مظاہرہ کرتا رہا۔ افسوس کا اظہار کرتا رہا۔ اُس کے لب ولہجے میں آرزدگی ایسے گھل گئی جیسے وہ فروا کے غم میں برابر کا حصہ دار ہو۔ انہوں نے پورے دو گھنٹے بات کی پھر جیسے ہی وہ بند کرنے لگی وہ بولا۔

''جان یہ کس کا نمبر ہے۔''

''میری چھوٹی اکلوتی بہن عروا رحمان کا ہے۔ جناب آپ کی سالی صاحبہ کا۔''

''اوکے ٹیک کیئر میں پھر خود ہی رابطہ کروں گی بائے۔''

''بائے ٹیک کیئر۔''

○......❖......○

عروا آج کل کالج نہیں جا رہی تھی۔ صبح سے موسم ابر آلود سا تھا۔ امن کالج جانے کی تیاری کر رہی تھی۔ لبنیٰ ناشتا بنا رہی تھی۔ لبنیٰ آج امن سے تفصیلی بات کرنا چاہ رہی تھی۔ لبنیٰ امن کو پیار سے سمجھانا چاہ رہی تھی۔ وہ سخت رویہ اپنا کر امن کو باغی نہیں کرنا چاہتی تھی۔ جوانی کا دوسرا نام بغاوت ہے اور لبنیٰ اُسے محبت سے باندھ لینا چاہتی تھی۔ غصہ کا اظہار کر کے امن کو اپنے روبرو کھڑا نہیں کر سکتی تھی۔

''کیا کھاؤ گی۔'' لبنیٰ نے محبت سے امن سے پوچھا۔ امن نے ذرا سا سر اُٹھا کر لبنیٰ کی آنکھوں میں جھانکا۔ خفگی کا کوئی تاثر نہیں تھا اُن کی آنکھوں میں۔ پہلے کی سی کیفیت تھی گرم جوش، محبت بھری۔

''صرف چائے۔'' امن نے مدھم آواز میں کہا تو لبنیٰ نے چائے کا کپ اُس کے ہاتھ میں پکڑا دیا۔ ایک عجیب سی بھید بھری خاموشی اُن دونوں کے درمیان حائل ہو رہی تھی۔ خوفناک خاموشی ڈرانے والی۔

امن جیسے ہی کالج گیٹ پر اتری سجاد آن پہنچا۔ امن دنگ سی ٹھٹک کر اُسے دیکھنے لگی۔ کیا وہ کہیں اردگرد ہی تھا۔ امن کا دل عجیب سا ہو رہا تھا۔ اُس کا دل سجاد کے ساتھ جانے کو نہیں مان رہا تھا مگر سجاد نے اُسے کہاں موقع دیا۔ سنبھلنے کا یا تکرار کرنے کا، جواز پیش کرنے کا۔

''بیٹھو......'' سجاد نے امن کی کلائی تھامی اور اُسے بیٹھنے کا اشارہ کیا۔ کچھ کہنے کے لیے اُس کے ہونٹ پھڑ پھڑا کر رہ گئے تھے مگر سجاد نے ہاتھ کے اشارے سے اُسے کچھ بھی کہنے سے منع کر دیا۔ وہ گم صم سی بائیک پر سجاد

کے پیچھے بیٹھ گئی۔ اُسے کچھ سمجھ نہیں آ رہی تھی، خالی ذہن وہ اپنے اطراف میں شور لوگوں کا جم غفیر، ٹریفک کا اژدھام دیکھتی رہی مگر غائب دماغی سے۔ بائیک اُڑی جا رہی تھی۔ سجاد اسے لے کر کہاں جا رہا تھا۔

''اُترو...... آؤ'' بائیک رُکی تو وہ اچھل کر چونکی اور اچنبھے سے سجاد کو دیکھا۔

''کہاں۔''

''اوہ یار ڈونٹ وری کیا ہو گیا ہے۔ ڈرو مت، ایک دوست کا گھر ہے۔ آرام سے بیٹھ کر بات کرتے ہیں۔''

سجاد نے امن کا ہاتھ تھاما، وہ تھرا کر رہ گئی۔ وہ تو فون پر بھی بہت مشکل سے سجاد سے فرینک ہو پاتی تھی اور اب تو روبرو اُسے پا کر نروس ہو رہی تھی اور یوں اکیلے میں ملنا...... بہت مشکل فیصلہ تھا۔

بہت کٹھن گھڑیاں تھیں دشوار ترین۔ بارش کی بوندا باندی نے اُن کو اچھا خاصا بھگو ڈالا تھا۔

''اطمینان سے بیٹھو میری جان، میرے ہوتے ہوئے تمہیں پریشان ہونے کی قطعی ضرورت نہیں ہے۔ تم جیسے کہو گی تمہارا سجاد ویسے ہی کرے گا۔ تم کہو تو میں اپنی مما کو تمہارے گھر بھیجوں۔'' وہ ایک سادہ سا بیڈ تھا جس پر سجاد نے امن کو شانوں سے تھام کر بٹھایا اور پھر امن کے گود میں دھرے ہاتھوں کو اپنے ہاتھوں کی گرفت میں لے کر کہا تو وہ بری طرح پزل ہو گئی اور نفی میں سر ہلانے لگی۔

''اچھا میں کچھ کھانے کو لے کر آتا ہوں تب تک تم اپنی حالت ٹھیک کرو، اپنے حواس بحال کرو۔'' سجاد کہتا کمرے سے نکل گیا تو امن نے جھجکتے ہوئے ارد گرد دیکھا۔ کمرے میں ایک سنگل بیڈ تھا، دو لکڑی کی کرسیاں، ایک چھوٹی سی ٹیبل، کمرے کا فرش جگہ جگہ سے اکھڑا ہوا تھا۔

امن نے اپنا دوپٹا اُتارا اور بیڈ کی کراؤن پر پھیلا دیا اور خود کھڑی ہو کر اپنے کپڑے جھاڑنے لگی صد شکر کہ بارش تیز نہیں ہوئی تھی ورنہ تیز بارش میں وہاں رُکنا اور پھر بارش کے رکنے کا انتظار کرنا مشکل اور صبر آزما ہوتا۔ اُس کی سوچیں اِدھر اُدھر بھٹک رہی تھیں۔ پھر اُس کے دھیان میں لبنیٰ کا چہرہ آیا۔ ستا ہوا غمگین بھیگی پلکوں والا چہرہ۔ امن یہاں کب آنا چاہتی تھی۔ وہ پشیمان تھی۔

سجاد نے اُس کی سدھ بدھ ہی بھلا دی تھی۔ وہ گنگ سی، سن سی ہو گئی تھی اور منہ اُٹھا کر بائیک پر بیٹھ گئی۔ کچھ کہہ ہی نہیں سکی، انکار کر ہی نہیں پائی۔ اُس سے لاپروائی اور نادانی سرزد ہو گئی تھی۔ وہ اب دل سے نادم تھی۔ تفکر نے اُس کی پیشانی پر شکنوں کا جال بنا دیا تھا۔

''مجھے یہاں نہیں آنا چاہیے تھا۔ مجھ سے بہت بڑی بھول ہو گئی۔'' وہ خود کلامی کرتی اپنے ہاتھوں کی انگلیاں مروڑ رہی تھی۔

''ارے واہ، لگتا ہے تم 'ریلیکس' ہو چکی ہو اب تک۔'' سجاد نے قریب آ کر کہا تو وہ بدک کر پیچھے ہٹی۔ خوفزدہ سہمی ہوئی ہرنی کی طرح قلانچیں بھرتی پیچھے ہٹی۔ اُس کے گیلے کپڑے بدن سے چپکے سب نشیب و فراز واضح کر رہے تھے۔ اُس کے نم بالوں سے قطرہ قطرہ پانی ٹپک رہا تھا۔

''امن تم ایسی پُرکشش ہو مجھے پہلے پتا نہیں تھا۔'' سجاد نے قریب آ کر اُسے شانوں سے تھاما اور اپنا چہرہ

امن کے چہرے پر جھکا دیا۔

''چھوڑو، پیچھے ہٹو، مجھے گھر جانا ہے۔'' امن نے زور لگا کر کہا اُس کا موڈ بہت خراب تھا۔ وہ اپنے ہونٹ کچل رہی تھی۔ یک دم اُسے اپنا خون اُبلتا اور تن بدن میں ٹھوکریں مارتا محسوس ہوا تھا۔ سجاد نے اُس کے شانوں سے ہاتھ اٹھا لیے۔ امن کو اپنی بے خبری پر جی بھر کر خفت ہو رہی تھی۔ وہ ننگے سر تھی۔ اُس نے لپک کر اپنا دوپٹا اٹھایا اور سر پر اچھی طرح اوڑھ لیا۔ اُسے سجاد بلوچ کی سانسوں کی حدت اپنے چہرے پر ابھی تک جھلستی نظر آ رہی تھی۔

''مجھے جانا ہے سجاد۔'' وہ غصے کو ضبط کر رہی تھی۔ اندرونی کرب واذیت نے امن کی آنکھیں نم کر دیں۔

''ذرا رک جاؤ، ابھی تو ہم نے کوئی بات بھی نہیں کی جان۔'' اُس نے آگے بڑھ کر امن کے گال کو چھوا۔ بہت نرمی و ملائمت سے مگر امن مضطرب سی ہو گئی اور انتہائی طیش و غضب کے ساتھ سجاد کا ہاتھ تلخی سے جھٹک دیا۔ ناگواری سے ابرو اچکائے امن قہر بھری نظروں سے سجاد کو دیکھ رہی تھی، دیکھے جا رہی تھی۔

سجاد کا مضبوط بازو ہوا میں لہرایا، سجاد کے بازو پر بندھی سنہری ڈائل والی قیمتی گھڑی فرش پر گر گئی، ٹوٹ کر بکھر گئی سجاد نے ایک نظر گھڑی کو دیکھا اور دوسری نظر گہری تشویش اور شاک کی سی تھی جو امن کے شدید ردِعمل کے نتیجے میں اُس کے چہرے پر گڑ کر رہ گئی تھی۔ تنفر بھری حقارت سے لبریز نظر۔

''کیوں کر رہی ہو ایسے۔ اتنا ہی میرے کھا جانے کا ڈر تھا تو آتی ہی نا۔'' امن نے اُس کا ہاتھ جھٹکا ایسی سبکی وتحقیر کا وہ کہاں عادی تھا۔ وہ کھا جانے والی نظروں سے امن کو دیکھتا رہا۔ وہ اپنی بے عزتی پر زخمی شیر جیسا ہو رہا تھا۔ توہین کا احساس رگ و پے میں سرایت ہو رہا تھا۔

''ذرا سا چھو ہی لیا نا کون سا کوئی ظلم کر ڈالا جو تم نے ایسے ری ایکٹ کیا۔ دنیا کہاں کی کہاں پہنچ گئی مگر تم وہی دبو کی دبو رہنا، سب کچھ بدل گیا مگر تم نے، بتاؤ میں نے ایسا کیا وحشیانہ قدم اٹھایا۔ کیا درندگی کر ڈالی جو تم نے......''

وہ لہجے میں زمانے بھر کا درد سمو کر بولا حالانکہ اُس کا رواں رواں اس ہتک پر تڑپ رہا تھا۔ وہ اندر ہی اندر پیچ و تاب کھا رہا تھا۔ اُس کا بس نہیں چل رہا تھا کہ سامنے کھڑی اُس معمولی سی لڑکی کو اپنے قدموں تلے دبا کر چیونٹی کی طرح مسل کر رکھ دے۔

''کاش میں تمہیں نہ لے کر آتا یہاں، میں تو پریشان تھا کہ تمہارے مما کو پتا چل گیا ہے تو مل کر بیٹھ کے اطمینان سے بات کرتے ہیں، مگر اب مجھے پچھتاوا ہو رہا ہے کہ مجھے تمہیں لے کر ہی نہیں آنا چاہیے تھا۔'' سجاد نے یک دم پینترا بدلا اور بات کو اور ہی رُخ دے ڈالا جیسے وہ بہت مضطرب ہو، پچھتا رہا ہو۔

''ایسی بات نہیں ہے سجاد، وہ دراصل میں تمہارے چھونے سے ڈر گئی تھی۔'' طویل دورانیے میں شاید پہلی بار امن نے سجاد کی آنکھوں میں آنکھیں ڈالی تھیں۔ التجا و بے کسی کا عکس تھا نگاہوں میں۔

''بات تو ساری اعتماد کی ہے نا جو تمہیں مجھ پر نہیں ہے۔'' اُس کے لہجے میں درد اور یاسیت اُتر آئی۔ امن کے دل کو کچھ ہوا۔ بھٹکتی سوچیں صرف 'سجاد' پر رُک گئیں، جو اُس کے لیے فکرمند تھا۔ آزردہ تھا گھر، بابا اور مما، اور مما سے متعلق جذبات سب مغلوب ہونے لگے۔ سجاد بلوچ غالب آ گیا۔ سجاد بلوچ جسے دیکھ کر اُس کی دھڑکن

رُک جاتی تھی۔ وہ اپنے اطراف سے یکسر بے نیاز ہو جایا کرتی تھی۔ سب کچھ مغلوب ہو کر پس منظر میں کہیں دور چلا گیا، سجاد بلوچ نمایاں نظر آنے لگا۔ منفرد ہو کر چھانے لگا۔

''سوری سجاد میں شرمندہ ہوں۔ مجھے ایسا رویہ اپنا کر تمہیں ہرٹ نہیں کرنا چاہیے تھا۔'' وہ دونوں ہاتھوں سے چہرہ ڈھانپ کر پھوٹ پھوٹ کر رو دی۔

''ارے رونے کیوں لگ گئیں۔ میں ساری زندگی تمہارے ساتھ بتانے کی آرزو رکھتا ہوں، تمہیں اپنی ہم سفر چنا ہے، میری چاہ کو غلط رنگ مت دو، میرا مقصد 'وہ' نہیں جو تم سمجھ رہی ہو۔'' وہ اب پھر امن کے شانوں پر ہاتھ رکھ کر ایک بات اُس کے ذہن میں ڈال رہا تھا۔ ایسی لڑکیاں شادی کے نام پر بہل ہی جایا کرتی ہیں۔ خوش رنگ خواب آنکھوں میں بسا لیتی ہیں۔

''مجھے بار بار مت چھوؤ سجاد۔'' وہ ملتجی انداز میں بولی۔ لہجے کی کاٹ اور برہمی غائب تھی۔ سجاد کے اندر بیٹھے شیطان نے زور کا قہقہہ لگایا۔ اس کے پاس ہزار رنگ تھے۔ وہ رنگ بدل بدل کر کچی عمر کی تتلیوں کو اپنے رنگ میں رنگ لیتا تھا۔ کتنے ہی پاپڑ بیلنے پڑیں، لڑکی لاکھ نخرے دکھائے بالآخر ہوتا وہی تھا جو سجاد کے اندر پلتا ابلیس چاہتا تھا۔ سجاد مکار ہی نہیں چالباز بھی تھا۔

وہ روئے جا رہی تھی روئے جا رہی تھی۔

''مت رو، مجھے بہت تکلیف ہو رہی ہے۔'' وہی مردانہ گھسا پٹا جملہ بلکہ پٹا پٹایا۔

پھر وہی امن جو سجاد کے چھونے سے اتنی برافروختہ ہوئی تھی اب وہی سجاد بلوچ، اپنے ہاتھوں کی نرم پوروں سے امن کے آنسو صاف کر رہا تھا۔ حوا کی بیٹی، بے وقوف خوش فہم، چار لفظوں کی مار 'محبت' کے نشے میں موم کی طرح پگھل جانے والی۔ شادی کا وعدہ کرنے والے کو اپنا سب کچھ مان لیتی ہے۔ سجاد نے امن کے آنسو صاف کیے، گال چھوئے، بالوں کو اپنی انگلیوں سے سنوارا۔

پھر جیت شیطان کی ہوئی وہ بہک گئی تنہائی تھی دو دھڑکتے دل اکیلے تھے۔ تیسرا وہ بھی تھا جو ہاتھ پکڑ کر نفس کا غلام بنا دیتا ہے۔

وہ دونوں ایک دوسرے کے وجود میں گم تھے۔ شیطان بھنگڑا ڈال رہا تھا۔ اس سے پہلے کہ وہ غلاظت میں لتھڑ جاتے سجاد کے نمبر پر کال آئی تھی۔ سجاد نے چیخ کر امن کو خود سے الگ کیا تو شیطان منہ بسور کر مایوس سا دور جا بیٹھا۔ سجاد کال پک کر کے باتیں کرنے لگا چند منٹ کی کال تھی۔

''تم کون ہو عروا رحمان یا امن فرقان۔'' اُس کے چہرے پر کرختگی کہاں سے اُمڈ آئی تھی۔

''مم...... میں۔'' وہ ہکلائی۔

''صرف سچ۔'' اُس نے انگلی اٹھا کر تنبیہہ کی تھی اُس کا لہجہ کھردرا تھا۔

''امن...... فرقان۔'' وہ اٹکی۔

''جھوٹی دھوکے باز میں تمہیں عروا رحمان سمجھتا رہا۔ میں تمہیں زندہ نہیں چھوڑوں گا۔'' سجاد نے اپنے ہاتھ میں اُس کا چہرہ دبوچ لیا اور اُلٹے ہاتھ کا تھپڑ مارا، وہ لڑھک کر نیچے گری۔

''فراڈ لڑکی! میرا اتنا وقت تم نے خود پر برباد کروایا۔ تم ہو کیا، تمہاری اوقات کیا ہے۔ جنرل اسٹور چلاتا ہے نا تمہارا باپ۔ تم نے اپنی شکل کبھی آئینے میں دیکھی ہے۔ نہ شکل نہ عقل اوپر سے ٹٹ پونجیے باپ کی بیٹی۔''

وہ اُسے مار رہا تھا، رگید رہا تھا۔ فرش پر گھسیٹ رہا تھا۔ امن کو تو جیسے سکتہ ہو گیا تھا۔ وہ اُسے ذلیل کر رہا تھا۔ اُس کا انگ انگ چھور رہا تھا۔ اُسے اذیت دے رہا تھا۔ سجاد بلوچ نے امن کے منہ پر تھوکا تھا۔ اُسے زدوکوب کیا۔ اُس کی تحقیر کی اُس کی عزت تار تار کر ڈالی۔ شیطان قہقہے لگا تا رہا۔ وہ روتی رہی، تڑپتی رہی۔ وہ سنگ باری کرتا رہا۔ طعنے تشنے دیتا رہا۔

''مجھے دھوکا دیا سالی، میں تمہیں کہیں منہ دکھانے کے قابل نہیں چھوڑوں گا، تمہیں کہیں پناہ نہیں ملے گی موت کے سوا ہاہاہا۔'' شیطان اور وہ دونوں بلند و بانگ قہقہے لگا رہے تھے۔

''نیکوکار بنتی ہے، پارسائی کا ڈھونگ رچاتی ہے۔ لے سجاد بلوچ نے آج تمہیں میلا کر دیا۔ کون تمہیں اپنائے گا بتاؤ۔'' سجاد نے اُس کے منہ پر زور کی ٹھوکر ماری۔

○......❖......○

امن کیسے گھر پہنچی تھی اور کس طرح پہنچی تھی خدا بہتر جانتا تھا۔ کالج ٹائم سے پہلے ہی وہ آ گئی تھی مگر کیسی حالت میں تھی یہ کوئی لبنیٰ کے دل سے پوچھتا۔ اُس کا دل اتنا بڑا صدمہ سہار نہیں پایا تھا کسی بھی ماں کا دل اپنی بیٹی کے گلے پر پڑے سرخ نشان، چیتھڑوں میں بٹے ملبوس اور لٹی پٹی لڑکھڑاتی چال سے سب جان جاتا ہے۔ بیٹی کو کچھ بتانے کی ضرورت نہیں پڑتی، ماں کا دل آگاہ ہوتا ہے کہ بیٹی کتنے بڑے حادثے کا شکار ہو چکی ہے۔ کتنا درد کتنی اذیت اٹھا آئی ہے۔ اپنی زندگی کی سب سے انمول چیز گنوا آئی ہے۔ لبنیٰ کا دل بھی آگہی پا گیا تھا کہ امن کسی کے بھوکے ندیدے نفس کا شکار ہو گئی ہے۔ کسی وحشی نے اُسے اپنی درندگی کی بھینٹ چڑھا دیا تھا۔ کسی نے اپنی ہوس کا نشانہ امن کو بنا کر رگید ڈالا تھا۔ لبنیٰ کا دل تکلیف کی زد میں آ گیا۔ اتنی تکلیف اتنی تکلیف کہ لبنیٰ کو انجائنا کا اٹیک ہو گیا۔ گھر میں صرف امن اور لبنیٰ اکیلی تھیں۔

امن کچھ دیر سہمی ہوئی لبنیٰ کو دیکھتی رہی وہ عجلت میں اپنے بابا کو فون کرنے لگی، پھر کچھ خیال آنے پر کمرے میں گھس گئی۔ اُس نے نہا کر کپڑے بدلے اور اپنے پھٹے کپڑے الماری میں لاک کے اندر چھپا دیئے۔

اُس کا سارا بدن زخمی تھا۔ جگہ جگہ خراشیں تھیں۔ اُس ظالم بے رحم نے اتنی سفاکی اور بے دردی کا مظاہرہ کیا کہ امن کا بدن ہی زخموں سے چُور نہیں تھا بلکہ اُس کی روح پر بھی شگاف سے پڑ گئے تھے۔ امن نے اچھی طرح دوپٹا اُوڑھ کر اپنی گردن چھپالی۔ فرقان کو فون کیا، وہ بھاگا چلا آیا۔ فرقان نے فاخرہ کو فون کر کے گھر آنے کا کہا تھا اور لبنیٰ کی بابت بتایا تھا۔

لبنیٰ ICU میں تھی بروقت طبی امداد مل گئی تھی۔ اُس کی حالت خطرے سے باہر تھی۔ فرقان نے امن اور فاخرہ کو فون کر کے بتایا تھا۔ فاخرہ اور صبا اپنے گھر سے کھانا پکا کر لائی تھیں۔ مگر امن نے ایک نوالہ بھی نہیں لیا تھا۔ ہنزلا اور حذیفہ کو زبردستی فاخرہ نے تھوڑا سا کھانا کھلایا تھا۔

فاخرہ پوری رات اُن کے پاس رہی تھی۔ فاخرہ خود بھی رو رہی تھی مگر روتے ہوئے بچوں کو ساتھ لپٹا لپٹا کر

دلاسا بھی دے رہی تھی۔

''بیٹا دعا کرو بس اپنی مما کے لیے۔ دعا تقدیر بدل دیتی ہے۔ فرقان بھائی کا فون آیا ہے نا۔ لبنیٰ ٹھیک ہے۔ خدا کا شکر ہے اُس کی جان بچ گئی۔'' وہ امن کو ساتھ لگائے کہہ رہی تھی۔ رحمان کے گھر فاخرہ کے آنے کی خبر نہ جانے کس نے پہنچادی تھی۔ اب اگر انہوں نے آنا بھی تھا تو وہ نہیں آئے تھے۔ منہ پھلا کر بیٹھ گئے۔ ابھی تو پچھلا غصہ ٹھنڈا نہیں ہوا تھا کہ فاخرہ کے میل جول نے جلتی پر تیل کا کام کیا تھا۔ ساری رات آنکھوں میں کٹ رہی تھی۔ نیند آنکھوں سے کوسوں دور تھی۔ اس گھر کے مکینوں پر کیسی افتاد آن پڑی تھی کہ وقت کاٹے نہیں کٹ رہا تھا۔

کیسا گھاؤ ڈال دیا تھا سجاد بلوچ نے۔ اپنا بن کر بہت کاری ضرب لگائی تھی۔ امن کا وقار، اُس کی نسوانیت کی اتنی تذلیل، کیا وہ اتنی ارزاں اور ہلکی تھی۔ وہ جلتے الاؤ میں دہک رہی تھی۔ مجبور اتنی کہ کسی سے اپنا دکھ بانٹ بھی نہیں سکتی تھی۔

''بیٹا ماں سے بڑھ کر کوئی غمگسار اور مخلص نہیں ہوتا۔ مجھ سے کچھ مت چھپایا کرو۔'' لبنیٰ کی آواز کی بازگشت امن کے دل کو چیر رہی تھی۔ اُس نے باہر کے لوگوں پر بھروسا کیا تھا الٹ پٹ گئی۔

''مما......'' امن باآواز بلند چیخی۔ اُس کی چیخ اتنی دلسوز تھی کہ فاخرہ بے اختیار رو دی۔

''بیٹا حوصلہ کرو مما ٹھیک ہو جائیں گی۔ بس دعا کرو۔'' فاخرہ نے اُس کا سر اپنے شانے سے ٹکا لیا۔

اُس نے اپنے اوپر خوش نصیبی کے سارے در اپنے ہاتھوں بند کر دیئے تھے۔ اب رو رہی تھی، تڑپ رہی تھی۔ وہ بہت سارے دکھوں کا بوجھ اٹھائے بیٹھی تھی۔ روح کے اندر ماتم ہو رہا تھا۔ وہ گلٹی فیل کر رہی تھی۔ وہ اپنی تباہی کی ذمہ دار خود کو گردانتی تھی۔ کون تھا اتنا درد شناس ماں کے سوا جو ماتم کناں روح کے غم جان سکتا۔ امن کا رونا کُرلانا، اُس کی دلسوزی، روح میں پھیلے سناٹے کون دیکھ سکتا تھا۔ صرف مما، صرف مما مگر وہ نہیں تھیں۔ کسی کے بس کی بات نہیں تھی کہ وہ امن کے ساتھ بیتے درد کو جان سکتا۔ سمجھ سکتا۔ کیسی انہونی ہوئی تھی، کیسا کرب جھیلا تھا۔ کیسی ہولناکی چھائی تھی امن کے تن بدن پر، صرف ماں جانتی تھی۔ ماں ہی جان سکتی تھی۔

''مما...... مما میں مر جاؤں گی۔'' وہ پھر دھاڑیں مار کر روئی تھی، جیسے کوئی مر گیا ہو کوئی مر ہی تو گیا تھا۔ جیتے جی مر گئی تھی امن فرقان، نہ زندوں میں رہی نہ مُردوں میں۔

سجاد بلوچ نے محبت کا دانہ ڈال کر اُس کا تن من گھائل کر دیا تھا۔ زخم زخم وجود لیے وہ روتی کُرلاتی تڑپتی، پچھتاوا اُس کی سانس روک دیتا، زخم خوردگی اُسے بلبلانے پر مجبور کر رہی تھی۔ جب جب زخموں سے ٹیسیں اٹھتیں اُس کا دم گھٹتا، درد ہی درد لامتناہی درد، اندر باہر پھیل گیا تھا...... زہر ہی زہر۔

○......❖......○

فاخرہ نے چائے دم پر رکھی حذیفہ اور ہنزلا کو ناشتے کے لیے جگانے اُن کے کمرے میں گئی۔ بچے فوراً اُٹھ بیٹھے مگر بسورنے لگے کہ اسکول نہیں جانا، مما کے پاس جانا ہے۔ مگر فاخرہ نے اُن کو بہلا پھسلا کر چپ کروایا اور اُن کو اٹھا کر واش روم میں بھیجا۔ اور خود بریڈ الماری سے نکالنے لگی۔ امن کو اُس نے نہیں جگایا تھا۔ وہ رات دیر

تک روتی رہی تھی۔ فاخرہ چاہ رہی تھی کہ وہ آرام کرلے۔

فاخرہ بچوں کو تیار کروا کے ناشتے سے فارغ ہو کر اسکول کے رکشے کا انتظار کرنے لگی۔ فاخرہ نے بچوں سے وعدہ کیا تھا کہ وہ شام میں اُن کو ساتھ لے کر ہوسپٹل اُن کی مما سے ملوانے ضرور لے کر جائے گی۔

رکشہ آگیا تھا۔ بچے چلے گئے تب دوبارہ کچن میں چلی گئی۔ اور اپنے لیے چائے بنانے لگی۔

صبا کو صبح صبح بشیراں آکر لے گئی تھی، فاخرہ کو اُمید تھی کہ لبنیٰ جلد ٹھیک ہو جائے گی۔ شکر ہے بشیراں کا بہت آسرا تھا کہ اُس نے فاخرہ کے بعد بھی گھر کو سنبھال رکھا تھا۔ فاخرہ نے سوچا کہ کیوں نہ امن کو بھی جگا دیا جائے تاکہ اکٹھے ناشتا ہو سکے یہی سوچ کر وہ امن کے کمرے میں چلی آئی۔

''امن بیٹا اٹھ جاؤ۔'' فاخرہ نے امن کے کندھے پر ہاتھ رکھا تو امن ہڑبڑا کر اُٹھ بیٹھی۔ اُس کا دوپٹا بیڈ کے نیچے لٹک رہا تھا امن کا ستا ہوا چہرہ، بے اختیار فاخرہ کی نظریں امن کے چہرے سے گردن اور گردن سے نیچے تک...... فاخرہ کی سانسیں تھم گئیں۔

''اوہ...... بیٹا یہ نشان کیسے ہیں؟'' فاخرہ امن کے پاس بیٹھ گئی، امن تھرا کر اپنا آپ سمیٹنے لگی اور اِس نے جیسے وحشت بھرے خوف میں گر کر اپنا دوپٹا اوڑھا فاخرہ دھک سے رہ گئی۔

''بیٹا......'' فاخرہ سے بولا ہی نہیں گیا۔ امن کی مشکوک حرکات نے اسے خطرے کا سگنل دیا کہ امن کے ساتھ کچھ برا ہوا ہے یا برا ہوتے ہوتے بچت ہو گئی ہے۔

''بیٹا کیا ہوا ہے مجھے بتاؤ میری جان، میں بھی تمہاری ماں جیسی ہوں۔'' فاخرہ کا اتنا کہنا تھا کہ امن کے اپنی ذات پر بندھے ہوئے سارے بند کھل گئے۔ اُسے اس وقت جذباتی سہارے کی ضرورت تھی اور وہ میسر آگیا تھا۔ بہت بوجھ تھا امن کے دل پر سانس بوجھل تھی۔

''آنٹی اُس نے مجھے بہت مارا، میرے ساتھ وحشیانہ سلوک کیا۔ بہیمانہ جانوروں جیسا، وہ درندہ تھا اُس نے میری عزت تار تار کر دی۔'' امن اپنے گھٹنوں پر سر رکھ کر رو دی۔ اُس کے سوز میں آہیں تھیں نوحے تھے۔

''کک...... کون تھا...... وہ ذلیل......''

''پتا نہیں۔''

''کیا مطلب وہ تمہیں جانتا نہیں تھا۔''

''میں اُسے جان نہیں پائی، اُس نے محبت کا جھانسا دے کر مجھے لوٹ لیا، مجھے کنگال کر دیا۔'' امن کی دبی دبی سسکیاں کمرے کی ساکت فضا میں اُبھرتی رہیں۔ فاخرہ کو اپنے سامنے بیٹھی لڑکی پر بہت ترس آیا۔ اُس کا دل اُس کی حالتِ زار پر کٹ رہا تھا۔ فاخرہ نے اُسے اپنے ساتھ لگا لیا دونوں تا دیر روتی رہیں۔

''میری مما کو اٹیک میری وجہ سے ہوا ہے۔ اُن سے میری اُجڑی حالت دیکھی نہیں گئی۔ میں مما سے کیسے نظریں ملا پاؤں گی۔ میں مر کیوں نہیں گئی۔ مجھے تو مر جانا چاہیے تھا۔'' امن بلک بلک کر کہہ رہی تھی۔ اُس کے الفاظ فاخرہ کے دل کی دنیا تہہ و بالا کر رہے تھے۔ اُس کا وجود جھٹکوں کی زد پر تھا۔ امن کا لرزتا کانپتا کامنی سا سراپا فاخرہ کی گرفت میں تھا۔ امن کا بدن آگ کی مانند جل رہا تھا۔

''بیٹا تمہیں تو بہت تیز بخار ہے۔'' فاخرہ کے پاس اَن گنت سوال تھے مگر وہ خاموش تھی۔ گہرے سمندر کی طرح۔ وہ کیا کہتی امن سے، جانتی تھی کہ امن احساسِ جرم میں مبتلا بے سکون ہے، کسی کل چین نہیں ہے اُسے، پھر ایسے میں وہ کیا کہتی۔ طنز کے تیر برساتی، اس کا جگر چھلنی کرتی مگر کس برتے پر، ایسی بے تکلفی تو کبھی بھی نہیں رہی اُن دونوں کے درمیان، ایک دوسرے کے گھر آنے جانے کی باوجود اک اجنبیت سی محسوس ہوتی تھی۔ اور ایسے حالات میں کوئی نصیحت بھی کس کام کی، تباہی تو ہو چکی تھی۔

''آنٹی بہت آگ لگی ہے میرے اندر، بھانبھڑ جل رہے ہیں۔ سب کچھ جل کر خاکستر ہو گیا۔ امن لٹ گئی، برباد ہو گئی۔ اندھے نفس کا طوفان سب کچھ بہا کر لے گیا۔''

''بیٹا میں کچھ کھانے کے لیے لے کر آتی ہوں پھر ٹیبلیٹ لے لو۔'' فاخرہ کیا کہتی وہ تو خود درد کی انتہا پر تھی۔

''مجھے کچھ نہیں کھانا۔ مجھے تڑپ تڑپ کر مر جانے دیں۔ میری موت بہت اذیت ناک ہونی چاہیے۔ مجھے مر جانا چاہیے۔'' امن نے مٹھیوں میں اپنے بال جکڑ کر نوچ ڈالے، فاخرہ کو رحم آ رہا تھا، ترس آ رہا تھا۔ امن کی ذہنی حالت ٹھیک نہیں تھی اور فاخرہ خود کو بہت بے بس محسوس کر رہی تھی۔

○.....❖.....○

فاخرہ نے زبردستی امن کو تھوڑا سا سلائس کھلایا تھا پھر ٹیبلیٹ دے کر ایک کپ چائے بنا کر دی۔ امن نے چند گھونٹ بھر کے کپ واپس پکڑا دیا۔ وہ رو رہی تھی تڑپ رہی تھی، اپنا سر شدت سے نفی میں ہلا رہی تھی۔ پھر وہ اپنا سر تکیے پر پٹخنے لگی، پٹختی رہی۔ وہ نظروں سے گر گئی تھی۔ وہ بھی اپنی ماں کے، وہ ذمہ دار تھی لبنیٰ کے ہارٹ اٹیک کی۔ اُس کا سانس ایسے اُکھڑ رہا تھا جیسے وہ جان کنی کے عالم میں ہو۔

فاخرہ ساکت سی یک ٹک امن کو دیکھے جا رہی تھی۔ امن کی گریہ زاری اُس کا ذہن اس وقت ایک ٹھٹھری سی کیفیت میں گم تھا۔ وہ امن کو کیا طفل تسلیاں دیتی۔

فاخرہ اُس کے پاس تھی بے دھیانی سے امن کو دیکھے جا رہی تھی امن کی آنکھوں کے نیچے ایک ہی دن میں کیسے حلقے پڑ گئے تھے۔ چہرہ برسوں کے مریض جیسا، فاخرہ کے دل سے ہوک نکلی۔ فاخرہ عاقل تھی۔ زمانے کے سب تلخ و شیریں رنگ دیکھ چکی تھی، جانتی تھی کہ ابھی امن نے بہت عرصہ رونا ہے آنکھوں سے خون کے آنسو بہنے تھے۔ اُس کے اعتماد کے نازک آبگینے چکنا چُور ہوئے تھے۔ امن ہچکیاں بھرتے بھرتے سو گئی، فاخرہ نے ہولے سے دروازہ بند کیا اور باہر نکل گئی۔

''کیا مجھے امن کے بخار کے متعلق فرقان بھائی کو بتانا چاہیے۔'' فاخرہ نے خود سے سوال کیا اور اپنے سیل فون پر فرقان کا نمبر ڈھونڈنے لگی مگر پھر کچھ سوچ کر رُک گئی۔

''نہیں وہ پہلے ہی پریشان ہیں، مجھے نہیں بتانا چاہیے۔ امن کی گردن پر نشان ہیں اور اُس کی ذہنی حالت بھی ٹھیک نہیں۔ خود اذیتی کا شکار ہے وہ۔ مجھے امن کے زخم مندمل کرنے چاہئیں، سب خود دیکھنا چاہیے۔ کسی کو خبر نہ ہو فرقان بھائی کو بھی نہیں۔''

''بازار جاتی ہوں۔ وہاں سے کریم لے کر آتی ہوں اور امن کے زخموں پر لگاتی ہوں، آتے ہوئے سبزی

بھی لیتی آؤں گی۔'' وہ خود سے ہی باتیں کرتی کمرے میں گئی۔ امن بے سدھ سو رہی تھی۔ فاخرہ نے پیار سے اُس کے گال کو تھپتھپایا اور پرس لے کر باہر نکلی۔ فاخرہ نے گلی کا دروازہ لاک کیا اور لمبے لمبے ڈگ بھرتی آگے بڑھتی رہی۔ اُس کا رخ بازار کی طرف تھا۔

○......❖......○

''ہیلو عروا کیسی ہیں آپ۔'' نایاب لودھی اچانک ہی سامنے آ گیا۔ عروا ایک لمحے کے لیے گھبرا گئی۔ نایاب سے اُس کی کچھ خاص بے تکلفی تو نہیں تھی کبھی کبھار دعا سلام ہو جاتی تھی۔

''جی ٹھیک ٹھاک، آپ سنائیں۔'' عروا مدہم لہجے میں بولی۔ سنا تھا نایاب لودھی کسی وڈیرے کا بیٹا ہے۔ بڑی سی جیپ میں کالج آیا کرتا تھا۔ کچھ لوگ مرعوب تھے اور کچھ اُس سے خائف، وجہ اُس کی حرکتیں تھیں۔

''میں بھی فائن، اتنے دن سے کالج نہیں آ رہی تھیں، خیریت۔'' عروا جو اپنی کلاس میں جانے کے لیے پر تول رہی تھی نایاب کی بات پر ٹھٹکی، اُس نے عروا کی غیر حاضری کو محسوس کیا۔ مگر کیوں۔

''میری دادی کی ڈیتھ ہو گئی تھی تو......'' اُس نے قدم آگے بڑھائے۔ مگر اُسے رُک جانا پڑا۔

''اوہ ویری سیڈ، بہت دکھ ہوا۔'' عروا چڑ گئی۔ نایاب اُسے کیوں اہمیت دے رہا تھا بلا وجہ۔

''بس......'' عروا نے بس کو لمبا کھینچا اور جان چھڑانی چاہی۔

''امن بھی نظر نہیں آ رہی۔'' عروا نے حیرت سے اپنے پاس کھڑے نایاب کو دیکھا۔ یہ آج اسے کیا ہو گیا۔

''پتا نہیں۔'' عروا نے اُکتاہٹ سے کہا اور بھاگ کھڑی ہوئی نایاب نے متبسم نگاہوں سے جاتی ہوئی عروا کو دیکھا اور پھر اپنی پاکٹ سے سیل فون نکال کر کوئی نمبر پریس کرنے لگا۔

ضویا عروا کو دیکھ کر لپک کر آئی اور اِس کے گلے لگ گئی۔ امن کا پوچھا تو عروا نے کندھے اُچکا کر لاعلمی کا اظہار کیا۔ ضویا نے اُس کی دادی کا افسوس کیا۔ عروا ہوں ہاں کرتی رہی۔ حیرت ہے سارے زمانے کو اُس کی دادی کا افسوس ہے مگر اُسے نہیں تھا۔ پتا نہیں کیوں نہیں تھا۔ ذرا بھی نہیں تھا۔

''امن بھی نہیں آ رہی تھی، تم بھی نہیں، وقت گزارے نہیں گزر رہا تھا۔'' عروا اور ضویا کلاس لے کر ابھی کلاس روم سے نکلی تھیں اور ہری بھری گھاس والے گراؤنڈ میں آ کر بیٹھ گئیں۔ جاتی گرمیوں کے دن تھے درمیانہ سا موسم تھا۔

''بس یار تم تو سارے واقعہ کی چشم دید گواہ ہو، جس طرح فرقان چاچو نے صبا کو اپنی پدرانہ شفقت سے پی سی کے ہال میں نوازا، وہ میرے بابا سے برداشت نہیں ہوا اسی لیے۔''

''کیا اسی لیے۔''

''اسی لیے۔ اس بات کو وجہ بنا کر بابا نے فرقان چاچو سے قطع تعلق کر لیا اب ہم ایک دوسرے کے گھر نہیں جاتے، میں خود بچپن سے امن کے ساتھ کی عادی ہوں مگر۔''

''تمہارے بابا نے ایسا کیوں کیا۔'' ضویا نے تاسف سے ابرو اُچکا کر پوچھا۔

''پتا نہیں یار، میرے بابا صبا کی مما کو ناپسند کرتے ہیں۔''

''مگر کیوں، فاخرہ آنٹی تو بہت اچھی خاتون ہیں سراپا محبت۔'' ضویا کو کرید لگ گئی۔

''ضویا مجھے کچھ نہیں پتا، بس ہم بچپن سے یہی سنتے آئے ہیں کہ وہ اچھی عورت نہیں ہیں میرے بابا نے اُن کا بائیکاٹ کر رکھا تھا۔ تب تک فرقان چاچو بھی میرے بابا کے حامی تھے مگر اب صبا کو دیکھ کر اُن کا دل پلٹ گیا مائل ہو گیا۔''

''تمہارے بابا ایسا کیوں کر رہے ہیں۔ ایسا کون سا گناہ سرزد ہو گیا فاخرہ آنٹی سے۔''

''پتا نہیں یار، مجھے تو تائی فاخرہ اور اُن کے بچے بہت پیارے لگتے ہیں۔ میرا بہت دل کرتا ہے اُن سے ملنے کو، بات کرنے کو مگر بابا نہ جانے کیوں خار کھاتے ہیں اُن سے۔''

''تمہارا دل کرتا ہے صبا زمان سے ملنے کو۔'' ضویا نے اُس کی آنکھوں میں جھانکتے ہوئے کہا۔

''ہاں بہت......'' عروا کی آنکھیں چمکنے لگیں۔

''ٹھیک ہے میں تمہیں صبا زمان سے ملواؤں گی۔''

''رئیلی......آر یُو شیور......'' عروا کی آنکھوں کی چمک کئی گنا اور بڑھ گئی۔

''مگر کیسے......؟''

''یہ تم مجھ پر چھوڑ دو ڈارلنگ۔'' ضویا نے عروا کے گال پر چٹکی کاٹی۔

''ہاں یاد آیا ضویا جب ہم لاہور گئے تو بابا نے فروا کی ضد پر اُسے مرسڈیز دلوائی مگر اگلے ہی دن وہ اکیلی لاہور گھومنے نکل کھڑی ہوئی راستے میں ڈاکوؤں نے اُس سے گاڑی چھین لی۔ اب اُس نے رٹ لگائی ہوئی ہے کہ اُسے دوبارہ گاڑی چاہیے۔'' عروا غصے سے بولی اور نخوت سے سر جھٹکا۔

○......❖......○

وہ یک ٹک چھت کو گھورے جا رہا تھا۔ اُس کی آنکھوں میں دھندلا سا تاثر تھا۔ ہراساں سا کسی نادیدہ نقطے پر نگاہیں ٹکائے، بے جان سا لیٹا تھا۔ اُس کی دونوں ٹانگیں سیدھی پڑی تھیں۔ اُس کے دونوں بازو کٹے ہوئے شہتیر کی مانند پہلو میں گرے پڑے تھے اُس کا لاغر سا چہرہ کسی بھی قسم کے تاثرات سے عاری تھا خالی اور سپاٹ' کمزور سا چہرہ۔

''کیا صورتِ حال ہے ڈاکٹر۔'' کسی نوجوان مرد کی آواز قریب سے ابھری تھی اُس چت لیٹے وجود میں خفیف سی جنبش ہوئی آواز مانوس سی تھی۔ کس کی تھی۔ پتا نہیں۔

''اب بہتر ہو رہے ہیں آہستہ آہستہ۔'' ڈاکٹر کی شفیق آواز بالکل پاس سے سنائی دی تھی۔ اُس کا خوابیدہ سا ذہن نیند کی حدوں کو چھو رہا تھا۔ مگر دل میں طلب اُٹھ رہی تھی، دیکھنے کی' اُس نوجوان کو۔ جس کی آواز سنی سنی لگ رہی تھی مگر کہاں۔ یہ اُس کا ذہن اُسے نہیں بتا رہا تھا۔ وہ اب ہلکی آواز میں ڈاکٹر سے کچھ پوچھ رہا تھا یا بتا رہا تھا کچھ سمجھ نہیں آ رہی تھی اُس نوجوان اور ڈاکٹر کی آواز دور ہوتی جا رہی تھی۔ ہلکی سی بھنبھناہٹ ہو جیسے۔ اور اُس کا ذہن نیند کی وادیوں میں اُترتا جا رہا تھا پُرسکون میٹھی نیند۔

○......❖......○

فاخرہ نے امن کے زخموں پر مرہم لگایا۔ وہ ابھی تک سو رہی تھی۔ پھر فاخرہ نے کدو گوشت بنایا۔ وہ اُس وقت روٹیاں پکا رہی تھی، جب ہنزلا اور حذیفہ بھی آ گئے۔ فاخرہ نے روٹیاں ہاٹ پاٹ میں رکھیں اور الماری سے ہنزلا حذیفہ کے کپڑے نکالنے لگی۔

تبھی دروازے پر دستک ہوئی، فاخرہ نے دروازہ کھولا صبا، فضا، اسوہ اور اسد سامنے کھڑے تھے۔ فاخرہ کا دل خوش ہو گیا۔ بچے جھجکتے ہوئے اندر آ گئے۔ برسوں کی دوری، قربت بنی تھی تو جھجک جاتے جاتے ہی جاتی، فاخرہ نے دروازہ بند کیا تو باری باری سارے بچے فاخرہ سے لپٹے اور 'مس یو مما' کہا۔

فاخرہ اپنے دونوں بازوؤں کے گھیرے میں لے کر اُن کو ٹی وی لاؤنج میں لے آئی۔ ہنزلا حذیفہ فریش ہو چکے تھے۔ دونوں جھینپے جھینپے سے آگے بڑھے اور سب سے باری باری ملنے لگے۔

سب نے مل کر اکٹھے کھانا کھایا۔ بچے ابھی آپس میں بے تکلف نہیں تھے صبا بڑی بہنوں کی طرح سب سے پیش آ رہی تھی۔ بشیراں اُن کو چھوڑ کر گئی تھی دروازے تک، جیسے ہی وہ اسکول سے آئے کپڑے بدلتے ہی مما، مما کرنے لگے اس لیے بشیراں اُن کو چھوڑ گئی تھی۔

''مما امن آپی کہاں ہیں۔'' صبا نے اِدھر اُدھر دیکھ کر پوچھا۔

''طبیعت ٹھیک نہیں ہے اُس کی لبنیٰ کی وجہ سے ڈپریس ہے۔''

''مما میں دیکھوں امن آپی کو۔'' صبا نے اجازت طلب نظروں سے فاخرہ کو دیکھا۔

''نن......نہیں بیٹا۔ امن ساری رات کروٹیں بدلتی رہی ہے اُسے تھکن اور بے آرامی کی وجہ سے بخار ہو گیا ہے، دوائی کھا کر سوئی ہے اُسے آرام کی ضرورت ہے۔''

''جی مما۔'' صبا نے تابعداری سے کہا فاخرہ کا دل بھر آیا نہ جانے کیوں۔

''چائے بناؤں آپ کے لیے۔'' صبا نے فاخرہ کے کندھے دباتے ہوئے کہا۔

''ہاں بنا دو اور فضا بیٹا تم ہنزلا حذیفہ کے یونی فارم سرف میں بھگو دو، میں برتن سمیٹ کر یونی فارم دھوتی ہوں۔'' فاخرہ نے کہا تو دونوں بہنوں نے ایک دوسرے کو دیکھا۔

''مما میں کچن سمیٹ لیتی ہوں فضا یونی فارم دھو دیتی ہے آپ آرام کر لیں۔'' صبا نے کہا تو فاخرہ نے باری باری اپنی بچیوں کو دیکھا یہ اس کی بیٹیاں تھیں سعادت مند، احساس سے بھرا دل رکھنے والی اللہ تعالیٰ نے اُن کو ہدایت سے نواز دیا تھا تو پھر جسے اللہ صراطِ مستقیم پر چلا دے اُسے کون گمراہ کر سکتا ہے۔ چھوٹے چاروں بچے کارٹون لگا کر بیٹھ گئے۔ فاخرہ آرام کی غرض سے امن کے پاس جا کر لیٹ گئی۔

فضا نے ٹب میں کپڑے بھگوئے پھر اچھی طرح دھو کر پھیلا دیئے۔ صبا نے چائے بنا کر فاخرہ کو دی۔ پھر سنک میں پڑے سارے برتن دھو کر خشک کیے، گیلے کپڑے سے سلیب صاف کیے کچن میں جھاڑو لگا کر پوچا لگایا۔ اسی دوران ہنزلا حذیفہ کے قاری صاحب آ گئے۔ ہنزلا حذیفہ کے ساتھ ہی اسوہ اور اسد بھی ڈرائنگ روم میں چلے گئے جہاں قاری صاحب بیٹھے تھے۔

بچوں نے کمرے کی حالت ابتر کر ڈالی تھی۔ صبا نے بیڈ سے نیچے لڑھکتی چادر کو کھینچا جھاڑا اور پھر بیڈ پر بچھا

دیا۔ صوفوں کو جھاڑ اکشن برابر کیے کمرے میں جھاڑو لگا کر پوچا لگا دیا۔

سارا کام ہو چکا تھا دونوں بہنیں چھت پر چلی گئیں۔ چند ثانیہ بعد ہی اُن کو قدموں کی چاپ سنائی دی تھی۔ سیڑھیاں چڑھ کر کوئی اوپر آ رہا تھا مگر آہستہ آہستہ۔ پھر آہٹ قریب ابھری۔

''امن آ...... پی...... کیسی طبیعت ہے اب آپ کی۔'' دونوں نے آگے بڑھ کر محبت سے پوچھا۔

''بس ٹھیک...... مما کی وجہ سے......'' وہ سسکی۔

''آنٹی ٹھیک ہو جائیں گی ان شاء اللہ، آپ فکر مت کریں۔'' اپنے سے دو تین سال بڑی لڑکی کو صبا اتنی عزت سے بلا رہی تھی، امن حیران تھی اور حیرت سے صبا کو دیکھتی رہی، اتنی مکمل حسین لڑکی، چہرے پر بلا کی نرمی، اونچی لمبی، گوری چٹی، بولتی پُرکشش آنکھوں والی۔

''فضا میرا خیال ہے کپڑے سوکھ گئے ہیں۔''

''نہیں ابھی نمی سی ہے کپڑوں میں۔''

''فضا کپڑے نم ہوں تو بہت اچھے پریس ہوتے ہیں، جاؤ لے جاؤ آؤ پریس کر کے رکھ دو۔''

''جی اچھا۔'' صبا کے کہتے ہی فضا تار سے ہنزلا حذیفہ کے کپڑے اُتار کر نیچے چلی گئی۔ امن پھر حیرت زدہ رہ گئی صبا کا انداز حکمیہ نہیں تھا مگر فضا نے فوراً بات مانی تھی۔ بغیر ناک بھوں چڑھائے بغیر بحث و تکرار کیے۔ اور وہ...... وہ تو مما کی بات پر بھی چوں چرا کرتی تھی حیلے بہانے بنانا۔ تاویلیں گھڑنا اور یہ بہن ہو کر بہن کی اتنی بات مانتی ہے۔

''آپی آپ پریشان نہ ہوں دعا کریں آنٹی کی صحت کے لیے۔'' صبا نے ساکن کھڑی امن کا ہاتھ پکڑا۔

''دعا......'' امن کے لب پھڑپھڑائے اور وہ واضح لڑکھڑائی صبا نے اُسے تھام کر پاس رکھی کرسی پر بٹھایا۔ امن نے آسمان کی طرف دیکھا۔ شام کے دھندلکے میں پرندوں کی چہچہاہٹیں سنائی دیں۔ پرندے قطار در قطار محو پرواز تھے اپنے آشیانوں کی طرف، اتفاق و یگانگت قطار ٹوٹنے نہیں دے رہی تھی۔ امن دونوں ہاتھوں میں سر گرا کر سسکنے لگی۔ اُس نے بھی تو اتنی اونچی اُڑان بھری تھی اور جب بے دم ہو کر گری تو زمین کا بوجھ بن چکی تھی۔

وہ ایسے سفر پر گامزن ہو کر پاؤں فگار کر بیٹھی جس کی کوئی منزل ہی نہیں تھی۔ انسان جب خاص طور پر لڑکیاں ماؤں سے بڑھ کر باہر کے لوگوں پر بھروسہ کرتی ہیں تو آبلہ پائی اُن کا مقدر بن جاتی ہے۔ نارسائی کا درد تمام عمر پشیمانی اور رنج والم میں مبتلا رکھتا ہے۔ لاحاصل خواہشیں، خورد و خواب، بے مقصد محبت کا سفر، ناکامی و بدنامی۔

''ہاں امن آپی آپ دعا کریں۔'' امن چونکی کسی خواب سے بیدار ہوئی۔

''میری دعا قبول نہیں ہوگی، اچھی لڑکیوں کی دعا قبولیت کا درجہ پاتی ہے۔''

''آپ تو بہت اچھی ہیں امن آپی۔'' امن نے ہنکارا بھرا جیسے خود اپنا مضحکہ اُڑایا۔

''صبا تم نے کبھی اپنی مما سے جھوٹ بولا۔''

''نہیں کبھی نہیں، اور نہ ہی کبھی بولوں گی ان شاء اللہ۔'' صبا نے مضبوط لہجے میں کہا تبھی صبا کے سیل فون کی مدھرسی بیل ہوئی۔ نیہات ضمیر کی کال تھی۔ صبا کچھ دیر اُس سے بات کرتی پھر خدا حافظ کہہ کر فون بند کر دیا۔ صبا نیہات کی اکیڈمی میں جاب کرنا چاہ رہی تھی۔ اسی سلسلے میں بات ہوئی تھی۔

''صبا تم اپنی مما سے چوری بات کرتی ہو نیہات سے۔''

''ارے میں چوری بات کیوں کروں گی چوری تو چھپ کر وہ کام کیا جاتا ہے جو غلط ہو۔'' وہ پُر اعتماد تھی۔ اچھی تھی ذہین تھی، اپنی قابلیت کی دھاک بٹھا چکی تھی۔ حد سے زیادہ خوبصورت و دلکش، توجہ کھینچ سکتی تھی۔ کتنی بلندی پر کھڑی تھی صبا زمان۔ صبا زمان فاخرہ کی جیت تھی۔ کامیابی کا راستہ تھی۔ فاخرہ کا مان تھی، ناز تھی وہ اپنی ماں جیسی تھی۔ لوگوں کا، زندگی کا ادب کرتی تھی تو بھلا زندگی صبا زمان کی بے ادبی کیسے ہونے دیتی، کچھ لوگوں نے فاخرہ کی زندگی کی بے ادبی کا گناہ کیا تھا اور اللہ بے نیاز ہے عزت دینے والا، ڈھک لینے والا۔

''ارے میں سارے گھر میں تم لوگوں کو ڈھونڈ رہی ہوں تم لوگ یہاں بیٹھے ہو۔'' فاخرہ بھی اوپر چلی آئی تھی۔ صبا اُسے نیہات کی کال کے بارے میں بتانے لگی۔

''بیٹا تمہاری پڑھائی کا حرج ہو گا تم رہنے دو پڑھانا وغیرہ۔''

''مما میں پڑھائی دل لگا کر کروں گی، آپ انکار نہ کریں پلیز۔'' صبا فاخرہ کے گلے لگی ملتجی لاڈ بھرے لہجے میں بولی تو فاخرہ ہونٹ بھینچ کر اثبات میں سر ہلانے لگی اور صبا نے فرطِ جذبات سے فاخرہ کے گال چوم لیے۔ امن پھر انگشت بدنداں ساکت سی رہ گئی۔ کہاں دیکھے تھے اُس نے ایسے محبت کے مظاہرے، لبنیٰ کی بات کو درخورِ اعتنا نہ جاننا، ایک کان سے سن کر دوسرے سے اُڑا دینا، ہر نصیحت و سرزنش پر بے توجہی سے بات سننا اور بے زار ہو کر سر جھٹکنا امن کا وتیرہ رہا تھا۔

''صبا میں حنزلا اور حذیفہ کو ہاسپٹل لے کر جا رہی ہوں میں نے اُن دونوں سے وعدہ کیا تھا۔ تم آٹا گوندھ لینا میں آ کر روٹیاں بنا لوں گی۔''

''جی مما ٹھیک ہے۔'' امن پھر سسکیاں بھرنے لگی اُسے اپنا ہر جھوٹ یاد آ رہا تھا۔ اپنی سازشیں اپنی دھوکا بازی جو وہ اپنی مما سے کرتی رہی تھی۔ خسارہ ہی خسارہ، ایک بار پھر وہ ٹوٹ ٹوٹ کر رودی صبا اُسے ایک ماں کی طرح سنبھالتی رہی۔ امن خود کو بہت میلا گندا اور ارزاں محسوس کر رہی تھی۔ کم مائیگی کا جان لیوا احساس اُسے کچوکے لگا رہا تھا۔ پچھتاوا ایک کسک ایک چبھن بن کر امن کو کاٹ رہا تھا۔ اندر اندر بہت گہرائی میں۔

○......❖......○

ضویا اور عروا کینٹین میں ایک ہاتھ میں برگر اور دوسرے ہاتھ میں پیپسی کا ٹن تھامے بری طرح باتوں میں مگن تھیں تبھی اُن کو کچھ عجیب سا شور سنائی دیا۔ اُن دونوں نے نافہمی کے عالم میں ایک دوسرے کو دیکھا اور پھر اپنی باتوں میں گم ہو گئیں، پھر کچھ آوازیں اُبھریں تو دونوں اُٹھ کھڑی ہوئیں۔ ویسے بھی اُن کا کھانے پینے کا شغل ختم ہو چکا تھا۔ ابھی کینٹین میں رش نہیں تھا۔ کلاسز ہو رہی تھیں۔ وہ دونوں اپنی کلاس بنک کر کے اِدھر آ نکلی تھیں وہ دونوں لمبی راہداری عبور کرنے کی بجائے دوسری طرف کو نکل پڑیں۔ سامنے نایاب لودھی سیل فون کان سے

لگائے کھڑا تھا اور سامنے نیہات ضمیر کھڑا تھا۔

''نایاب آپ کلاس میں چلو۔'' نیہات مؤدب سا کھڑا کہہ رہا تھا۔

''اور اگر نہ جاؤں تو۔'' وہ تنک کر بولا۔

''پلیز آپ فون بند کریں آپ جانتے ہیں کہ کالج میں اجازت نہیں ہے کالز کرنے کی۔''

''میں کروں گا کال، کون روک سکتا ہے مجھے۔'' وہ برہم ہوا۔

''ٹھیک ہے میں پھر سر کاشف سے کہہ دیتا ہوں کہ آپ ڈسپلن کا خیال نہیں رکھتے۔ کلاس ٹائم میں فون پر بزی رہتے ہیں۔ ظاہر ہے جب آپ مجھے، سی آر کو جھٹلا رہے ہیں تو مجبوری ہے۔''

''اوکے ڈونٹ ڈسٹرب می، مداخلت کرنے کی قطعاً کوئی ضرورت نہیں ہے میری ذاتیات میں۔ مسٹر سی آر اپنی اوقات میں رہو تو زیادہ بہتر ہے۔'' نایاب نے چبا چبا کر سلگتے لہجے میں کہا اور نگاہیں گویا گڑ کر رہ گئیں تھیں نیہات ضمیر کی آنکھوں میں۔ ضویا اور عروا واپس پلٹ آئیں تھیں۔

''مجھے تو بہت برا لگتا ہے نایاب لودھی، بدتمیز، چھچھورا، خبطی۔'' ضویا نے کہا۔

''ہاں بس ہر وقت سیل فون کو کان سے چپکائے رہتا ہے۔ ہزاروں کی تعداد میں گرل فرینڈز بنا رکھی ہیں۔ فلرٹ کہیں کا، وڈیرے کا بیٹا ہے من مانی کرنا اپنا حق سمجھتا ہے جیسے یہ کوئی کالج نہیں بلکہ اس کے باپ کی جاگیر ہو، جہاں وہ اپنی مرضی سے دندناتا پھرے کوئی پوچھے گا نہیں۔'' عروا نے بھی تنفر سے کہا۔

''بگڑا ہوا امیر زادہ۔'' ضویا نے اپنی ناک غصے سے پھیلا کر ہنکارا بھرا تبھی انہوں نے نیہات ضمیر کے ساتھ سر کاشف کو دیکھا وہ دونوں ایک دوسرے کو دیکھنے لگیں۔

نیہات ضمیر سُلجھا ہوا ٹھنڈی طبیعت کا لڑکا تھا۔ بدتمیزی کرنا لڑائی جھگڑے اُس کی فطرت کا حصہ نہیں تھے۔ اس لیے وہ نایاب جیسے لوگوں کے منہ نہیں لگتا تھا۔ سی آر ہونے کی وجہ سے اپنی کلاس پر اُس کا ہولڈ تھا۔ سب بوائز اور گرلز اُس کی بات مانتے تھے۔ بس نایاب لودھی کبھی کبھی اکڑتا تھا مگر آج تو حد ہوگئی تھی۔

نایاب لودھی نے سر کاشف کے ساتھ بھی مس بی ہیو کیا تھا اور اُن کی بات ماننے سے انکار کر دیا تھا۔ ہٹ دھرمی کی انتہا ہوگئی تھی کہ نایاب کسی کو خاطر میں ہی نہیں لا رہا تھا، پرنسپل کو بھی نہیں۔

سر کاشف نے نایاب کو تھپڑ جڑ دیا وہ جو پہلے ہی ہٹیلے پن کا مظاہرہ کر رہا تھا اب تو ہتھے سے ہی اکھڑ گیا۔ مشتعل ہو کر گالی گلوچ بکنے لگا۔ گرلز اور بوائز نے دانتوں میں انگلیاں داب لیں۔

ایسی بے شرمی اور ڈھٹائی پہلے کبھی بھی دیکھنے میں نہیں آئی تھی۔

اس لیے ٹیچرز کو بھی شاک لگا تھا۔ شدید قسم کا احتجاجی رویہ نایاب نے اپنا رکھا تھا۔ وہ انتہائی غیض و غضب کی تصویر بنا بکواس کیے جا رہا تھا۔ جو منہ میں آ رہا تھا کہے جا رہا تھا۔

سر کاشف نے مجمع کی صورت اکٹھے ہوئے طلبہ و طالبات کو اپنی اپنی کلاسز میں جانے کا اشارہ کیا سب نے فوراً ہی کلاسز کی طرف دوڑ لگا دی مجمع چھٹ گیا۔

○……❖……○

نایاب لودھی کو کالج سے نکال دیا گیا تھا کیونکہ اُس نے کالج میں بنائے گئے قوانین کی خلاف ورزی کی تھی اور بجائے شرمندہ ہو کر اپنے اساتذہ کی بات ماننے کے، اوپر سے بدتمیزی کی، کالج میں ہنگامہ کیا۔

اگلے دن وہ دیدہ دلیری سے پھر چلا آیا مگر اسے کلاس میں گھسنے نہیں دیا گیا تو وہ ہاتھا پائی پر اُتر آیا۔ وہ زبردستی کلاس میں بیٹھنا چاہ رہا تھا، کوئی حد تھی ڈھٹائی کی بھلا۔ کوئی لحاظ و مروت نہیں۔ کوئی احترام نہیں، منہ پھاڑے جو دل میں آتا، کہے جا رہا تھا۔ اُس کے گھر پرنسپل نے فون کیا تھا اور پھر نایاب کی ماں کالج آئی تھی اور آتے ہی گلا پھاڑ پھاڑ کر جو اُس نے بددعائیں اور کوسنے دینے شروع کیے سب ٹیچرز حیرت سے اُس آدھی تیتر آدھی بٹیر عورت کو دیکھنے لگے۔ جیسے تمیز و تہذیب چھو کر بھی نہیں گزرے تھے۔

موٹی بھدی عورت دوپٹے سے بے نیاز تنگ کپڑوں میں پھنسی ہوئی تھی۔ ماڈرن بننے کی کوشش میں وہ کیسی مضحکہ خیز چیز بن گئی تھی، وہ یقیناً قطعی بے خبر تھی...... یا اُسے پروا نہیں تھی۔

وہ جاہل عورتوں کی طرح ہاتھ ہلا ہلا کر اپنی امارت کا مظاہرہ کر رہی تھی۔ چیخ چیخ کر بتا رہی تھی کہ اُن کی کتنے مربعے زمین ہے اور یہ کہ اُن لوگوں کے ہاتھ کتنے لمبے ہیں۔ نایاب کو کالج سے نکالنے کی صورت میں پرنسپل اور کالج کے متعلقہ عملے کے ساتھ کیا کیا کروایا جا سکتا ہے۔

’جیسی کوکو...... ویسے بچے......‘ سب کو سمجھ آ چکی تھی۔ نایاب شتر بے مہار تھا اور کیوں تھا اب اُس کی ’ماڈرن‘ مما کو دیکھ کر اساتذہ ہی نہیں گرلز و بوائز بھی اچھی طرح جان چکے تھے۔ سب لڑکیاں ہونٹوں پر ہاتھ جمائے جھینپی جھینپی ہنسی ہنس رہی تھیں اور عروا کی ہنسی تو رُک ہی نہیں رہی تھی۔

نایاب کی مما کی حرکتیں ایسی تھیں کہ عروا کے اندر سے قہقہوں کے فوارے پھوٹ رہے تھے۔ مگر ضویا کے ٹہوکے اور مسلسل گھوریاں عروا کو خود پر ضبط رکھنے پر مجبور کر رہے تھے۔

جیسے ہی نایاب اور اُس کی ماں کی گاڑی کالج گیٹ سے باہر نکلی تو سب نے جیسے جھرجھری سی لی۔ سارے مجمع پر سناٹا سا چھایا رہا تھا۔ اب سارا ہجوم منتشر ہو گیا، اساتذہ کے وہاں سے ہٹتے ہی سب بولنے لگے۔ کوئی کچھ کہہ رہا تھا کوئی کچھ۔ عروا بس دل کھول کر ہنسے جا رہی تھی۔ ہنستے ہوئے سر آگے کی جانب جھکائے بے حال ہو رہی تھی۔

”بس کر و یار، کیا ہو گیا ہے، پاگل ہو گیا۔“ ضویا نے خفگی سے عروا کو دیکھا جس کی آنکھیں پانیوں سے لبریز ہو کر چھلک رہی تھیں۔ وہ تا حال ہنسے جا رہی تھی۔

”وہ نایاب کی مما...... اُووف...... اپنے آپ کو دنیا کی امیر ترین ہستی سمجھ رہی تھی۔ اُن کو ہم سب، ہمارے اساتذہ اپنے سامنے کیڑے مکوڑے لگ رہے تھے۔“

”اور لگ کیسی رہی تھیں، مما تو لگ ہی نہیں رہی تھیں۔ ضویا بولی۔

”مطلب! مما نہیں لگ رہی تھیں۔“ عروا نے سوالیہ نگاہیں ضویا پر جما دیں۔

”کرائے پر خریدی ہوئی نقلی مما لگ رہی تھیں، جیسے فلموں میں ہیرو کسی بھی ایمرجنسی کی صورت میں ایک عدد مما رینٹ پر لے لیتا ہے، جو اپنا کردار نبھا کر چلی جاتی ہے۔“

''ویری فنی۔'' عروا نے ہاتھوں کی پشت سے اپنی گیلی آنکھیں رگڑیں۔

''اور کیا مائیں تو سادہ سی اچھی لگتی ہیں، اپنے بچوں کو غلط کاموں پر سرزنش کرنے والی روکنے والی، نہ کہ نایاب کی مما کی طرح بڑھ چڑھ کر حمایت کرنے والی، ایسی مائیں قابلِ نفرت ہوتی ہیں جو بچوں کی اصلاح کی بجائے اُن کی حوصلہ افزائی کرتی ہیں۔'' ضویا کو حقیقتاً دکھ ہوا تھا اور ایسی ماں کو دیکھنا بھی اُس کی زندگی کا پہلا اتفاق تھا۔

''ویسے ضویا ایک بات ہے، نایاب کی مما اِس وقت بہت خوش ہوں گی، اور اپنی خوشی کا اظہار بہت ہی زعم بھرے انداز میں اپنے افرادِ خانہ کے سامنے کر رہی ہوں گی، مثلاً وہ کہہ رہی ہوں گی ارے میں نے بھی کالج والوں کو ایسی بے نقط سنائیں ایسی ...... ایسی کہ مانو سب کو سانپ ہی سونگھ گیا۔ بولتی بند ہوگئی۔ پورے کالج پر سناٹا چھا گیا۔ کسی کی ہمت ہی نہیں ہوئی کہ کوئی چوں چرا کر سکے۔'' عروا نے چہرے کے زاویے بگاڑ بگاڑ کر اُس عورت کی نقالی کرنے کی کوشش کی، ضویا بے ساختہ ہنسی عروا کی اس حرکت پر۔

''ہاں خوش فہمی میں مبتلا ہوں گی وہ محترمہ کہ اُن کے رعبِ حسن سے مرعوب ہو کر سب گونگے کا گڑ کھا کر کھڑے اُن کا منہ تکتے رہے اور اُن کی فصیح و بلیغ گفتگو سنتے رہے۔''

''اور وہ اپنی زمینوں کی مربعوں کی یوں بڑھکیں مار رہی تھیں جیسے کھڑے کھڑے سارے اساتذہ کو خرید کر اپنا غلام بنا سکتی ہیں، اُن کو ایک بار بھی ندامت محسوس نہیں ہوئی۔ انہوں نے ایک بار بھی اپنے بیٹے کی غلطی نہیں مانی، ایسی ماؤں کا اپنی اولاد کو خراب کرنے میں بہت ہاتھ ہوتا ہے عاقبت نااندیش عورت۔''

ایسی بات ضویا ہی کر سکتی تھی۔ عروا کے بس کی بات کہاں ایسی گفتگو کرنا، اُس کے تو اپنے گھر میں بہت بدنظمی تھی۔ سب اپنی اپنی من پسند زندگی گزار رہے تھے۔ سب نے یہ موٹو اپنا رکھا تھا 'جیسے چاہو جیو' اور گھر کی سرپرست ماں ہی جب حد درجہ لاپروا اور بے خبر ہو گھریلو ذمہ داریوں سے۔ تو اولاد کے تو پھر کیا کہنے۔

کالج کے اساتذہ عجیب تناؤ کا شکار ہو کر رہ گئے تھے۔ ایسی اول فول بکتی عورت کو وہ جواباً کیا کہتے جبکہ وہ کچھ سننے پر آمادہ بھی نہیں، اونچی آواز میں اپنا ہی راگ الاپ کر چلی گئیں، ہوا تو کچھ بھی نہیں، بات وہیں کی وہیں تھی نایاب کو کالج سے نکال دیا گیا تھا۔

O......❖......O

لبنیٰ گھر آ گئی تھی۔ اُس کی طبیعت اب بہتر تھی مگر ایک چپ اُس کے ہونٹوں پر قفل کی مانند لگ چکی تھی۔ بستر پر لیٹی چھت کو تکتی رہتی، آنکھیں ہر ایک کو بے گانگی سے دیکھتیں، ایسا لگتا تھا جیسے لبنیٰ کی آنکھیں پہچان کے سارے رنگ کھو چکی ہوں بے تاثر، بے رنگ آنکھیں۔ فاخرہ لبنیٰ کا خیال رکھتی تھی، کبھی کبھی گھر کا چکر بھی لگا لیتی تھی۔

امن لبنیٰ کے سامنے نہیں جاتی تھی۔ ندامت اُس کے قدم جکڑ لیتی، احساسِ زیاں اُسے ہمہ وقت کچوکے لگاتا رہتا۔ زندگی ساکن جھیل کی مانند ہوگئی تھی، رُکی ہوئی ٹھہری ہوئی۔

امن کی ذہنی حالت ابتری کا شکار تھی۔ وہ نظریں جھکائے فرقان کے سامنے جاتی تھی۔ کوشش کے باوجود وہ

نظریں اُٹھا نہیں پاتی تھی، نظریں ملانے کے قابل نہیں رہی تھی وہ۔

ڈاکٹر نے بغیر گھی کھانا دینے کی ہدایت کی تھی اس وقت دوپہر کے کھانے کا وقت ہو رہا تھا۔ فاخرہ کھانا تیار کر چکی تھی۔ اب لبنیٰ کے لیے الگ سے بغیر گھی اور مرچ مرغی کا سالن بنا رہی تھی تبھی امن اُس کے پاس آن کھڑی ہوئی۔

''آنٹی میں مدد کراؤں۔'' اُس نے دھیرے سے کہا فاخرہ نے ایک نظر امن کو دیکھا۔

''نہیں بیٹا، سب کام ہو گیا، تم لبنیٰ کے پاس جا کر بیٹھا کرو۔''

''نہیں۔'' وہ قطعیت سے بولی چہرے پر ہراس پھیل گیا۔

''بیٹا، ایسا نہیں کہتے، لبنیٰ بیمار ہے خیال رکھو اُس کا، ماں ہے وہ۔''

''مجھے بہت شرم آتی ہے، میں اُن کا سامنا کس منہ سے کروں۔'' امن رو دی۔ چند ثانیے فاخرہ چپ کی چپ رہ گئی، کچھ بول ہی نہیں سکی۔

''ماں کا دل بہت نرم و گداز ہوتا ہے، اپنی ماں سے معافی مانگ لو، وہ تمہیں معاف کر دیں گی۔'' فاخرہ کا لہجہ بھرا کر رہ گیا اُس کی آواز میں بہت سے درد جھلک رہے تھے۔

''مما مجھے کبھی معاف نہیں کریں گی آنٹی، میرا دل کہتا ہے۔''

''مجھے بھی معاف نہیں کیا تھا، مجھے سزا دی تھی لمبی، طویل کبھی نہ ختم ہونے والی۔'' فاخرہ بڑبڑائی جیسے کوئی خود کلامی کرتا ہے مگر امن سن چکی تھی۔

''آنٹی آپ نے کیا کیا تھا؟'' امن نے ذرا تامل کیا اور جھجک کر پوچھا۔

''ہاں میرا جرم بھی محبت ہے اور جرم کی سزا تو کڑی ہی ملا کرتی ہے۔''

''کیا ہوا تھا ایسا......'' امن اٹکی۔

''بتاؤں گی۔''

''آنٹی میں تو سجاد سے محبت کرنے لگی تھی۔ اُس کی خوبروئی کی ایسی اسیر ہوئی کہ اُس کے سامنے میں اندھی ہو جاتی تھی۔ مجھے اُس کے سوا کچھ نظر ہی نہیں آتا تھا۔ ہر طرف وہی دکھائی دیتا تھا۔ میں نے اُس کی ظاہری ساحرانہ کشش دیکھی، مرعوب ہو کر اپنا آپ بھلا بیٹھی۔'' امن کی آنکھوں کی سطح پر بے بسی کے شدید احساس کے ہمراہ نمی چمکنے لگی۔ اُس نے ضبط کی کوشش میں اپنے لب کچل ڈالے۔

''بس بیٹا محبت ایسا ہی بے اختیاری جذبہ ہے محبت بہت طاقتور جذبہ ہے محبت خدا کا دوسرا روپ ہے۔ دلوں کے رابطے چپکے سے بندھ جاتے ہیں ہم بے خبری میں مارے جاتے ہیں۔ محبت سکون ہوتی ہے اُجالا ہوتی ہے مگر بربادی اور بے سکونی کی ابتدا تب ہوتی ہے جب محبت میں ہوس آن گھستی ہے۔'' فاخرہ نے طویل سرد آہ بھری اور کچھ ثانیے خاموش ہو گئی۔ دونوں کے درمیان اضطراب بھری خاموشی کا تاثر رینگنے لگا۔

''میں اُسے مسیحا سمجھی تھی محافظ سمجھی تھی مگر وہ اتنا چالباز اور مکار ہو سکتا ہے مجھے ایسا خیال کبھی چھو کر بھی نہیں گزرا۔ اُس نے بہروپ بھر کر مجھے دھوکا دیا۔ بھیس بدل کر مجھے لوٹ لیا۔ میں اُس کی فطرت اور عزائم سے آگاہ

نہیں تھی۔ میں نے اپنی آبرو کھودی۔ میں نے اپنی زندگی کے قیمتی خزانے کھودیئے۔ کاش میں اُس دن اُس کے ساتھ نہ جاتی، میں غفلت میں خوار ہو کر رہ گئی۔ مجھے لگتا ہے مجھے مرجانا چاہیے۔''

اُس کی سانس تیز ہونے لگی۔ وہ اب پھوٹ پھوٹ کر رو رہی تھی۔ فاخرہ نے آگے بڑھ کر اُسے ساتھ لگالیا۔ فاخرہ اُس کی درد آشنا تھی، جانتی تھی کہ امن کی آنکھوں نے ابھی بہت خون رونا ہے۔ وہ اُسے کیسے دلاسا دیتی، کیسے صبر کی تلقین کرتی۔

کوئی اپنا پیارا مرجائے تب بھی صبر آنے میں بہت وقت لگتا ہے اور کھو جانا تو برسوں کرب واذیت میں مبتلا رکھ کر ٹیسیں دیتا ہے۔ اُس نے تو بہت انمول چیز کھوئی تھی پھر صبر جیسا لفظ امن کی وحشتوں کے آگے کتنا بے معنی اور حقیر ہوتا۔

امن نے اعتبار کھویا تھا، عزت کھوئی تھی پھر...... پھر...... فاخرہ اُسے کن لفظوں میں مایوسی سے نکلنے کا راستہ بتاتی۔ کیسے حرفوں میں اُس کی ہمت باندھتی کہ امن کا ملال ڈھل جاتا۔

اُس کا نقصان نا قابلِ تلافی تھا۔ دنیا کے ہزار اچھوتے جملے بھی اُس کا خسارہ مٹا نہیں سکتے تھے۔ پورا نہیں کر سکتے تھے بھلا نقصان وہ بھی ایسا جان لیوا کیسے درد کیسی وحشت میں مبتلا کرتا ہے یہ واضح بتانے کی بات تو نہیں ہے۔

O......❖......O

نہ جانے رات کا کون سا پہر تھا جب سیل فون کی مسلسل بجتی بیل پر امن کی آنکھ کھلی تھی۔ کچھ دیر تو وہ سوئی جاگی کیفیت میں رہی۔ اُس کے حواس ماؤف تھے تبھی فون پھر آنے لگا۔ 'سجاد بلوچ'۔

امن کے خوابیدہ حواس جاگ گئے اُس نے چور نظروں سے کمرے میں دیکھا۔ حذیفہ اور ہنزلا سوئے ہوئے تھے، امن کا دل خوفزدہ وسراسیمہ سا پتے کی مانند لرزنے لگا۔ اُس کے چہرے پر تاریک سا سایہ لہرانے لگا۔ اُس نے ڈر سے لرزیدہ ہاتھ کا انگوٹھا بٹن پر رکھ کر کال کاٹ دی۔

اُس کا بدن پسینے میں شرابور تھر تھر کانپ رہا تھا، تبھی فون پھر آنے لگا۔

وہ ساکت وصامت سیل فون کی اسکرین کو ٹکٹکی باندھے دیکھتی رہی۔ اُس میں اتنی سکت نہیں تھی کہ وہ اُس درندے سے بات کرسکتی۔ جس نے اُس کا خون چوس لیا تھا۔ جس نے اُسے کسی سے نظریں ملانے کے قابل نہیں چھوڑا تھا۔ امن کی نگاہوں میں شرمندگی اور پچھتاوے بھر دیئے تھے۔

طیش کی ایک بھرپور لہر امن کے اندر سے اُٹھی اور غیظ وغضب نے اُس کے تن بدن میں سلگتا ہوا قہر بھر دیا۔ مارے اشتعال کے امن نے پوری قوت سے سیل فون دیوار پر دے مارا۔

ایک ہلکا سا ارتعاش کمرے کی فضا میں ابھرا اور ایک چھناکے سے سیل فون فرش پر گرا اور ٹکڑوں میں بٹ گیا۔ امن کی سانس دھونکنی کی مانند چل رہی تھی۔ ایسے ہی تو اُس کی ہستی کے ٹکڑے ہوئے تھے۔ وہ مرتد بنادی گئی تھی۔ اُس کی نس نس زہر آلود تھی۔

وہ کڑی آزمائش سے گزر رہی تھی۔ وہ اضطرابی انداز میں ہاتھ مسل رہی تھی۔ اُس کے لب کپکپا رہے تھے۔

اُس کا نازک دل مسلسل بوجھ تلے دبا ہوا تھا۔ اُس پر قیامت بیتی تھی اور چاہ کر بھی وہ بھول نہیں پا رہی تھی۔ وہ سجاد بلوچ اور اُس سے منسوب ہر تلخ و شیریں یاد کو اپنے دل و ذہن سے کھرچ کر پھینک دینا چاہتی تھی مگر اُس کی ہر سعی لاحاصل ثابت ہو رہی تھی۔

امن کا سر درد سے پھٹا جا رہا تھا اور وہ اپنا سر تکیے پر پٹخ رہی تھی اب اُسے تمام رات یوں ہی تڑپنا تھا۔

○......❖......○

اگلی صبح لبنیٰ بہت سویرے اٹھی تھی۔ فجر کی نماز کے بعد جائے نماز پر بیٹھی تادیر وہ خالی الذہنی کی کیفیت میں دعائیں مانگتی رہی۔ اُس کے آنسو جیسے آگ کے آنسو تھے۔ جو لبنیٰ کو جلا رہے تھے۔ اُس کے دل میں لگی آگ کی تپش کو بڑھا رہے تھے۔ آنسو رونے سے درد کہاں کم ہوتے ہیں۔

''شکر الحمدللہ'' فرقان مسجد سے نماز پڑھ کر آیا تو لبنیٰ کو نماز پڑھتے دیکھ کر خدا کا شکر ادا کیا۔ پچھلے بہت سے دنوں میں فرقان کے اعصاب بہت کشیدہ رہے تھے۔ وجہ لبنیٰ کی بیماری تھی۔ وہ لبنیٰ کو دیکھتے دل گرفتہ و اُداس ہو جاتا آج فرقان کا دل قدرے اطمینان پا گیا کہ لبنیٰ اب زندگی کی طرف لوٹ رہی تھی۔ فرقان تو بے خبر تھا کہ لبنیٰ کی آنکھوں نے جو دیکھا وہ اُس کا دل سہار نہیں سکا۔ بیماری تو بہانہ بن گئی ورنہ تو معاملہ ہی کوئی اور تھا جس نے اُس کی کمر توڑ ڈالی تھی۔ دل اَدھ موا کر ڈالا تھا۔ وہ ڈھے گئی، اُس کے اندر کیا کیا پکتا، اُبلتا سالاوا تھا جو اُسے کسی کل چین نہیں لینے دیتا تھا۔

فرقان سبزی منڈی سے تازہ سبزی لینے چلا گیا۔ فاخرہ کچن میں آٹا گوندھ رہی تھی۔ تبھی امن سو کر اپنے کمرے سے نکلی۔ سامنے ہی اُس نے لبنیٰ کو جائے نماز پر بیٹھے دیکھا تو لپک کر آگے بڑھی اور جا کر لبنیٰ کے پاؤں اپنے ہاتھوں میں جکڑ لیے۔

''مما مجھے معاف کر دیں۔'' امن سسکی۔

''مما میں بہت بری ہوں مجھے ماریں مجھے مار ڈالیں مگر چپ مت رہیں۔ ایسے مت کریں۔ مجھے سزا دیں مما۔'' امن کا سر لبنیٰ کے پیروں پر جھک گیا اور وہ تڑپنے لگی۔

''مما...... بابا بہت کم بات کرتے ہیں۔ بہت کم کھاتے ہیں۔ اُداس سے رہتے ہیں۔ اُن کا ہنسنا بولنا ختم ہو گیا ہے۔ پلیز مما میرا نہیں تو بابا کا ہی خیال کر لیں۔ میری غلطی کی سزا سب کو مت دیں۔ مما ہنزلا اور حذیفہ بھی کملا کر رہ گئے ہیں مما...... مما مجھے معاف کر دیں۔ بہت بری ہوں میں۔'' اُس کی آہ وزاری اُس کا رنج والم میں ڈوبا انداز اُس کے آنسو سب بے کار گئے۔ لبنیٰ نے اپنے پاؤں ہٹا لیے اور اُٹھ کھڑی ہوئی امن کو دھچکا سا لگا۔ وہ بھی بے دردی سے اپنے آنسو رگڑتی اُٹھ کھڑی ہوئی۔ لبنیٰ اپنے کمرے میں جا رہی تھی۔ امن بھی پیچھے ہو لی۔ جیسے ہی لبنیٰ کمرے میں جا کر صوفے پر بیٹھی امن نے پھر اُس کے پاؤں پکڑ لیے اور زار و قطار رونے لگی۔

''مما مجھے معاف کر دیں، میرے دل پر بہت بوجھ ہے میرا دل درد سے پھٹ جائے گا۔'' لبنیٰ نے روتی بلکتی امن کو دیکھا اور اُس کے سر پر ہاتھ رکھ کر اُس کا سر پیچھے جھٹک دیا۔

''کیوں کر دوں میں تمہیں معاف، بتاؤ کیوں کروں معاف! میں تمہاری شکل بھی نہیں دیکھنا چاہتی۔ دفع

ہو جاؤ، میری نظروں سے دور ہو جاؤ۔'' کیسی کاٹ تھی کیسا درد تھا۔

''مما مجھے معاف کر دیں بابا کی خاطر۔''

''تمہیں اتنی فکر ہوتی بابا کی، اپنے بھائیوں کی، اس گھر کی عزت کی تو تم ایسی حرکت کبھی نہ کرتیں۔ کیا تمہارا ایک لفظ معافی میرے دل میں پڑی دراڑوں کو پُر کر سکتا ہے کبھی نہیں۔''

''مما......''

''جاؤ دور ہو جاؤ، چلی جاؤ ورنہ میں خود کو مار ڈالوں گی۔'' لبنیٰ کی آواز تیز ہو گئی۔ اُس کا فشار خون بلند ہونے لگا۔ فاخرہ لبنیٰ کی تیز آواز سن کر اندر آئی اور امن کو باہر جانے کا اشارہ کیا۔ امن وہیں ڈھٹائی سے کھڑی رہی۔ لبنیٰ کی سانس تیز تیز چل رہی تھی۔

''امن جاؤ بیٹا باہر جاؤ۔'' فاخرہ نے سختی سے کہا تو امن بے چارگی سے باری باری دونوں کو دیکھتی باہر چلی گئی۔ فاخرہ نے لبنیٰ کو پانی پلایا اور سہارا دے کر لٹا دیا۔

فاخرہ امن کے حوالے سے لبنیٰ کے ساتھ کوئی بات کر کے اُس کی خودی کا بھرم نہیں توڑ سکتی تھی، وہ خود کوئی بات کرے تو کرے۔ فاخرہ لبنیٰ کی آنکھوں سے بہتے اشک دیکھ کر اُس کی اذیت سمجھ رہی تھی۔

○......❖......○

صبا نے نیہات ضمیر کے کوچنگ سینٹر میں پڑھانا شروع کر دیا تھا۔ وہ اسکول جانے سے پہلے بشیراں کے ساتھ مل کر ناشتا بناتی، فضا اسوہ اور اسد کو اسکول کی تیاری کرواتی پھر سارے بہن بھائی اسکول چلے جاتے بشیراں کے منع کرنے کے باوجود صبا جاتے جاتے ناشتے کے برتن دھو جاتی۔

بشیراں اور زمان گھر میں اکیلے رہ جاتے۔ زمان چپ چاپ لیٹا رہتا ناشتا کرتا پھر لیٹ جاتا۔ بشیراں دوپہر کا کھانا بنانے لگ جاتی۔ اسکول سے آنے کے بعد صبا اور فضا مل کر گھر کی صفائی کرتیں۔ کھانا کھانے کے بعد برتن دھو کر کوچنگ سینٹر وہ چاروں بہن بھائی چلے جاتے تھے۔ ضویا اور صبا چھوٹی کلاسز کے بچوں کو پڑھاتی تھیں۔ جب کہ نیہات نویں اور دسویں کے بچوں کو پڑھاتا تھا۔

صبا کو اس سے ایک فائدہ تو یہ ہوا تھا کہ وہ اپنے بہن بھائیوں پر نظر رکھ سکتی تھی۔ اپنی نگرانی میں اُن کا ہوم ورک چیک کرتی تھی۔ دوسرا نیہات نے اُس کو ایک مناسب سی رقم بھی پے کے طور پر دینے کا وعدہ کیا تھا اور اس میں تو کوئی شک نہیں تھا کہ نیہات ضمیر اپنے عمل میں باعمل لڑکا تھا اچھا سچا اور کھرا انسان۔

''میرے ساتھ کوئی تمہیں ملنے آیا ہے صبا۔'' ضویا نے اپنے ساتھ کھڑی عروا کی طرف اشارہ کیا صبا کی آنکھوں میں شناسائی کی ہلکی سی چمک اُبھری۔

''عروا ہیں نا آپ۔'' صبا نے جھٹ سے کہا۔

''ہاں......مگر تمہیں کیسے پتا......آئی تھنک ہم باقاعدہ ملے تو نہیں۔''

''مگر مجھے پتا ہے، میں نے آپ کو دیکھا ہے۔'' صبا اپنی جگہ سے اٹھی اور عروا سے گلے ملی اس وقت وہ نیہات کے کوچنگ سینٹر میں تھیں۔ عروا بہت پُرجوش تھی صبا سے ملنے کے لیے۔ نیہات نے کولڈ ڈرنکس منگوالی

تھیں۔ صبا نے فضا اسوہ اور اسد سے بھی عروا کو ملوایا۔ خوبصورت مؤدب سے سارے بہن بھائی بلا کے پُر اعتماد تھے۔

عروا کی نظریں صبا کے چہرے سے ہٹ ہی نہیں رہی تھیں۔ وہ باتیں کم کر رہی تھیں اور ایک دوسرے کو تکے جا رہی تھیں۔ باتیں وہ کیا کر سکتی تھیں۔ کزنوں والی مخصوص بے تکلفی مفقود تھی۔ باتوں کے درمیان امن کا ذکر نکل آیا۔

''صبا امن بہت دنوں سے کالج نہیں آ رہی، کچھ پتا ہے۔'' عروا کے اشارہ کرنے پر ضویا نے پوچھا۔

''لبنیٰ آنٹی بیمار ہیں اس وجہ سے امن آپی بہت پریشان ہیں۔''

''ارے کیا ہوا آنٹی کو، ایک دم سے کیسے بیمار پڑ گئیں۔'' ضویا فکر مند ہو گئی۔

''پتا نہیں، یک دم دل میں درد اٹھا تھا پھر چاچو اُن کو ہاسپٹل لے گئے تھے۔ اُن کی حالت کافی خراب تھی، ہم سب گئے تھے۔ میری مما ابھی بھی اُدھر ہی ہیں۔''

''اوہ نو، عروا کیا تم لوگ اتنے بے خبر ہو کہ پڑوس میں رہنے کے باوجود تم اور تمہاری فیملی کے لوگ نہیں جانتے کہ امن کی مما اتنی بیمار رہی ہیں۔ ویری سیڈ۔'' ضویا نے تاسف سے عروا کو کہا۔ عروا نے واضح نظریں چرائی تھیں۔

وہ باخبر تھی مگر رحمان نے سختی سے منع کر رکھا تھا۔ وہ کیا بتاتی۔ اور اب اُسے احساس ہو رہا تھا اور شرمندگی بھی......ضویا امن کا نمبر ملا رہی تھی۔

''امن کا نمبر بند جا رہا ہے......'' ضویا نے تاسف سے سر ہلایا۔

''مجھے ملنا ہے امن سے، اوہ میرے خدا امن اتنی پریشان رہی اور ہم...... دوستی کا دعویٰ کرنے والے۔'' ضویا کا ملال کم ہی نہیں ہو رہا تھا۔

''آپ ضرور جائیے گا ضویا آپی، دکھ درد میں اپنوں کو اپنے ہونے کا احساس ضرور دلانا چاہیے۔ دوستی دکھ درد بانٹ لینے کا ہی نام ہے۔ دوستوں کو آپ کی ضرورت ہوتی ہے، محبت بھرے اپنائیت سے بھرپور لفظ زخموں پر مرہم کا کام کرتے ہیں۔'' صبا رسانیت سے کہہ رہی تھی عروا خاموش تھی اور حیرت زدہ بھی کہ صبا چھوٹی سی لڑکی اتنی گہری باتیں کیسے کر رہی ہے۔

''کیا ہوا امن کو......'' نیہات کے کانوں تک بھی بات پہنچی تھی، وہ بھی امن کے کالج نہ آنے کی وجہ سے پریشان تھا مگر کس سے پوچھتا......صبا سے پوچھتے جھجک مانع آتی۔

''عروا جائے نہ جائے اِن کا ذاتی معاملہ ہے مگر صبا میں اُن کے گھر جانا چاہتی ہوں۔ تم چلو گی میرے ساتھ۔''

''میں لے چلوں گا تم لوگوں کو......'' نیہات نے دھیرے سے کہا۔

''رئیلی......'' صبا اور ضویا یک زبان بولیں۔ اُن کی خوشی دیدنی تھی کہ نیہات اُن کو لے کر جائے گا۔ عروا کا امن سے اور اُس کی فیملی سے خون کا رشتہ تھا۔ وہ کیا اتنی تابعدار تھی ماں باپ کی کہ انہوں نے روکا وہ رُک گئی۔

طبیعت پوچھنے ہی تو جانا تھا کون سا کوئی فلم دیکھنے۔

''ضویا جب تم امن کے گھر پہنچو تو مجھے بھی میسج کر دینا میں بھی آ جاؤں گی۔'' عروا نے ابھی فیصلہ کیا تھا۔

''مگر تمہارے بابا......'' ضویا نے شاکی نگاہ سے عروا کو دیکھا۔

''یہ میرا مسئلہ ہے۔''

''عروا شکر ہے تمہیں احساس تو ہوا، اچھے کاموں کے لیے آگے قدم بڑھانے میں کبھی دیر نہیں کرنی چاہیے ورنہ کبھی کبھی بہت دیر بھی ہو جایا کرتی ہے۔'' نیہات نے در پردہ اُسے کچھ سمجھایا تھا۔ وہ سمجھی کہ نہیں...... یہ آنے والا وقت ہی بتا سکتا تھا۔

○......❖......○

امن اور فروا دونوں نے ایک جیسی غلطی کی تھی۔ فروا گناہوں کی دلدل میں دھنس چکی تھی اور اُسے چنداں احساس اور پروا نہیں تھی۔ وہ اپنے نفس کی غلام بن کر رہ گئی تھی اور اُسے اپنے آپ کو کوئی توجیہہ پیش کر کے مطمئن کرنے کی قطعی ضرورت نہ تھی۔ وہ ہمیشہ سے بے حس و خود غرض تھی۔ ہاں امن کی بات اور تھی۔

فروا نے اپنا نیا موبائل لے لیا تھا اور سب سے پہلی کال اریز کو ہی کی تھی۔ آج کل وہ اپنا سیلون ملتان میں کھولنے کی تیاریوں میں گم تھی۔ دوسرے شہر میں سیلون کی کوئی تُک نہیں بنتی تھی۔ رحمان کو بھی اعتراض تھا۔ اُسے بھی فروا کی یہ منطق سمجھ میں نہیں آئی تھی مگر فروا کے اٹل ارادے اور ہٹیلے پن کے آگے رحمان بھی مجبور ہو گیا تھا۔ اُس کی پس و پیش دھری کی دھری رہ گئی۔

اریز کا فروا کے پیچھے مضبوط ہاتھ تھا۔ وہ اُسے مسلسل اپنے حصار میں رکھے ہوئے تھا۔ وہ جو کبھی اریز سے شادی کی خواہاں تھی۔ آہستہ آہستہ اریز اُس کا مائنڈ سیٹ کر چکا تھا کہ ہم ایک دوسرے کے ہی ہیں۔ ہم ایک ساتھ ہیں، ایک ساتھ رہتے ہیں، پہلا پہلا پیار ہو تم میرا...... شادی 'بھی' ضرور کریں گے مگر پہلے کچھ بن تو جائیں۔ اور وہ جتنا بھی اختلاف کرتی وہ اُسے قائل کر ہی لیتا تھا۔

ملتان کے پوش ایریے میں رحمان کا گھر تھا۔ اچھا بنا ہوا تھا۔ یہ فروا کے نام تھا اور اچھے رینٹ پر دیا ہوا تھا۔ اب اریز کے مشورے پر فروا اُس مکان میں شفٹ ہو گئی تھی۔ گھر کی بالائی منزل پر سیلون بنانے کی تیاری ہو رہی تھی۔ فروا اپنی من مانی کرتی جا رہی تھی۔ رحمان دل سے ناخوش تھا مگر وہ کب سنتی اور مانتی تھی۔

رحمٰن چیک لکھ لکھ کر دیتا جا رہا تھا۔ وہ اپنی پسند کی رقم لکھتی جا رہی تھی۔ بلکہ دوسرے لفظوں میں رقم اریز اپنی مرضی سے لکھتا تھا۔ فروا اور اریز ایک دوسرے کے لیے لازم و ملزوم ہو چکے تھے۔ بغیر نکاح کے ایک دوسرے کے ہو گئے تھے۔ فروا کو کبھی کبھی اندر سے کوئی چیز کاٹتی تھی۔ چبھن دیتی تھی، کسک جگاتی تھی اور اُسے یاد آتا تھا کہ وہ گناہ آلود زندگی گزار رہی ہے۔ اریز کے ساتھ اُس کا جائز اور شرعی رشتہ نہیں ہے۔ دنیا کی نظر میں اریز اُس کا کوئی نہیں ہے۔ وہ دونوں لاکھ خود کو تاویلیں دے کر مطمئن کر لیں مگر وہ اریز کی کون تھی، کیا تھی، کیا مقام تھا اُس کا۔

جب وہ اس طرح کی کیفیات میں مبتلا ہوتی تب اُس کا من اُچاٹ ہو جاتا۔ وہ پہروں اُداس رہتی، بولائی

بولائی پھرتی مگر...... مگر وہ بھی اریز چوہدری تھا۔ چرب زبان، ہرفن مولا، اُسے قائل کر ہی لیتا...... اور وہ ہو بھی جاتی تھی۔ شاید اور کوئی راہ بھی تو نہیں تھی۔

O......❖......O

اریز چوہدری بہت دنوں 'فرماں برداری' کا روپ پلے کرتے کرتے اُوب گیا تھا۔ ایک جگہ ٹک کر رہنا کسی ایک حسینہ کے پلو سے بندھ کر رہنا اُس کی سرشت میں شامل نہیں تھا۔ بیا ہمدانی اُس سے کافی ناراض تھی اور وہ ملتان میں فروا کے کاموں میں ہی پھنسا ہوا تھا۔ وہ سائے کی مانند فروا کے ساتھ تھا۔ دو چیک رحمان نے فروا کے حوالے کیے تھے اور فروا نے بغیر کچھ سوچ اریز کو دے دیئے تھے۔ محبت اندھی ہوتی ہے اور آنکھیں نہ ہوں تو انسان کہیں نہ کہیں اُوندھے منہ گرتا ضرور ہے جلد یا بدیر، گرنے کی جگہ گہری کھائی بھی ہوسکتی ہے یا ہمارے اقبال کے مطابق کوئی پاتال بھی۔

اریز نے فروا کے ہاتھ سے بے توجہی سے چیک پکڑے تھے۔ اس کا انداز ایسا تھا جیسے اُسے کوئی دلچسپی ہی نہ ہو۔ جیسے ہی فروا اُس کے پاس سے اُٹھ کر گئی اریز کی آنکھوں میں ایک خاص قسم کی چمک اُبھری۔ اُس نے ایک چیک کو اپنے لبوں سے چھوا اور اپنا والٹ کھول کر والٹ کے خفیہ خانے میں وہ خالی چیک رکھ لیا۔ اور دوسرے چیک پر اپنی مطلوبہ رقم لکھی۔ پھر وہ ہنسا...... تمسخر سے سر جھٹکا، اریز کو یہ چیک آج ہی کیش کروانا تھا، پھر سیلون سے متعلق چیزیں فروا کے ساتھ خریدنے جانا تھا۔ ابھی اُسے چند دن اور فروا پر محنت کرنی تھی۔ وہ اندر سے اوب رہا تھا۔ فرار چاہتا تھا مگر وہ اپنے کسی عمل یا رویے سے فروا پر ظاہر نہیں کرسکتا تھا۔

اگلی صبح سب سے پہلے چیک کیش کروا کر وہ دونوں شوروم گئے تھے۔ اُن کو کنوینس کا بہت مسئلہ تھا اس لیے اپنی گاڑی ہونا تو بے حد ضروری تھا۔ آنے جانے میں دقت ہوتی تھی۔

سب سے پہلا کام انہوں نے یہی کیا تھا، پھر اپنی لاکھوں کی مالیت کی گاڑی میں سارا شہر گھومے۔ سیلون کے لیے تمام ضرورت کی چیزیں لی تھیں۔ دونوں نے اپنی اپنی ذاتی ضرورت کی اشیاء بھی خریدی تھیں۔ ملازمہ (کوثر) کے لیے کپڑے وغیرہ بھی لیے تھے، جو رحمان نے اپنے دل کی تسلی کی خاطر زبردستی فروا کے ساتھ بھیجی تھی، حفاظت کے لیے شاید۔

بہت اچھا دن گزار کر، رات کا کھانا کھا کر ہی وہ دونوں واپس گھر لوٹے تھے۔

O......❖......O

نیہات، ضویا، صبا اور اس کے باقی بہن بھائی سیدھے صبا کے گھر آئے تھے وہاں سے خالہ بشیراں کو بتا کر اور فضا، اسد اور اسوہ کو گھر چھوڑ کر وہ تینوں پیدل ہی امن کے گھر کی طرف چل پڑے تھے۔ امن کے گھر کے قریب پہنچ کر ضویا نے عروا کو میسج کیا تھا۔

ضویا اور صبا اندر چلی گئی تھیں جبکہ نیہات باہر ہی کھڑا تھا۔ سب سے پہلے فاخرہ سے ہی اُن کی مڈبھیڑ ہوئی تھی۔ فاخرہ کو ضویا یہاں دیکھ کر خوشگوار حیرت ہوئی تھی۔

''آنٹی آپ کیسی ہیں؟'' ضویا فاخرہ کے گلے لگ گئی۔

''میں ٹھیک ہوں بیٹا۔ کس کے ساتھ آئے ہو تم دونوں۔''

''وہ نیہات بھیا۔'' صبا نے دروازے کے پار ہاتھ سے اشارہ کیا۔ فاخرہ نے تاسف سے سر ہلایا اور دروازے سے باہر کھڑے نیہات کو اندر بلانے کے لیے باہر کی طرف قدم بڑھائے پھر کچھ خیال آنے پر رُک گئی۔

''کہیں فرقان بھیا برا نہ مان جائیں۔'' وہ واپس پلٹی اور کچن میں چائے کا انتظام کرنے لگی۔ ضویا کے گلے لگ کر امن بے دریغ آنسو بہا رہی تھی، عروا بھی آ گئی تھی۔

''امن یہ تم نے اپنی کیا حالت بنا رکھی ہے۔'' عروا اور ضویا نے کہا۔ امن سوکھ کر ہڈیوں کا ڈھانچہ بن چکی تھی۔ رنگت سیاہ آنکھوں کے نیچے گہرے حلقے اُس کے رتجگوں کے گواہ تھے۔

''مما کی وجہ سے......'' امن اور کیا کہتی اُسے کچھ اور سوجھا ہی نہیں۔

''آنٹی ٹھیک ہو جائیں گی تم خود کو یوں ہلکان مت کرو۔'' ضویا نے اُس کے آنسو صاف کیے۔

''بیٹا چائے۔'' تبھی فاخرہ چائے بسکٹ لے کر آ گئیں۔

''مما ہم نے تو کھانا بھی نہیں کھایا۔'' صبا نے کہا۔

''میں تو کھانا کھاؤں گی ضویا آپی آپ کھاؤ گی اور مما وہ نیہات بھیا......'' فاخرہ نے اُسے سر سے مبہم سا اشارہ کر کے سمجھایا کہ یہ ہمارا گھر نہیں ہے اس لیے ہم اُسے گھر کے اندر لانے کا اختیار نہیں رکھتے۔ صبا سمجھ گئی دوبارہ نیہات کا نام بھی نہیں لیا۔ چائے کے بعد وہ سب لبنیٰ کے کمرے میں چلی گئیں، باتیں ہوتی رہیں۔ عروا اور ضویا امن کو حوصلہ دیتی رہیں دلاسا دیتی رہیں۔

''امن کالج کا بہت حرج ہو گیا ہے اب تم آنا شروع کرو۔'' ضویا نے کہا تو امن نے بے ساختہ نظریں اِدھر اُدھر کر لی تھیں جیسے وہ اس موضوع پر بات نہ کرنا چاہتی ہو۔

''آنٹی کچھ اور بہتر ہو جائیں تب امن آپی کالج جوائن کر لیں گی۔'' صبا نے جواب دیا۔ نیہات کی مس کالز آ رہی تھیں پھر اُس نے ضویا کو میسج کیا تھا کہ آ جاؤ۔

''اچھا آنٹی اجازت، اللہ آپ کو صحت دے۔'' ضویا باری باری فاخرہ اور لبنیٰ سے ملی تھی۔ صبا، عروا اور امن ضویا کو دروازے تک چھوڑنے آئی تھیں اور نیہات ضمیر جو اتنی دیر سے کھڑا اکڑ گیا تھا کہ شاید امن کی ایک جھلک دیکھنے کو مل جائے، وہ خواہش پوری ہو گئی، مگر امن کو دیکھ کر نیہات ششدر رہ گیا اتنی شکستہ حالت۔

''اچھا بائے اپنا خیال رکھنا امن، اور کالج آنے کو یقینی بناؤ۔'' ضویا نے اُسے ساتھ لگایا۔

''خدا حافظ۔'' عروا اور صبا نے بھی جواباً کہا امن سر جھکائے کھڑی تھی۔

''یہ امن کو کیا ہوا ہے؟'' نیہات بولا۔

''پتا نہیں بہت کمزور ہو گئی ہے اور گم صم سی بھی، اپنی مما کی وجہ سے رنجیدہ اور سوگوار ہے۔''

''مگر اتنی مخدوش حالت، کوئی اور مسئلہ نہ ہو۔''

''اور بھلا کیا مسئلہ ہو سکتا ہے بس لڑکیاں اپنی ماؤں کے ساتھ بہت اٹیچ ہوتی ہیں نا تو اس لیے اثر بھی زیادہ

لیتی ہیں۔"

"ہاں شاید، اچھا یہاں سے رکشہ نہ لے لیں۔"

"لے لیتے ہیں۔" نیہات نے دور سے آتے رکشے کو دیکھ کر کہا۔

○......❖......○

مگر ہوا کیا...... اس سے پہلے کہ رکشے والا رُکتا ایک گلی سے چار پانچ لڑکے نکلے اُن کے ہاتھ میں ہاکیاں اور بلے تھے۔ وہ کسی انہونی اُفتاد کی طرح نیہات پر پل پڑے۔ سب کچھ اتنی جلدی اور اچانک ہوا کہ وہ بوکھلا کر رہ گئے۔ ضویا حواس باختہ سی بچاؤ...... بچاؤ پکارتی رہی اور وہ نیہات کو مارتے رہے۔ انتہائی ضبط کے باوجود بھی نیہات کی فلک شگاف چیخیں نکل رہی تھیں۔ اُس کے سر سے خون بہہ رہا تھا۔ اپنے پیارے بھائی کا خون دیکھ کر وہ چلانے لگی۔ اُس کی کوئی نہیں سن رہا تھا۔ وہ اپنی سدھ بدھ کھو رہی تھی پھر اُس کو کچھ اور سجھائی نہیں دیا تو وہ دوبارہ امن کے گھر کی طرف بھاگی تھی اور سب کو روتے ساری بات بتائی وہ سب اُس کے ساتھ بھاگے۔ گھر سے نکلتے ہوئے فاخرہ نے پولیس کو بھی اس ہنگامے کی اطلاع کر دی تھی۔

جب تک وہ وہاں پہنچے نیہات خون میں لت پت بے ہوش پڑا تھا اور وہ لڑکے فرار ہو چکے تھے۔

ضویا کا رو رو کر بُرا حال تھا۔ پولیس والوں نے ضویا سے سوالات پوچھ پوچھ کر الگ پریشان کر رکھا تھا۔ ضویا کا دل انجانے وہموں اور لاتعداد اندیشوں سے اٹا پڑا تھا۔ نیہات کی حالت نے ضویا کے حوالے معطل کر دیئے تھے۔ انتہائی افراتفری کی صورتِ حال تھی ایسے میں فاخرہ نے ہی سارے معاملات ہینڈل کیے تھے۔ پولیس کو بھی نپٹایا اور نیہات کو بھی ہاسپٹل پہنچایا۔

نیہات کے زخم صاف کر کے پٹیاں کر دی گئی تھیں مگر ابھی تک وہ ہوش میں نہیں آیا تھا۔ اُس کا سر دو جگہ سے پھٹا تھا۔ سارا بدن خراشوں سے بھرا ہوا تھا۔ جگہ جگہ سے خوف رس رہا تھا۔ اُس کی غیر ہوتی حالت ضوفیا سے دیکھی نہیں جا رہی تھی وہ کرلائے جا رہی تھی تبھی ضویا کا فون بجنے لگا۔ وہ چونکی صغریٰ کی کال تھی ضویا نے فاخرہ کو دیکھا۔

"آنٹی مما فون کر رہی ہیں کیا کروں۔"

"بات کر لو بیٹا۔"

"اُن کو بتا دوں کیا۔" تبھی کال پھر آنے لگی ضویا نے کال پک کی۔

"بیٹا میرا دل گھبرا رہا ہے ایک ڈیڑھ گھنٹہ پہلے میں ذرا ستانے کو لیٹی تو مجھے یوں لگا کہ جیسے مجھے کوئی مار رہا ہے۔ بے دردی سے کوڑے برسا رہا ہے۔ میں رو رہی ہوں چلا رہی ہوں مگر وہ تعداد میں بہت تھے۔ انہوں نے مجھے بہت پیٹا، میں زخمی لہولہان ہوگئی، یہ خواب تھا بیٹا مگر میرا جسم پسینے میں شرابور ہو گیا، الٰہی خیر کہتی میں اُٹھ بیٹھی۔ سب ٹھیک ہے نا بیٹا۔" ضویا شاک میں تھی کہ مما کو خود بخود ہی پتا چل گیا۔

"مما وہ نیہات بھائی کا چھوٹا سا ایکسیڈنٹ ہو گیا ہے۔ نہیں نہیں مما فکر کی کوئی بات نہیں۔ معمولی چوٹیں ہیں۔ نیہات بھیا دواؤں کے زیرِ اثر سو رہے ہیں۔ آپ دعا کریں۔ ماؤں کی دعائیں اللہ جلد سنتا ہے۔ جی جی مما وہ ٹھیک ہیں۔ یہ لیں آنٹی فاخرہ سے بات کر لیں۔" ضویا نے فون فاخرہ کو دے دیا۔ فاخرہ صغریٰ کو اطمینان دلاتی

رہی، نیہات کے ٹھیک ہونے کا یقین دلاتی رہی۔

''آنٹی مما کو تو خواب میں پتا چل گیا تھا مجھے کچھ بتانے کی ضرورت ہی نہیں پڑی۔''

''بس بیٹا ماں کا دل ایسا ہی ہوتا ہے آگہی پا جاتا ہے۔''

''مگر مما بہت بے چین ہوگئی ہیں اب ساری رات کروٹیں بدلتی رہیں گی دعائیں مانگیں گی۔ صحن میں چکر کاٹتی رہیں گی۔'' ابھی وہ یہ بات کر ہی رہی تھی کہ صغریٰ کا پھر فون آ گیا ضویا سمجھ رہی تھی اس لیے اب کی بار تادیر بات کرتی رہی اُسے پتا تھا کہ مما کو نیند نہیں آنی۔

○......❖......○

جاگنگ سے ابھی وہ لوٹی تھی۔ اس وقت وہ ٹریک سوٹ میں تھی اور لان میں ایکسر سائز کر رہی تھی۔ ایکسر سائز کرتا اُس کا متحرک کامنی سا وجود پسینے سے بھیگا ہوا تھا۔ اُس کے کالے گھنے سیاہ بالوں کی پونی ہوا میں مختلف زاویوں سے لہرا رہی تھی۔

جیسے جیسے وہ ایکسر سائز کے اسٹیپس بدلتی اُسی انداز میں اُس کی پونی ٹیل دائیں سے بائیں اوپر سے نیچے، نیچے سے اوپر لہرا رہی تھی۔ اُس کی پھرتی، اُس کا جوش دیدنی تھا۔

''زرینہ۔'' اُس نے آواز دی اُسی کی ہم عمر لڑکی پہلے سے جیسے الرٹ کھڑی تھی۔ تولیہ اور پانی کی بوتل لیے حاضر تھی۔ اُس نے زرینہ کے ہاتھ سے تولیہ لے کر اپنی گردن، چہرہ اور پیشانی کو اچھی طرح سے صاف کر کے تولیہ ایک ہاتھ سے واپس زرینہ کو پکڑا کر دوسرے ہاتھ سے پانی والی بوتل پکڑ کر ہونٹوں سے لگا کر پانی پینے لگی۔ زرینہ خالی بوتل لے کر واپس چلی گئی۔

اب وہ مالی عرفان کے سر پر کھڑی اُس کی سانس خشک کر چکی تھی۔ عرفان اندر ہی اندر اُس سے خار کھاتا تھا۔ اِس کی وجہ یہ تھی کہ اُسے باغبانی کا شوق تھا۔ شوق تو اُسے اور بھی بہت سارے کاموں کے تھے مگر باغبانی کا تو جیسے جنون تھا۔ اپنے گھر کے وسیع وعریض لان کی خوبصورتی، ہریالی اور شادابی اُسے بہت عزیز تھی اور وہ لان کی خوشنمائی کے لیے خود اپنے ہاتھوں سے محنت کرنا بھی پسند کرتی تھی۔ اُسے کوئی عار یا کوئی خفت نہیں محسوس ہوتی تھی۔ وہ خود گوڈی کر لیتی تھی۔ پودوں میں سے گلے سڑے پتے نکالتی تھی۔ اُسے پودوں، پھولوں اور درختوں سے محبت تھی۔ نہ جانے کیوں اُسے گمان ہوتا تھا کہ پھول محبت کی زبان سمجھتے ہیں۔ وہ پودوں کی کاٹ چھانٹ میں لگی رہتی تھی۔ وہ کسی کیاری، کسی گملے کو نظر انداز نہیں کرتی تھی۔

''عرفان۔'' وہ جو قریب ہی گھاس کو مشین سے کاٹ رہا تھا دوڑا چلا آیا۔

''جی میم۔'' وہ مؤدب سا سینے پر ہاتھ باندھے نظریں جھکائے کھڑا تھا۔

''سردیوں کا موسم رخصت ہو رہا ہے اندر جتنے بھی کیکٹس کے گملے رکھے ہیں اُن کو باہر رکھو تا کہ اُن کو دھوپ لگ سکے۔''

''جی......'' وہ ہنوز اُسی مؤدبانہ پوزیشن میں کھڑا تھا۔

''اور ہاں یاد رہے فینسی گملے چھاؤں میں ٹھیک رہتے ہیں خیال رکھنا، شام کو نئے پودے لینے نرسری جانا

ہے، تیاری رکھنا۔ میں گارڈن کے لینڈ اسکیپ میں بھی کچھ نیا کرنا چاہ رہی ہوں او کے۔''

عرفان کافی دیر سے دم سادھے کھڑا تھا جیسے ہی وہ گارڈن سے نکلی عرفان نے ایک آسودہ سانس بھری۔ نہ جانے کیوں اُس کے سامنے عرفان کی گھگی بندھ جاتی تھی ویسے تو وہ پٹر پٹر بولتا رہتا تھا۔ مگر اُس کے سامنے گویا زبان تالو سے چپک جاتی تھی۔

وہ کون تھی!! خوبصورت جذبات سے گندھی، اُمید بھرا دل، خواب دیکھتی آنکھوں والی، کچھ کرگزرنے کا عزم رکھنے والی، کچھ پانے کی جستجو میں مگن، محبت کی تعبیر تھی وہ، محبتیں تقسیم کرتی دلوں کی دھڑکن، ابو نے تو اُس کا نام کچھ اور رکھا تھا مگر وہ اُجالا تھی۔ سعد مرتضیٰ کی اُجالا، پُرجوش لہجہ، عزم کی پختگی، کامیابیاں سمیٹنے کی لگن۔

تقریری مقابلوں میں جیتی ہوئی درجنوں ٹرافیاں۔

بیت بازی، کوئز کے مقابلوں میں جیتی ہوئی لاتعداد شیلڈز، اُس کی کارکردگی کا ثبوت تھیں۔ اُجالا ہونہار طالبہ، تعلیمی میدان کا چمکتا ستارہ۔ تتلیاں، پھول، جگنو اُس کی زندگی کا اثاثہ، بڑی بڑی سیاہ چمکتی آنکھیں، صحت مند گورے گال جن میں گلابیاں گھلی ہوئی تھیں۔ گلابی بھرے بھرے ہونٹ، زندگی کی تمام تر رعنائیوں سے لبالب بھری لڑکی، شوخ و چنچل پھرتیلی، انسان دوست، جلد بھروسا کر لینے والی، انسان دوست۔

ڈاکٹر سعد مرتضیٰ اُس کے بڑے بھائی تھے۔ وہ ہارٹ اسپیشلسٹ تھے۔ اُن کا اپنا پرائیویٹ ہاسپٹل تھا۔ وہ دو ہی بہن بھائی تھے۔ اُن کی امی تب فوت ہوئیں جب وہ بہت چھوٹی تھی۔ ابو نے اُن دونوں بہن بھائی کو خصوصی توجہ اور محبت دی مگر جب وہ بھی چل بسے تو سعد نے اُجالا پر گویا محبتوں کی بارش کر ڈالی، محبت و التفات، لاڈ، گہراؤ لگاؤ اُن دونوں کے بیچ پروان چڑھنے لگا۔

○......❖......○

سرکاری ہاسپٹل میں مخصوص قسم کی ادویات کی بو پھیلی ہوئی تھی۔ بوسیدہ حال زنگ آلود پنکھے گھرر گھرر کر رہے تھے۔ ساری رات اونگھتے، لڑھکتے گزر گئی تھی۔ تھکن سے اُن کے اعصاب شل تھے، بدن تھکن سے چُور اور رتجگے کے باعث آنکھیں سوجی سوجی تھیں۔

''آنٹی دیکھیں، دیکھیں۔'' نیہات کے بدن میں ذرا سی جنبش ہوئی تھی اور اُس کی آنکھوں کی ساکت پتلیوں میں حرکت ہوئی تھی۔

''مجھے لگتا ہے اِسے ہوش آ رہا ہے، شکر ہے خدا کا۔'' فاخرہ نے اپنی جگہ سے اُٹھ کر نیہات کے قریب آ کر کہا۔ اُن کا لہجہ بلا کی اپنائیت اور مٹھاس اپنے اندر سموئے ہوئے تھا۔ تبھی نیہات نے آنکھیں کھول دیں، چند لمحے وہ اجنبی تاثر آنکھوں میں لیے کسی نادیدہ نقطے کو گھورتا رہا۔ ضویا اور فاخرہ نے خوشی سے ایک دوسرے کو دیکھا پھر دوبارہ نیہات کو۔ وہ اب ہلکا سا سر گھما کر اِدھر اُدھر دیکھ رہا تھا۔ پھر درد کی ایک ہلکی سی لہر اُسے اپنے سر سے اٹھتی محسوس ہوئی۔ اُس نے دوبارہ آنکھیں موند لیں اُس کے چہرے پر کرب پھیل گیا تھا۔ ضویا نرس کو بلانے بھاگی تھی۔

فاخرہ نے دیکھا گلاس وال کے پار صغریٰ ہاتھ میں بہت سے شاپرز پکڑے آ رہی تھی۔ فاخرہ کو خطرہ محسوس

ہوا۔ مبادا صغریٰ یہاں رونا پیٹنا نہ ڈال دے آ کر، اس لیے وہ جلدی سے باہر نکلی صغریٰ اُسے دیکھ کر رونے لگی۔

''نیہات ٹھیک ہے خدا کا شکرادا کریں۔ ایکسیڈنٹ میں جان بچ گئی، اُس کے سامنے رونا نہیں پلیز، ورنہ وہ بھی حوصلہ چھوڑ دے گا۔'' فاخرہ اُسے اپنے ساتھ لگائے ہولے ہولے کافی دیر سمجھانے میں لگی رہی۔ ضویا اور فاخرہ نے جان بوجھ کر اُس سے چھپایا تھا کہ لڑکوں نے مارا ہے ورنہ ایک ماں کا دل کہاں برداشت کرتا ہے کہ اُس کی اولاد کو کوئی ایک تھپڑ بھی مارے کجا کہ یوں مار مار کر بھر کس نکال دینا، اس لیے اُس سے مخفی رکھنا لازمی تھا۔

فاخرہ کے اتنا سمجھانے کے باوجود جب صغریٰ نے پٹیوں میں جکڑا نیہات کا وجود دیکھا تو صبر کا یارا نہ رہا اور وہ رودی اور فاخرہ باوجود کوشش کے بھی اُسے منع نہ کرسکی۔

O……❖……O

اُداسی آنکھ میں ٹھہری ہوئی ہے
جدائی دور تک پھیلی ہوئی ہے
مرے تیرے بچھڑنے کی کہانی
یہاں پر ہر طرف لکھی ہوئی ہے

محبت تو امن نے بھی کی تھی مگر ہاتھ کیا آیا نارسائی، ناامیدی اور سب سے بڑھ کر ذلت، پچھتاوا ندامت اور کھودینے کا جاں گسل احساس۔ اعتماد کھویا ماں کی نفرت کا سامنا تھا۔ اُس کی محبت جنوں خیز تھی۔ اب نہ کوئی آس تھی نہ پیار بھری سرگوشیاں۔ نارسائی اور توہین کا احساس اُسے ہر وقت بھڑکتے الاؤ میں جلاتا تھا۔ گھٹن وتپش اتنی کہ وہ اَدھ موئی ہو جاتی کوئی راہِ فرار نہیں، کوئی اچھی یاد زادِ راہ نہیں۔

''بیٹا اب آپ کالج جانا شروع کرو۔'' اُس کے قریب سے آواز ابھری تھی۔ امن نے یک بارگی آنکھیں کھولیں۔ اُسے خبر ہی نہیں ہوئی کہ وہ کب سے یہاں بدحال سی بیٹھی ہوئی تھی۔

''جی بابا۔'' کالج کے نام پر امن کی سانس رُکنے لگتی تھی۔

''بیٹا اب تمہاری مما ٹھیک ہیں۔ گھر کے کاموں میں بھی دلچسپی لے رہی ہیں۔ تم بھی اس سوگوار کیفیت سے نکلو، روٹین کی زندگی شروع کرو۔''

''جی بابا۔'' وہ سر جھکائے اپنے ہاتھوں کے ناخن دیکھتی رہی۔ وہ بابا سے نظریں نہیں ملا رہی تھی۔

''یہاں کیوں بیٹھی ہو بیٹا۔'' فرقان نے امن کی اُداسی دل سے محسوس کی تھی۔

''کہاں بیٹھوں بابا۔'' وہ منہ ہی منہ میں بڑبڑائی۔ وہ چھت پر لوہے کی گرل سے ٹیک لگائے نہ جانے کب سے بیٹھی سود و زیاں کے حساب کر رہی تھی، حاصل جمع زیاں ہی زیاں تھا۔

''بیٹا آ جاؤ نیچے، سردی ہے، بیمار پڑ جاؤ گی۔'' وہی مشفق محبت سے بھرپور لہجہ، وہ چلے گئے امن وہیں گھٹنوں پر ٹھوڑی ٹکائے سوچوں میں مدغم بیٹھی رہی۔ وہ ایسے ہی منہ چھپاتی پھر رہی تھی۔ لبنیٰ کا سامنا کرنے سے کتراتی تھی۔ بھلا کونوں کھدروں میں بھی کبھی پناہ ملتی ہے اور پناہ ملے بھی کیسے۔ سارے ماحول میں ایک نامعلوم سوز بھری اُداسی سرسرا رہی تھی۔ شفق پر سرخی پھیل رہی تھی۔ گھروں سے دھوئیں کے مرغولے فضا میں تیر رہے تھے۔

''کاش رنگوں سے کھیلنے اور تتلیوں کو پکڑنے کا معصوم دور کبھی ختم نہ ہوتا۔ تتلی، جگنو، پنسل، شاپنرز، ہوم ورک ماں باپ کی محبتیں، کاش میں کبھی بڑی نہ ہوتی، میری کل کائنات میری گڑیا، میرے کھلونے، میرا بچپن۔''

اس کے لہجے کی تیزی طراری مدھم ہو کر ختم ہو چکی تھی۔ زندگی کے رنگ پھیکے پڑ چکے تھے۔ بس بیزاری کا رنگ غالب تھا۔ اور یہ رنگ آج کل اُس کی ذات پر حاوی ہو چکا تھا۔

O......❖......O

اُجالا تیزی سے شاور لے کر نکلی تھی۔ سفید یونیفارم پنک دوپٹا اوڑھے وہ معصوم سی گڑیا لگ رہی تھی۔ سعد مرتضٰی سیاہ رنگ کا زبردست سوٹ پہنے ڈیزائنر سلک ٹائی، قیمتی ٹائی پن اور کف لنکس، بازو پر بندھی بیش قیمت گھڑی، ڈاکٹر سعد مرتضٰی فخر سے سر تانے گلاس وال کا ڈور دھکیلتا باہر نکلا تھا۔ اُس کے قدموں میں تیزی تھی۔ وہ اپنی شخصیت کی اثر انگیزی سے مکمل آگاہ تھا۔ اپنے مقام اور مرتبے سے واقف۔

''گڈ مارننگ اُجالا۔''

''گڈ مارننگ سعد مرتضٰی۔'' وہ ہمیشہ ایسے ہی کہتی تھی۔

شیشے کی گول میز کے اطراف دو افراد آمنے سامنے بیٹھے ناشتا کرنے میں مشغول ہو گئے۔

اعلٰی رتبہ، معاشرے میں باعزت مقام، معاشی خوشحالی، کسی چیز کی کمی نہیں تھی۔ خدا نے بہت نوازا تھا مگر دونوں بہن بھائی ہی عاجزی وانکساری میں اپنا ثانی نہیں رکھتے تھے۔ وہ ٹوسٹ حلق میں زبردستی ٹھونس رہی تھی۔ چائے کے گھونٹ ایسے پی رہی تھی جیسے بہت کڑوی کسیلی کوئی چیز اُس کے اندر جا رہی ہو۔ سعد نے دیکھا اور اُس نے ہلکے سے سر جھٹکا۔ اُجالا نے ناسمجھی سے سوالیہ نظروں سے دیکھا۔ سعد کے ہونٹوں کی تراش میں دلفریب سی مسکان پھیل گئی۔

''ڈھنگ سے ناشتا کرو۔'' سعد نے پیار سے ڈانٹا۔

''اوہ، صبح صبح دل نہیں مائل ہوتا۔''

''صبح سے جاگنگ ایکسرسائز، پھر بے چارے عرفان کی شامت آئی۔''

''آپ دیکھ رہے تھے......'' وہ نیپکن سے ہاتھ صاف کرتے ہوئے بولی۔

''ہاں۔'' سعد ناشتے میں صرف جوس لیتا تھا، ہاں موڈ اور موسم کے مطابق فلیور بدلتے رہتے تھے۔ دونوں اکٹھے گھر سے نکلتے تھے۔ سعد اُسے اسکول چھوڑ کر خود ہاسپٹل جاتا تھا۔ اُن کا اپنائیت کا رشتہ تھا خون کا، مان کا رشتہ تھا۔ عمروں کا اتنا فرق ہونے کے باوجود اُن کی دوستی تھی۔ گاڑی سے اُترنے سے پہلے سعد نے اُجالا کا چہرہ دونوں ہاتھوں میں تھام کر اُس کے سر پر اپنے لب رکھے تھے۔ وہ اُس کی بہن ہی نہیں بیٹی بھی تھی۔

اُس کے گلابی روپ پر محبت کا ہر رنگ نچھاور تھا۔ وہ حسن و رعنائی کا پیکر تھی۔ چہرے کا بھولپن اور شرمیلی حیا آلود ادا اُسے سب میں نمایاں کرتی تھی۔ جو دیکھتا بس دیکھتا رہ جاتا۔ وہ بہت دلکش و دلربا دکھائی دیتی تھی۔ سانچے میں ڈھلا وجود، سفید رنگت، ہیرے کی کنی جیسی دمکتی آنکھیں، کھنکتی کانچ جیسی شوخ آواز۔ یہ تھی اُجالا مرتضٰی۔

O......❖......O

اریز چوہدری نے بیوٹی سیلون سے متعلق ساری چیزیں خود خریدی تھیں، چاہے وہ فرنیچر ہو یا کارپٹ، وہ فروا کے ساتھ تھا۔ میک اَپ کا کچھ سامان لینے وہ کراچی بھی گئے تھے۔ سارا دن وہ اکٹھے گھومتے رہے، ایک دوسرے کا ہاتھ تھامے۔ وہ سرکش لڑکی یہ بھول چکی تھی کہ اُس کے ماں باپ ناراض ہیں اور اگر اُسے یاد بھی ہوتا تو پروا کس کو تھی۔

ہنستے مسکراتے قہقہے لگاتے فروا دنیا و مافیہا سے بالکل کٹ کر الگ ہوگئی تھی۔ اُس کے پیچھے لوگ کیسی کیسی باتیں کر رہے تھے۔ فروا کا ذکر گھر گھر ہو رہا تھا۔ ہر شخص ورطۂ حیرت میں تھا کہ رحمان نے اکیلی جوان جہان لڑکی کو دوسرے شہر کیوں بھیج دیا۔ ایسی بھی کیا بات ہے کہ اُس نے اپنے شہر میں پارلر کھولنے کی بجائے ملتان میں جا کر ٹھکانہ کر لیا۔ کمال ہے۔

لوگوں کی چہ میگوئیاں جاری تھیں۔ رحمان سے ابھی تک کسی نے خیر کچھ پوچھا نہیں تھا۔ کوئی پوچھ بھی لیتا تو وہ کیا جواب دیتا، اُسے تو خود پتا نہیں تھا۔ وہ مجبور ہو گیا تھا اور اُسے فروا پر غصہ بھی بہت تھا۔ فروا نے مشورہ کرنا یا پھر اجازت لینے کی ضرورت ہی نہیں سمجھی تھی۔ بس اُن کو مطلع کیا تھا اور اپنی رائے، اپنی خواہش بتائی تھی۔ رحمان نے روکا بھی، سمجھایا بھی، غصہ بھی ہوا مگر وہ اڑی رہی، ضد اور ہٹ دھرمی دکھاتی رہی۔ یہاں رحمان نے غلطی کی چیک دینے والی غلطی، اور اوپر سے بلینک چیک، یہ رحمان کا غصہ تھا ناراضی کا اظہار تھا۔ مگر وہاں تو اُن کی گویا لاٹری نکل آئی۔ اریز کے وارے نیارے ہو گئے۔

یہ پہلی گرہ، پہلی دراڑ، پہلا دکھ، پہلی اذیت تھی جو فروا کی طرف سے رحمان کے دل میں جاگی تھی۔ اب پتا نہیں آنے والا وقت اپنی جھولی میں کتنی گرہیں، کتنی دراڑیں اور کتنے دکھ چھپائے بیٹھا تھا۔ یا دوسری صورت میں فروا کو اپنی غلطی اپنی کوتاہی کا احساس ہو جاتا، وہ لوٹ آتی اور رحمان کے دل سے پہلی گرہ، پہلا دکھ نکال کر ذرا سا دراڑ پُر کر دیتی مگر یہ غیر متوقع صورتِ حال تھی۔ جس کے دور دور تک کوئی آثار نظر آتے دکھائی نہیں دیتے تھے۔ فروا کبھی کبھی گھر فون کر لیتی تھی مگر وہ ابھی تک گھر آئی نہیں تھی۔

لنچ شیرٹن میں کر کے وہ ہوٹل لوٹے تھے۔ اریز بہت تھک گیا تھا اور کچھ دیر آرام کرنا چاہتا تھا۔ وہ آرام کی غرض سے آنکھیں موند کر لیٹ گیا۔ اُس کا ذہن سکون پانے لگا۔ مگر فروا نے اُسے جگا دیا۔ چند لمحے وہ غیر حاضر دماغی سے اُسے دیکھتا رہا۔

"کیا ہوا، ابھی ذرا سی آنکھ لگی تھی یار۔" وہ اُکتا رہا تھا مگر اُس نے اپنے لہجے، الفاظ اور تاثرات سے کچھ بھی شو نہیں ہونے دیا لہجہ نارمل سا تھا۔

"مجھے کچھ ہو رہا ہے۔" وہ آنکھیں بند کیے تیز تیز سانس لے رہی تھی اریز اُٹھ بیٹھا۔

"فروا کیا ہوا ہے۔" وہ اُس کے اب گال تھپتھپا رہا تھا۔

"دل گھبرا رہا ہے۔" فروا نے ذرا سے ہونٹ وا کر کے کہا۔ اُس کی آنکھیں اب بھی بند تھیں اور ہونٹ بند، سانس ناک سے خارج ہو رہی تھی۔

"کیا ہو گیا جان، ابھی کچھ دیر پہلے تو تم ٹھیک تھیں۔" اریز کے دلکش نقوش میں فکر مندی جھلکنے لگی مگر فروا

کچھ نہیں بولی وہ کھینچ کھینچ کر سانس لے رہی تھی۔ اُسے سانس لینے میں دقت و دشواری کا سامنا تھا۔ اُس کی حالت غیر ہو رہی تھی۔ اُس کی پیشانی عرق آلود تھی۔ بدن سرد ہو رہا تھا۔ اریز صحیح معنوں میں پریشان ہو گیا۔ فروا کا کاجل اُس کے گالوں پر بہتا جا رہا تھا۔ اریز پھرتی سے ایک ہی جست میں بیڈ سے نیچے اُترا اور جوتے پہننے لگا۔ اُس کے انداز میں عجلت اور چستی تھی۔ وہ ڈاکٹر کے پاس فروا کو لے کر جانا چاہتا تھا۔ اُسی دوران فروا نے موندی ہوئی آنکھیں کھولیں اُسے ٹھنڈے پسینے آ رہے تھے۔

''شاید تمہارا بی پی لو ہو گیا ہے ڈاکٹر کو یہاں بلواؤں کہ تمہیں وہاں لے کر جاؤں۔''

''آں، آں، آ۔'' فروا ہونٹوں پر ہاتھ رکھے اُبکائی روک رہی تھی پھر وہ اُٹھی اور واش روم میں بھاگ گئی۔ اریز ششدر سا اُسے جاتا دیکھتا رہا۔ ایک خیال اُس کے ذہن میں کسی کوندے کی مانند لپکا۔ وہ جہاں کا تہاں رہ گیا مگر دوسرے ہی لمحے وہ اپنے اُس خیال کو ذہن کے گوشوں سے جھٹک چکا تھا۔ فروا کی ابکائیوں کی آواز مسلسل باہر آ رہی تھی۔ اریز برے برے منہ بنا رہا تھا۔ وہ ذہنی ریلیکس چاہ رہا تھا اور کچھ دن فروا سے دور رہ کر بیا ہمدانی کے ساتھ وقت گزارنا چاہ رہا تھا مگر حالات اسے فروا کے ساتھ باندھے جا رہے تھے۔

فروا کافی دیر واش روم میں لگا کر نکلی تھی۔ اریز نے اُسے آتا دیکھ کر رونے والی شکل بنالی اور سر ایسے جھکا لیا جیسے وہ خود کو بولنے کے قابل نہیں پا رہا۔

''ہم لوگوں نے کچھ ایسا تو کھایا نہیں، جو معدے پر بوجھ بڑھا دے۔'' فروا اب خاصی بہتر تھی۔

''چلو ڈاکٹر سے چیک اَپ کرواتے ہیں۔'' اریز نے اُسے ہاتھ پکڑ کر اپنے قریب کیا اور ایک ہاتھ اُس کے کندھے کے اطراف ایسے رکھا جیسے محبت کا حصار باندھا ہو۔

O......❖......O

صبا فضا کو لے کر فاخرہ اسپتال آئی تھی۔ دیسی مرغی کی یخنی نیہات کے لیے اُس نے کالی مرچ ڈال کر بنائی تھی۔ ضوبا نیہات کے پاس تھی، اُس کے لیے الگ سے کھانا تھا۔

نیہات خاصا باہمت نوجوان ثابت ہوا تھا یا شاید جوانی کی اپنی ایک طاقت ہوتی ہے...... جو بھی تھا وہ کچھ دنوں میں ہی خاصا بہتر نظر آ رہا تھا۔ فاخرہ ہاسپٹل، گھر، امن کے گھر گھن چکر بن کر رہ گئی تھی۔ لبنیٰ اب گھر سنبھال چکی تھی۔ طبیعت بھی اُس کی ٹھیک تھی، اس لیے فاخرہ کا اُن کے گھر آنا جانا قدرے کم ہو گیا تھا پھر بھی وہ کبھی کبھار چکر لگا ہی لیتی تھی۔

''صبا اسٹڈی کیسی جا رہی ہے۔'' نیہات نے پوچھا تھا۔

''جی بھیا زبردست، اور آپ کو پتا ہے نا کہ اسکول میں مقابلہ تھا مضمون نویسی کا۔''

''ہاں یاد ہے مجھے تم نے بتایا تھا۔'' وہ کہنی کے بل ذرا سا اوپر ہوا۔

''اور مجھے ملا ہے......'' صبا نے چمکتی آنکھوں سے تجسس پھیلایا۔

''پہلا انعام۔'' ضوبا نیہات اور فضا نے یک زبان ہو کر کہا۔

''جی جناب، اور مابدولت بہت خوش، آپ جلدی سے ٹھیک ہو جائیں پھر میں ٹریٹ دوں گی آپ کو۔''

''اوہ......ہو......صرف اِن کو، اور ہم......'' ضویا نے آنکھیں دکھائیں۔
''آپ کو، امن آپی کو سب کو۔'' صبا اندر سے نیہات کے لیے رنجیدہ واُداس تھی مگر بظاہر وہ اُس کے سامنے ظاہر نہیں کرنا چاہ رہی تھی اس لیے ایسا موضوع شروع کر دیا تھا۔
''امن سے یاد آیا آنٹی کی طبیعت اب کیسی ہے۔'' ضویا نے فاخرہ سے پوچھا فاخرہ نے باؤل میں یخنی نکال کر نیہات کو باؤل پکڑایا اور ضویا کا کھانا اُس کے سامنے رکھا۔
''لبنیٰ اب ٹھیک ہے، تم کھانا کھالو۔''
''جی آنٹی۔'' صبا نیہات سے باتوں میں مشغول تھی اور فاخرہ کا ذہن امن کی طرف بھٹک رہا تھا۔

○......❖......○

اریز کے لب خاموش تھے لیکن ماتھے پر شکنوں کا جال، چہرے پر غصے کی سرخی، بار بار انگلیوں کی پوروں سے سر کو دباتا اریز، یوں لگتا تھا وہ کسی سنگین قسم کی پریشانی میں مبتلا ہے۔
''اریز اتنا ٹینس ہونے کی کیا بات ہے۔'' فروا نے اُس کے کندھے پر ہاتھ رکھ کر کہا۔
''بس تم ختم کرو یہ سب۔''
''نہیں اریز تم مجھ سے نکاح کرو تا کہ ہم اس بچے کو باعزت طریقے سے دنیا میں لاسکیں۔''
''میں شادی اور بچہ افورڈ نہیں کرسکتا تم سمجھتی کیوں نہیں ہو، میں جب سے کراچی سے آیا ہوں بہت اَپ سیٹ ہوں مگر تمہیں کیا، تمہیں تو ماں بننے کا شوق چڑھا ہے۔''
''اریز جب ہم ایک ساتھ رہیں گے تو ایسے تو ہوگا نا، رہی بات فیوچر کی تو کیا نہیں ہے تمہارے پاس۔ تمہارے والد سنگا پور میں ہوتے ہیں، ہر شہر میں تم لوگوں کے عالیشان گھر ہیں پھر ایسے کیوں کہتے ہو۔''
''وہ سب ڈیڈی کا ہے، اپنی چیز وہی ہوتی ہے جو اپنے نام ہوتی ہے، اپنی ملکیت ہوتی ہے۔''
''ہے تو سب کچھ تم لوگوں کا ہی نا۔'' وہ ہولے سے بولی۔
''ڈیڈی کا اس بارے یہ کہنا ہے کہ اپنا کماؤ کھاؤ، میرے مرنے کے بعد سب تمہارا ہے، ہر کوئی تمہارے بابا جیسا نہیں ہوتا جن کو اپنی اولاد کی کتنی فکر ہے، جب جب تمہارے بابا نے کوئی زمین خریدی کوئی دکان یا مکان خریدا ساتھ کی ساتھ ہی اپنے بچوں کے نام کرواتے گئے۔ تمہارے نام بھی کافی پراپرٹی ہے جبکہ میرے نام تو کچھ نہیں۔ اس لیے میں اپنے زورِ بازو پر بھروسا کرتے ہوئے کچھ کرنا چاہتا ہوں، مگر سرمایہ نہ ہونے کی وجہ سے ہاتھ باندھے تمہارے ٹکڑوں پر پل رہا ہوں۔ ایک تم ہو کہ ازدواجی زندگی شروع کرنے کے خواب دیکھ رہی ہو۔ اب مجھے بتاؤ میں کیا کروں۔'' وہ اس وقت بہت مجبور و بے کس نظر آنے کی کوشش کررہا تھا۔
''اریز میرا سب کچھ تمہارا ہی ہے، ایسی باتیں کیوں کرتے ہو۔ تم مجھ سے نکاح کرلو تو میں اپنی ساری جائیداد تمہارے نام کر دیتی ہوں۔ پھر تم آہستہ آہستہ اپنی مما سے بات کرلینا جب تمہاری مما مان جائیں تو مجھے گھر لے جانا۔'' وہ خود ہی سارا پلان کیے بیٹھی تھی۔ بات اریز کے دل کو لگی۔
''ٹھیک ہے میری جان تم کہتی ہو تو میں نکاح کرلیتا ہوں۔ میں تمہیں پریشان نہیں دیکھ سکتا۔'' اب وہ جان

لٹانے والا عاشق بن چکا تھا۔

''تھینکس اریز تم بہت اچھے ہو۔''

''مگر میں تمہاری پراپرٹی میں سے ایک پائی بھی نہیں لوں گا۔'' وہ ایک بات فروا کے ذہن میں ڈال رہا تھا کہ کہیں وہ بھول نہ جائے اور وہ اُسے مکرنے نہیں دینا چاہتا تھا۔

''نہیں اریز جب ہم میاں بیوی بننے جا رہے ہیں تو تیرا میرا کچھ بھی نہیں سب 'ہمارا' ہے۔ جب تم میرے ہو تو پھر مجھے کچھ اور نہیں چاہیے میری ہر چاہ کا خاتمہ تم پر ہوتا ہے۔''

فروا جذباتی ہو کر اُس کے گلے کا ہار بن گئی۔ اور اریز کا ذہن بہت تیزی کے ساتھ کام کر رہا تھا بہت آگے کی پلاننگ کر رہا تھا مگر وہ سر نیہوڑے افسردہ بیٹھا تھا بظاہر۔

○......❖......○

''امن اُٹھو بیٹا تیار ہو جاؤ، کالج جاؤ۔'' فاخرہ آج پھر ان کے گھر آئی ہوئی تھی۔

''نہیں آنٹی میرا دل نہیں کرتا۔''

''تارک الدنیا ہو جانے سے کیا ہو جائے گا۔ ہمت و حوصلے سے کام لو، نماز پڑھا کرو، اللہ معاف کرنے والا ہے۔'' امن نے پتھرائی ہوئی نظروں سے فاخرہ کو دیکھا۔

''میرا پڑھنے کو اب دل نہیں کرتا، میں حرماں نصیب، سیاہ بخت سب گنوا بیٹھی۔ میرا دل ہر چیز سے اُچاٹ ہو گیا ہے۔''

''اپنا حال دیکھ رہی ہو، کس کو اذیت دے رہی ہو، خود کو تباہ کر کے۔ ہر کوئی تمہاری اس حالت کی بابت پوچھتا ہے۔ بکھرا حلیہ، ملگجا لباس، سوجے ہوئے پپوٹے، اندر کو دھنسی آنکھیں۔'' فاخرہ نے اُسے جھنجھوڑ دیا۔

''امن تم نے ایک بار بھی اللہ کا شکر ادا نہیں کیا کہ دنیا والوں کے سامنے اللہ نے تمہارا پردہ رکھ لیا ایک بار بھی تم نے سوچا کہ اگر دنیا والوں کو اس منحوس سانحے کی خبر ہو جاتی تو لوگ تمہیں اور تمہارے والدین کو جینے نہیں دیتے۔ ہر ہاتھ میں پتھر ہوتا، لوگ تم پر زبان سے بھی نشتر زنی کرتے اور پتھروں سے سنگ باری بھی، بہت برا ہوا جو بھی ہوا مجھے احساس ہے۔ مگر یوں دنیا سے چھپ جانے سے تمہارا نہ ہی خسارہ پورا ہو گا نہ ہی ملال، اٹھو بیٹا خدا سے معافی مانگو، جینا تو ہو گا، گھٹ گھٹ کر مرنے سے بہتر ہے کہ 'جی' ہی لیا جائے۔''

''آنٹی مجھے ڈر لگتا ہے۔ گھر سے باہر نکلنے سے خوف آتا ہے۔ یوں لگتا ہے جیسے وہ سامنے ہی کھڑا ہو گا وہ مجھ پر ہنسے گا۔ میرا مذاق اڑائے گا میری توہین کرے گا ذلیل کرے گا مجھے۔''

''سب خوف سب اندیشے دل سے نکال دو میری جان، وہ ایک حادثہ تھا اور اُسے ایک بھیانک حادثہ سمجھ کر بھول جاؤ۔'' فاخرہ اسے سمجھا سمجھا کر عاجز آ رہی تھی۔

''اٹھو بیٹا نہاؤ، صاف ستھرے کپڑے پہنو اور ابھی لبنیٰ سے معافی مت مانگنا، تھوڑا وقت لگے گا وہ تمہیں معاف کر دے گی۔ وقت تو لگتا ہی ہے نا، شکر کرو کہ فرقان بھائی کو کسی بات کا نہیں پتا، وہ تم سے پہلے کی طرح ہی محبت کرتے ہیں۔ اللہ معاف کر دیتا ہے دنیا معاف نہیں کرتی۔ اُٹھو بیٹا اور ہمت و جرأت کا مظاہرہ کرتے ہوئے

زندگی کی آنکھوں میں آنکھیں ڈال کر جیو، نماز فجر ادا کرواور اللہ سے معافی مانگو، خیر مانگو اور اللہ کا شکر بھی ادا کرو۔ وہ پاک ذات ہے عیبوں پر پردہ ڈالنے والی۔''

فاخرہ اُٹھی اور وضو کرنے چلی گئی۔ امن کے دل کو فاخرہ کی باتیں لگی تھیں، امن بھی وضو کرنے کے لیے اٹھ گئی۔

فاخرہ نے سلام پھیرا تو دیکھا اُس کے پاس امن بھی نماز پڑھ رہی ہے۔ فاخرہ کو خوشی ہوئی اور اُس کا دل آزردہ بھی ہوا واقعی امن کا درد لامتناہی تھا۔

وہیں بیٹھے بیٹھے فاخرہ کے دل میں ایک بات آئی تھی اور جیسے اُس کے دل میں ڈھیروں سکون اترتا چلا گیا۔ وہ فیصلہ کر چکی تھی کہ امن کو اپنے گھر لے جائے گی۔ ہر وقت اُس کے ساتھ اُس کی طاقت بن کر رہے گی۔ لبنیٰ کی طبیعت ٹھیک تھی پھر بھی کسی ایمر جنسی کی صورت میں بشیراں کو اُس کے پاس بھیجا جا سکتا تھا۔

''بہت شکریہ بیٹا، اب ایسے ہی روز نماز پڑھا کرنا، دیکھنا خود کو خدا کی پناہوں میں دینا کتنا سکون دیتا ہے۔ سب اُسی سے مانگا کرو اُسی سے ہم کلام ہوا کرو، اُسی سے راز و نیاز کیا کرو۔''

''جی آنٹی، اب کیا کروں گی۔''

''اب قرآن پاک کی تلاوت کرو پھر تیار ہو جاؤ۔ میں ناشتا بناتی ہوں پھر میں اپنی بیٹی کو خود کالج چھوڑ کر آؤں گی۔ ٹھیک ہے نا۔'' فاخرہ کا شہد آگیں، چاہتوں سے لبریز لب و لہجہ اپنے اندر اثر پذیری رکھتا تھا اور امن پر بھی اثر ہو رہا تھا۔

○......◈......○

اُجالا کو نرسری جانا تھا۔ کچھ نئے پودے اُگانے میں بیج اور پنیری کی ضرورت تھی۔ زرینہ شام کی چائے کا انتظام کررہی تھی تبھی لبنٰی چلی آئی۔ وہ کلاس فیلو تھیں مگر لبنٰی سرکاری اسکول میں پڑھتی تھی جبکہ اُجالا سٹی پبلک اسکول میں پڑھتی تھی۔ پھر بھی دونوں کی دوستی تھی لبنٰی سے اُس کی بہت بنتی تھی۔ وہ اُس کی کزن تھی۔

''آؤ لبنٰی، کیسی ہو۔'' اُجالا بہت تپاک سے اُس کے گلے لگی تھی۔ دونوں ہنستی مسکراتی ہوئی۔ باتوں میں مگن ہوگئیں۔ اسٹڈی کی باتیں، اِدھر اُدھر کی۔

''چائے۔'' تبھی زرینہ چائے لے کر آ گئی اس وقت وہ اُجالا کی اسٹڈی میں تھیں۔ اُجالا نے خالی چائے دیکھ کر زرینہ سے کہا کہ ساتھ کچھ لے کر آؤ۔ اُجالا نے بازار سے سموسے بھی منگوا لیے تھے زرینہ بھی اسنیکس کے طور پر کافی کچھ لے آئی تھی۔ باتوں میں وقت کے گزرنے کا پتا ہی نہیں چلا، وہ بھلے روز ملتیں مگر اُن کی باتیں ختم نہیں ہوتی تھیں۔

''کیا کررہی تھیں میرے آنے سے پہلے۔'' لبنٰی نے اُس کے اطراف نظر دوڑائی۔

''بس نرسری جانا تھا، پھر تم آ گئیں۔''

''اوہو، میں نے تو وقت ہی ضائع کیا نا، اچھا میں چلتی ہوں۔''

''وقت جتنا بھی قیمتی ہو، کام جتنا بھی اہم ہو، مگر اپنوں سے بڑھ کر کچھ نہیں ہوتا۔''

''مذاق کررہی ہوں، ویسے ہی، اب چلتی ہوں۔''

''ناراض ہو کے جارہی ہو۔'' اُجالا نے اُس کی آنکھوں میں جھانکا ذرا سا نیچے جھک کر۔

''ارے پاگل ہو، ناراضی کیسی میری جان۔'' لبنٰی نے چٹاچٹ اُس کے گال چوم لیے اُجالا شرما گئی مارے حیا کے اُس کے گال دھکنے لگے۔

''اُف ایک تو یہ تمہارے اناروں جیسے گال، تمہیں تو تمام عمر بلشر لگانے کی ضرورت ہی نہیں پڑے گی۔ اتنے گلوئنگ اور شائننگ گال، ویسے اُجالا کبھی کبھی میرا دل کرتا ہے......''

''کیا......'' اُجالا نے اپنی آنکھیں پھیلائیں۔

''دل کرتا ہے تیرے گال کھرچ کر دیکھوں اور تمہارے گلابی ہونٹ چھید کر دیکھوں کے نیچے سے کیا نکلتا ہے۔ بہت حسرت ہے یہ میرے دل کی۔'' لبنٰی نچلا ہونٹ دانتوں تلے دبا کر شرارت سے بولی۔

''بس ایک چیز نکلے گی اور بے تحاشا نکلے گی۔ خون بس خون۔'' دونوں ایک دوسرے کے ہاتھ پر ہاتھ مار کر ہنس پڑیں۔ پھر لبنیٰ چلی گئی۔

اُجالا آج نرسری جانا چاہ رہی تھی مگر نہیں جا سکی تھی۔ کوئی بات نہیں کل سہی۔

○......❖......○

فروا نے اپنی تمام جائیداد اریز کے نام کردی تھی۔ اریز اندر سے بہت خوش تھا مگر اُس نے اپنے کسی بھی عمل سے ثابت نہیں ہونے دیا۔ وہ کمال کا اداکار تھا۔ اُسے اپنے تاثرات چھپانے آتے تھے۔

اگلا دن سنڈے کا تھا۔ اُن کا نکاح ہونے کے لیے اریز نے جمعہ کا دن منتخب کیا تھا۔ اُس کے پاس چھ دن تھے جو بھی کرنا تھا بس انہی دنوں میں ہی کرنا تھا اور کوئی راہ سجھائی نہیں دے رہی تھی پھر اُس کی نظر کرم کوثر پر آن ٹھہری۔ اُس نے ایک دن ہی خصوصی التفات برتا تو کوثر اُس کے قدموں میں آن گری۔ لڑکیاں اُس کے لیے بہت آسان ہدف ثابت ہوتی تھیں۔

حرام کھانے والے حرام کرنے والے خوش گمانیوں میں مبتلا رہتے ہیں کہ وہ باکمال ہیں۔ یہ بات بھول جاتے ہیں کہ حرام چیزیں اُن کو پسند ہیں اور وہ حلال چیز کو بھی حرام کر کے کھانا پسند کرتے ہیں۔ تو ٹھیک ہے اللہ ایسے شرپسندوں کی رسّی دراز کرتا ہے اور جب کھینچتا ہے تو ایسے لوگوں کی ساری طراری دھری کی دھری رہ جاتی ہے۔

اریز نے کوثر سے گٹھ جوڑ کیا۔ کچھ دوائیاں اُسے لا کر دی تھیں جو کوثر کو دو دن کے اندر اندر فروا کو دینی تھیں۔ چائے میں پانی میں، کھانے میں جیسے بھی۔

اور ٹھیک دو دن بعد فروا کی طبیعت بہت خراب ہوگئی اریز محبت لٹاتا اُس کے ساتھ رو رہا تھا۔ وہ اُسے لیڈی ڈاکٹر کے پاس لے گیا۔ بے ہوشی کی حالت میں اُس کا کام ہوگیا۔ جب اُسے ہوش آیا وہ اپنا بچہ کھو چکی تھی۔ وہ روئی تڑپی بلکی اریز اُسے ساتھ لگائے اپنائیت اور محبت کا مظاہرہ کرتا رہا۔

فروا کا اریز نے بہت خیال رکھا فروٹ، گوشت، دودھ اپنی نگرانی میں پلاتا۔ اریز نے فروا کے اتنے لاڈ کیے اتنے ناز نخرے اٹھائے کہ حد نہیں، جمعرات کی رات انہوں نے اکٹھے کینڈل لائٹ ڈنر کیا اور جمعہ کی صبح صبح ہی اُسے گھر سے کال آئی تھی۔ اُس کی مما کی طبیعت بہت خراب تھی۔ اریز بہت اَپ سیٹ تھا وہ فروا کو بتا کر بہاولپور چلا گیا۔

○......❖......○

''السلام علیکم سر!'' اریز کا ایک ہاتھ اسٹیئرنگ پر تھا جبکہ دوسرے ہاتھ سے اُس نے سیل فون کان سے لگا رکھا تھا۔

''وعلیکم السلام مائی سن، کیسا ہے میرا شیر۔'' بہت پُرجوش آواز تھی۔

''ٹھیک نہیں ہوں سر، بہت تھکا تھکا سا۔''

''اوہ، کیا ہوگیا میرے چیتے کو۔''

''اُس عورت کے ساتھ چپک کر رہا تو خود پر جبر کر کر کے اُکتا سا گیا۔'' اُس نے ہینڈ فری لگا لی کیونکہ اُسے اس طرح ایک ہاتھ میں سیل فون پکڑنے سے گاڑی ڈرائیو کرنے میں مشکل پیش آ رہی تھی۔

''واقعی لگتا ہے تم ذہنی طور پر بہت تھک گئے ہو۔'' مقابل بھی ماسٹر مائنڈ تھا اور بچپن سے پالا تھا اُس نے اریز چوہدری کو۔ اُس کا مزاج آشنا تھا۔

''جسمانی اور ذہنی تھکن نے نڈھال کر رکھا ہے، اُس گھٹیا عورت کے ڈراموں نے عاجز کر ڈالا مجھے، ابھی بھی مما کی بیماری کا بہانہ بنا کر نکلا ہوں ورنہ وہ کل نکاح کے لیے تیار بیٹھی تھی۔''

''مما کی بیماری کا بہانہ، کون سی مما...... ویری فنی۔'' بھرپور مزا لیتے ہوئے قہقہہ لگایا گیا۔

''میرا بہاولپور میں بہت عالیشان گھر ہے سر۔ جس کو دیکھ کر نگاہیں خیرہ ہو جاتی ہیں۔ میرے بابا سنگا پور میں ہوتے ہیں۔ بہن بھائی لندن پڑھنے گئے ہوئے ہیں ہاہاہا۔'' اریز نے اپنے ہی جھوٹے جملوں کا لطف لیا۔

''اب بات کہاں تک پہنچی۔'' مقابل سنجیدہ کام کی بات پر آ گیا۔

''رحمان اپنی بیٹی کی ضد پر ہار گیا۔ اُس نے اُسے ملتان میں سیلون کی اجازت دی یا نہیں مگر چیک ضرور دے دیئے، وہ بھی خالی۔'' وہ رُکا۔

''گڈ ویری گڈ۔''

''ایک چیک کیش کروایا اور گاڑی خریدی سیلون کا سامان خریدا، کچھ سامان کراچی لینے گئے تو وہاں اُس عورت (واضح رہے کہ اریز حقارت سے فروا کو عورت کہہ رہا تھا) کی طبیعت بگڑ گئی لیڈی ڈاکٹر کے پاس گئے تو پتا چلا کہ وہ ماں بننے والی ہے۔''

''پھر......'' اریز بعد کی ساری تفصیل اُسے بتانے لگا وہ ساری بات سن کر خوش ہو گیا۔

''شاباش مائی سن، اب کہاں جا رہے ہو اور آگے کیا پلان ہے۔''

''میں لاہور جا رہا ہوں، کچھ دیر پی سی میں رہوں گا، آرام کروں گا۔ پھر تازہ دم ہو کر آگے کا پلان کریں گے سر، سب کچھ میرے نام ہو چکا ہے۔ فروا رحمان بے کار پرزہ ہو گئی ہے اب میرے لیے کافی رقم بھی ہے میرے پاس اور خالی چیک بھی۔''

''تم ٹھیک کہتے ہو اب فروا کو 'بارڈر' میں پہنچاؤ گے کہ قبر میں۔''

''سر ابھی کچھ پتا نہیں، جیسے آپ کو مناسب لگے بتا دیجیے گا۔'' اریز نے بالوں میں ہاتھ پھیرتے ہوئے کہا۔ اُسے بہت زوروں کی بھوک لگی تھی۔ وہ لاہور بس پہنچنے ہی والا تھا۔

''او کے اگلا پروجیکٹ قابلِ توجہ ہے، بیا ہمدانی پولیس آفیسر کی کزن ہے ذرا بچ کر۔''

''آج تک ہم نے کتنی عورتیں، بچے اٹھائے کیا کر لیا ہمارا پولیس والوں نے۔'' اریز طنزیہ ہنسا۔

''ٹھیک ہے بیٹا اپنا خیال رکھنا اور رابطے میں رہنا، میں کل اسلام آباد سے لاہور ملتا ہوں تم سے، اور ہاں سجاد کی کوئی خیر خبر ہے۔'' اُسے اچانک سے یاد آیا۔

''سر آپ شاید بھول رہے ہیں اُس نے آپ کو بتائی تھی ساری کہانی۔''

''ہاں شاید وہ کسی لڑکی نے دوسری کا نام استعمال کر کے اُسے دھوکا دیا تو سجاد نے طیش میں آ کر اُسے مارا ذلیل کیا اور......''

''جی جی سجاد بلوچ کو آپ نے رحمان کی دوسری بیٹی عروا رحمان کا شکار کرنے کا کہا تھا۔ سجاد نے کالج میں امن کو عروا سمجھ کر بات چیت کی اور امن نے چالاکی کی۔ وہ بھی عروا بن گئی سیدھی سادی سی لڑکی تھی۔ جب سجاد پہلی بار اُسے ملا تو وہیں میں نے اُسے کال کر کے بتا دیا کہ یہ رحمان کی بیٹی عروا نہیں ہے بلکہ فرقان کی بیٹی امن ہے جس کا باپ معمولی سے جنرل اسٹور کا مالک ہے۔ بس سجاد تو طیش میں آ گیا......''

''نایاب اُلو کا پٹھا اُسے بتا نہیں سکتا تھا کہ یہ مطلوبہ لڑکی نہیں ہے۔'' سر کو طیش آنے لگا۔

''نایاب کا کوئی دوش نہیں، دراصل وہ دونوں اکٹھی کالج آتی جاتی تھیں۔''

''بھاڑ میں گئی وہ امن شمن۔''

''میں نے اُسے عروا کا نمبر دے دیا ہے اب وہ بہت جلد عروا رحمان پر کام کرے گا۔ وہ میرے ساتھ رابطے میں ہے۔''

''چلو ٹھیک اب پھر بات کریں گے بیٹا۔'' وہ محبت بھرے لہجے میں بولا۔

''او کے سر ٹیک کیئر، ملتے ہیں جلد۔'' اریز نے سیل فون ڈیش بورڈ پر پٹخا اور گاڑی کا رُخ پی سی کی طرف موڑ دیا۔

○......❖......○

اُجالا عرفان کے ساتھ نرسری جا کر بہت سارے بیج، گملے اور پنیری لے آئی تھی اور اب صبح سے خود بھی ہلکان ہو رہی تھی اور ساتھ عرفان کو بھی لگا رکھا تھا۔

اُن کے گارڈن میں ایک مصنوعی پہاڑی بھی بنائی گئی تھی۔ وہ اونچائی میں بہت زیادہ نہیں تھی۔ چوڑائی کافی پھیلی ہوئی تھی پہاڑی دیکھنے والوں کو دل لبھاتی تھی اور دیکھنے والا تادیر کھو کر رہ جاتا تھا۔ محبت و محویت کا عالم ہی اور ہوتا تھا۔ اُس کی وجہ پہاڑی پر نصب کیسے مختلف رنگوں کے پتھر اور پتھروں کے درمیان اُگی ہوئی سرسبز شاداب گھاس، کچھ پہاڑی کا مخصوص حصہ مختلف رنگوں کے گلابوں کی بہار دکھا رہا تھا اور سب سے زیادہ توجہ طلب پہاڑی کے بیچوں بیچ بہتا پانی کا جھرنا اتنا دلفریب منظر پیش کرتا تھا کہ بس دیکھنے والا مبہوت سا ہو کر مسمرائز ہو جاتا تھا۔ آبشار کی مانند گرتا پانی تالاب کے صاف شفاف پانی میں شامل ہو جاتا تھا۔

اُجالا کو اگر اپنے گارڈن سے اتنی محبت تھی تو...... ہونی بھی چاہیے تھی۔ گارڈن تھا ہی توجہ کھینچ لینے والا۔ اُجالا عرفان کو مختلف ہدایات دے رہی تھی۔ اُس کے بال بار بار بکھر کر پسینے بھری پیشانی پر چپک جاتے تو اُجالا اپنے مٹی بھرے ہاتھوں سے اپنی لہراتی زلفوں کو کانوں کے پیچھے اُڑس لیتی۔ کھاد مٹی سے اُس کے ہاتھ لتھڑے ہوئے تھے۔ اُس کی بلیو جینس کی پینٹ کیچڑ سے جگہ جگہ بھر چکی تھی کہ اُسے چنداں پروا نہیں تھی وہ جتی ہوئی تھی۔

وہ اتنی مگن تھی کہ اُسے خبر ہی نہیں ہوئی کہ کب سعد مرتضٰی آئے کب چوکیدار نے گیٹ کھولا اور کب سعد نے گاڑی پورچ میں کھڑی کی وہ عرفان سے سب گملے ترتیب سے رکھوا رہی تھی۔ تبھی سعد مرتضٰی اُسے آوازیں دیتا

وہیں چلا آیا۔

''اوہ مائی گاڈ، یہ کون ہے۔'' سعد نے اُس کی حالت دیکھ کر مصنوعی حیرت کا مظاہرہ کیا۔

''اُجالا...... ہوں۔'' وہ لاڈ سے بولی۔

''نو، نو، نو اُجالا نہیں ہو سکتی یہ، میری لاڈلی بہن اُجالا تو جہاں جاتی ہے روشنی سی بکھر جاتی ہے ہر طرف اُجالا ہو جاتا ہے، یہ تو کوئی گندی سندی سی لڑکی ہے۔'' وہ شرارت پر آمادہ تھا۔ اس لیے مسلسل اُسے زچ کر رہا تھا۔

''بھیا......'' اُجالا ٹھنکی اور سعد کی طرف لپکی۔

''پیچھے پیچھے! مجھے گندے ہاتھ مت لگانا، چلو نہاؤ جا کر، گندی بچی۔''

''یہ کیا ہے......'' سعد کے ہاتھوں میں تھامے شاپرز پر اُس کا اب دھیان گیا تھا۔

''سرپرائز ہے، پہلے نہا کر اچھا سا تیار ہو جاؤ پھر دکھاؤں گا۔'' سعد نے تجسس پھیلایا۔

اُجالا فریش ہو کر نکلی تو سعد نے ایک شاپر اُسے تھما کر کہا کہ یہ پہنو، اُجالا نے شاپر کھول کر دیکھا بہت اسٹائلش سا پنک کلر کا بوتیک کا سوٹ تھا۔ اُجالا نے سوالیہ نظروں سے سعد کو دیکھا تو انہوں نے اسے فٹافٹ تیار ہونے کا کہا وہ اپنے کمرے میں چلی گئی۔

جب وہ تیار ہو کر نکلی تو تیاری کے نام پر اُس نے اپنے لمبے گھنے سیاہ بال کھلے چھوڑ رکھے تھے۔ آنکھوں میں ہلکی سی کاجل کی دھار تھی، لبوں پر نیچرل لپ اسٹک لگالی تھی، اتنی سی تیاری نے ہی اُس کے معصوم حسن کو دو آتشہ کر دیا تھا۔

آج 25 مئی تھی۔ اُجالا کی برتھ ڈے! وہ ہر سال بھول جاتی تھی اور سعد ہر سال یاد رکھتا تھا۔ ابھی بھی اُس نے ہال میں انتظام کروایا تھا۔ بڑی سی گلاس کی ٹیبل پر بہت بڑا چاکلیٹ کیک رکھا تھا۔ سولہ موم بتیاں جلائی گئی تھیں۔ سارا خاندان مدعو تھا۔ مہمان آ گئے تھے۔ لبنیٰ اس کے امی ابو اُس کے دو بہن بھائی، خالہ آئی تھیں۔ ان کے بیٹے فرقان اور رحمان بھی آئے تھے۔ خاندان کے اور بھی لوگ تھے۔ اُجالا پہلے تو دنگ رہ گئی اتنے لوگ دیکھ کر، پھر اُسے ساری بات سمجھ میں آ گئی تو وہ بے انتہا خوش ہوئی۔

''آؤ اُجالا، یہ سرپرائز تھا میری جان، میری گڑیا۔'' بہت سی نظریں اُجالا کی طرف اٹھی تھیں اور تھوڑی دیر بعد واپس لوٹ آئی تھیں۔ مگر رحمان احمد کی نظریں واپس پلٹنا بھول گئیں۔ رحمان اُن کا کزن تھا اور سعد اور رحمان کی گاڑھی چھنتی تھی۔ رحمان زیادہ تر سعد کو باہر ہی مل لیتا تھا۔ گھر کم کم ہی آنا ہوتا تھا۔ مگر آج کیا ہوا۔ عجیب سا فیل ہو رہا تھا۔ وہ عمر میں اُس سے کافی چھوٹی تھی، مگر دل چرا کر لے گئی تھی۔ خود ہنستی مسکراتی گلے لگی ہوئی تھی سعد کے۔

○......❖......○

''اُجالا آج سولہ سال کی ہو گئی ہے، اُجالا آؤ کیک کاٹو بیٹا۔'' سعد کا بازو اُجالا کے گرد حصار کی مانند تھا۔ سعد اُسے ساتھ لیے ٹیبل کے پاس آیا۔ اُجالا نے چھری کیک پر رکھی، سعد کا ہاتھ اُجالا کے ہاتھ پر تھا۔

''ہیپی برتھ ڈے'' کی صدا تالیوں کی آواز، اُجالا مسرور تھی وہ اتنی دلبربا اتنی ماورا لگ رہی تھی کہ رحمان کی نظریں بار بار اُس کے دل آویز چہرے پر بھٹک رہی تھیں اور دل کی بے چینی بڑھتی جا رہی تھی۔

سعد اُجالا کو کیک کھلا رہا تھا اور اُجالا سعد کے منہ میں کیک کا ٹکڑا ڈال رہی تھی وہ دونوں بہن بھائی ایک دوسرے میں مگن تھے۔ جیسے وہاں باقی لوگ تو موجود ہی نہ ہوں۔ یہ رحمان کو لگا تھا ایسا تھا نہیں، وہ دکھاوا نہیں کرتے تھے حقیقتاً ایک دوسرے سے بہت محبت کرتے تھے۔ مگر نہ جانے کیوں رحمان کے دل میں حسد پیدا ہو رہا تھا اُس کے اندر گھٹن سی ہو رہی تھی۔ رحمان فطرتاً کینہ پرور انسان تھا۔ اُس کی محرومیاں بچپن سے اُس کے ساتھ پروان چڑھی تھیں وہ اندر ہی اندر سعد مرتضیٰ کی شان و شوکت اُس کے رکھ رکھاؤ اُس کے معیار زندگی اُس کے اعلیٰ عہدے و مرتبے کو دیکھ کر وہ دل ہی دل میں جلتا تھا اور اندر ہی اندر پیچ و تاب کھاتا رہتا تھا مگر جلنے کڑھنے کے سوا وہ کیا کر سکتا تھا۔

سب اُجالا کو مبارکباد دے رہے تھے وہ سب کو کیک پیش کر رہی تھی رحمان نے سر جھٹکا جیسے سب خیالات کو درہم برہم کر کے اپنے اوپر خوش اخلاقی کا لبادہ اوڑھا۔

''بہت بہت مبارک ہو اُجالا۔'' رحمان نے سعد کے انداز میں ہی اُجالا کا سر اپنے ساتھ لگایا وہ بھی تو بھائی تھا اُجالا تھینکس کہہ کر رحمان کے لیے پلیٹ میں کیک نکالنے لگی۔

کھانا ہوٹل سے منگوایا گیا کھانے کے بعد چائے کا دور چلا گپ شپ چلتی رہی رحمان کی بے باک نگاہیں بار بار اُجالا کے نوخیز سراپے میں اُلجھ رہی تھیں۔ اُجالا اپنی ہی دھن میں بول رہی تھی ہنس رہی تھی۔ یہ تقریب رات گئے تک جاری رہی تھی سب لوگ بہت تعریفیں کر رہے تھے خوش لوٹے تھے مگر ایک شخص بہت ناخوش گھر واپس آ گیا تھا۔ رحمان احمد۔

○......❖......○

نیہات ضمیر کو ہاسپٹل سے ڈسچارج کر دیا گیا تھا وہ کافی بہتر تھا اور گھر پر آرام کر رہا تھا۔ فاخرہ نے اُسے سختی سے تاکید کی تھی کہ وہ بس کچھ ہفتے آرام کرے زندگی کے کام چلتے رہتے ہیں۔ کبھی رکتے نہیں ہیں اور جو اُس کی اسٹڈی کا حرج ہوا ہوگا وہ فاخرہ جانتی تھی کہ نیہات کے لیے کوئی مسئلہ نہیں ہے۔

فاخرہ پہلے دن امن کو خود کالج چھوڑ کر آئی تھی پھر فاخرہ کو لگا کہ امن کا ہر وقت لبنیٰ کے سامنے رہنا لبنیٰ کے لیے ٹھیک نہیں ہے اسی لیے فاخرہ نے فرقان سے اجازت لے لی تھی۔ امن کو اپنے گھر لے کر جانے کی۔ کیسے فرقان کو مطمئن کیا وہ کیسے راضی ہوا یہ ایک الگ کہانی ہے کیونکہ فرقان چاہتا تھا کہ امن گھر میں رہے تاکہ وہ لبنیٰ کا خیال رکھ سکے اور فاخرہ کتنی مجبور تھی کہ وہ اُسے بتا نہیں سکتی تھی کہ امن سے لبنیٰ کو کتنا بڑا صدمہ ملا ہے اور امن کا ہر وقت لبنیٰ کے سامنے رہنا اُسے کیسے دوہری اذیت میں مبتلا رکھتا ہے۔ زخم تازہ ہو اور اُسے ہر وقت چھیڑا جائے تو زخم کبھی مندمل نہیں ہوتا، تازہ رہتا ہے۔ فاخرہ ہر راز کی امین تھی وہ امن کا راز فرقان کو نہیں بتا سکتی تھی وہ ایک بیٹی کو باپ کی نظروں سے نہیں گرا سکتی تھی اس لیے۔ اسی لیے فاخرہ نے نہ جانے کیا کہہ کر فرقان کو سمجھایا کہ وہ مان گیا۔

فاخرہ نے لبنیٰ سے بھی پوچھا تھا وہ کچھ نہیں بولی بس سر ہلانے پر ہی اکتفا کیا تھا۔

فاخرہ امن کو اپنے گھر لے آئی تھی اور بشیراں کو اُس نے لبنیٰ کے گھر بھیج دیا تھا۔ امن چند دنوں میں ہی فاخرہ کے بچوں سے اٹیچ ہو گئی تھی۔ اس میں صبا، فضا کا کمال تھا اسوہ اور اسد بھی امن کی بہت عزت و محبت کرتے تھے

فاخرہ تو تھی ہی سراپا محبت۔

امن صبا کے ساتھ سوئی ہوئی تھی۔ صبا نہ جانے کب اُٹھ گئی تھی۔ امن نے کروٹ بدلی تو دیکھا صبا نہیں تھی۔ امن کچھ دیر غائب دماغی سے لیٹی رہی پھر اُسے دھیان آیا وہ اپنے نہیں فاخرہ آنٹی کے گھر میں ہے۔

امن بھی اٹھی وضو کیا اور صحن میں نکل آئی ملگجا سا اندھیرا پھیلا ہوا تھا اور صحن میں ایک چٹائی پر فاخرہ، صبا، فضا اور اسوہ نماز پڑھ رہی تھیں۔ امن بھی اُن کے ساتھ جا کھڑی ہوئی۔

فاخرہ کچن میں چلی گئی صبا اُٹھ کر اپنی اور بہن بھائی کے یونیفارم استری کرنے لگی جب تک امن اُٹھ کر اندر گئی فضا سب کے جوتے پالش کر چکی تھی اور صبا کپڑے۔

''امن آپی آپ تیار ہو جاؤ کالج کے لیے، اور فضا تم اسد کو جگاؤ میں بابا کو ایک کپ چائے بنا دوں۔'' صبا مصروف سے انداز میں کہہ کر چلی گئی اور امن نے دیکھا فضا کی ہلکی سی ایک آواز پر اسد اُٹھ بیٹھا کوئی شور شرابا نہیں کوئی بدتمیزی نہیں، اللہ تعالیٰ نے فاخرہ کے بچوں کو ہدایت بخش رکھی تھی اور جسے اللہ ہدایت دے دیتا ہے پھر اُسے دنیا کی کوئی طاقت گمراہ نہیں کر سکتی۔

سب تیار ہوئے ناشتا کیا امن کو ایک بار پھر حیران ہونا پڑا صبا اور فضا بہت محبت سے زمان کو اُس کے کمرے سے لے کر آئی تھیں دونوں بیٹیوں نے اپنے نابینا باپ کو تھاما ہوا تھا۔ صبا نے خود زمان کو ناشتا کروایا چائے بھی دوبارہ تازہ بنا دی پھر امن نے دیکھا کہ صبا نے ٹی وی لگا کر بیڈ کے اوپر ریموٹ رکھا پھر زمان کو اُس کے کمرے میں چھوڑا۔ باری باری سارے بچے زمان سے ملے اور کیسے محبت سے گلے لگے۔ جیسے وہ اسکول نہیں کہیں لمبے سفر پر جا رہے ہوں امن کے لیے حیرت کا دن تھا۔

اور فاخرہ نے بھی زمان کو خدا حافظ کہا تو چار و نا چار امن کو بھی زمان تایا سے ملنا پڑا مگر وہ باوجود کوشش کے بھی صبا اور فضا کے انداز میں نہیں مل سکی۔

بچے رکشے میں چلے گئے فاخرہ اور امن پیدل چل رہی تھیں۔ فاخرہ نے امن کو کالج چھوڑا اور خود اسکول چلی گئی۔

O……❖……O

اریز کو گئے ہوئے بہت دن ہو گئے تھے۔ فروا مسلسل اُس کے ساتھ رابطہ کر رہی تھی مگر اُس کا نمبر آن ہوتا تو تب ہی رابطہ ممکن تھا۔ گھر والوں سے اُس کی کم کم ہی بات ہوتی تھی۔ عائشہ اُسے بارہا کہہ چکی تھی کہ گھر کا چکر لگا آؤ مگر وہ ٹال مٹول سے کام لے رہی تھی۔ مصروفیت کا بہانہ بنا کر کال کاٹ دیتی۔ رحمان تو ویسے بھی فروا سے دل سے ناراض تھا۔ شاید وہ خوش فہمی میں مبتلا تھا کہ فروا اُسے منائے گی شاید فروا کو احساس ہو جائے کہ اُس کا فیصلہ کتنا غلط تھا۔ مگر یہ رحمان کی خام خیالی تھی فروا کے ہاں دور دور تک ایسے کوئی آثار نظر نہیں آ رہے تھے۔

فروا فیروزی ٹراؤزر پر ریڈ لونگ شرٹ پہنے اپنے پارلر میں ایک کسٹمر لڑکی کا فیشل کر رہی تھی۔ فروا کا چہرہ میک اَپ کرنے کے باوجود بجھا بجھا سا تھا۔ اُس کا ذہن مسلسل اریز کی طرف ہی لگا ہوا تھا۔ وہ اپنی تمام تر توجہ اپنے کام پر مرتکز رکھنا چاہ رہی تھی۔ مگر سوچیں تھیں کہ آوارہ بگولوں کی طرح اُسے اڑائے پھر رہی تھیں۔ اُس کا

کام تقریباً مکمل ہو چکا تھا۔ تبھی فروا کے سیل فون پر بیل ہوئی فروا تڑپ کر لپکی شاید اریز ہو جلدی سے ہاتھ دھو کر سیل فون اٹھایا مگر مس کال دیکھ کر اُس کا چہرہ اُتر گیا۔

عائشہ کی کال تھی فروا سیل فون ہاتھ میں پکڑے تاسف سے اپنے ہونٹ کچلنے لگی آنکھیں لبالب آنسوؤں سے بھر گئیں اُس کے اندر جیسے کوئی ماتم کرنے لگا آوازوں کا ہجوم جمع ہو کر اُس کے تن بدن میں شور بپا کرنے لگا وہ تذبذب کی حالت میں تھی کہ بیک کال کرے یا نہیں۔ وہ یونہی غائب دماغی کی کیفیت میں باہر نکل آئی باہر موسم بدل رہا تھا۔ سرسراتی ہوا کا شور، ہوا اپنے ساتھ نمی سمیٹ کر لا رہی تھی۔ بارش کے آثار تھے۔ سرما کی سرد ہوا شور مچاتی پھر رہی تھی دور افق پر مغرب کی طرف آسمان کالی گھٹاؤں سے چھپتا جا رہا تھا اور درختوں کی شاخیں اپنا سر پٹخ کر خود کو زخمی کر رہی تھیں۔

فروا نے کوثر کو چائے کے لیے کہا اور وہ خود وہیں بالکونی میں کرسی گھسیٹ کر بیٹھ گئی اُس کے سامنے بھاپ اڑاتی چائے کا مگ کوثر کب رکھ گئی تھی فروا کو چنداں خبر نہیں ہوئی وہ اپنے دھیان میں تھی ہی کہاں۔ وہ اپنی ہی سوچوں میں غلطاں تھی۔ عجیب عجیب سوچیں اُس کے من میں پنپ رہی تھیں اور فروا کے جسم و جان کی بے قراری بڑھا رہی تھیں۔ بارش کے قطرے اُس کے اوپر گرے وہ چونکی سلگتی سوچیں بھلا اِن چند قطروں سے کیسے ٹھنڈی ہو سکتی تھیں۔

بارش کی بوندیں اُس کے اعصاب کو جلانے لگی۔ تپش سے جسم انگارے کی مانند دہکنے لگا اُس کی آنکھوں کے گوشے آنسوؤں سے نم ہونے لگے بارش تیز ہوگئی درختوں کی شاخیں چٹخنے لگیں اس سمے فروا کو اپنا وجود بھی اُن شاخوں سے مشابہ ہی لگ رہا تھا۔ اس نے عجلت میں اریز کا نمبر ملایا ایک بار دوبار پھر بار بار مگر نمبر آن ہوتا تب ہی بات بنتی نا۔

اُسے بارش بہت اٹریکٹ کرتی تھی برستی بارش اپنے اندر ایک الگ ہی حسن رکھتی ہے مگر آج فروا کے اندر وہی بارش آگ لگا رہی تھی۔ دور کہیں کسی درخت سے کوئی ڈال کوئی ٹہنی ٹوٹ کر زمین بوس ہوئی تھی۔ شاخ ٹوٹ جائے تو سوکھ کر زمین کا ایندھن بن جاتی ہے۔ فروا کے نیم والبوں سے بے ساختہ کراہ نکلی بارش کی ٹپ ٹپ مگر اندر گہری خاموشی سناٹا اور اندھیرا تھا وہ تنہائی کا زہر قطرہ قطرہ اپنے اندر انڈیل رہی تھی۔ اُس نے محبت میں کیا کچھ کھویا تھا یا وہ آنے والے دنوں میں کیا کچھ کھونے والی تھی۔

وقت اپنے اوپر سے پرتیں سفا کی اور بے رحمی سے اُتارتا جا رہا تھا اور وہ بے خبر تھی۔ وہ تو فکر مند تھی اریز کے لیے اُس کا نمبر آف کیوں ہے وہ ٹھیک ہو، اسی غم میں وہ ہلکان تھی۔ اتنے دن گزر جانے کے بعد بھی فروا کا یقین ایک لمحے کے لیے بھی متزلزل نہیں ہوا تھا۔ وہ تو گمان کے آخری سرے پر بھی جا کر یہ نہیں سوچ سکتی تھی کہ اریز جان بوجھ کر اُسے چھوڑ گیا ہے اُسے دھوکا دے گیا ہے اریز ایک سراب تھا ایک فریب تھا۔ جو خوشنما عکس بن کر فروا کی آنکھ میں اُترا تھا۔

وہ کہاں ایسی بات سوچ سکتی تھی کبھی بھی نہیں اریز تو فروا کے لیے دیوتا تھا اُس کے دل کی زمین پر اُگنے والا پہلا احساس، محبت کا سنہرا روپہلا روپ۔

فروا نے ٹوٹ کر محبت کی، اتنی کہ باقی سب پس منظر میں چلا گیا صرف اریز ہی اریز۔ اُس کی محبت جنون خیز تھی اور جنون تباہیاں لاتا ہے۔

''میں انتظار کروں گی اریز، چاہے وہ انتظار صدیوں پر ہی محیط کیوں نہ ہو، میری محبت میں کوئی کھوٹ نہیں ہے میں وفا نہیں چھوڑوں گی اریز میرے اریز میں محبت کو زندہ رکھوں گی چاہے میں خود مر ہی کیوں نہ جاؤں۔''

فروا نے گہرے گہرے سانس لے کر اپنا سر کرسی کی پشت سے ٹکا دیا اور اپنی آنکھیں موندلیں چپکے سے دو آنسو آنکھوں میں انگڑائی لے کر بولے۔

''اے نادان لڑکی جیسے برستی ہوئی موسلا دھار بارش اپنے ساتھ سب کچھ بہا کر لے جاتی ہے اسی طرح لڑکیوں کے من مانی کے لیے اٹھائے ہوئے قدم بھی پیچھے کچھ باقی نہیں چھوڑتے، صرف آہیں، آنسو، پچھتاوے اور بدنامیاں رہ جاتی ہیں۔ محبت ہوک بھرتی بس آہیں رہ جاتی ہے کون ہے اتنا اعلیٰ ظرف جو لڑکیوں کے بدن پر لگے داغ دھبے دھوتا پھرے، مرد کو تو معطر معطر سی پاکیزہ اَن چھوئی کلی جیسی نازک مہین لڑکی پسند ہوتی ہے جس کے من ہی نہیں تن بھی اُجلا ہو اپنے ہاتھوں میلا کر کے لڑکی کو بے یار و مددگار چھوڑ کر خود نیا نویلا صاف ستھرا پاکباز، معاشرے کا معزز فرد بن جاتا ہے۔''

○.....❖.....○

امن اور ضویا لائبریری میں بیٹھ کر نوٹس بنا رہی تھیں وقت تیزی سے گزر گیا انہیں احساس تک نہیں ہوا مگر جب امن نے گھڑی پر نظر ڈالی تو اُس کے چودہ طبق روشن ہو گئے ڈھائی بج رہے تھے اس وقت تو وہ گھر بھی پہنچ جاتی تھیں۔

''اوہ مائی گاڈ اتنا وقت ہو گیا۔ آنٹی بھی نہیں آئیں۔'' امن نے جلدی جلدی سارے کاغذات فائل میں لگائے اور کتابیں سنبھالتی اُٹھ کھڑی ہوئی۔

''امن ہم نے تمہیں بہت مس کیا بلیومی۔'' ضویا نے اُس کے ساتھ چلتے ہوئے کہا۔

''میں نے بھی۔'' عروا نے بھی اُن کے برابر چلتے ہوئے کہا۔ تبھی امن نے دیکھا فاخرہ گیٹ کے پاس کھڑی ہے امن اُن دونوں کو ہاتھ ہلاتی تیز قدموں سے فاخرہ کی طرف بڑھ گئی وہ دونوں تب تک امن کو جاتا دیکھتی رہیں جب تک کہ وہ فاخرہ کے ساتھ جاتے ہوئے نظروں سے اوجھل نہیں ہو گئی۔

''کمال ہے لبنیٰ چاچی بیمار ہیں اور بجائے امن اپنے گھر میں رہ کر اپنی مما کی تیمارداری کرنے کے، اُن کے ہاں رہنے کے لیے چلی گئی۔'' عروا یوں صدمے اور تاسف میں گھر کر کہہ رہی تھی۔ جیسے وہ خود بہت احساس بھرا دل رکھنے والی سعادت مند بیٹی ہو۔

''نہیں ایسی بات نہیں ہے لبنیٰ آنٹی نے خود ہی بھیجا ہو گا۔'' ضویا نے امن کا دفاع کیا۔

''وہ بیمار ہیں، امن کو خیال ہونا چاہیے تھا۔''

''چھوڑو یار اُن کا ذاتی معاملہ ہے، تمہارا فون۔'' ضویا نے بیگ کے اندر تڑپتے سیل فون کی طرف اشارہ کیا عروا نے اپنے بے بی ٹوائز دل کی شیپ والے بیگ کی اوپری زپ کھول کر فون نکالا۔

''ہیلو......''

''جی، جی میں عروا رحمان، آپ کون؟'' عروا نے پوچھا ضویا نے اچنبھے سے عروا کو دیکھا۔

''کون تھا......؟''

''پتا نہیں کوئی لڑکا تھا کہہ رہا تھا کہ آپ عروا رحمان ہیں۔''

''تمہیں کیسے جانتا ہے وہ، جبکہ تم اُسے جانتی ہی نہیں ہو۔''

''پتا نہیں کون تھا، مگر جو کوئی بھی تھا بہت خوبصورت آواز کا مالک تھا۔''

''اتنی جلدی تمہیں اندازہ ہو گیا کیا......'' ضویا نے اُسے گھورا۔

''ہاں نا بہت مسحور کن آواز تھی لب ولہجہ بھی متاثر کن تھا۔''

'عروا انسان بنو......'' ضویا نے اپنی فائل زور سے اُس کے سر پر ماری دونوں کھلکھلا کر ہنس پڑیں ضویا کی پیشانی پر غصے بھری شکنیں تھیں مگر مصنوعی غصے والی۔

''چلیں ضویا......'' تبھی نیہات کہیں سے آن نکلا۔

''او کے عروا۔'' ضویا نے عروا کو پیچھے چھوڑ دیا عروا آج کل رحمان کے ساتھ کالج آتی جاتی تھی۔

O......❖......O

صبا اور فضا اپنے سامنے اخبار پھیلائے بیٹھی تھیں صبا اخبار پڑھ کر زمان کو سنا رہی تھی اور فضا زمان کے پیروں کے ناخن کاٹ رہی تھی وہ ہر جمعے والے دن اپنے بابا کے ہاتھوں پیروں کے ناخن کاٹا کرتی تھی۔

رات کا وقت تھا اسوہ اور اسد بھی زمان کے ساتھ چپک کر لیٹے ہوئے تھے کھانا تیار تھا فاخرہ نے آج بھنڈی گوشت بنایا تھا اور یہ زمان کی پسندیدہ ڈش تھی۔

''بس کرو بیٹا کوئی بھی خبر ڈھنگ کی نہیں ہے، اُلٹا ٹینشن ہوتی ہے۔'' زمان نے صبا سے کہا تو صبا نے اخبار ایک طرف ڈال دیا اور زمان کے ساتھ لگ کر بیٹھ گئی اپنے اسکول کی باتیں بتانے لگ گئی فضا نے کٹے ہوئے ناخن اپنی ہتھیلی پر رکھے ہوئے تھے وہ اُٹھ کر باہر چلی گئی تا کہ وہ ناخن ڈسٹ بن میں پھینک سکے۔ سب نے مل کر کھانا کھایا سارے بچے زمان کا بہت خیال رکھ رہے تھے۔ لاڈ کر رہے تھے۔ زمان مسکراتے ہوئے اپنے بچوں میں مگن تھا۔ بچوں کے پاس ہزار قصے تھے وہ سب باری باری سنا رہے تھے اور زمان اپنی اولاد میں بیٹھے خود کو بہت معتبر محسوس کر رہے تھے۔ اپنا پن، محبت، اتفاق کیا کچھ نہیں تھا اس گھر میں۔

چھوٹوں کے لہجوں میں بڑوں کے لیے ادب تھا اہمیت تھی نرمی تھی مٹھاس تھی سب ایثار کرتے تھے کیونکہ انہیں ایثار کرنا سکھایا گیا تھا محبت صلہ رحمی کا دوسرا نام ہے۔ محبت ایثار ہے قربانی ہے صبر ہے۔

امن چھوٹے چھوٹے لقمے لیتی سب دیکھ رہی تھی اُس کے گلے میں آنسوؤں کا پھندا سا اٹک گیا تھا۔ آنکھیں تھیں کہ چھلکنے کو بے تاب ہو رہی تھیں۔ امن نے نظر بچا کر اپنے آنسو صاف کیے مگر اُس سے کھانا کھایا نہیں جا رہا تھا کاٹ دینے والی سوچیں اُسے مضطرب کر رہی تھیں۔ اُسے اپنے بابا یاد آ رہے تھے اور مما تو بہت شدت سے یاد آ رہی تھیں۔ آنسو بہت تیزی سے آنکھوں کی سطح پر پھیلے اور سامنے کا منظر دھندلا گئے امن کا خود پر

ضبط ختم ہونے لگا اور پھر وہ بے اختیار رو دی۔

''کیا ہوا بیٹا، طبیعت تو ٹھیک ہے نا۔'' فاخرہ اپنی جگہ سے اٹھی اور امن کے پاس آ کر اُس کے آنسو صاف کر کے امن کو گلے لگالیا امن بلک بلک کر رو دی۔ فاخرہ تو اُس کی درد آشنا تھی۔ جانتی تھی کہ امن کس کرب سے گزر رہی ہے صبا اور فضا بھی اپنی جگہ سے اُٹھ کر امن کے پاس آ گئی تھیں۔

''امن آپی آپ ٹھیک ہیں نا، یہ لیں پانی پی لیں۔'' فضا بھاگ کر پانی لے آئی امن اور بھی پھوٹ پھوٹ کر رو دی سب اُسے چپ کروا رہے تھے خیال رکھ رہے تھے اور اُسے انتہا کی شرمندگی ہو رہی تھی۔ اُسے کوئی بہانہ نہیں سوجھ رہا تھا۔

''مجھے مما یاد آ رہی ہیں۔'' بے چارگی امن کے لفظوں سے چھلک رہی تھی۔

''میں صبح تمہیں لے چلوں گی بیٹا یوں رو رو کر خود کو ہلکان مت کرو۔'' فاخرہ نے اُس کی پشت سہلائی۔

''آنٹی میرے سر میں درد ہے۔''

''آؤ بیٹا تم دوسرے کمرے میں آرام کرلو، میں تمہارے لیے چائے بناتی ہوں اور صبا تم لوگ یہیں رہو ٹی وی لگالو اپنے بابا سے گپ شپ لگاؤ۔'' فاخرہ نے یہ بات خاص طور پر کہی تھی کہ مبادا وہ بھی امن کے پاس آ جائیں اور امن کن کیفیات سے گزر رہی تھی صبا اور فضا نہیں جانتی تھیں۔

فاخرہ نے چائے کے ساتھ امن کو پیناڈول دی تھی اور خود امن کے پاس بیٹھ گئی۔

''آنٹی میں کتنی بری بیٹی ہوں نا۔'' امن سسکی۔

''نہیں بیٹے، ایسے نہیں کہتے۔'' فاخرہ نے امن کے گالوں پر پھسلتے آنسو صاف کیے۔

''آنٹی میں جب جب آپ کی بیٹیوں کو زمان تایا کی خدمت و محبت کرتے دیکھتی ہوں تو میرا دل احساسِ ندامت میں ڈوب جاتا ہے۔''

''کسی بھی غلطی کے بعد اُس کا احساس دل میں جاگ جانا اس بات کی علامت ہوتا ہے کہ خدا انسان کو ہدایت دینا چاہتا ہے ایسے لوگ برے لوگ نہیں ہوتے تم بھی لمحاتی کیفیت کے زیر اثر گمراہ ہوئی ضرور مگر وہ لمحوں کی بات تھی تم بہت اچھی ہو تم غافل نہیں ہو، تمہیں واپس اپنے اصل میں پلٹنا ہے بیٹا، خود کو سنبھالو، اللہ کو تمہاری بے گناہی کا علم ہے اللہ دلوں کے حال جانتا ہے اللہ سے رو رو کر اُس کا قرب مانگا کرو ایمان کی مضبوطی مانگا کرو ماں باپ کے لیے دعا کیا کرو اپنے حوصلے کو مت ہارو اللہ سے لو لگالو اپنے رب سے سکون کی عافیت کی دعا مانگنا سیکھو اپنے رب سے اپنے لیے استقامت کی دعا مانگا کرو۔ امیدوں کے چراغوں کو جلائے رکھو رب کا کرم ہو جائے گا۔ سکون مل جائے گا۔'' فاخرہ کے لہجے میں جذب تھا۔

''آنٹی زمان تایا نے کبھی اپنے بچوں کو کما کر نہیں کھلایا ایک باپ ہونے کے ناطے کبھی اُن کی تمام ذمہ داریاں پوری نہیں کیں رحمان تایا ہمیشہ زمان تایا کو فالتو اور ناکارہ پرزہ کہتے تھے مگر آنٹی دیکھیں اُن کی اولاد کیسی تابع فرماں اور ایک میں ہوں سیاہ بخت جس کے باپ نے ہر خواہش پوری کی اور میں نے کیا کیا؟'' امن کراہنے لگی اب فاخرہ کیا کہتی۔

''چلو بیٹا آرام کرو، رونا نہیں ہے۔'' فاخرہ کا دل درد کی اتھاہ میں ڈوبتا جا رہا تھا۔

○......❖......○

اُجالا اور لبنیٰ نے اکٹھے ہی میٹرک کا امتحان دیا تھا اور اُجالا نے بورڈ میں پہلی پوزیشن لی تھی سعد نے خوشیاں منانے کی انتہا کر دی تھی پورے محلے پورے خاندان میں مٹھائی بانٹی گئی تھی۔ سعد کے انداز میں احساسِ تفاخر تھا شکر گزاری کے ساتھ عاجزی وانکساری تھی۔

لبنیٰ پی ٹی سی کرنے لگی تو اُجالا نے بھی اُس کے ساتھ داخلہ لے لیا۔ سعد راضی نہیں تھا مگر وہ اُجالا کی کوئی بات ٹالتا نہیں تھا اس لیے وہ مان گیا رحمان اندر ہی اندر سعد اور اُجالا سے خار کھاتا تھا۔ مگر بظاہر وہ سعد پر اپنا اعتماد دن بدن بڑھاتا جا رہا تھا۔

ایاز خالو ان دنوں شدید علیل تھے۔ اُن کے پیٹ میں شدید درد اٹھتا تھا جان لیوا نا قابلِ برداشت درد، اور بخار نے تو جیسے جان ہی پکڑ رکھی تھی۔

رحمان اور فرقان تھوڑا بہت پڑھے لکھے تھے کوئی ڈھنگ کی ڈگری اُن کے پاس نہیں تھی کہ اُن کو کوئی نوکری مل سکتی۔ سعد ایاز خالو کی عیادت کے لیے اُن کے گھر گیا تھا۔ خالہ کا بس نہیں چلتا رہا تھا کہ سعد کو کہاں بٹھائے کیا کر ڈالے۔ پھر رحمان اور خالہ نے وہ تنگ دستی کے رونے رونے شروع کر دیئے علاج معالجے کے لیے اُن کے پاس پیسے نہیں تھے اور وہ لوگ بہت پریشان تھے سعد نے اُن کو بیس ہزار روپے دیئے تو خالہ اور رحمان خالو کو لے کر لاہور چلے گئے تاکہ اُن کا باقاعدہ علاج کروایا جا سکے۔

اُن کے جانے کے تیسرے دن ہی رحمان نے سعد کو فون کر کے بتایا کہ پیسے ختم ہو گئے ہیں سعد نے بیس ہزار اور بھیج دیئے اور پھر تو یہ مانگنے اور دینے کا سلسلہ ہی چل نکلا۔

رحمان اپنے ابو کے ساتھ بائیس دن لاہور میں رہا اور اُس دوران سعد نے دو تین لاکھ کے قریب رقم رحمان کو خالو کے علاج کے لیے بھیجی۔

ڈاکٹرز کا کہنا تھا کہ اُن کو کینسر ہے اور وہ بھی آخری اسٹیج پر، اُن کے بچنے کی کوئی امید نہیں تھی پھر بھی سعد نے رحمان کو مایوس نہیں ہونے دیا تھا مگر ہوتا تو وہی ہے جو کاتبِ تقدیر نے لکھ دیا ہوتا ہے رحمان ستائیسویں دن خالو کی ڈیڈ باڈی لے کر گھر واپس آ گیا تھا۔

اب بھی اُن کا مسئلہ پیسہ تھا مگر یہاں بھی سعد نے تدفین سے لے کر چہلم تک سب اخراجات کا بوجھ اٹھایا تھا رحمان بہت ممنون تھا اور خالہ تو سعد پر نثار ہی ہوتی جا رہی تھی۔ سعد اُن دونوں ماں بیٹے کی چاپلوسی و خوشامد کو محبت سمجھ رہا تھا وہ اتنی محبت پر پھولے نہیں سماتا تھا اُس کی اپنی ماں تو تھی نہیں، خالہ کو ہی اپنی ماں سمجھتا تھا اور رحمان لوگوں کو اپنے بھائی۔

سعد کا تعلق خوشحال خاندان سے تھا روپیہ پیسہ کبھی اُس کا مسئلہ نہیں رہا تھا اور ویسے بھی وہ نیک فطرت، خدا ترس نوجوان ہونے کی بناء پر مستحق لوگوں کی مالی امداد کرتا اور یہ لوگ تو اُس کے اپنے تھے خون کے رشتے تھے۔

○......❖......○

عروا کارپٹ پر ٹانگیں پسارے بیٹھی تھی ٹی وی پر سرفنگ کا سلسلہ چل رہا تھا اُسے کوئی بھی چیز پسند نہیں آ رہی تھی اُس کے پاس مونگ پھلیوں کے چھلکوں کا ڈھیر جمع ہوتا جا رہا تھا وہ ٹی وی کے ساتھ کافی دیر سے سر کھپا رہی تھی ساتھ مونگ پھلیاں کھانے کا شغل بھی جاری تھا۔

اُس نے ٹی وی بند کر کے، ہینڈ فری کانوں میں گھسالی اب وہ آئی فون پر اپنی پسند کا گانا سن رہی تھی۔ جب اُس کے اطراف میں ہر طرف چھلکے ہی چھلکے ہو گئے تو وہ آرام سے اُٹھی اور جا کر بیڈ پر لیٹ گئی۔ عروا بیڈ پر اوندے منہ لیٹی تھی وہ اپنی ٹانگوں کو اوپر اٹھائے مسلسل جھلا رہی تھی اُس کے دونوں پیر ایک دوسرے سے ٹکرا رہے تھے عروا نے کہنیوں پر بوجھ ڈال کر اپنا چہرہ ہاتھوں کے پیالے میں تھام رکھا تھا۔

تبھی اُس کے سیل پر کوئی کال آنے لگی عروا نے جلدی سے ہینڈ فری کھینچی اور فون کان سے لگا کر ہیلو کہا اُدھر سے پھر پوچھا گیا کہ ''آپ عروا رحمان ہو۔''

''جی بالکل میں عروا رحمان ہوں مگر آپ کون ہیں اتنے دن ہو گئے مس کالز کرتے آپ کو۔''

''عروا میں کالز ہی کرتا ہوں مس کالز نہیں۔'' اُس نے عروا کا نام انتہائی محبت سے لیا تھا۔

''جی، کس لیے کرتے ہیں کال، اور مجھے کیسے جانتے ہیں۔'' آپ جناب کر کے بات کرنا عروا کی عادت نہیں تھی مگر وہ اب مارے باندھے تکلفات نبھا رہی تھی۔

''عروا میں تو نہ جانے کب سے تمہاری ایک جھلک دیکھنے کے لیے کشٹ کاٹ رہا ہوں تمہاری گلی کے کتنے سالوں سے چکر لگا رہا ہوں تمہیں دیکھتا ہوں تو اپنے آپ میں نہیں رہتا دیوانگی اور بڑھ جاتی ہے مگر میں کتنا بدقسمت ہوں کہ محبت کی راہ کا تنہا مسافر ہوں تم میرے ساتھ نہیں ہو میں بہت پریشان ہوں۔''

''میں تو آپ کو جانتی بھی نہیں۔'' عروا سٹپٹائی۔

''اچھا ٹھہرو میں تمہیں اپنی تصویریں بھیجتا ہوں شاید تمہیں کچھ یاد آ جائے۔'' اُس نے فون بند کر دیا۔ عروا ساکت وصامت سی اٹھ بیٹھی ٹھیک تین منٹ بعد میسج آیا تھا عروا نے اوپن کیا۔

سیدھی کھڑی ناک کے نیچے بھرے بھرے سے خوبصورت لب...... روشن آنکھیں، لمبی گھنیری پلکیں، پیشانی پر بکھرے گھنے سیاہ بال، وہ مردانہ وجاہت کا شاہکار تھا۔

''اُف اتنا شاندار بھرپور مرد، میرے خوابوں کے شہزادے جیسا، اُس کی آنکھیں کتنی بولتی ہوئی سی ہیں۔''

عروا اُسے یک ٹک دیکھے جا رہی تھی اور اُس کے لبوں کی گویائی اُس مرد کی آنکھوں میں کہیں کھو کر رہ گئی تھی۔ وہ ذہن پر زور دے رہی تھی کہ اُسے کہاں دیکھا ہے پھر کچھ کلک ہوا اور اُسے یاد آ گیا عروا نے اُسے حاجی صاحب کے گھر کے سامنے کھڑا دیکھا تھا اور چند ایک بار کالج میں بھی دیکھا تھا۔

''تو کیا وہ میرے لیے آتا تھا۔'' عروا کا دل خوش گواریت کے احساس سے دھڑکا۔ تبھی اُس کا فون پھر آنے لگا۔

''ہیلو عروا، کیسا لگا تمہیں سجاد بلوچ۔'' وہ کچھ نہیں بولی۔

''میں کب سے تمہارے پیچھے خوار ہو رہا ہوں عروا اور تم نے ایک نظر مجھ پر ڈالنا کبھی گوارا نہیں کیا، مجھے اس

قابل نہیں سمجھا کہ ایک نگاہ صرف ایک نگاہ مجھ پر اچٹتی سی، سرسری سی ہی سہی، کیا میں اتنا گیا گزرا ہوں عروا بتاؤ۔''
سجاد کی آواز میں ایک محسوس کی جانے والی تڑپ تھی عروا کا دل دھک سے رہ گیا۔
''نہیں ایسا تو نہیں، آپ تو بہت گڈ لکنگ ہیں۔'' یہ پہلی غلطی تھی جو عروا نے کی تھی ثابت ہو گیا کہ رحمان کی بیٹیاں بہت ہلکی نکلی تھیں آسان ٹارگٹ کوئی بھی وجیہہ نوجوان اُن کو پٹانے میں کامیاب ہو سکتا تھا اتنی بودی اور عام سی لڑکیاں چند رومانوی جملوں کی مار۔

''عروا مجھ سے دوستی کرو گی، دیکھو انکار مت کرنا ورنہ......'' سجاد کا لہجہ رونے والا ہو رہا تھا۔

''اوکے......''

''رئیلی عروا، فرینڈز۔'' اب خوشی سجاد کی آواز سے چھلکنے لگی تھی۔

''جی بالکل۔'' عروا ہولے سے بولی۔

''اوہ مائی گاڈ عروا، تم سوچ بھی نہیں سکتیں کہ تم نے مجھے کتنی بڑی خوشی سے ہمکنار کیا ہے، مالا مال کر ڈالا ہے مجھے، میں بہت خوش ہوں خود کو ہواؤں میں اُڑتا محسوس کر رہا ہوں۔''

''عرواتم میری ہونا جان، ایک بار کہہ دو تم میری ہو، میرے بے قرار دل کو قرار آجائے گا۔''

''جی......'' عروا جھینپی ہوئی سی بوکھلا کر رہ گئی تھی اُسے کچھ سمجھ نہیں آ رہی تھی۔

''بہت شکریہ عروا، تم نے مجھے نہال کر دیا۔ آئی لو یو جان لو یو سو مچ۔''

''عروا اب ہمیشہ میری ہی رہنا کبھی مجھے دھوکا مت دینا وفا نبھانا دغا بازی مت کرنا ورنہ تمہارا سجاد مر جائے گا۔''

سجاد رو دیا اُس کی گھٹی گھٹی سسکیاں عروا کی سماعتوں نے وصول کیں تو بے اختیار اُس کے لبوں سے لفظ نکلے اُن لفظوں میں بے ساختگی ہی نہیں تڑپ بھی تھی۔

''خدا نہ کرے سجاد، تمہیں میری زندگی بھی لگ جائے۔'' آپ سے تم تک آ گئی تھی کہانی۔

''اوکے عروا اب مجھے ڈاکٹر کے پاس جانا ہے۔'' یکا یک سجاد کی آواز میں آزردگی گھل گئی۔

''کیا ہوا ہے تمہیں۔''

''پھر بتاؤں گا اوکے اپنا بہت خیال رکھنا عروا۔''

''جی تم بھی۔'' سجاد نے کال کاٹی تو عروا ایک بار پھر سجاد کی تصویریں نکال کر دیکھنے لگی۔ سیل فون کی اسکرین پر عروا کی انگلی تیزی سے تصویریں سیو کرتی جا رہی تھی۔

''حیرت ہے مجھ میں ایسا کیا ہے جس پر سجاد مر مٹا نہ لب کٹاؤ دار...... نہ گلاب کی پنکھڑی سے۔ پھر وہ مجھ پر فریفتہ کیسے ہو گیا میرے لیے وہ میری گلی میں آتا رہا۔ کمال ہے نہ آنکھیں شربتی نہ جھیل جیسی، ایسا کیا ہے مجھ میں، جو سجاد کو بھا گیا نہ رخساروں میں دلکشی بڑھاتے گہرے بھنور نہ گدگدانے دل لبھانے والی مسکان، اور وہ خود بالکل ویسا۔ میرے خوابوں جیسا، وہی ناک نقشہ ویسی ہی آنکھیں چوڑے چکلے شانے، وجاہت، مردانگی کیا کچھ نہیں تھا اُس میں، میں نے خوابوں میں ایسا ہی بت تو تراشا تھا بہت محبت سے، اب وہ سراپا وجود جیتا جاگتا

سانس لیتا باتیں کرتا سامنے تھا سجاد کی دلکش آواز نے کیسے مجھے اسیر کرلیا۔''

عروا کا دل درد سے آشنا ہورہا تھا اُس کی سانسوں سے خوشبو پھوٹ رہی تھی۔

''سجاد بلوچ۔'' عروا کے لبوں نے ہولے سے اُس کا نام چھوا عروا کے دل میں مٹھاس سی بھرتی چلی گئی۔

''کتنا ڈیشنگ ہے نا۔'' اُس نے دل سے اعتراف کیا۔

''اور میرے لیے دیوانہ ہے۔'' عروا کے اندر باہر سرشاری ناچنے لگی۔

''مگر وہ ڈاکٹر کے پاس کیوں گیا ہے۔'' اس سوال کا جواب اس کے پاس نہ تھا مگر کچھ دیر قبل ہونے والی بات چیت سو کر اُس کے لبوں پر مسکراہٹ پھیل گئی۔

O......❖......O

اُجالا نے کالج میں ایڈمیشن لے لیا اور لبنیٰ کو جاب مل گئی فرقان نے اِدھر اُدھر سے کچھ پیسے اُدھار پکڑ کر چھوٹی سی کریانے کی دکان بنالی۔ رحمان کو ہر وقت پیسوں کی ضرورت رہتی تھی سعد نے اُسے ایک جیولر کے ساتھ بٹھادیا کہ کچھ ماہ کام کی بنیادی تکنیکس سمجھ جائے پھر اُسے وہ سونے کی دکان بنادے گا۔

رحمان کا آنا جان سعد کے گھر بڑھ گیا رحمان سلگتی ہوس بھری نظروں سے اُجالا کو تاڑتا رہتا مگر وہ اُس کے ساتھ بدتمیزی اور دست درازی کر کے معاملہ بگاڑنا نہیں چاہتا تھا کیونکہ سعد اُس پر اندھا اعتماد کرتا تھا وہ دونوں بہن بھائی ریاکاری و مکاری سے نابلد انسان تھے۔ اُن کا ظاہر بھی اور باطن بھی صاف شفاف تھا اور جن کا اپنا من اُجلا ہوتا ہے وہ اتنی شفاف آنکھیں رکھتے ہیں کہ دوسروں کی آنکھوں میں پڑی لالچ و طمع، حرص و ہوس کو پہچان ہی نہیں پاتے۔ اور جب دل اور آنکھیں پہچان کے مرحلے طے کرتے ہیں تب تک وقت گزر چکا ہوتا ہے۔

اُجالا کتابوں کے مطالعے میں گم رہتی کالج کی مصروفیات کے بعد اُس کی پسندیدہ جگہ اُن کا گارڈن تھا وہ سعد کی لاڈلی بہن تھی سعد اُسے ہر وہ کتاب لاکر دیتا تھا جو وہ مانگتی تھی اور پھر اُجالا کو خود بھی پتا نہیں چلا کہ وہ کب شعر کہنے لگی بڑی سے بڑی بات کو منفرد اور اچھوتے انداز میں دو لائنوں میں بیان کر دینا اُجالا کو بہت اچھا چارمنگ لگنے لگا۔ سعد نے اُجالا کے شوق کو دیکھتے ہوئے گھر کی بالائی منزل پر ایک لائبریری بنادی تھی۔ اُجالا اتراتی پھر رہی تھی۔

سعد اُجالا کو اپنے ساتھ لاہور لے کر گیا بہت ساری کتابیں اُردو بازار سے خریدیں پھر تو سعد نے اسے اپنا ایک فرض ہی سمجھ لیا جہاں بھی جاتا اُجالا کے لیے ڈھیروں شاپنگ کے ساتھ کتابیں لینا بھی ضروری خیال کرتا۔ وہ بہت باذوق تھی یہ انہی کتابوں کے مطالعے کا اعجاز تھا کہ اُجالا اردو ادب میں ماسٹر کا ارادہ رکھتی تھی جبکہ سعد اُسے ڈاکٹر بنانا چاہتا تھا مگر وہ اُسے ٹوکتا نہیں تھا وہ اپنی مرضی اس پر ٹھونسنا نہیں چاہتا تھا سعد اُجالا کی خوشی کو ترجیح دیتا تھا۔

اُجالا نے اپنے ارادے کی تکمیل کے لیے انٹرمیڈیٹ میں آرٹس گروپ کا انتخاب کیا۔ وہ نرم خو تھی اپنے اساتذہ کی ہردلعزیز طالبات میں شمار ہونے لگی۔ اُس کی ذہانت و خوبصورتی ہر کسی کو اپنا گرویدہ کرلیتی تھی وہ کالج میں ہر نصابی و غیر نصابی سرگرمیوں میں بڑھ چڑھ کر حصہ لیتی تھی اس وقت بھی وہ اپنی لائبریری میں کسی کتاب کے

پڑھنے میں مشغول تھی۔ کاسنی پلین کاٹن کا سوٹ زیب تن کیسے وہ لاپروائی سے پیر موڑے بیٹھی تھی اُس کے نوخیز چہرے پر حسین مسکان تھی۔ انداز بے فکری و لاپروائی کا مظہر تھا وہ کتاب سے نظریں ہٹا کر اپنی تخیلاتی جہان کی سیر میں محو ہوگئی۔ دوپٹے سے بے نیاز وہ اپنی ہی چھوٹی سی معصوم دنیا میں کھوئی ہوئی تھی تبھی اُسے سیڑھیوں پر قدموں چاپ سنائی دی تھی اُجالا چونکی چاپ بالکل قریب آ رہی تھی۔

''ہیلو کیسی ہو۔'' تبھی لبنیٰ کا چہرہ سامنے آ گیا ہنستا مسکراتا، اُجالا اٹھ کر اُس کے گلے لگ گئی دونوں کی نہ ختم ہونے والی باتیں شروع ہوگئیں۔ اکٹھے کھانا کھایا گیا ہنسی مذاق ہلا گلا ہوتا رہا، اُجالا اُسے اپنے اشعار سناتی رہی لبنیٰ واہ واہ کر کے داد دیتی رہی۔

''اُجالا ذرا میرے ساتھ چلو مجھے دولان کے سوٹ لینے ہیں اور امی کی دوائی بھی لینی ہے اُن کی کھانسی ہے کہ رُکنے کا نام نہیں لے رہی۔'' لبنیٰ نے اپنے آنے کا مدعا بیان کیا۔

''اچھا میں چلتی ہوں، دراصل کالج میں سیکنڈ ایئر کی طالبات کا طالبات مشاعرہ سیشن کی ذمہ داری مجھے سونپی گئی ہے میرے کالج والے میری تخلیقی صلاحیتوں کے دل سے معترف اور قدردان ہیں تم لوگ تو مارے باندھے ہی میری شاعری سنتے ہو، چلو چلتے ہیں دراصل مجھے تیاری کرنی تھی کل کے پروگرام کی۔''

''اچھا آ کر کر لینا۔'' لبنیٰ نے اُس کا ہاتھ پکڑ کر اٹھایا۔

''اچھا بابا اچھا۔'' اُجالا پاؤں میں چپلیں اُڑس کر اُس کے ساتھ ہولی۔

○......❖......○

رحمان کو بھی سعد نے چھوٹی سی جیولر شاپ بنا دی تو خالہ کے دل میں رحمان کی شادی کا ارمان جاگ اُٹھا لڑکی ڈھونڈی گئی اور جہاں خالہ اور رحمان نے یہ طریقہ اپنایا کہ جب شاپنگ کرنے جاتے تب سعد کو وہ دونوں ساتھ لے کر جاتے بظاہر یوں لگتا جیسے وہ اُسے عزت دے رہے ہوں یا یہ کہنا زیادہ مناسب ہوگا کہ وہ ایسے شو کرتے جیسے وہ سعد کے مشورے کے بغیر ایک قدم بھی اٹھانا پسند نہیں کرتے سعد اُن کو اپنی گاڑی میں لے کر جاتا وہ جی بھر کر من پسند شاپنگ کر کے نکل پڑتے اور پے منٹ سعد کرتا پھر وہ گھر لوٹ آتے۔

لبنیٰ اور اُجالا بھی شادی کی تیاریوں میں گم تھیں اُجالا اور لبنیٰ نے ایک جیسے سوٹ بنوائے تھے۔ مہندی بارات اور ولیمے کے لیے، اُجالا نے لبنیٰ کو بھی شاپنگ اپنے پیسوں سے کروائی تھی وہ روز شام میں بازار کو نکل جاتی تھیں میچنگ جوتے، میچنگ پرس، جیولری، بہت کچھ لینا تھا اُن کو۔

رحمان کا گھر چھوٹا ہونے کی وجہ سے مہندی کے فنکشن کا انتظام سعد کے گھر میں کیا گیا تھا لبنیٰ اور اُجالا مونگیا رنگ کے سوٹوں پر پیلے چنری کے دوپٹے اوڑھے تتلیوں کی مانند اڑتی پھر رہی تھیں۔ دونوں نے ہی آج میک اَپ کیا ہوا تھا بالوں کی چٹیا بنا کر نیچے سے کچھ بال آزاد چھوڑ کر سوٹ کے ہم رنگ کیچر لگائے تھے۔ بالوں میں بیلے کی کلیاں پرو رکھی تھیں اُن کی سج دھج ہی نرالی تھی۔

لبنیٰ نے اُجالا کے دونوں ہاتھوں پر مہندی لگا دی تھی۔ اُجالا پنکھے کے نیچے اپنے ہاتھ پھیلائے گیلی مہندی سکھا رہی تھی گنگناتے ہوئے وہ اپنے آپ میں ہی کھوئی ہوئی تھی لبنیٰ کچن میں چائے بنانے چلی گئی تھی۔ تبھی ایک

دم پورا گھر اندھیرے میں ڈوب گیا اُجالا ورطہ حیرت میں تھی کہ یہ کیا ہوا اوپر سے یہ احساس اُسے سہما گیا کہ وہ کمرے میں اس وقت اکیلی ہے۔

''لبنیٰ کہاں ہو تم......'' اُس نے پکارا اُس کی ہتھیلیاں سامنے کی طرف پھیلی ہوئی تھیں وہ اپنے کپڑوں کو مہندی کے نقش ونگار سے بچا رہی تھی تبھی دروازے پر ہلکا سا کھٹکا ہوا اور کسی نے اُجالا کو آ کر پیچھے سے اپنے حصار میں جکڑ لیا اُجالا پہلے ہی سہمی ہوئی تھی اس حصار میں کسمساتے ہوئے بلند آواز میں لبنیٰ کو آوازیں دینے لگی اُس کا نازک سا وجود مضبوط مردانہ شکنجے میں تھا۔ اُجالا کا سانس مارے خوف کے رُکنے لگا مردانہ گرفت میں جارحیت تھی جبر تھا۔

''کک......کون......؟'' اُس کے خشک حلق سے گھٹی گھٹی چیخ نما آواز برآمد ہوئی۔ یہ لمحوں کی بات تھی وہ اُسے چھوڑ کر چلا گیا شاید اس لیے کہ باہر بھاگتے قدموں کی آواز آئی تھی گھر روشنی میں نہا گیا اُجالا مدھم سانسوں فق چہرے کے ساتھ روئے جا رہی تھی۔

''کیا ہوا......'' لبنیٰ نے اُس کی بکھری حالت دیکھ کر تشویش سے پوچھا۔

''کوئی تھا......'' اُجالا نے لمبے لمبے سانس لیے اس کے ہونٹ سکڑ گئے تھے۔

''کیا کہہ رہی ہو، کون تھا کیا ہوا ہے......'' اور اُجالا روتے ہوئے اٹک اٹک کر اُسے بتانے لگی لبنیٰ نے لبوں پر ہاتھ رکھ لیا وہ حقیقتاً تھرا کر رہ گئی تھی۔

''رحمان بھائی کو میں نے لابی میں جاتے دیکھا شاید جنریٹر آن کرنے آئے تھے کہیں وہ تو......'' لبنیٰ نے نچلے ہونٹ کا کونا دانتوں تلے دبا کر اپنی بات ادھوری چھوڑ دی۔

''پتا نہیں کون تھا...... میرے ہی گھر میں...... میرے ہی کمرے میں۔'' وہ روئے جا رہی تھی وہ سکتے کی کیفیت میں تھی ساری صورتِ حال غیر متوقع تھی وہ اُڑی اُڑی رنگت کے ساتھ بدحواس سی تاسف سے سرنفی میں ہلاتے ہوئے مسلسل اشک بہا رہی تھی۔

''اچھا ریلیکس ہو جاؤ، دیکھتے ہیں کہ وہ کون ہو سکتا ہے۔''

''اٹھو اپنی حالت ٹھیک کرو۔''

''نہیں مجھے نہیں جانا۔'' وہ ہچکیاں لیتے ہوئے بولی۔

''اُجالا یہاں کیوں آ گئی ہو باہر آؤ بیٹا۔'' سعد کی آواز پر اُجالا نے جلدی سے خود کو سنبھالا تھا۔

''آپ جائیں ہم آتے ہیں، وہ بس اُجالا مہندی خشک کر رہی تھی۔'' لبنیٰ نے فوراً بات بنائی۔

''او کے آجاؤ باہر۔'' وہ کہہ کر باہر نکل گیا شکر ہوا اُس نے اُجالا کا رنجیدہ روپ اور بھیگی آنکھیں نہیں دیکھی تھیں ورنہ وہ سو سوال کرتا پریشان ہوتا۔ لبنیٰ اسے منت وسماجت سے باہر لے آئی تھی مگر اُجالا محفل میں شریک ہوتے ہوئے بھی جیسے ذہنی طور پر غائب تھی۔

سب خواتین وحضرات رحمان کو مہندی لگا رہے تھے میوزک کے شور میں کان پڑی آواز سنائی نہیں دے رہی تھی تبھی اُجالا کی نظر رحمان کے سفید کاٹن کی قمیص کے دامن پر پڑی اور پھر کچھ لمحے وہ ساکت سی کھڑی کسی

گہری سوچ میں گم ہوگئی۔ رحمان کی قمیص پر مہندی اس طرح لگی ہوئی تھی جیسے کسی نے دونوں ہاتھوں میں مہندی پکڑ کر قمیص پر ملی ہو۔

کتنی سلجھ چکی تھی پہلے اُسے شک تھا اب جیسے شک یقین میں بدل چکا تھا اس کا ہاتھ پکڑنے پر لگاوہ اکثر رحمان کی ٹھولتی نظروں سے گھبرا جاتی تھی مگر وہ اُسے اتنی گندی نظروں سے دیکھتا تھا یہ اب اُجالا کو احساس ہوا تھا اور اتنے مذموم ارادے کہ اُجالا کی روح تک لرز کر رہ گئی۔ وہ جتنی بھی معصوم سہی، تھی تو ایک عورت نا، جو اپنے اوپر پڑنے والی ہر نظر کا مفہوم جان جاتی تھی رحمان کی میلی حرص زدہ نظریں ابھی بھی اُجالا کے سراپے میں اُلجھی اِدھر اُدھر بھٹک رہی تھیں۔ اُجالا غصے سے تنتناتی ہوئی وہاں سے بھاگ کر اپنے کمرے میں جا پہنچی۔

لبنیٰ نے اُسے جاتے ہوئے دیکھ لیا تھا وہ بھی اُس کے پیچھے ہی آگئی تھی اُس نے دیکھا اُجالا بیڈ پر اوندھے منہ لیٹی رو رہی تھی۔

''کیا ہوا ایسے سب چھوڑ کر کیوں آگئی۔'' لبنیٰ نے اُس کے پاس بیٹھتے ہوئے پیار سے کندھا چھوا۔

''وہ کون تھا مجھے پتا چل گیا ہے۔'' وہ روتے ہوئے اُٹھ بیٹھی۔

''کون......؟''

''رحمان...... بھیا......'' اُسے بھیا کہنے میں بہت دقت ہوئی تھی۔

''مگر تم یہ اتنے وثوق سے کیسے کہہ سکتی ہو۔''

''جب اُس نے مجھے دبوچا تھا تب بالکل غیر اختیاری طور پر میں نے اپنے دفاع میں اُن کے بازو اپنے ہاتھوں سے ہٹانے چاہے ہیں مگر اس کا فولادی دباؤ اتنا تھا کہ میں نے جھنجلا کر اس کی قمیص کا دامن مسل ڈالا کھینچا بھی، اور ابھی ابھی میں نے دیکھا اُس کا دامن داغ دار بھی تھا اور مسلا ہوا شکن آلودہ بھی۔'' وہ اپنے تئیں کڑی سے کڑی ملا رہی تھی۔

''او ہو یار یہ تمہارا وہم بھی ہوسکتا ہے رحمان بھائی کے پیچھے ہی پڑ گئی ہو واب وہ اتنے بھی برے نہیں کہ اپنے ہی خاندان کی لڑکیوں کی عزت پر ہاتھ ڈالنے لگیں اور تم تو اُن کے بارے میں اس قدر نرووس ہو رہی ہو کہ کبھی اُن کہہ رہی ہو کبھی اُس۔''

''بس لبنیٰ جب دل میں کسی عزت نہ رہے تو پھر اگلے بندے کو آپ جناب کر کے مخاطب بھی کرنے کو دل نہیں کرتا اور...... اور مجھے تو رحمان سے گھن آ رہی ہے، کراہیت محسوس ہو رہی ہے، میں تو سعد بھائی کی طرح اُسے سمجھتی تھی اور اب...... اب لبنیٰ میں اپنے ہی گھر میں اتنی بے اماں ہوگئی کیا؟ مجھے کچھ اچھا نہیں لگ رہا کچھ بھی، میں سعد کو بتاؤں گی۔''

وہ بے دردی سے اپنی آنکھیں رگڑتی جیسے کسی فیصلے پر پہنچی تھی اور بڑی عجلت میں بیڈ سے اتری لبنیٰ سٹپٹا گئی اور اُس کی کلائی پکڑ لی۔

''اُجالا پاگل ہوگئی ہو کیا، شادی کا موقع ہے خواخواہ بدمزگی ہوگی۔''

''ہوتی ہے تو ہوتی رہے، میں سعد بھیا کو ضرور بتاؤں گی۔'' اُس نے اپنی کلائی لبنیٰ کی گرفت سے چھڑانا چاہی۔

''اچھا اچھا ایک منٹ۔'' لبنیٰ نے اُجالا کو پکڑ کر دوبارہ بیڈ پر بٹھایا اور خود اس کے سامنے بیٹھ گئی۔

''اُجالا پلیز غصہ تھوک دو، مثال کے طور پر تم سعد بھائی کو کیا بتاؤ گی تمہیں بہت دقت اور خفت کا سامنا کرنا پڑے گا وہ تمہارے بڑے بھائی ہیں تم مارے شرم کے اپنے محسوسات بتا نہیں سکو گی اور اگر بتا بھی دو تو کیا ثبوت ہے تمہارے پاس کہ وہ رحمان بھائی ہی تھے۔'' لبنیٰ کی بات پر اُجالا چپ کی چپ رہ گئی اور مارے جھنجلاہٹ کے پھر رونے لگی۔ لبنیٰ نے اُسے رونے دیا اُجالا کا بس نہیں چل رہا تھا کہ وہ خود کو مار ڈالے یا اُس وحشی کو، جس نے اُسے ڈرا کر رکھ دیا تھا اپنے ہی گھر میں لرزا دیا تھا۔

○......❖......○

اگلا دن بارات کا تھا سعد مرتضیٰ حسبِ روٹین پُر جوش تھے جبکہ اُجالا بجھی بجھی سی تھی تمام رات جاگنے کی وجہ سے سر درد بھی تھا اور بدن بھی جیسے ٹوٹ رہا تھا۔ وہ برأت کے ساتھ نہیں گئی تھی سعد بہت اَپ سیٹ ہو گیا تھا مگر اُجالا نے اُسے اطمینان دلایا تھا کہ وہ ٹھیک ہے لبنیٰ بھی اُجالا کی وجہ سے نہیں گئی تھی۔ سارا دن اُجالا کے ساتھ ہی رہی تھی سارا دن اُجالا کا رونا وقفے وقفے سے چلتا رہا تھا۔

لبنیٰ اُسے سمجھا سمجھا کر عاجز آرہی تھی مگر وہ تھی کہ سنبھل ہی نہیں پا رہی تھی۔

ولیمے کی تقریب میں بس خاندان کے لوگ ہی تھے سعد اور لبنیٰ کے بہت محبت بھرے اصرار پر اُجالا نے شرکت کی تھی مگر اُس کی چمکتی آنکھوں کی جوت جیسے بجھ کر رہ گئی تھی۔ اُس کے انداز و برخاست میں بھی اکتاہٹ عیاں تھی۔ جوش و خروش مفقود تھا۔ سعد نے یہ تبدیلی شدت سے نوٹ کی تھی لبنیٰ اس کی عم زاد اُس کے ساتھ ساتھ تھی رحمان کی نگاہیں آج صرف عائشہ پر رُکی ہوئی تھیں۔ عائشہ بہت خوبصورت تھی اور آج تو شہر کے سب سے اچھے پارلر سے تیار بھی ہوئی تھی۔

شادی کے ہنگامے سرد پڑ گئے تھے زندگی پھر روٹین پر آچکی تھی مگر اُجالا اُسی کیفیت کے زیرِ اثر تھی وہ مشاعرے کی ذمہ داری لے چکی تھی اُسے تیاری کرنی تھی بہت سارے دن بے کار شادی کے ہنگامے کی نذر ہو گئے تھے۔ اُجالا بہت ساری کتابیں اپنے اطراف میں بکھرائے کاغذ پر کچھ لکھ رہی تھی۔ لکھتی پھر پڑھتی پھر اُس کاغذ کو مٹھی میں دبوچ کر گولا سا بنا کر پھینک دیتی سعد کافی دیر سے اُس کی یہ بے چینی نوٹ کر رہا تھا۔ وہ اس کے پاس چلا آیا۔

''سلام عظیم شاعرہ صاحبہ۔'' اُجالا نے نظر اُٹھا کر سعد کو دیکھا پھر اپنے گزشتہ شغل میں لگ گئی۔ سعد گھٹنوں کے بل اس کے سامنے بیٹھ گیا۔

''کیا مسئلہ ہے مجھے نہیں بتاؤ گی۔''

''کچھ بھی نہیں۔'' اُجالا نے پہلے سے جھکا سر مزید جھکا لیا۔

''پھر یہ اتنے کاغذوں کی شامت کیوں آئی ہوئی ہے۔'' سعد نے لاڈ سے اُس کی ٹھوڑی کے نیچے ہاتھ رکھ کر اُجالا کا چہرہ اوپر اٹھایا اُس کی آنکھیں پانیوں سے لبالب بھر آئیں سعد کا دل جیسے کسی نے مٹھی میں لے کر مسل ڈالا۔

''کیا ہوا بہت دنوں سے چپ چپ ہو، مجھے بتاؤ۔'' سعد پریشان تھا۔

''میں نے سکینڈ ایئر کی طالبات کے ماہانہ مشاعرہ سیشن کی ذمہ داری لی تھی مگر مجھے لگتا ہے کہ میں کر نہیں پاؤں گی، مجھ سے شاعری کے متعلق کوئی بھی کچھ بھی نہیں لکھا جا رہا ہے۔'' وہ بچوں کی طرح سسکیاں بھرنے لگی۔

''اُجالا تمہیں ذہنی یکسوئی کی ضرورت ہے بیٹا مجھے نہیں پتا کہ بات کیا ہے مگر کچھ ایسا ضرور تمہارے دل میں ہے جو تمہیں اندر ہی اندر کاٹ رہا ہے مضطرب و متوحش رکھتا ہے رُلاتا ہے۔''

''نن......نہیں تو......'' اُجالا کی رنگت اُڑ گئی۔

''کچھ تو ہے اُجالا، بتاؤ مجھے کیا ہوا ہے بیٹا۔'' سعد نے اُجالا کا مومی ہاتھ اپنے ہاتھ میں تھام کر پوچھا۔

''مجھے ڈر لگتا ہے۔'' اُس کے ضبط کی حدیں یہیں تک تھیں وہ کرب انگیزی سے رو دی۔

''ڈر......'' سعد متحیر رہ گیا۔

''کس بات کا ڈر۔'' سعد نے ایک بار پھر اُجالا کا چہرہ اوپر اٹھایا۔ مگر وہ روئے گئی کچھ نہیں بولی۔ بہت سارے لمحے سوگ بھری خاموشی کی نذر ہو گئے اُس کے رونے میں ایسی اَن دیکھی تڑپ تھی کہ سعد حقیقی معنوں میں ڈپریس ہو گیا۔

''کیا ہوا ہے اُجالا پلیز بتاؤ، میرے دل میں بہت سارے وسوسے جگہ بنا رہے ہیں، سب خیریت ہے نا اُجالا بتاؤ تم سعد مرتضٰی کا واحد رشتہ ہو میں تمہیں غمگین اور ایسے روتے ہوئے نہیں دیکھ سکتا، بتاؤ مجھے۔'' وہ کچھ نہیں بولی بس سعد کے ساتھ لگ گئی سعد نے اُسے پیچھے کیا اور خفگی بھری نظر اُجالا پر ڈالی۔

''امی یاد آ رہی ہیں۔'' اُس سے کچھ اور نہ بن پڑا تو یہ کہہ دیا کسی حد تک یہ بات سچ بھی تھی کہ آج کل اُسے امی کے وجود کی کمی بہت شدت سے محسوس ہو رہی تھی بہت ساری باتیں ایسی ہوتی ہیں جو لڑکیاں صرف اپنی ماؤں سے ہی کر سکتی ہیں۔

''یہ کیوں کہا پھر کہ ڈر لگ رہا ہے۔'' سعد مطمئن نہیں ہو رہا تھا۔

''مجھے بہت ڈراؤنے خواب آتے ہیں اس لیے ڈر لگتا ہے۔'' وہ معصومیت سے بولی۔

''تم نے تو میری جان ہی نکال دی تھی پگلی خوابوں سے بھی کوئی ڈرتا ہے۔''

''بھیا آج رات کا کھانا باہر کھائیں۔'' اُجالا نے سعد کی پریشانی دیکھ کر گفتگو کا رُخ بالکل ہی دوسری طرف موڑ دیا وہ گلٹی فیل کر رہی تھی کہ اُس نے سعد کو اتنا پریشان کر دیا۔

''اُجالا مجھ سے ایک وعدہ کرو تم کبھی نہیں روؤ گی، تمہاری بھیگی پلکیں تمہارے بھائی کی جان نکال لیتی ہیں مجھے شرمندگی محسوس ہو رہی ہے کہ میں شاید تمہارا اُس طرح سے خیال نہیں رکھ پاتا جیسے مجھے رکھنا چاہیے۔'' سعد مرتضٰی کی اُداسی نے اُجالا کو جھنجوڑ دیا۔

''نہیں نہیں بھیا ایسی کوئی بات نہیں پلیز آپ ایسا مت سوچیں۔''

''اچھا مجھے ذرا کام سے جانا ہے رونا نہیں، اپنا خیال رکھنا میں اور میرا بچہ ڈنر باہر کریں گے۔'' سعد نے

حسبِ عادت دونوں ہاتھوں میں اُجالا کا چہرہ تھام کر اُس کی روشن پیشانی پر اپنے لب رکھ دیئے۔ اور وہ کچھ دیر کے لیے ہی سہی مگر مطمئن سی ہوگئی۔

O.....❖.....O

رحمان اپنی بیگم کے ساتھ ہر دوسرے دن آن دھمکتا تھا۔ سعد عائشہ بھابی کی خوب آؤ بھگت کرتا اور اُجالا بے چاری بولائی بولائی پھرا کرتی۔ عائشہ بھابی کے پاس بیٹھتی تو رحمان کی نظریں گویا اُجالا کا ہی طواف کرتی رہتیں بات بھلے وہ جس سے بھی کر رہا ہوتا مگر دیکھتا وہ صرف اُجالا کو تھا۔

اُجالا اُن لمحوں میں خود کو اتنا بے بس پاتی کہ کوئی حد نہیں رحمان کی اپنے وجود میں گڑی نظریں اُسے وحشت میں مبتلا کر دیتی تھیں مگر نہ چاہتے ہوئے بھی اُسے میزبانی کے فرائض نبھانے پڑتے۔

اس وقت ماں کی یا بڑی بہن کی کمی اُجالا کو بہت زیادہ محسوس ہوتی تھی اِن دنوں وہ خود کو بہت اکیلا محسوس کر رہی تھی یوں لگتا تھا بے سروسامانی کا عالم ہے اور وہ کھلے آسمان تلے بالکل اکیلی کھڑی ہے، تنہا، اُداس، بے یارومددگار، جیسے کہ اُس کا کوئی پُرسانِ حال نہیں۔

اُجالا کی ایسی خزاں آلودڈری سہمی زندگی میں تبدیلی آئی تھی خوشگوار تبدیلی، رانیہ بھابی اور فاروق ترمذی دو لوگ اُس کی زندگی میں کیا آئے کہ وہ پہلے جیسی اُجالا بن گئی۔ ہنستی کھلکھلاتی، زندہ دل، رانیہ بھابی غریب لڑکی تھیں، سعد مرتضیٰ نے سادگی کے ساتھ اُس سے نکاح کر لیا تھا رانیہ بھابی کے آنے سے اُجالا کو دوسراہٹ ملتی تو وہ سارے ملال بھول گئی، رانیہ بہت خوبصورت ہونے کے ساتھ ساتھ بہت اعلیٰ وارفع خیالات رکھتی تھیں بہت جلد وہ دونوں یوں گھل مل گئیں جیسے برسوں سے ایک دوسرے کو جانتی ہوں سعد بھی بہت خوش تھا رانیہ اُس کی محبت تھی۔

دوسری تبدیلی فاروق تھا۔ ہوا یوں کہ اُجالا کو ریڈیو پر کام کرنے کی آفر ہوئی تھی فاروق ترمذی نے اُسے ریڈیو پر پروگرام کرنے کی پیشکش کی تھی وہ بہت خوبصورت دن تھا۔

''ہائے تم اتنی سادگی میں بھی غضب ڈھا رہی ہو۔'' پنک کلر ویسے بھی اُجالا کو بہت سوٹ کرتا تھا۔ اس کا نازک سراپا بالکل گلاب کے پھول کی مانند لگ رہا تھا۔

''تمہیں پتا ہے مہمانِ خصوصی کون ہیں مشاعرہ سیشن کے۔'' نائلہ نے پوچھا وہ اُس کی کلاس فیلو تھی اور ریڈیو پر کام کرتی تھی۔

''نہیں مجھے کیا پتا۔'' اُجالا نے بے نیازی سے کندھے اُچکائے تب نائلہ اُس کا ہاتھ پکڑ کر اُسے نوٹس بورڈ کے سامنے لے آئی جہاں بڑے بڑے حروف میں 'فاروق ترمذی' لکھا ہوا تھا۔

''رئیلی نائلہ، کیا واقعی یار۔'' خوشی سے اُجالا کی آنکھیں جگنوؤں کی مانند چمکنے لگیں۔

''وہ تو میرے موسٹ فیورٹ شاعر ہیں یار، کیا شاعری کرتے ہیں واہ، آج اُن سے ملاقات بھی ہوجائے گی۔'' اُجالا بہت خوش تھی اپنی پسندیدہ ہستی سے ملنے کی خوشی اُسے ہواؤں میں اڑائے پھر رہی تھی مگر پھر وہ ایک دم چپ ہوگئی۔

''کیا ہوا۔'' نائلہ نے اُسے ٹہوکا دیا۔

''یار کیا پتا وہ مجھ سے بات کرنا بھی پسند کریں یا نہ کریں۔''

''اُجالا تم تو خود شاعرہ ہو اور اتنی سلجھی ہوئی اور خوش اخلاق ہو وہ تو ادبی دنیا کے بندے ہیں، تم نے ریڈیو پر کبھی اُن کے شوز سنے ہیں کیا، اُن کے پندرہ شعری مجموعے منظرِ عام پر آ چکے ہیں۔'' جو باتیں نائلہ اُسے بتا رہی تھی وہ سب اُجالا پہلے سے ہی جانتی تھی۔

فاروق انہی کے شہر کا رہنے والا شاعر تھا اور اُجالا بہت شوق سے اُن کی شاعری پڑھتی تھی۔

سخن شعار ہی سمجھیں سخن وری کیا ہے
وگرنہ شعر تو ہر کوئی کہا کرتا ہے

پنک قمیص سفید چوڑی دار پاجامہ، لائٹ پنک اسکارف میں مقید اُجالا کا معصوم و سحر طراز چہرہ بڑی بڑی سیاہ آنکھیں، سفید ہاتھ مخروطی انگلیوں کے چمکتے ناخن، وہ حسن کا شاہکار تھی کسی شاعر کی غزل تھی۔ وہ بالکل اُس کے سامنے اسٹیج پر دوزانو ہو کر بیٹھی تھی اس کے سامنے رکھے مکتب پر مائیک اور تازہ گلابوں کا بڑا سا گلدستہ رکھا تھا وہ بھی پھولوں میں خوشبو کی مانند نظر آ رہی تھی۔ بہت ساری نگاہوں کا مرکز بنی اُجالا مرتضٰی ذرا بھی نروس نہیں تھی۔ ہولے ہولے خوبصورت لب و لہجے میں لفظوں کے موتی بکھیر رہی تھی اُس کی سریلی آواز کا اُتار چڑھاؤ پُراثر تھا موقع کی مناسبت سے اشعار کا انتخاب اور سخن شعاری کا ایک منفرد انداز اُس کے اعلیٰ ذوق اور ادبی شناسائی و وابستگی کا پتا دے رہا تھا۔ سب اُسی کی جانب متوجہ تھے وہ خوش تھی مسرور سرشار تھی۔

محفل کے اختتام پر اُجالا آڈیٹوریم سے نکل کر اساتذہ کے لیے مختص کمرے کی سمت جا رہی تھی تبھی اُس کی نظر فاروق ترمذی پر پڑی جو آٹوگراف بک لیے کھڑی لڑکیوں کے درمیان گھرا کھڑا تھا۔ اُجالا کی بے اختیار ہنسی نکل گئی اُجالا نے اچٹتی سی نظر لڑکیوں پر ڈالی اور آگے بڑھ گئی چونکہ اسٹیج پر بطور مہمانِ خصوصی وہ سلام دعا کر چکی تھی۔

''سنیے......'' وہ ٹھٹک کر رُکی فاروق کی طرف دیکھا وہ سب کو چھوڑ کر اُس کی سمت بڑھ رہا تھا۔

''جی......'' وہ مؤدب سی بولی۔ گرے شلوار قمیص پر بلیک کوٹ پہنے وہ اونچا لمبا مرد بلاشبہ مردانہ وجاہت کا حامل تھا۔

''بہت خوب صورت بولتی ہو تم۔'' مسکراتے لب بولتی آنکھیں ایک پل کے لیے وہ نروس ہو گئی۔

''شکریہ۔'' وہ سر جھکا کر بولی لمحوں میں اُس کا ازلی اعتماد عود کر آیا۔

''ہوں۔'' گھنی مونچھوں تلے لب معنی خیزی سے مسکرائے۔

''آپ بہت اچھی شاعری کرتے ہیں۔'' اُجالا نے لگے ہاتھوں تعریف کر ڈالی۔

''تسلیمات، بس ہم تو کیکٹس کے پودے کی مانند ہیں سخت جان پودا، ریگستانوں میں اُگنے والا کیکٹس جس کی تلاش پانی ہوتی ہے پیاسا رہ کر کیکٹس کانٹوں سے بھر جاتا ہے۔ بہت پیاس ہے میرے اندر بھی محبت کی اپنائیت کی، محبت کی تلاش پیاس کی صورت اندر باہر چکراتی پھر رہی ہے یہی پیاس یہی جستجو لفظوں کی صورت صفحہ

قرطاس پر بکھر جاتی ہے جسے لوگ شاعری کہتے ہیں۔'' اُس کے لہجے میں درد ہلکورے لے رہا تھا اُجالا دم سادھے اُس کے لفظوں سے معنی اخذ کر رہی تھی۔

''میرے پاس آپ کی ساری کتابیں ہیں اور میں آپ کے ریڈیو شوز بھی سنتی ہوں۔'' وہ دھیرے سے بولی۔ فاروق ترمذی نے گہری توجہ سے اُسے دیکھا تھا۔

''ویسے مس اُجالا ایک بات تو مجھے ماننی پڑے گی۔'' وہ دلچسپی سے دیکھ رہا تھا۔

''کیا۔''

''بیوٹی وِد برین کا ایسا دلکش امتزاج زندگی میں پہلی بار دیکھا ہے۔'' وہ شرارت سے ہنسا۔

اُجالا نے شرما کر سر جھکا لیا اُس کے عارض تمتمانے لگے ہونٹ تھرتھرانے لگے پلکیں حیا کے بوجھ سے جھک گئیں۔

مقابل تو بڑے بڑوں کو زیر بار کرنے کی صلاحیت رکھتا تھا اور یہاں تو معصوم سی اُجالا تھی جملے سے جھانکتی ذراسی معنویت سے چھوئی موئی کی مانند سمٹ گئی تھی۔

''آپ کو نیا مجموعہ کلام آنے پر مبارک ہو کلام بہت دلفریب ہے۔'' اُجالا نے اپنا دامن بچا کر سلیقے سے بات بدل دی فاروق ترمذی نے سر تسلیم خم کر کے ''نوازش'' کہا۔

''آپ سے مل کر بہت اچھا لگا اُجالا۔'' وہ گھمبیر لہجے میں بولا۔

''مجھے بھی آپ سے ملنا اچھا لگا۔''

''اللہ حافظ۔'' وہ اپنا دل سنبھالتی نظریں جھکائے پلٹی۔

''فون ضرور کرنا لازمی۔'' وہ ہاتھ ہلاتے کہہ رہے تھے۔

''آہ...... دلِ بے خود......'' نئے نویلے جذبات کی دلفریبی حواسوں پر چھانے لگی تھی۔

یہ اُن دونوں کی پہلی ملاقات تھی سحر انگیز شخصیت کا مالک تیس سالہ خوبرو مرد فاروق ترمذی۔

○......❖......○

''رانیہ بھابی وہ بہت خوبصورت ہے آپ دیکھتیں تو بس دیکھتی رہ جاتیں۔'' یہ جملہ وہ صبح سے نہ جانے کتنی بار کہہ چکی تھی رانیہ بس مسکرائے جا رہی تھی کیا کہتی۔

''بھابی اُس کی آنکھیں اتنی ساحر اتنی بولتی ہوئی سی ہیں کہ اُن کی آنکھوں میں دیکھا ہی نہیں جاتا، مگر اُن کو تو جیسے عادت ہے مقابل کی آنکھوں میں جھانکنے کی، بہت امپریسو پرسنالٹی ہے۔'' وہ بے تکان بولے جا رہی تھی اس وقت وہ بھابی کے کمبل میں اُن کے ساتھ گھسی ہوئی تھی۔ رانیہ مسلسل مسکرائے جا رہی تھی۔

آنے والے کچھ دنوں میں اُجالا نے ایک دن جھجکتے ہوئے فاروق کو فون کیا تھا وہ بہت خوش ہوا اُس کی بے پایاں خوشی اُس کے لفظوں سے جھلک رہی تھی۔ پھر تو یہ سلسلہ ہی چل نکلا اُن کی ابھی تک دوبارہ باقاعدہ ملاقات نہیں ہوئی تھی۔

انہی دنوں سعد کا بیٹا ہوا تھا گھر بھر میں خوشی کی لہر دوڑ گئی تھی اُجالا ننھا سا گڈا پا کر بہت خوش تھی۔ سارا دن

اُسی کے ساتھ لگی رہتی اُس کے ہاتھ ایک اور مصروفیت آ گئی تھی۔

وہ اپنے بھائی بھابی اور اب اپنے بھتیجے میں کھو کر سب بھول گئی تھی رحمان کی بھی بیٹی سال بھر کی ہوگئی تھی اُجالا سیکنڈ ایئر کے امتحانات سے فری ہو کر گھر میں رزلٹ کا انتظار کر رہی تھی۔

زندگی سبک ندی کی طرح رواں تھی انہی دنوں لبنیٰ اور فرقان کی شادی ہوگئی۔ فاروق ترمذی سے اچانک اُس کا رابطہ ٹوٹ گیا ابھی تو دل نے دھڑکنا سیکھا تھا ابھی تو وہ تازہ تازہ محبت گزیدہ ہوئی تھی کہ یہ جدائی درمیان میں کہاں سے آ گئی۔

اُس کا رزلٹ آ گیا تو اُجالا نے تھرڈ ایئر میں ایڈمیشن لے لیا اُس کا اور فاروق کا صرف فون پر ہی رابطہ تھا اور تو وہ کچھ بھی نہیں جانتی تھی کہ وہ کہاں رہتا ہے کس فیملی سے تعلق رکھتا ہے۔

اُجالا جب بھی کالج جاتی اپنی گاڑی روک روک کر اجنبی چہروں میں اُس آشنا کا چہرہ کھوجتی جو اُسے بتائے بنا نہ جانے کہاں چلا گیا تھا۔ کالج میں وہ چلتے چلتے رُک جاتی اُسے گمان گزرتا جیسے فاروق نے اُسے صدا دی ہے وہ اُس کی تلاش میں سرگرداں اِدھر اُدھر بھٹکتی رہتی۔ بالآخر ایک دن وہ دل کے ہاتھوں مجبور ہو کر ریڈیو اسٹیشن چلی گئی وہ وہاں بھی نہیں تھا۔ اُجالا کو اپنی بے اختیاری پر جی بھر کر تاؤ آیا بھلا ایسی بے خودی بھی کیا۔ مگر وہ چاہ کر بھی خود کو سنبھال نہیں پا رہی تھی۔

ایسے ہی بے کیف سے دن گزر رہے تھے کہ ایک دن کوریئر سروس کے ذریعے خوبصورت سرخ گلابوں کا تازہ بکے اُسے ملا۔ وہ حیران تھی کہ اُسے کسی نے پھول بھجوائے ہیں اُس نے بکے کے ساتھ آئے پیکٹ کو کھولا وائٹ اور بے بی پنک کلر کا کارڈ تھا جس پر مس یو کے الفاظ جگمگا رہے تھے۔ ابھی وہ اسی حیرت میں تھی کہ اُن کے گھر کا فون بجنے لگا وہ بھاگ کر گئی اور جلدی سے ریسیور اٹھایا۔

''ہیلو اُجالا۔'' دوسری جانب فاروق تھا۔

''جی...... آپ کیسے ہیں کہاں ہیں؟'' وہ اپنی رو میں اپنی تمام بے چینیاں بتاتی چلی گئی رو رو کر اُس نے اپنی ساری دلی کیفیات بیان کر ڈالیں اُسے ذرا بھی احساس نہیں ہو سکا تھا کہ وہ کیا کر بیٹھی ہے جب احساس ہوا تب دانتوں تلے زبان داب لی مگر اب کیا فائدہ لفظ تو کمان سے نکلے تیر کی مانند فاروق کے دل تک پہنچ چکے تھے۔

''اُجالا کیا میں اتنا بخت آور ہو سکتا ہوں کہ تمہارے جیسی لڑکی مجھے چاہے جس کا دل سچے موتیوں جیسا ہے جس کی من موہنی سی صورت ہے جو ہر فن میں طاق ہے۔''

''جی......'' وہ بس اتنا ہی کہہ سکی پہلے ہی وہ اپنی بے تابی ظاہر کرنے پر شرمندہ تھی۔

''سچ تو یہ ہے اُجالا کہ میں پہلی ہی ملاقات میں دل ہار بیٹھا تھا مگر کہنے سے ڈرتا تھا کہ کہیں تمہیں برا نہ لگ جائے۔'' وہ ہولے سے بولا۔

''آپ کہاں چلے گئے تھے۔''

''پہلے یہ بتاؤ پھول اور کارڈ پسند آئے۔''

''وہ آپ نے بھیجے ہیں۔''

''جی میں نے بھیجے ہیں۔'' فاروق کا لہجہ مٹھاس سموئے ہوئے تھا۔

''اُجالا میں نے ماس کمیونیکشن امریکہ سے کیا تھا پھر میں نے مائنر مضمون میں براڈ کاسٹنگ لیا اور آج کل میں شکاگو میں ہوں ایک براڈ کاسٹنگ اسکول سے ایک سال کا ڈپلومہ کرنے آ گیا تھا۔ یہ ڈپلومہ میرے بہت کام آئے گا میں پاکستان میں آ کر ریڈیو اسٹار براڈ کاسٹنگ اسکول کھولنا چاہتا ہوں جہاں میں نوجوان لڑکے لڑکیوں کو ٹریننگ دوں گا تاکہ وہ اپنی صلاحیتوں کا کھل کر مظاہرہ کر سکیں۔'' فاروق بول رہا تھا اور اُجالا توجہ سے سن رہی تھی۔

''بتا کر تو جانا چاہیے تھا نا۔ ایسے اچانک ہی چلے گئے۔'' اُجالا کے لبوں پر شکوہ نہ چاہتے ہوئے بھی آ گیا۔

''بس جلدی میں انفارم نہیں کر سکا، اب رابطے میں رہوں گا اور جلد واپس آؤں گا۔''

''جی۔''

''تم سناؤ تمہاری شاعری کیسی جا رہی ہے۔''

''آج کل میری شاعری میں اُداسی کا رنگ رچ بس گیا ہے اُداسی بس اداسی۔''

''میں بھی تمہارے فراق میں آہیں بھرتا رہتا ہوں مگر کیا کروں۔''

''جلدی سے آ جائیں نا۔'' اُس کی آواز میں محسوس کی جانے والی بے چارگی وافسردگی تھی۔

''میں جلد آؤں گا وعدہ کرو گی ایک۔'' نہ جانے وہ اُسے کون سے پیمان میں باندھنے لگا تھا۔

''جی کہیے۔'' وہ ہمہ تن گوش ہوئی۔

''جب میں آؤں تو سب سے پہلے تمہارا چہرہ دیکھنا چاہتا ہوں۔''

''جی ضرور، کیوں نہیں۔''

''ڈیلی بات کرتے رہیں گے اب، اُداس مت ہونا۔''

''جی......'' اُجالا دھڑ دھڑ کرتے دل کو سنبھالتی ہلکان ہو رہی تھی۔

''اوکے میری جان اپنا بہت خیال رکھنا، پتا ہے تم نے اپنا کیوں خیال رکھنا ہے۔''

''کیوں؟''

''کیونکہ تم میری ہو۔'' فاروق نے گنگنا کر کہا تھا۔

''جی......'' اُجالا کو تو یوں لگا جیسے دو جہان کی خوشیاں مل گئی ہوں۔

اُجالا کو کائنات کی ہر چیز میں سکون، خوبصورتی نظر آ رہی تھی دراصل وہ خود خوش تھی تو اُسے ہر منظر مسکراتا گنگناتا دکھائی دے رہا تھا وہ خود کو ہواؤں میں اُڑتا ہوا محسوس کر رہی تھی۔

○......❖......○

اُجالا اور رانیہ سعد کے ساتھ جا رہی تھیں۔ سعد کے کسی کولیگ کی شادی تھی وہ وقت پر ہی پہنچ گئے تھے۔ ہوٹل میں بکھری جگمگاتی، چمکدار اور روشنیوں کے عکس میں اِدھر اُدھر اڑتی پھرتی، خوشنما خوش رنگ ملبوسات میں ماڈرن طرح دار لڑکیاں، شوخیاں، شرارتیں، میزبان خواتین بہت محبت سے ملیں اتنی ڈیسنٹ، ویل ایجوکیٹڈ، ٹپ ٹاپ ماڈرن، اسٹائلش اور لبرل خواتین، جبکہ رانیہ اور اُجالا دونوں ہی ایک جیسی تھیں سادہ طبیعت آج بھی کوئی

خاص تیاری نہیں کی گئی تھی مگر پھر بھی وہ دونوں بے حد اچھی اور پُرکشش لگ رہی تھیں۔

یہ شہر کا سب سے بڑا اور مہنگا میرج ہال تھا اتنے بڑے پیمانے پر ارینج کیا ہوا یہ وسیع اور ماڈرن فنکشن جہاں مہمانوں کی ایک خاصی بڑی تعداد موجود تھی اُجالا کے لیے کوئی چہرہ بھی شناسا یا مانوس نہیں تھا۔ سارے چہرے اجنبی تھے مگر جیسے رنگ و نور کا سیلاب تھا۔ جو وہاں اُمنڈ آیا تھا۔ اُجالا ایک الگ تھلگ کونے میں بیٹھی ہنستے مسکراتے چہروں کو دیکھ کر خوش ہو رہی تھی۔

انٹرنس پر اچانک ہی غیر معمولی صورتِ حال پیدا ہونے اور مہمانوں، خواتین و حضرات کے جھمگٹے کی صورت میں رش سا اکٹھا ہونے کے آثار نظر آ رہے تھے۔ وہاں کا فاصلہ زیادہ نہیں تھا اُجالا نے سبھی لوگوں کو تیزی سے باہر کی طرف جاتے دیکھا اچانک اُجالا کو وہ نظر آیا تھا۔

بجلی کی سرعت سے جیسے سب واضح ہو گیا اُجالا کی آنکھیں دھندلا گئیں اور سانسیں وہیں تھم گئیں اور دل...... دل تو لگتا تھا حرکت کرنا بند کر دے گا۔ پھر اُس نے تیزی سے اُسے واپس پلٹتے دیکھا وہ جا رہا تھا اُجالا تیزی سے اُٹھ کر اُس سمت بھاگی تھی جدھر فاروق ترمذی گیا تھا مگر وہاں اُس کا نام و نشان تک نہ تھا۔ اُجالا دھواں ہوتی سانسوں کے ساتھ واپس لوٹی۔

''کیا وہ حقیقتاً فاروق تھا یا مجھے غلط فہمی ہوئی ہے۔'' وہ خود سے اُلجھ رہی تھی۔

''میں تو اُسے ہزاروں کے مجمعے میں پہچان سکتی ہوں بھلا میری آنکھیں کیسے دھوکا کھا سکتی ہیں وہ فاروق ہی تھا۔'' وہ خود کلامی کرتے ہوئے جیسے خود کو باور کروا رہی تھی۔

تبھی کھانا شروع ہو گیا۔ رانیہ نے اُسے آواز دے کر بلا لیا تو وہ وقتی طور پر اُس اُلجھن سے نکل گئی مگر واپسی کے سفر میں پھر وہ یہی سب کچھ سوچ رہی تھی اُسے کچھ سمجھ نہیں آ رہی تھی کہ سچ کیا ہے اور جھوٹ کیا...... اُس کا دل ماننے کو تیار نہیں تھا کہ جو اُسے نظر آیا وہ فریبِ نظر تھا وہ تو شکاگو میں تھا روز وہاں سے فون کرتا تھا۔

اُجالا کو تازہ پھول اسی شہر سے ہی بھیجے گئے تھے مگر اُس نے پوچھا ہی نہیں تھا فاروق سے یا پھر اُس نے باریک بینی سے غور کرنے کی نہ ہی کوشش کی تھی اور نہ ہی ضرورت سمجھی تھی۔

نہ جانے وہ کب تک اُلجھتی رہتی کہ اگلے دن فاروق کا فون آ گیا۔

''کیسی ہے میری جان۔'' فاروق ترمذی نے سارے جہان کی چاہتیں اپنے لفظوں میں سمو دی تھیں۔

''جی ٹھیک ہوں، تم کیسے ہو۔''

''اپنی جان کی دعاؤں کی بدولت خوش باش ہوں۔'' وہ خوش نظر آ رہا تھا۔

''فاروق کل میں نے تمہیں دیکھا تھا۔''

''مجھے دیکھا، ہاہاہا......'' اُس نے قہقہہ لگایا اور پھر تا دیر اُسی انداز میں ہنستا رہا جیسے اُسے اُجالا کی دماغی حالت پر شبہ ہو۔

''میں سچ کہہ رہی ہوں میں نے تمہیں دیکھا۔'' وہ وثوق سے بولی۔

''کہاں دیکھا میری معصوم بلبل نے اپنے فاروق کو۔'' وہ ابھی بھی ہنس رہا تھا۔ وہ کیوں مسلسل ہنس رہا تھا

اُجالا کی سمجھ سے بالاتر چیز تھی۔

''کل میں سعد بھیا کے ساتھ ایک شادی کی تقریب میں گئی۔ میں ایک الگ تھلگ کونے میں بیٹھی تمہیں یاد کر رہی تھی تم مجھے بہت یاد آ رہے تھے میں ہر چہرے میں تمہارا چہرہ کھوج رہی تھی مجھے ہر چہرہ تمہارے چہرے سے مشابہ لگ رہا تھا۔ تبھی انٹرنس کی طرف سے میں نے تمہیں ہال میں آتے اور پھر ٹھٹک کر رکتے اور پھر تیزی سے باہر کی طرف جاتے دیکھا میں اُٹھ کر تمہارے پیچھے بھاگی تب تک تم غائب ہو چکے تھے۔'' اُجالا کہتے کہتے رو دی۔

''اُجالا ایک آنسو بھی بہایا تو میں تم سے بات نہیں کروں گا اپنے آنسو صاف کرو جلدی شاباش۔''

''جی کر لیے۔'' اُجالا نے جلدی سے آنکھیں رگڑیں۔

''اچھا میری جان دیکھو میری بات سنو میں تا حال شکا گو میں ہی ہوں دوسری بات یہ کہ تم مجھ سے بہت محبت کرتی ہو ہر جگہ مجھے دیکھتی ہو اسی لیے تمہیں گمان گزرا ہوگا۔ تمہارا اپنا تخیل مجسم وجود بن گیا ہوگا پگلی، تمہاری آنکھیں صرف مجھے ہی دیکھنا چاہتی ہیں نا تو ہر طرف تمہیں فاروق ہی دکھائی دیتا ہے ٹھیک کہہ رہا ہوں نا۔''

''جی ......مگر......''

''اگر مگر کچھ نہیں، کیا میں یہ سمجھوں کہ تمہیں مجھ پر بھروسا نہیں، کیا تمہیں لگتا ہے میں جھوٹ بول رہا ہوں۔'' فارق کے الفاظ سے غصے کے ساتھ برہمی ٹپکنے لگی اور اُس نے فون بند کر دیا اُجالا کی جان پر بن آئی فاروق ناراض ہو گیا تھا۔

O......❖......O

اُجالا نے رو رو کر اپنی آنکھیں سجالیں رانیہ اُن دنوں پھر پریگنینٹ تھی۔ وہ پژمردہ اور نڈھال سی رہتی تھی اُجالا نے رانیہ کو بھی نہیں بتایا کہ فاروق اُس سے روٹھ گیا ہے اور اب وہ اُسے کیسے منائے۔ کاش اُجالا رانیہ کو بتا سکتی مگر اُس کی طبیعت کی وجہ سے وہ اُسے کیسے بتاتی۔ اُجالا کو فاروق خود ہی کال کرتا تھا۔

اُس نے تو کبھی نمبر دیکھنے کی زحمت بھی گوارا نہیں کی تھی وہ اتنی معصوم اور سادہ تھی کہ وہ جھوٹ بھی بولتا تھا تو وہ سچ مانتی تھی بھروسا اور یقین تو محبت کی پہلی سیڑھی ہوتے ہیں اور اُس نے تو اعتبار کی سیڑھی پر پہلا قدم ہی اعتماد سے رکھا تھا یقین کامل ہی تو بندگی ہوتا ہے۔ کسی نے سچ ہی کہا کہ محبت اندھی ہوتی ہے محبت کی اپنی آنکھیں تو ہوتی ہی نہیں ہیں محبت دنیا کا ہر منظر ہر رنگ محبوب کی نظروں سے دیکھتی ہے اور ہمیشہ دیکھنا چاہتی ہے محبوب کی نظر سے دیکھنا بہت دلربائی بہت کشش رکھتا ہے۔

دو دن خوب تڑپانے کے بعد فاروق نے اُجالا کو فون کیا تھا گلے شکوے ہوتے رہے اُجالا مسلسل روتی رہی اُسے مناتی رہی۔ پھر وہ مان بھی گیا۔

''اچھا اب رو کر مجھے تکلیف مت دو، آنسو صاف کرو۔'' فاروق نے پیار سے ڈپٹا۔ اُجالا سوں سوں کرتی ناک کے ساتھ اپنے آنسو صاف کرنے لگی۔

''اب ٹھیک ہو نا اُجالا۔''

''جی ٹھیک ہوں۔''

''بھابی اور بھیا کیسے ہیں، اور گڈو کیسا ہے۔'' اب وہ روٹین کی باتیں کر رہا تھا موڈ ٹھیک تھا۔

''جی بالکل ٹھیک خوش باش۔'' اُجالا خوش دلی سے بولی۔

''ہمارے گھر نیا مہمان بھی آنے والا ہے۔''

''واؤ، مبارک ہو، بہت خوشی کی بات ہے۔''

''جی بالکل۔''

پھر وہ بہت دیر اِدھر اُدھر کی باتیں کرتے رہے وقت کو جیسے پر لگ گئے وہ ناراض تھا تو وقت گزارے نہیں گزرتا تھا اب وہ مانا تھا تو جیسے وقت ہاتھوں سے ریت کی مانند پھسلا جا رہا تھا۔ شام کے سائے چاروں طرف پھیلنے لگے تب فاروق نے نہایت محبت ولگاوٹ سے آہیں بھرتے فون بند کیا تھا۔

سعد مرتضیٰ کے ہاں بیٹی ہوئی تھی اُجالا کی خوشی کا کوئی ٹھکانہ نہیں تھا۔ سعد مرتضیٰ کو تو گویا ہفت اقلیم کی دولت مل گئی تھی سعد مرتضیٰ پہروں بچی کو گود میں لٹائے تکتا رہتا، اُس کے چھوٹے چھوٹے ہاتھوں کو چومتا رہتا رانیہ کی مصروفیات بڑھ گئی تھیں۔

اُجالا کے بی اے کے امتحانات سر پر تھے وہ دل و جان سے محنت کر رہی تھی۔ رانیہ نے زرینہ کو خصوصی تاکید کر رکھی تھی اُجالا کے حوالے سے، زرینہ رات کو باقاعدگی سے اُجالا کے کمرے میں دودھ رکھ کر جاتی تھی اُجالا کے کمرے میں فریج میں فروٹس چیک کرتی پہلا ختم ہو جاتا تو اور فروٹ رکھ جاتی یہ رانیہ کی ہدایات تھیں جن پر زرینہ سختی سے عمل کرتی تھی۔

اُجالا آخری پیپر دے کر آئی تو لمبی تان کر سوگئی بہت دیر تک وہ سوتی رہی۔ سعد کئی مرتبہ اُس کے کمرے میں آیا اُسے سوتا پا کر پھر پلٹ گیا۔ سعد کی اپنی اولاد بھی ہوگئی تھی۔ مگر اُجالا کے لیے اُس کی محبت میں رتی برابر فرق بھی نہیں آیا تھا۔ سعد اُجالا سے ہمیشہ کی طرح محبت کرتا تھا اُس کا خیال رکھتا تھا لاڈ کرتا تھا۔ رانیہ بھی روایتی بھابی ثابت نہیں ہوئی تھی وہ بھی اچھی محبت کرنے والی بھابی تھی۔

اُجالا نے خوب نیند پوری کی تھی بہت دنوں سے وہ اپنی پسند کی موویز دیکھنا چاہ رہی تھی مگر فرصت کے لمحات اُسے میسر نہیں آرہے تھے اب امتحانات کا بوجھ سر سے اُترا تھا تو وہ خود کو ہلکا پھلکا محسوس کر رہی تھی۔ لبنیٰ کے بھی بیٹی ہوئی تھی اور وہ اپنی بچی میں مصروف ہو کر رہ گئی تھی۔

اتوار کا دن تھا لبنیٰ اپنی بیٹی کے ساتھ اُجالا کے بے حد اصرار پر اُس کے گھر آئی تھی اُجالا اُسے اپنے بیڈروم میں لے آئی تھی۔ اُجالا کا پروگرام انڈین مووی 'کچھ کچھ ہوتا ہے' دیکھنے کا تھا وہ لبنیٰ کے ساتھ مووی دیکھ رہی تھی مگر لبنیٰ بچی کے ساتھ ہی لگی ہوئی تھی اُجالا بار بار اُس کی توجہ مووی کی طرف دلاتی مگر لبنیٰ کی توجہ بار بار بیٹی کی طرف لگ جاتی، وہ بڑی مشکل سے سوئی تو تب لبنیٰ اُجالا کی طرف متوجہ ہوئی تھی شاہ رخ خان اور کاجول اُجالا کے فیورٹ اداکار تھے۔

''دفع ہو جا، ٹک کر بیٹھتی ہی نہیں ہو تم تو۔'' بچی کے کسمسانے پر اُجالا نے دیکھا لبنیٰ سب چھوڑ چھاڑ جا کر

بیٹی کے پاس بیٹھ گئی، اُجالا کی بات پر لبنیٰ ہنس دی۔

''تم چھڑی چھانٹ ہو اور میں شادی شدہ ایک بیٹی کی ماں، سمجھو اس بات کو۔''

''مجھے نہیں پتا۔'' اُجالا نروٹھے پن سے بسوری۔

''راہول کھنہ کتنا اسٹوپڈ ہے نا کہ اُسے انجلی کی سچی محبت نظر کیوں نہیں آ رہی، وہ اپنے گھر جاتے ہوئے زار وقطار رو رہی ہے سب کو سمجھ آ رہی ہے مجھے سمجھ آ رہی ہے راہول کھنہ کو سمجھ کیوں نہیں آتی انجلی کے آنسو راہو کو ساری کہانی سنا رہے ہیں انجلی کے دل میں چھپے سارے جذبے آشکار کر رہے ہیں وہ اندھا ہوا کھڑا ہے وہ لبنیٰ دیکھو ذرا۔'' اُجالا لبنیٰ سے مخاطب تھی اور لبنیٰ نہ جانے کب بچی کو لے کر کچن میں چلی گئی تھی۔ بچی کو بھوک لگی تھی اُجالا تلملا کر رہ گئی اُسے سمجھ آ چکی تھی کہ لبنیٰ اب صرف 'ماں' ہے۔

○……❖……○

''میں آ رہا ہوں اُجالا اور میں پاکستان کی سرزمین پر قدم دھرنے کے بعد جو دیکھنا چاہتا ہوں وہ تمہارا چہرہ ہے میں نے یہ وقت تمہارے بغیر کیسے گزارا ہے یہ تمہیں بتانا ہے اِن گزرے ماہ وسال میں میرے اندر کیسے تمہارا ہجر پل پل مجھے جھلساتا رہا ہے یہ داستانِ ہجر والم تمہیں سنانی ہے۔

''تم آ ؤ گی نا۔'' فاروق ترمذی بڑی آس سے پوچھ رہا تھا وہ امید وبیم کی کیفیت میں تھا۔

''جی ضرور۔'' اُجالا نے بغیر سوچے سمجھے ہامی بھر لی۔

''سچ اُجالا۔'' وہ نہال سا ہو کر رہ گیا۔

''پرسوں منگل والے دن بارہ بجے لاہور ائیر پورٹ پر پہنچ جانا میں تمہاری من موہنی صورت دیکھ کر اپنی تھکن اُتارنا چاہتا ہوں تمہارے سحر آفریں حسن میں سرتاپا ڈوب کر سیراب ہونا چاہتا ہوں۔''

''آ ؤ گی نا۔'' جذب سے بولتے بولتے آخر میں اُس کا لہجہ ملتجی ہو گیا اور اُجالا سراسیمہ سی سوچ میں پڑ گئی۔

''میں کبھی اکیلی لاہور گئی نہیں۔''

''تو کیا ہوا، گاڑی تمہاری اپنی ہے پُر اعتماد ہو پڑھی لکھی ہو کیا مسئلہ ہے۔''

''وہ تو ٹھیک ہے مگر سعد بھیا مجھے اکیلے بھیجنے پر آمادہ نہیں ہوں گے۔''

''اُن کو بتانے کی یا اجازت لینے کی کوئی ضرورت بھی نہیں ہے تم باشعور ہو بالغ ہو ہر وقت سعد کے مسائل میں مت اُلجھا کرو، اپنی زندگی آپ جیو۔'' وہ اُسے نہ جانے کون سی باتیں سمجھا رہا تھا کس راہ پر چلانا چاہ رہا تھا۔

''مگر……'' اُجالا ہچکچاہٹ کا شکار تھی۔

''اگر مگر کچھ نہیں، تمہیں آنا ہے ہر صورت رات تک سوچ لو میں پھر کال کروں گا۔''

''جج……جی……'' اُجالا نے خشک ہوتے لبوں پر زبان پھیری۔

''مگر ایک بات یاد رکھنا اُجالا اگر تمہارا جواب نفی میں ہوا تم نے آنے سے انکار کر دیا تو میں پاکستان کبھی بھی لوٹ کر نہیں آ ؤں گا شکاگو میں ہی اپنی جان دے دوں گا۔'' فاروق نے فون بند کر دیا۔

''نہیں……نہیں۔'' اُجالا لبوں پر ہاتھ رکھے اپنی سسکیاں دباتی رہی وہ تو اس کے بغیر جینے کا تصور بھی محال

سمجھتی تھی پھر وہ کیا کرے سعد مرتضیٰ سے چھپانا اُسے اچھا نہیں لگ رہا تھا اور بتانے کی صورت میں سعد اُسے لاہور جانے کی اجازت نہیں دیتا عجیب کشمکش تھی جس میں اُجالا اُلجھ کر رہ گئی تھی کیا کرے۔

رات کو اُس نے دوبارہ فون کیا تھا مگر بات کے آغاز میں ہی پھر وہی بات دہرادی تھی کہ اُجالا نے اگر ائیر پورٹ آنے سے انکار کیا تو وہ یہیں شکاگو میں ہی اپنی جان دے دے گا۔ اُجالا کبھی ہاں کہہ دیتی اور کبھی ٹال مٹول کرنے لگ جاتی۔

''اُجالا ایک بات بتاؤ تمہیں مجھ سے محبت ہے۔'' وہ عجیب رنجیدگی سے پوچھ رہا تھا۔

''جی بہت زیادہ۔'' اُسے کہنے میں کوئی تامل نہیں تھا اُسے اعتراف کرنے میں کوئی عار نہیں تھا۔

''جھوٹ بولتی ہو تم۔'' وہ دھاڑا اُس کی دھاڑ میں آنسوؤں کی آمیزش بھی شامل تھی۔

''نہیں فاروق ایسے مت کہو، میں تم سے بہت محبت کرتی ہوں۔'' اُجالا کپکپاتے ہوئے رودی۔

''غلط کہتی ہو تم، کیا ثبوت ہے کیسے ثابت کرسکتی ہو تم۔''

''جیسے تم کہو فاروق۔'' وہ بے بسی سے رودی۔

''اُجالا تمہیں مجھے ملنے آنا ہے میں صرف تمہیں دیکھنا چاہتا ہوں اُجالا میں تم سے بے حد بے شمار بے حساب محبت کرتا ہوں تمہیں دیکھا تو جینے کی امنگ دل میں بیدار ہوگئی ایک مخلص ہم سفر کی طلب دل کرنے لگا تمہاری طرف ہمکنے لگا تم دنیا میں وہ واحد ہستی ہو جو بغیر کہے میرا دکھ جان جاتی ہو۔ میری درد آشنا ہو تکلیف مجھے ہوتی ہے تمہیں وہاں اتنی دور علم ہو جاتا ہے تم نے میری خالی، رتجگوں کی ماری آنکھوں کو نیندوں سے بھر دیا ہے میٹھی نیند سونے لگا ہوں۔ میری مسکراہٹ اور ہنسی کھوکھلی بے جان ہوا کرتی تھی اب میں زندگی سے بھرپور مسکراہٹ کا مالک بن بیٹھا ہوں تم میری تمنا ہو، میرا تمہارے سوا کوئی نہیں ہے تم بھی مجھے رونے بلکنے کے لیے اس دنیا میں بے یارومددگار چھوڑ دوگی نا۔'' اُس کی آواز رندھ گئی حلق آنسوؤں سے بھر گیا اُجالا کی تو جان پر بن آئی۔

''فاروق میں ضرور آؤں گی چاہے کچھ بھی ہو۔'' وہ پُر عزم اور مضبوط لہجے میں بولی۔

''ہاں تمہیں آنا ہوگا۔'' وہ دوسری طرف خباثت سے مسکرایا تھا۔ فاروق نے ہلکا سا استہزائیہ قہقہہ لگایا اور پھر ہنستا تھا عجیب سرور بھری ہنسی خمار آلود قہقہے لگاتا رہا اُس کی ہنسی میں فتح کا غرور تھا پالینے کا نشہ اور احساس اُسے طمانیت بخش رہا تھا۔

O.....❖.....O

اگلی صبح اُجالا بہت جلدی اُٹھ گئی تھی۔ اُس نے رانیہ کو بھی نہیں بتایا تھا۔ چوکیدار غلام عباس فجر کی نماز کے لیے مسجد گیا ہوا تھا۔ اُجالا نے جلدی سے گاڑی پورچ سے نکالی اُس کے ہاتھ پاؤں کانپ رہے تھے سعد مرتضیٰ کا ڈبل اسٹوری کا گھر اندھیرے میں ڈوبا ہوا تھا اور سعد مرتضیٰ کی لاڈلی بہن مین گیٹ کھول کر گاڑی سڑک پر ڈال چکی تھی۔ وہ بہت بار سعد کے ساتھ لاہور گئی تھی راستے اُسے ازبر تھے مگر اکیلے جانے کا خیال اُسے سہا رہا تھا اسٹیئرنگ پر دھرے اُس کے ہاتھوں کی لرزش واضح تھی مارے گھبراہٹ کے اُجالا کا حلق بار بار خشک ہو رہا تھا پاؤں جیسے بے جان ہو رہے تھے۔

اندھیرا چھٹ رہا تھا اُجالا چاروں طرف پھیل رہا تھا۔

''اوہ بھیا اُٹھ گئے ہوں گے۔'' اُجالا نے یک دم گاڑی روک دی اُس کے دل کو کچھ ہونے لگا۔

''وہ اٹھتے ہی سب سے پہلے میرا پوچھیں گے۔'' اُجالا کو ڈھیروں خفت نے آن گھیرا اُس کے بالائی لب پر پسینے کے ننھے ننھے سے قطرے ابھر آئے شرمندگی سے اُجالا کی آنکھیں آنسو ڈھونڈ لائیں اُس نے بے اختیار اپنا سر اسٹیئرنگ پر گرادیا یہ پہلا جھوٹ تھا یہ پہلی خطا تھی یہ پہلی خود غرضی تھی جو اُجالا نے کی تھی وہ نادم تھی پشیمان تھی۔

''مجھے گھر نہ پا کر وہ کیا سوچیں گے اور میں واپس جا کر اُن کو کیا بتاؤں گی کہ میں کہاں گئی تھی۔ کیوں گئی تھی۔'' وہ روئے گئی پچھتانے لگی سعد مرتضیٰ نے اُسے بھائی کی محبت و مان ہی نہیں ایک باپ کی شفقت سے بھی نوازا تھا اپنے ہاتھ کا چھالا بنا کر رکھا تھا۔

''مجھے واپس لوٹ جانا چاہیے کہہ دوں گی کہ جاگنگ کے لیے گئی تھی۔'' مگر فاروق کے الفاظ اس کا ارادہ متزلزل کر رہے تھے۔

''اُجالا میرے دل میں تمہارے لیے بہت عزت بہت محبت اور بے پناہ خلوص ہے دل کرتا ہے تم جہاں جہاں قدم رکھو وہاں دور دور تک صرف پھول ہی پھول ہوں۔ تم یقین کیوں نہیں کر لیتیں کہ تم فاروق ترمذی کے لیے بہت خاص ہو۔ میں تمہیں کھونے کا حوصلہ نہیں رکھتا۔ میں تمہارے بغیر مر جاؤں گا میرے پاس تمہارے سوا کچھ نہیں ہے میرا سب کچھ تم ہو۔'' فاروق کی آواز اُسے کسی بازگشت کی طرح سنائی دینے لگی وہ شاعر تھا لفظوں کی جادوگری کا ماہر، ہر ہنر میں طاق۔

اُجالا نے واپس پلٹنے کی ایک کوشش کی مگر کوششیں بھی بھلا کبھی انسانوں کے چاہنے سے کامیاب ہوا کرتی ہیں۔'' وہ اب دوبارہ عازم سفر تھی آگے کی طرف جدھر فاروق تھا جس سے وہ محبت کرتی تھی۔ وہاڑی کا کوئی علاقہ تھا جب اُسے شدت کی بھوک کا احساس ہوا تھا اُس نے گاڑی روک کر قریب سے ایک لڑکے کو اشارہ کیا نوعمر سا لڑکا جو بہت پھرتی سے برگر بنا رہا تھا لپک کر آیا اُجالا نے اُسے ایک برگر لانے کو کہا تھا۔

○......❖......○

اُجالا گیارہ بجے کے قریب لاہور پہنچ گئی تھی اُس نے اپنے بالوں کو برش کیا ڈیش بورڈ پر پڑی چھوٹی سی پانی کی بوتل اٹھائی ٹشو بھگو بھگو کر اپنا چہرہ صاف کیا ہلکی سی پنک لپ اسٹک کاجل کی ہلکی سی دھار سے ہی اُس کا چہرہ تر و تازہ گلاب کی مانند کھل اٹھا۔ رائل بلیو سوٹ، ہم رنگ شال کندھے پر ٹکائے وہ گاڑی سے باہر نکلی۔ ائیر پورٹ پر معمول کا رش تھا وہ ایک لمحے کے لیے گھبرا گئی۔

''سلام مادام۔'' تبھی کوئی اُس کے قریب سے چہکتی آواز میں بولا اُجالا مڑی۔

''فاروق۔''

''ہاں میری جان میں آدھا گھنٹہ پہلے آ گیا بہت بے تاب تھا تمہیں دیکھنے کے لیے۔'' فاروق نے اُسے کندھوں سے تھام کر سینے سے لگا لیا وہ بوکھلا گئی اور خود کو الگ کرنے کی کوشش کرنے لگی مگر اُس کی کوئی کوشش کامیاب نہ ہو سکی۔ فاروق اُسے اپنے ساتھ لگا کر بھینچے جا رہا تھا۔

''چھوڑو، پاگل ہو گیا، لوگ......'' اُجالا کی گھٹی گھٹی آواز دب گئی۔

''اوئے کون ہو تم لوگ، یہ پاکستان ہے لندن نہیں ایسی بے حیائی کا کھلے عام مظاہرہ، ڈوب مرو، پکڑو ان کو، تھانے لے چلو، ان کی ساری بد معاشی نکالتے ہیں۔'' کوئی پولیس والا تھا وہ دونوں بوکھلا کر الگ ہوئے دوسرے لفظوں میں فاروق نے اُسے خود سے الگ کر دیا۔ اس سے پہلے کہ وہ سنبھلتی پولیس والوں نے اُجالا اور فاروق کو پکڑ کر اپنی گاڑی میں دھکیل دیا۔ وہ دونوں 'بات سنیں، بات سنیں' ہی کرتے رہے مگر پولیس والوں نے اُن کی کوئی بات نہیں سنی۔

حالات و واقعات ایسی کروٹ لیں گے یہ تو اُجالا کے وہم و گمان میں بھی نہیں تھا اور فاروق تو مرد تھا محافظ تھا اس وقت ڈیل کرنا معاملات کو ٹھیک کرنا اُس کا فرض تھا مگر وہ کچھ بھی نہیں کر پایا تھا یا پھر جان بوجھ کر کچھ کرنا ہی نہیں چاہتا تھا اُجالا تو کسی چڑیا کی مانند سہمی ہوئی تھی۔ اُسے تو کچھ سمجھ ہی نہیں آرہی تھی یہ یہ سب کیا ہوا ہے۔

پولیس کی گاڑی تھانے کے بڑے سے گیٹ سے اندر داخل ہوئی ایک پولیس والے نے اُجالا سے اُس کا پرس، چھین کر اُس کے بال مٹھی میں جکڑ کر اُسے بے دردی سے کھینچا تھا اُجالا کی درد بھری سسکاری نکلی اُس نے آنسو بھری آنکھوں سے فاروق کی طرف مدد طلب نظروں سے دیکھا۔ وہ سعد مرتضٰی کی پناہوں سے نکل کر خوار ہو رہی تھی۔ اُس نے کس پر بھروسا کیا جو اُسے بچا نہیں پایا تھا۔

کرخت چہرے والی عورت اُسے طعنے تشنے دیتی گھسیٹ رہی تھی اُس نے پھر پیچھے دیکھا تھا فاروق وہیں کھڑا تھا ایک لمحے کے لیے اُجالا کو لگا جیسے فاروق مسکرا رہا ہے، اطمینان سے کھڑا ہے۔

''پولیس والے اُسے کیوں نہیں لے کر جا رہے۔'' اُجالا نے اُس عورت سے پوچھا۔

''بکواس بند کر چل آگے۔'' اُس عورت نے سلاخوں کے پیچھے اُجالا کو سفاکی و بے رحمی سے دھکا دیا تھا اُس کا سر زور سے دیوار سے ٹکرایا اور وہ ہوش و خرد سے بے گانہ ہوتی چلی گئی۔ اُس کے سر کے پچھلے حصے سے خون بری طرح بہہ رہا تھا۔

○......❖......○

''اُٹھ تیری ضمانت ہو گئی ہے۔'' کسی نے اُس کے پیٹ میں زور دار پاؤں سے ٹھوکر ماری تھی۔ اُجالا درد سے بلبلاتی اُٹھ بیٹھی اُس کے سر میں درد کی ناقابلِ برداشت ٹیسیں اُٹھ رہی تھیں۔ اُس کا ہاتھ غیر ارادی طور پر اپنے سر کی طرف گیا اُس کے سر پر پٹی بندھی ہوئی تھی پھر اُسے سب یاد آتا چلا گیا۔

''یا اللہ مجھے معاف کر دے میں بھٹک گئی گمراہ ہو کر غفلت میں پڑ گئی مجھے معاف کر خدایا۔'' اُس نے اپنے دونوں گھٹنوں پر ہاتھ رکھ کر اٹھنے کی کوشش کی مگر وہ چکرا کر رہ گئی پھر اسی عورت نے اُسے سہارا دے کر اٹھایا اور اُسے قہر آلود نظروں سے دیکھا۔ اُس عورت کی نگاہوں میں اُجالا کے لیے نفرت و ناپسندیدگی تھی جیسے اُجالا کوئی بہت گری ہوئی لڑکی تھی اور اُسے اُجالا سے گھن آرہی ہو۔ اُجالا لڑکھڑائی اُس عورت نے اُسے سہارا دے کر یک دم چھوڑ دیا تھا۔ اُجالا بے دم سی ہو کر وہ ٹھنڈے فرش پر گری وہ اپنے زخم زخم وجود کو سردی سے اکڑا ہوا محسوس

کر رہی تھی اتنی ٹھنڈ اور ایسے سوگوار حالات نے اُسے اَدھ موا کر ڈالا تھا۔ اُس کا ذہن جیسے دھند سے اٹا ہوا تھا خوابیدہ ذہن پھوڑے کی مانند دکھ رہا تھا۔

اُس نے کھل کر سانس لینے کی کوشش کی اس کوشش نے اُسے تڑپا کر رکھ دیا شاید وہ ساری رات ایک ہی زاویے میں لیٹی رہی تھی اُس کی پسلیوں میں جیسے درد نے آگ دھکا رکھی تھی۔ اُس کو اتنی بے رحمی سے تھانے کے وسیع احاطے میں گھسیٹا گیا تھا کہ اب جا بجا خراشیں نظر آ رہی تھیں اُس کی رائل بلیو شرٹ جگہ جگہ سے پھٹی ہوئی تھی اُس کی رائل بلیو شرٹ میں سے اُس کا دودھیا بدن جھانک رہا تھا اُجالا کو ایسے لگ رہا تھا برف کی سیکڑوں وزنی سلیں اُس کے سر کے اوپر رکھ دی گئی ہیں اور وہ اتنے بوجھ تلے ہل نہیں پا رہی اُس نے اٹھنے کی کوشش کی اپنی تمام تر ہمتیں مجتمع کی زمین سے اٹھنے کی سعی میں اُس کا ناتواں و نازک وجود میں درد کی ایک تیز لہر اس کے سر سے پاؤں تک گزر گئی۔

''آہ۔'' وہ کراہی اور پھر بے دم ہو کر وہیں ڈھیر ہو گئی نازوں پلی اُجالا کہاں اذیتوں سے آشنا تھی وہ در بدر کی ٹھوکریں کھاتی پھر رہی تھی۔

''اٹھو۔'' اب کہ بار اُسے بہت محبت و نرمی سے اٹھایا گیا تھا سہارا بھی دیا گیا تھا یا شاید کسی نے اُسے اپنے بازوؤں میں اٹھا لیا تھا نقاہت کے مارے اُس کی آنکھیں بند تھیں۔

○......❖......○

نہ جانے کتنے گھنٹے کتنے دن گزر گئے تھے اُجالا کے بیرونی زخم اب ٹھیک تھے اُسے یہاں کون لے کر آیا اُس کی ضمانت کس نے کروائی اُجالا کو کچھ خبر نہیں تھی۔ یہ ایک صاف ستھرا بیڈ روم تھا جہاں وہ لیٹی ہوئی تھی۔ ایک ایک کر کے سارے واقعات اُس کے دماغ کی اسکرین پر چلنے لگے اُسے وحشت سے ابکائی سی آنے لگی اذیت سے اُس کی آنکھوں سے آنسو بہنے لگے اُس نے اپنے گالوں پر گرتے گرم سیال کو چھوا۔

''اللہ مجھے بچا لے میری عزت کی حفاظت کرنا۔'' اُس نے دھیرے سے آنکھیں بند کر لیں آنسو ٹوٹ ٹوٹ کر پلکوں کے بند توڑنے لگے۔

''سعد بھیا مجھے بچا لو، مجھے نکالو یہاں سے۔''

''یا اللہ رحم فرما میری مدد فرما میرا کوئی پُرسان حال نہیں۔''

''فاروق کہاں ہے، کیا وہ مجھے اکیلا چھوڑ کر بھاگ گیا، نہیں ایسا نہیں ہو سکتا وہ ایسا نہیں کر سکتا۔''

''سعد بھیا، میں اپنے ہی گھر سے در بدر ہو گئی میری خطا نے مجھے تذلیل و رسوائی، مار پیٹ، کوسنے و دھتکار دی۔ میری روح کی دھجیاں اُڑا کر رکھ دیں فاروق تم کہاں ہو۔''

''میری تو روح تک منجمد ہو چکی ہے۔ پھر یہ آنسو کیوں نہیں جمے۔''

''فاروق تم تو کہتے تھے کہ تم مجھے کبھی کسی مشکل میں اکیلا نہیں چھوڑو گے اب آ کے دیکھو مجھ پر کیسی آفتاد آن پڑی ہے یوں پولیس کے ہتھے لگنا اور رات تھانے میں گزارنا، اوہ میرے اللہ مجھے تو مر جانا چاہیے۔'' کم مائیگی و بے چارگی کا احساس زہر کی مانند اُجالا کی رگوں میں پھیل رہا تھا۔

’’کیا فاروق مجھے چھوڑ گیا۔‘‘ اُس کا پیار اُس کا جنون ماننے سے انکاری تھا۔

’’جانے والے کبھی لوٹ کر نہیں آتے۔‘‘

’’میرا یقین جو کامل تھا جس کے سہارے میں اُسے ملنے نکل پڑی وہ میرا یقین ......‘‘ دل گُرلایا۔

’’لوٹنا ہوتا تو جاتا ہی کیوں۔‘‘ خاموشی صدا بن گئی۔

’’کوئی وجہ ہوگی کوئی مجبوری۔‘‘ اُس نے کمزور سی دلیل دی خود کو مطمئن کرنا چاہا۔

’’جس دن میرا یقین ٹوٹا اسی دن میرے بدن سے روح جدا ہو جائے گی۔‘‘ ابھی دل خوش گمان تھا۔ ابھی وہ خود سے عہد کر رہی تھی۔ یہ عہد کیسے درد دینے والا تھا اور آنے والا وقت اپنے آنچل میں اتنی انہونیاں اتنے واقعات چھپائے بیٹھا تھا وہ بے خبر تھی۔

یہ تو پہاڑی علاقہ تھا جہاں اکا دکا گھر ہی نظر آتے تھے جہاں اُسے رکھا گیا تھا۔ وہ گھر سے اپنی مرضی سے فاروق کو لینے نکلی تھی۔ اُسے اُسی دن واپس لوٹ جانا تھا مگر وہ واپس لوٹ نہیں سکی تھی۔ اُس کے گرد ایسا جال بُن دیا گیا تھا کہ وہ پھڑ پھڑا بھی نہ سکی واپسی کے سارے راستے ساری راہیں مسدود ہو گئیں۔ اُس کے گرد فسوں خیز لفظوں کا تانا بانا ایسے چالبازی سے بنا گیا تھا محبت کا ریشمی حصار باندھ کر اُسے گھائل کر دیا تھا اُسے کمرے میں قید کرنے کی ضرورت نہیں تھی کیونکہ حرماں نصیبی نے اُسے جیسے ذہنی طور پر اور جسمانی طور پر مفلوج کر دیا تھا اُس میں اتنی سکت کہاں تھی کہ وہ یہاں سے بھاگ سکتی جہاں دور دور تک زندگی کے آثار نظر نہیں آ رہے تھے۔

دنیا دلفریب ہے مکر و فریب سے بھری ہوئی، خوشیوں کو نظر لگ جاتی ہے، کوئی بغض و حسد کا مارا نقصان پہنچا دیتا ہے۔ خزاں کیسے اپنا وار کرتی ہے آنکھوں کے خواب کیسے مٹی ہوتے ہیں بری خبر سانحات پریشانیاں کیسے زندگی کی حقیقتوں کے در وا کرتی ہیں کوئی ظاہر پر مرمٹا تھا کوئی مایا کا دیوانہ تھا۔ رحمان کو اس نے دیکھا تھا وہ باہر برآمدے میں کسی سے باتیں کر رہا تھا۔ اُجالا کا دل اچھل کر حلق میں آ گیا۔ اس نے زنگ آلود کھڑکی کو ذرا سا کھولا سامنے جو ہستی تھی اسے تو وہ ہزاروں میں پہچان سکتی تھی جس کی وجہ سے وہ اس حالت میں پہنچی تھی۔ فاروق ترمذی مگر ساتھ میں رحمان کی موجودگی اسے خوفزدہ کر رہی تھی اس کے دل میں اندیشے سر اٹھانے لگے۔

○......❖......○

’’رحمان میں نے اپنا کام پوری دیانتداری سے پایہ تکمیل تک پہنچا دیا ہے ذرا بھی بد دیانتی نہیں گلے تک نہیں لگایا اُسے، اب لا میری رقم۔‘‘

فاروق یہ کیسی باتیں کر رہا ہے۔ ایئر پورٹ پر لگایا تو تھا۔‘‘ رحمان ہنسا تھا مگر وہ ہنسی۔

’’ڈرامے میں حقیقت کا رنگ بھرنے کے لیے یہ تو ضروری ہے نا ورنہ وہ پولیس والا یار ہمیں رنگے ہاتھوں کیسے پکڑتا۔‘‘ دونوں ہاتھوں پر ہاتھ مار کر ہنسے۔

’’وہی تصویر تو میں نے اخبار میں چھپوا کر نیچے خبر لگوائی تھی ڈاکٹر سعد مرتضٰی کی بہن اپنے آشنا کے ساتھ رنگ رلیاں مناتے ہوئے پکڑی گئی پولیس کا چھاپہ، ہاہاہا اخبار دیکھ کر سعد مرتضٰی بس دیواروں میں ٹکریں مار مار کر خود کو لہو لہان کرتا رہا۔ میں ہر وقت اس کے ساتھ تھا، اس کی دل جوئی کے لیے، میرے دل میں سکون اترتا رہا، وہ ساری

زندگی عیش کرتا رہا اور میں آنے آنے کے لیے ترستا رہا کہتا جا رہا تھا میری اُجالا ایسی نہیں ہو سکتی، میری اُجالا ایسی نہیں ہے۔''

''ویسے یار ایک بات ہے دونوں بہن بھائی ہیں بہت اچھے۔'' فاروق نے تاسف سے تمسخر اڑایا۔

''کل تیرے اکاؤنٹ میں پانچ لاکھ پہنچ جائیں گے۔''

ان آوازوں نے ان باتوں نے اُجالا کے چودہ طبق روشن کر دیئے تھے۔ وہ بھربھری مٹی کا ڈھیر بن گئی تھی، عزتِ نفس اس کی اَنا اس کی محبت سب کو تماشا بنا دیا تھا۔ اس کا دل چاہا کمرے کی ہر چیز کو تہس نہس کر ڈالے ان مردوں کو نوچ لے سب کچھ تباہ کر دے۔ سوچیں دیمک کی طرح اس کے دل کو چاٹنے لگیں دل کا درد سو گنا بڑھ گیا۔ اُجالا نے دروازہ کھولا اور باہر نکل آئی۔

''فاروق تم یہاں......'' سب کچھ اپنے کانوں سے سننے کے بعد نہ جانے وہ کس خوش فہمی میں مبتلا تھی یا پھر اس کے منہ سے روبرو سننا چاہ رہی تھی۔

''ہاں جان میں......'' وہ اٹھ کر اس کی طرف آیا۔

''مجھے تھانے میں چھوڑ کر کہاں چلے گئے تھے۔'' وہ رو دی۔

''میں بھی تھانے میں ہی قید تھا آج ہی رہا ہوا ہوں۔'' وہ دو قدم اور آگے بڑھا اُجالا نے پوری قوت سے اسے تھپڑ مارا پھر اس نے ناخنوں سے نوچنا شروع کر دیا۔

''کتنے جھوٹ بولو گے تم گھٹیا انسان۔'' اُجالا نے اس کا گریبان جھنجھوڑ ڈالا اسے زمین کی گردش رکتی ہوئی محسوس ہو رہی تھی درد کی تیز چبھن نے سارے وجود کو چُور چُور کر ڈالا تھا۔

''بتاؤ کیوں کیا تم نے ایسا، میری توہین کی، محبت کا مذاق بنایا کیوں کیا ایسا۔''

''میرا کام ہے یہ، مجھے رحمان نے تمہارے پیچھے لگایا تھا پانچ لاکھ میں ہماری ڈیل ہوئی تھی۔ سچ تو یہ ہے کہ اُجالا میں کبھی شکاگو گیا ہی نہیں، میں یہیں تھا میں تو شکاگو جانے کا تصور بھی نہیں کر سکتا میں تمہیں یہیں سے فون کرتا تھا۔'' وہ ہولے سے کہتا اُجالا کی ہستی فنا کرتا جا رہا تھا۔ اُجالا اسے مارتی رہی روتی رہی۔ اس نے اپنے دفاع میں اُجالا کے ہاتھ نہیں جھٹکے۔

''محبت بیچ ڈالی تم نے، اُجالا کا سودا کر ڈالا۔ اتنی کم قیمت میں، اتنی ارزاں تھی کیا میری محبت۔'' اس کی آنکھوں میں اتنی بے یقینی تھی شاک اور صدمے سے نڈھال وہ شکوہ کناں نظروں سے اسے دیکھے گئی۔

''اُجالا نے تو اپنی ایک ایک سانس تمہیں دان کر دی تھی دل و جان سے تمہاری ہو گئی تھی، پیسوں کی ضرورت تھی تو مجھے کہا ہوتا، اتنی کم مایہ تھی اُجالا، اتنے کم دام، اتنی سستی بک گئی۔'' وہ جیسے ہوش و خرد سے بے گانہ ہو کر خود کلامی کرتی رہی روتی رہی۔

○......❖......○

سعد مرتضٰی جب سو کر اٹھا تو چوکیدار نے اسے بتایا کہ اُجالا بی بی اپنی گاڑی میں علی الصبح کہیں چلی گئی ہے۔ گیٹ کھلا ہوا تھا جب وہ نماز پڑھ کر واپس لوٹا۔ سعد مرتضٰی سمجھا کہیں قریبی پارک تک گئی ہوگی۔ آ جائے گی وہ بھی

جاگنگ کے لیے چلا گیا واپس آیا فریش ہوا ناشتا کیا اُجالا ابھی تک نہیں لوٹی تھی تو اسے فکر ہونے لگی اس نے رحمان کو فون کیا رحمان فوراً چلا آیا وہ سعد کے غم اس کی پریشانی میں شامل رہا۔ سعد کے ساتھ رحمان نے شہر کا کونہ کونہ چپہ چپہ چھان مارا مگر اُجالا شہر میں ہوتی تو ملتی نا۔ سعد اب صحیح معنوں میں پریشان ہوا تھا۔ اس کے چہرے پر ہوائیاں اڑ رہی تھیں۔

دن شام میں ڈھل گیا۔ شام نے رات کے وجود میں پناہ لے لی۔ سعد ساری رات روتا رہا دعائیں مانگتا رہا۔ رحمان اسے تسلیاں دیتا رہا اس کی ڈھارس بندھواتا رہا اُجالا کے لوٹ آنے کی امید دلاتا رہا۔ رات کا نہ جانے کون سا پہر تھا جب رحمان نے زبردستی اسے نیند کی گولی دی تھی جب سعد سو گیا تو وہ اپنے گھر چلا گیا۔ گھر جاتے ہی اس نے فاروق کو چند ضروری ہدایات دیں اور سونے کے لیے لیٹ گیا۔ حرص اس کی مسکراتی نظروں میں ناچ رہی تھی وہ جو کر رہا تھا جو وہ اتنے لمبے عرصے سے پلان کر رہا تھا وہ کسی کا گھر اجاڑنے کا سوچ رہا تھا کسی کا معصوم آنچل داغدار کرنے کی ٹھان بیٹھا تھا وہ کتنے بڑے گناہ کا مرتکب ہو رہا تھا اور اسے ندامت نہیں تھی۔

وہ اُجالا اور سعد کی تباہی بربادی کا سامان کر چکا تھا اس کے دل پر بے حسی کی مہر ثبت ہو چکی تھی وہ نفس پرستی کا شکار کمزور انسان تھا وہ عیش سے جینا چاہتا تھا اور بہت سارا جینا چاہتا تھا۔ انسانیت کو چھوڑ کر انسان فرعون بن جاتا ہے۔ دوسروں کی زندگی میں سیاہی گھول دیتا ہے کسی کی لٹی پٹی حالت پر خوشیاں منانے والا انسان بھول جاتا ہے کہ ظالم کی رسی اللہ دراز کرتا ہے۔ اور پھر جب رسی کھینچتا ہے طنابیں ٹوٹ جاتی ہیں آخرت میں نجات نہیں ملتی بس اتنا سا کھیل اور انجام سے بے خبر انسان۔ دنیا میں رحمان جیسے لوگ ہر جگہ پائے جاتے ہیں جو گناہ کر کے بھی تمام عمر مطمئن رہتے ہیں۔ ساری زندگی رائیگاں کر کے تمام عمر تہی داماں رہتے ہیں۔

رحمان کی آنکھوں میں مستقبل کے سہانے سپنے تھے وہ مسرور تھا۔

O.....❖.....O

اگلا دن سعد مرتضیٰ کی زندگی کا سیاہ دن تھا رحمان ابھی ابھی لاہور سے نکلنے والا اخبار ہاتھ میں پکڑے کھڑا تھا اور پھر کسی خاص جگہ پر رحمان نے اشارہ کیا سعد نے اخبار دیکھا اس کی آنکھیں پھٹ گئیں۔ اُجالا کسی نوجوان کے سینے سے لگی کھڑی تھی۔ دوسری تصویر میں اُجالا پولیس والوں کے نرغے میں پھنسی ہوئی کھڑی تھی۔

''نہیں میری اُجالا ایسی نہیں ہو سکتی۔ وہ ضرور کسی سازش کا شکار ہوئی ہے۔'' سعد رو رہا تھا اپنے بال نوچ رہا تھا۔ دیواروں سے سر پھوڑ رہا تھا وہ پاگل ہو رہا تھا۔

''اُجالا کل سے گھر سے غائب ہے مگر رحمان ایک بار بھی کوئی ایسا خیال مجھے چھو کر نہیں گزرا کہ وہ کسی مرد کے ساتھ...... نہیں اُجالا ایسی نہیں ہے سعد کی بہن ایسی نہیں ہو سکتی اسے پتا ہے وہ سعد کی لاڈلی ہے وہ ایسی نہیں ہے وہ بہت معصوم ہے۔''

''اخبار گھر گھر جا رہا ہے۔ بہت بدنامی ہوگی سعد ہم کسی کو منہ دکھانے کے قابل نہیں رہیں گے۔'' رحمان نے دبے الفاظوں میں اسے جتایا تھا۔

''رحمان تم کسی طرح پتا چلاؤ کہ اُجالا تھانے میں ہے؟ ہم لاہور چلتے ہیں اس کی ضمانت کروا دیتے ہیں پھر

ہی اصل حقائق سامنے آئیں گے۔'' رحمان چاہ رہا تھا کہ بدنامی ورسوائی کے خوف سے سعد چپ کر کے گوشہ نشین ہو کر بیٹھ جائے مگر سعد کو ابھی صرف اُجالا کی جان کی عزت کی سلامتی کی فکر تھی کون کیا کہہ رہا تھا اسے کوئی سمجھ نہیں آ رہی تھی۔

''سعد ہم چلتے ہیں لاہور، تم پریشان مت ہو مگر یار ایک حقیقت تسلیم کر لو کہ اُجالا کا اس فاروق نامی شخص سے گہرا تعلق ہے وہ خود اس کے گھر سے گئی ہے۔ اپنی مرضی سے، رانیہ بھابی کو شاید پتا ہو۔''

''رانیہ، رانیہ۔'' سعد نے باآواز بلند اسے پکارا وہ بھاگی چلی آئی۔

''اُجالا کا فاروق سے کوئی تعلق تھا کیا وہ اس سے ملتی رہی ہے دیکھو تمہیں میرے سر کی قسم جھوٹ مت بولنا۔'' سعد نے اسے شانوں سے پکڑ کر کہا رانیہ کا سر جھک گیا۔

''جی ان کی دوستی تھی فون پر بھی بات کرتے تھے وہ اس سے ملتی تھی کہ نہیں یہ مجھے نہیں پتہ۔''

''سعد اُجالا خود اپنی مرضی سے لاہور گئی ہے۔ یہ تو ظاہر ہو گیا۔'' رحمان نے کہا۔

''مان لیا یہ سب مان لیا مگر پھر بھی میرا دل نہیں مانتا، اُجالا گھر سے بھاگ جانے والا اتنا بڑا سنگین قدم نہیں کبھی نہیں اٹھا سکتی۔ وہ سعد مرتضیٰ کو اتنا بڑا دکھ نہیں دے سکتی۔'' سعد چیخا تھا پھر دونوں ہاتھوں کی انگلیاں بالوں میں پھنسا کر بے چارگی سے رو دیا اس کی انگلیاں خون سے تر ہو چکی تھیں۔ اس کا سر دیواروں سے ٹکرانے کی وجہ سے جگہ جگہ سے پھٹ چکا تھا۔ اس کی شرٹ خون سے داغ دار ہو چکی تھی مگر وہ روئے جا رہا تھا رانیہ دیوار پار رو رہی تھی اپنے محبوب شوہر کی ایسی حالت دیکھ کر اس کا دل کٹ رہا تھا۔ اس گھر کی عزت خطرے میں تھی سکون کیسے آ سکتا تھا۔

رحمان کو سعد نے پتا کرنے کا کہا تھا رحمان کے تو ہاتھ پاؤں پھول گئے اس نے اپنے کسی بے حد قریبی دوست کو فون کر کے اُجالا کو تھانے سے لے جانے کا کہا تھا وہ اس کا دوست اُجالا کو تھانے سے لے گیا تھا اب وہ اپنے آبائی گھر اُجالا کو لے گیا یہ پشاور کا کوئی علاقہ تھا جہاں تا حدِ نظر پتھر ہی پتھر نظر آتے تھے۔

سعد اور رحمان جب لاہور پہنچے کوئی اُجالا کی ضمانت کروا کر لے گیا تھا۔ سعد کی بے بسی رحمان کے جلتے دل پر سکون اتار رہی تھی۔ وہ سعد کو یوں ہی تڑپتا ہوا دیکھنا چاہتا تھا۔ وہ اسے اذیتیں دے دے کر مارنا چاہتا تھا۔

رحمان بزدل مرد سعد کی پشت پر وار کر کے لطف اندوز ہو رہا تھا۔ منافق دھوکے باز احسان فراموش۔ سعد لاہور کی سڑکوں پر دیوانوں کی طرح روتا پھر رہا تھا۔ اُجالا کی تلاش میں مارا مارا پھر رہا تھا۔ اجنبی شہر غیر لوگ، کون تھا یہاں اپنا۔ جو اپنے تھے انہوں نے ڈس لیا تھا ساری خوشیوں کو چاٹ لیا تھا برباد کر دیا تھا۔ سعد کے آشیانے کا تنکا تنکا بکھیر دیا تھا۔

O.....❖.....O

اس گھر میں عورتیں بھی تھیں بچے بھی تھے مرد بھی تھے مگر کوئی اُجالا سے ہم کلام نہیں ہوتا تھا۔ ایک نوعمر سی لڑکی اُجالا کے پاس کھانا رکھ جاتی اور خود باہر چلی جاتی تھی۔

''میں نے سعد بھیا سے دھوکا کیا تو کیا ملا مجھے، عمر بھر ذلت رسوائی، میں خواہشوں کے گرداب میں الجھی

کہاں بھٹکتی پھر رہی ہوں۔ خواب دیکھنے کی یہ سزا ہے کہ میری آنکھیں بنجر ہوگئیں میں نے کیوں بھروسہ کیا فاروق پر، کیوں گھر سے نکلی کہ واپسی کے راستے نہیں مل رہے ہیں بہت بری ہوں۔ میرے اللہ میں اندھیروں میں بھٹک رہی ہوں میں کیا کروں میری رہنمائی فرما میرے حال پر رحم فرما میری حفاظت فرما۔'' اُجالا نے وضو کر کے نماز پڑھی دعا مانگی تھی۔

اُجالا اپنے کمرے سے باہر نکلی دبے پاؤں چلتی وہ آگے بڑھنے لگی یہ بہت بڑا گھر تھا وہ گھر کے اندر چکراتی رہی گھر کے اندر اسے کوئی نظر نہیں آیا تھا۔

''یہاں سے بھاگ جاتی ہوں۔'' ایک خیال کوندے کی مانند اس کے ذہن میں لپکا اور وہ چوکنا نظروں سے ادھر اُدھر دیکھنے لگی لوہے کا بڑا سا پھاٹک ادھ کھلا تھا اُجالا کا تنفس تیز ہوگیا۔ وہ جلدی سے باہر نکلی اور پہاڑوں سے نیچے اترنے کا راستہ ڈھونڈنے لگی مگر اسے کچھ سمجھ نہیں آرہی تھی کہ راستہ کیسے ڈھونڈے تبھی اس کے پیچھے آوازوں کا شور ابھرا تھا۔ دو صحت مند پٹھان عورتیں اسے قہر آلود نظروں سے گھورتی نہ جانے اپنی زبان میں کیا کہہ رہی تھیں دونوں نے اسے دبوچا اور لا کر بیڈ پر پٹخ دیا۔ وہ رو رو کر کہتی رہی مجھے جانے دو مگر ان کو کون سا سمجھ آتی تھی یا سمجھ آتی بھی تو کون سا انہوں نے اسے چھوڑ دینا تھا۔ اُجالا نے رو رو کر آنکھیں سجالیں تھیں کھانا اٹھا کر پھینک دیا۔ ایک مجرمانہ سا احساس اُجالا کی رگیں کاٹ رہا تھا۔ محبت کرنے والے بھائی کو دھوکا دینے کا احساس۔ اس عشق کے ہاتھوں وہ برباد ہوگئی گمراہ ہوگئی۔ جس نے اسے ذلت کی پستیوں میں گرادیا۔ فاروق کی اصلیت اتنی کریہہ ہوگئی اس کی آنکھ میں سجے خواب کی ایسی تعبیر، اسے خود سے گھن آرہی تھی۔

''مجھے نفرت ہے تم سے فاروق، تم نے میرے دل سے میرے جذبات سے کھیلا ہے۔ محبت تمہیں معاف نہیں کرے گی، تم مجرم ہو تم محبت کے گناہ گار ہو، میں تمہاری تلاش میں بھٹک گئی۔ اجالوں سے اندھیروں میں کھو گئی تمہارا گناہ چھوٹا نہیں ہے۔ میری عزت کی دھجیاں بکھر گئیں میں دربدر ہوگئی۔'' اُجالا کی روح کو جیسے اس انکشاف نے زخمی کر ڈالا تھا۔ اس کی روح جسم میں پھڑپھڑا رہی تھی۔ اس کا ہر ہر عضو زخموں کی تاب نہ لاتے ہوئے جیسے بلبلا رہا تھا۔

''محبت کو تماشا بنانے والوں کو محبت معاف نہیں کرتی، یاد رکھنا فاروق تمہیں بھی محبت معاف نہیں کرے گی۔'' وہ اکیلی پھنکار رہی تھی۔ سلگ رہی تھی۔ اس کے حواس ساتھ نہیں دے رہے تھے۔ اس دن محبت نے اُجالا کے دل میں آخری ہچکی لے کر دم توڑ دیا اس کے شہر دل پر بھیانک رات اتری تھی محبت کو کسی بھوت نے نگل لیا تھا۔ اس کی آتی جاتی سانسیں پشیمانی وندامت سے بوجھل تھیں، وہ ان سانسوں سے نجات چاہتی تھی۔ اس کی بنجر آنکھوں میں رتجگوں کے عذاب اتر آئے تھے۔

○ ..... ❖ ..... ○

''مجھ سے شادی کر لو۔'' رحمان نے کہا۔

''بکواس بند کرو، تم گھٹیا انسان دشمن۔'' اُجالا بھوکی شیرنی کی طرح اس پر جھپٹ پڑی وہ اسے مار مار کر بے حال ہو رہی تھی۔ وہ چیخ رہی تھی واویلا کر رہی تھی۔ رحمان ساکن تھا اسے ابھی اُجالا سے بہت کام تھے جو نکاح کے

بغیر ممکن نہیں تھے۔ بات اگر جسم حاصل کرنے کی ہوتی تو وہ بغیر اجازت کے بھی حاصل کر سکتا تھا۔ مگر وہ تو بہت ساری خواہشوں کا جہنم دھکا کر بیٹھا تھا۔ اسے دولت چاہیے تھی دنیا چاہیے تھی۔ عیش وعشرت چاہیے تھی۔ اسے اس کی حاسد فطرت سب کچھ چھین لینے پر اُکساتی تھی۔

''اُجالا مجھ سے شادی کرلو یہی تمہارے لیے بہتر ہے شکر ادا کرو میں تمہیں عزت کے ساتھ اپنی زندگی میں شامل کر رہا ہوں۔'' رحمان نے اُجالا کے ہاتھوں کو چھوا۔ اُجالا نے نفرت سے ہاتھ جھٹکے۔

''نفرت ہے مجھے تم سے۔''

''مجھے کوئی فرق نہیں پڑتا تمہاری محبت یا نفرت سے۔'' وہ مسکرایا۔

''میں تھوکتی ہوں تمہاری شکل پر۔'' وہ زہرخند لہجے میں چلائی۔

''مجھے اس سے بھی کوئی فرق نہیں پڑتا۔'' وہ اسے تپا رہا تھا۔

''میں خود کو مار ڈالوں گی۔ میری برداشت میرے دکھ سے ہار گئی ہے۔ میرا روم روم اذیت میں جکڑا ہوا ہے۔ اس آبلہ پائی کے سفر میں زخموں سے چُور چُور ہوں بہت بے سکونی ہے۔''

''تمہیں کس نے اختیار دیا کہ تم اپنی جان لو۔'' رحمان خباثت سے ہنسا۔

''میری جان ہے۔'' وہ دھاڑی۔

''نہیں میری جان ہے۔'' رحمان ذومعنی لہجے میں بولا اُجالا نے تلملا کر دانت کچکچائے۔

''تمہیں کیا ملا ہمیں برباد کر کے؟''

''سب کچھ، دولت سکون۔''

''تمہیں کبھی سکون نہیں ملے گا۔ رحمان تم حاسد ہو۔ تم نے ہماری خوشیوں کو آگ لگائی ہے۔ ہماری ہنستی بستی زندگی اجاڑی ہے۔'' وہ ایک بار پھر جھپٹ پڑی تھی اس پر۔

''بہت لمبی پلاننگ کی ہے میں نے اور بہت انتظار کیا ہے بات اگر صرف تمہاری ہوتی تو جس دن میری مہندی کی رات تھی اسی دن میں تمہیں لوٹ لیتا اس دن لگ بھی تو بہت آفت رہی تھی۔ بہت عرصے سے میری نظریں تم پر لگی ہوئی تھیں۔ مگر میں سعد کا اعتماد نہیں کھونا چاہتا تھا۔ اور اس کی نازوں پلی لاڈلی بہن یہاں رو رہی ہے مجھے بہت سکون ہے۔''

''اللہ دیکھ رہا ہے تمہارے جیسے بے ضمیر بد کردار انسان کی کرتوتیں۔''

''کہاں ہے اللہ کہاں سے دیکھ رہا ہے۔'' وہ کفر بک رہا تھا خود کو خدا سمجھ بیٹھا تھا۔

''اللہ سب دیکھ رہا ہے تمہارا ظلم تمہاری درندگی تمہاری سرکشی و بے رحمی سب دیکھ رہا ہے اللہ میرا درد میری تکلیف میری آنکھ سے نکلا ایک ایک آنسو دیکھ رہا ہے، مت بھولو کہ خدا دیکھ رہا ہے میری نیت کو بھی، تمہارے دھوکے کو بھی۔''

''مجھے کوئی فرق نہیں پڑتا۔ اب میری پلاننگ کا اگلا حصہ سعد اور رانیہ کی موت ہے۔'' اس نے بہت آرام سے کہہ کر اُجالا کی ہستی ہلا دی تھی۔ وہ فق ہوتے چہرے کے ساتھ یک ٹک اسے دیکھ رہی تھی۔ کوئی شخص اتنا ظالم و

جابر بھی ہوسکتا ہے۔ جو خدائی فیصلوں کو اپنے ہاتھ میں لے لے دوسروں کی زندگی موت کے فیصلے کرنے لگے۔

''تم ایسا نہیں کر سکتے۔'' اُجالا کی آواز کسی گہرے کنویں سے نکلی تھی۔

''میں ایسا ہی کروں گا۔'' وہ بولا پھر ذرا توقف سے دوبارہ بولا۔

''مجھ سے شادی کرلو تو سعد اور رانیہ کی زندگی بخش دوں گا۔'' وہ سب فیصلے کیے بیٹھا تھا۔

''مجھے منظور ہے۔'' اس کی سانس کی ڈوری جیسے ٹوٹ رہی تھی۔

○......❖......○

ان کا نکاح ہو گیا وہ ایک زندہ لاش تھی۔ جواب رحمان کی دسترس میں تھی رحمان نے اس کو حاصل تو کرلیا لیکن وہ اندر سے بالکل مر چکی تھی۔ اس کا دل اس کی روح مردہ ہو چکے تھے۔ وہ شدید بیمار پڑ گئی۔ رحمان آتا جاتا رہتا تھا۔ اُجالا کا علاج گھر پر ہی ہو رہا تھا۔

دوسری طرف رحمان نے موقعہ پا کر سعد کی گاڑی کی بریک فیل کر دیئے اسی دن سعد رانیہ کے ساتھ باہر نکلا اور ایک بہت بڑے حادثے کا شکار ہو کر رانیہ سمیت جان سے ہاتھ دھو بیٹھا۔

رحمان سوگوار و غم زدہ تھا۔ چالیس دن تک وہی آئے گئے کو دیکھتا رہا۔ تعزیت کرنے والے اُجالا کا ذکر نکال کر بیٹھ جاتے اور رحمان خوب نمک مرچ لگا کر بات بتاتا۔ سب لوگ کانوں کو ہاتھ لگا کر توبہ توبہ کرتے۔

رحمان نے دھونس سے دھمکی سے اُجالا سے جائیداد کے کاغذات پر دستخط کروالیے تھے۔ اب وہ سعد مرتضیٰ کی ساری جائیداد کا مالک بن چکا تھا۔ اور وہ بہت شاداں و فرحاں تھا۔

ابھی اس کو ہنسی آرہی تھی کیونکہ جو اس نے چاہا تھا وہ پالیا تھا۔ وہ اپنی چال کے چلنے پر خود کو عقلِ کل سمجھتے ہوئے اپنے ہی شانوں پر تھپکی دے رہا تھا۔ اپنے ہم نفس فریبی کو داد دے رہا تھا۔

مگر بھول بیٹھا تھا کہ زندگی بہت ناپائیدار چیز ہے سانسوں کا تسلسل زندگی ہے اور سانسوں کا تھم جانا موت ہے دنیا اتنی بے وفا ہے کہ خوبصورت گھروں کے مالکوں کو، اتنی آسائشوں اور آرام کے عادی ہینڈسم مردوں کو، اعلیٰ تعلیم یافتہ حسیناؤں کو ایک گڑھے میں اتار آتی ہے، اس مرنے والے کے اپنے پیارے اپنے ہاتھوں اسے قبر میں اتار آتے ہیں حسن و ذہانت، چال و مکاری، سب منوں مٹی تلے دب جاتی ہے۔ سب اس گڑھے میں چھپ جاتے ہیں۔

قبر کے بارے میں فرمان ہے کہ ''وہ یا تو جنت کے باغوں میں سے ایک باغ ہے یا پھر جہنم کے گڑھوں میں سے ایک گڑھا۔'' عارضی سی زندگی کے لیے اپنے اصل کو بھول جانا کہاں کی دانشمندی ہے۔

''کاش دوسروں کو تباہ کرنے کی کوششیں کرنے والے یہ سمجھ لیں۔''

○......❖......○

سعد اور رانیہ کو مرے ہوئے دو ماہ ہو گئے تھے۔

رحمان آج بھی بہت دنوں کے بعد اُجالا کے پاس آیا تھا۔ اور وہ اُجالا کے پاس بیٹھا تھا۔ اُجالا کو خبر نہیں تھی کہ سعد اور رانیہ اب اس دنیا میں نہیں رہے۔

اُجالا اداسی وسوگواری کا مجسمہ لگ رہی تھی۔ رحمان نے اس کا خوبصورت مومی ہاتھ اپنے ہاتھ میں لیا تھا۔ اُجالا کا تابندہ حسن، اس کا سفید گلابی مخملیں سراپا دیکھ کر رحمان کا دل جیسے اس کے بس میں نہ رہا اس کی قربت اُجالا کو بے پناہ اذیت سے دوچار کررہی تھی۔ اس کے ساحرانہ نقوش اپنے اندر دل موہ لینے والی کشش رکھتے تھے۔

''میرے خدا مجھے قرار دے دے۔'' ناپسندیدہ مرد کی قربت سے بڑا آزار اور کیا ہوگا۔

''میرے خدا مجھے نجات کا راستہ دے دے۔ مجھے سکون کے انمول لمحے دے دے۔'' وہ لاچار تھی بے بس تھی کیا کرسکتی تھی۔

''اُجالا خاموش کیوں ہو ملکہ عالیہ تم بہت حسین ہو گلابوں کا سا گداز، یہ گلابی چمکتا سراپا، آہ بس مجھے تو مدہوش ہی کر ڈالتا ہے۔''

''اُجالا اتنی سرد کیوں ہو، میری طرف دیکھو۔'' وہ اس کے احساسات سے بے خبر اپنی ہی ذات میں مگن تھی۔

اُجالا نے نگاہیں اٹھائی تھیں اور گویا اس کی نظر رحمان کے چہرے سے چپک کر رہ گئی۔ اُجالا کا سارا اعصابی نظام درہم برہم ہو کر رہ گیا۔ اُجالا کے احساسات ایسے تھے کہ زبان لفظوں کی ادائیگی سے لاچار ہوگئی تھی۔

پھر اس کے سرد وجود نے نفرت بھری پھریری لی اگلے ہی لمحے وہ پاگلوں کی طرح رحمان پر جھپٹ پڑی۔

''بتاؤ مجھے کیا بولوں درندے شیطان، میری بربادی کے ذمے دار تم ہو۔ سفاک بے رحم بھیڑیے میرا سب کچھ ختم کر دیا میری وفا میری آبرو کو داغدار کرنے والے ذلیل انسان، تُو نے کھیل کھیلا اور مجھے سرتاپا لوٹ لیا۔ تم حیوان ہو۔'' وہ اسے جھنجھوڑ رہی تھی۔ وہ اسے نوچ رہی تھی۔ اس کا سانس دھونکی کی مانند چل رہا تھا۔ اُجالا کی رگوں میں جیسے آگ بسنے لگی تھی اس کی آنکھیں نہ جانے کیسی وحشت سمیٹ لائی تھیں۔

''کیا کر رہی ہو۔'' رحمان نے اس کے دونوں ہاتھ اپنے ہاتھوں میں جکڑ لیے۔

''تم نے مجھے گھر سے بے گھر کیا مجھے اپنی بے روائی بے سائبانی اور بے وقعتی کا دکھ کہتا ہے میں تمہاری جان لے لوں، میں تمہیں چھوڑوں گی نہیں۔'' وہ پھر ایک بار اپنے ہاتھ چھڑانے لگی۔

''کیا کرلوں گی تم۔'' رحمان نے اب ایک ہاتھ سے اس کے دونوں ہاتھ پکڑ کر دوسرے ہاتھ سے زناٹے دار تھپڑ اُجالا کے گال پر مارا وہ درد سے کراہ اٹھی اور زیادہ طاقت صرف کر کے اپنے ہاتھ چھڑوانے لگی۔ اس کے دل کی دھڑکنیں پاگل ہو رہی تھیں۔

تمہارا وہ حال کروں گی کہ تم ساری زندگی یاد رکھو گے۔''

''کس سے میرا حال برا کرواؤ گی مجھے عبرتناک سزا دلواؤ گی، اپنے سعد بھیا سے جسے قبر میں سوئے ہوئے دو ماہ ہو گئے۔'' الفاظ تھے کہ انگارے، جیسے کسی نے منوں تیزاب اُجالا کر اوپر پھینک دیا تھا۔ جیسے کہیں بجلی گری تھی۔ اور سب کچھ جل کر خاکستر ہو گیا تھا۔ ذہنی ہیجان وخلجان کی انتہا یہ تھی وہ سر نفی میں ہلاتے ہوئے اپنے بال نوچ رہی تھی اس پر عجیب کربناک سی دیوانگی طاری تھی۔ رحمان جا چکا تھا اور اگلے دن ہی اس لڑکی نے طلاق کے کاغذات اُجالا کو تھمائے جو اس کے کمرے میں آتی جاتی تھی۔

پرانی باتیں، پرانی رسمیں سب پلٹ رہی ہیں
تم اس گھڑی سے ڈرو کہ جب تم بھی سر جھکائے
قطار شہزادگان شہر وفا میں بے بس کھڑے ہو لیکن
وہ شہر الفت کی شاہزادی
وہ خواب یادوں کے نرم پھولوں پر پاؤں رکھتی
ہتھیلیوں پر گلاب زخموں کی سرخ کلیوں کے ہار لے کر
تمام تر حسن تمکنت سے
قطار شہزادگان شہر وفا کی جانب بڑھے تو لیکن
تمہارے آگے سے ایسے گزرے
تمہاری آنکھیں سوال کرنا بھی بھول جائیں
تم اس گھڑی سے ڈرو کہ جس دم
وہ شہر الفت کی شاہزادی
تمہیں دکھا کر، تمہارے ہوتے
فقیر راجہ کو اپنی چاہت کا ہار پہنائے اور
تمہاری یہ خشک آنکھیں
سوال کرنا بھی بھول جائیں

''اللہ......'' اُجالا کے دل سے درد بھری پکار ابھری تھی۔
''فاروق تمہیں 'محبت' معاف نہیں کرے گی۔
''رحمان اللہ دیکھ رہا ہے۔''
اُجالا نے کومے میں جانے سے پہلے آسمان کی طرف نگاہ کر کے صدا دی تھی۔

○......❖......○

تین ماہ بعد جب وہ ہوش کی دنیا میں لوٹی تو وہ رحمان کے گھر میں تھی۔ خالہ کے گھر تھی وہ گم صم سی خالی خالی نظروں سے اردگرد دیکھا کرتی نہ جانے کب کا اس کا بی اے کا رزلٹ آ چکا تھا۔ رحمان نے پی ٹی سی کی بنیاد پر خود ہی اس کی نوکری لگوا دی تھی۔ ساتھ ہی خالہ کو تائید کی تھی کہ سائے کی طرح اُجالا کے ساتھ رہے۔
خالہ اسے اسکول چھوڑنے جاتی تھی۔ شروع شروع میں فاخرہ کا دل پڑھانے میں نہیں لگتا تھا۔ مگر آہستہ آہستہ اسے بچوں کے ساتھ وقت گزارنا اچھا لگنے لگا۔
''خالہ وہ مجھے اپنے گھر جانا ہے۔'' ایک دن اسکول سے واپسی پر فاخرہ نے ڈرتے ڈرتے کہا۔
''کیوں وہاں کیا رہ گیا، تمہاری آوارگی نے سب کچھ تو اجاڑ دیا۔''
''میرا بھتیجا بھتیجی ہے وہاں۔''

''کوئی نہیں ہے وہاں، زرینہ چلتر گھر سے بھاگ گئی جاتے ہوئے بچے بھی لے گئی۔''

''کہاں گئی زرینہ۔''

''مجھے کیا پتا بی بی، تم بھاگنے سے پہلے مجھے بتا کر گئی تھی جو وہ بتا کر جاتی۔''

''خالہ میں گھر سے بھاگی نہیں تھی۔''

''مجھے صفائیاں دینے کی ضرورت نہیں ہے سارا زمانہ تم جیسی آبرو باختہ پر تھوتھو کر رہا ہے جو اپنے بھائی بھابی کو کھا گئی ہنستا بستا گھر ویران کھنڈر بن گیا۔'' خالہ نے اس کی پسلی میں ٹہوکا دیا۔

فاخرہ نے کسی کو بھی دوبارہ صفائی پیش نہیں کی تھی وقت اور حالات ایسے تھے کہ کوئی اس کا یقین نہیں کر رہا تھا۔

اس کا کہا ہر لفظ جھوٹا ڈرامہ لگتا تھا ان لوگوں کو بھی کبھی کبھی ایسا بھی ہوتا ہے کہ انسان سچا ہوتا ہے مگر وہ اپنی سچائی ثابت نہیں کر پاتا رحمان نے وقت کی بساط پر ایسی چال چلی تھی کہ فاخرہ کے تو سارے مہرے پٹ گئے تھے۔ وہ بری طرح مات کھا گئی۔

عائشہ بھابی طنز کے تیروں سے فاخرہ کا جگر چھلنی کرتی رہی۔ لبنیٰ اسے دیکھ دیکھ کر آنسو بہاتی رہتی۔

ایک دن جب خالہ وہ عائشہ ڈاکٹر کے پاس گئی ہوئی تھیں تب لبنیٰ اور وہ گلے لگ کر بہت روئیں۔

''اُجالا......''

''پلیز لبنیٰ مجھے اُجالا مت کہو میں سعد کی اُجالا تھی مجھے نفرت ہے اس نام سے۔ جس نے میرے بھیا کی زندگی نگل لی، مجھے خود سے نفرت ہے۔'' فاخرہ پہلے دن سے لے کر آخر تک کی ساری کہانی لبنیٰ کو سناتی چلی گئی لبوں پر ہاتھ رکھے لبنیٰ روتی رہی۔

''رحمان بھائی اتنے گھٹیا ہو سکتے ہیں مجھے یقین نہیں آرہا، ایسی بے رحمی وسفا کی کا مظاہرہ، میں فرقان کو بتاؤں گی۔''

''اس سے کیا ہوگا لبنیٰ، جو ہماری بربادی ہونی تھی وہ تو ہو چکی، میرا ماں جایا سعد کبھی واپس آئے گا نہیں کبھی نہیں۔ میں ہوں قاتل اپنے بھائی اور بھابی کی۔''

''رحمان بھائی نے گھر آکر بتایا تھا کہ سعد بھیا نے گلے میں پھندا ڈال کر خود کو پنکھے سے لٹکا لیا تھا مگر رحمان نے بروقت دیکھ لیا تھا اور ان کے گلے سے پھندا نکالا تھا سعد بھیا کی گردن پر زخم آگئے تھے رانیہ بھابی ڈرائیور کے ساتھ سعد بھیا کو ڈاکٹر کے پاس لے کر جا رہی تھیں کہ بریک نہ لگ سکی اور یہ خوفناک جان لیوا حادثہ ہو گیا اور وہ تینوں موقع پر ہی دم توڑ گئے۔'' لبنیٰ روتے ہوتے بتا رہی تھی۔ اور فاخرہ کے ذہن میں ایک ہی بات آ رہی تھی اور بار بار آ رہی تھی۔

''لبنیٰ میرے بھائی اور بھابی کو بھی رحمان نے مارا ہے وہ قاتل ہے خونی ہے۔'' ایک بار پھر اس کی آنکھیں خون رو رہی تھیں۔ اس کے بدن کے ریشے ریشے سے جان نکل رہی تھی۔

''اس نے ضرور گاڑی کے اندر کچھ ایسا کیا ہے کہ گاڑی رُک نہیں سکی اگر ایسا نہ ہوتا تو رحمان کی سعد بھیا

کے ساتھ ہمدردی کا ڈھونگ جہاں بھی چلتا وہ ساتھ جاتا مگر نہیں......"

"مجھے کچھ سمجھ نہیں آرہا فاخرہ۔" لبنیٰ ہچکیاں بھر رہی تھی۔

"مجھے بھی سمجھ نہیں آئی تھی۔" وہ بڑبڑائی۔

○......❖......○

چٹھی نہ کوئی سندیس
جانے وہ کون سا دیس
جہاں تم چلے گئے

فاخرہ روز اس شیشوں والے ڈبل اسٹوری گھر کے سامنے رک جاتی تھی۔ جہاں اس نے کبھی شہزادی کی طرح وقت گزارا تھا بے پناہ خیال رکھنے والا، ٹوٹ کر چاہنے والا، دیوانگی کی حد تک محبت کرنے والے سعد مرتضیٰ کی محبت نے اُجالا کو اعتماد کے ساتھ ایک تمکنت اور شان بھی بخشی تھی لہجے کی کھنک سننے والے کو متوجہ کرتی تھی کیسی مکمل پُرسکون زندگی تھی۔

"چل دفع ہو آگے لگ، اتنی اچھی ہوتی تو اپنے یار کے ساتھ بھاگتی کیوں۔" خالہ روز اسے لعن طعن کرتی تھی وہ پھر بھی روز اس گھر کے آگے رُکتی ضرور تھی۔

رحمان نے آخری چال کے طور پر فاخرہ کا نکاح زمان کے ساتھ کر دیا فاخرہ کو واویلا مچانا چاہیے تھا۔ مگر وہ چپ رہی اب طنز کرنے والوں میں زمان بھی شامل ہو گیا تھا۔ فاخرہ خود اذیتی کا شکار تھی۔ اسے لگتا کہ وہ اسی قابل ہے کہ اس کے ساتھ اتنا برا سلوک کیا جائے فاخرہ نے اس عرصے میں جیسے تیسے ایم اے اردو بھی کر لیا تھا۔ اس کی تنخواہ میں اضافہ ہو گیا رحمان اور فرقان اس گھر کو چھوڑ کر جا چکے تھے۔

امن، صبا، فضا نے فاخرہ کی درد کی داستان سنتے ہوئے رو رو کر آنکھیں سجا لی تھیں۔

"آپ بہت عظیم ہیں آنٹی۔"

"مما مجھے فخر ہے کہ آپ جیسی صابر عورت میری ماں ہے۔" صبا اور فضا اٹھ کر فاخرہ کے گلے لگ گئیں وہ اپنی اولاد کی نظروں میں معتبر تھی سرخرو تھی، وہ سب سے زیادہ اپنی اولاد کی نظروں میں گرنے کے خوف میں مبتلا رہی تھی اور اس نے بہت دعائیں مانگی تھیں اور آج یقین کا دن تھا کہ فاخرہ کی دعائیں اللہ کے ہاں مستجاب ٹھہری تھیں۔

"مما آپ نے اتنے دکھ جھیلے ہیں اتنا صبر کیا۔" صباء نے فاخرہ کے ہاتھ چوم لیے یہ عقیدت کا اظہار تھا۔

"مجھے 'صبر' نہیں آتا تھا مجھے سکون بھی نہیں ملتا تھا پھر مجھے صبر کرنا کیسے آ گیا میں زار و قطار روتی تھی مجھے کوئی چپ نہیں کرواتا تھا روتے روتے میری ہچکی بندھ جاتی تھی۔ مجھے اللہ نے بچپن سے جوانی تک اتنا نوازا کہ کچھ مانگنے کی کبھی ضرورت ہی نہیں پڑی تھی، مجھے نہیں پتا تھا کہ مانگا کیسے جاتا ہے، پھر مانگتے مانگتے مجھے مانگنا آ گیا، میں نے سکون مانگا صبر مانگا اولاد مانگی، اولاد کے لیے ہدایت مانگی، مجھے سب مل گیا مجھے قرب الٰہی مل گیا بیٹا میں شانت ہو گئی میں دنیا کی فکروں سے آزاد ہو کر اپنے رب کی یاد میں گم رہنے لگی اللہ نے مجھے سرخرو کر دیا وہ شانِ

کریمی وہ بزرگی والا اللہ میرا رازداں اللہ اس نے مجھے مالا مال کر دیا۔“

”مما آپ نے اتنے دکھ اٹھائے۔“ فضا رو دی۔

”لمحوں نے خطا کی تھی۔ صدیوں نے سزا پائی۔

”میری ماں نہیں تھی میرے لیے دعائیں کرنے والی ماں نہیں تھی جوان ہوتی بچیوں کی ماؤں کو ان پر کڑی نگاہ رکھنی ہی چاہیے مگر اس کے ساتھ ساتھ اللہ تعالیٰ سے بیٹیوں کی کل امت مسلماں کی بیٹیوں کی عزتوں کی حفاظت کے لیے گڑگڑا کر رو کر دعا مانگنی چاہیے تاکہ وہ کسی فاروق ترمذی کی لچھے دار گفتگو کی اسیر ہو کر دربدر ہونے سے بچ جائیں کسی رحمان کے بھوکے نفس کا شکار ہونے سے محفوظ رہے۔“ فاخرہ کی گھٹی گھٹی سسکیاں فضا میں سوز بھرا ارتعاش پیدا کر رہی تھیں۔

○......❖......○

”عروا رحمان گھر سے بھاگ گئی۔ رحمان جیولر والے کی بیٹی گھر سے بھاگ گئی۔“ یہ خبر جنگل کی آگ کی طرح سارے شہر میں پھیل گئی تھی۔

عروا جاتے ہوئے کروڑوں کی مالیت کا سونا بھی گھر سے لے گئی تھی۔ رحمان ابھی کل ہی تو سوہا بازار سے کروڑوں کا سونا لے کر آیا تھا۔ رحمان کی اس خبر نے گویا کمر توڑ ڈالی تھی۔ وہ پاگلوں کی طرح عروا کو ڈھونڈ رہا تھا۔ ہر آنکھ اسے اپنے اوپر ہنستی ہوئی محسوس ہو رہی تھی۔ وہ لوگوں سے نظریں چراتا پھر رہا تھا۔ بدنامی و رسوائی نے اس کا طنطنہ اس کا سارا دم خم ختم کر دیا تھا وہ دیواروں سے سر پھوڑ رہا تھا۔ رحمان لہولہان ہو گیا آج نہ جانے کیوں رحمان کی نظروں کے سامنے بار بار سعد مرتضیٰ کا آنسوؤں سے بھیگا چہرہ آ رہا تھا۔ رحمان جھنجھلا کر سر جھٹکتا مگر سعد کا چہرہ تو جیسے رحمان کے سامنے سے ہٹ ہی نہیں رہا تھا۔

فرقان اور لبنیٰ ان کی دلجوئی کر رہے تھے لیکن ایسے موقعوں پر طفل تسلیاں کہاں زخموں پر مرہم کا کام کرتی ہیں لبنیٰ کو رہ رہ کر یاد آ رہا تھا کہ لبنیٰ نے جب جب فرقان کو بتانا چاہا تھا کہ رحمان نے فاخرہ کے ساتھ کیا کیا تھا تب تب فرقان نے لبنیٰ کو جھٹلایا تھا فاخرہ کو جھوٹا کہا تھا۔

رحمان پر ایک جنونانہ سی وحشت چھائی ہوئی تھی اس نے اپنا سر پھوڑ لیا تھا۔ سارے گھر میں اس کا خون بکھر رہا تھا مگر وہ تو جیسے پاگل ہو گیا تھا۔ عزت بھی نیلام ہوئی کاروبار بھی ٹھپ ہو گیا۔

کسی دوسرے کی آنکھ سے آنسو ٹپکے تو درد کی لذت سے بھی وہی دل آشنا ہوتا ہے۔ جس کی آنکھ روئی ہو تو ہم تو محض تماشائی ہوتے ہیں اور جب آنسو ہماری آنکھ روئے تب ادراک ہوتا ہے کہ پہلے غم دل میں اٹھتا ہے سارے بدن میں پھیلتا ہے تب بے بس ہو کر آنکھ سے پانی بن کر بہتا ہے۔

رحمان کے گھر صفِ ماتم بچھی ہوئی تھی سارے میں بات پھیل چکی تھی۔ عورتیں بہانے بہانے سے کن سوئیاں لینے آتیں تھیں طرح طرح کی دل جلانے والی باتیں کرتیں۔ عائشہ بھی تو ایسی ہی تھی مگر اب اسے یہ سب عورتیں زہر لگ رہی تھیں جو ہمدردی کی آڑ میں نشتر چبھوتی تھیں عائشہ کا بس نہیں چلتا تھا کہ گھر آنے والی ہر عورت کا ہاتھ پکڑ کر دہلیز کے پار چھوڑ آئے اور دھڑام سے دروازہ بند کر لے کسی کو اندر نہ گھسنے دے مگر زمانہ کا تو

یہی چلن رہا ہے صدیوں سے۔

فروا عائشہ کی ایک فون کال پر گھر آ گئی تھی مقامِ حیرت تھا۔ فروا اور ایسی سعادت مندی۔ دونوں ماں بیٹی ایک دوسرے کے گلے لگ کر خوب روئی تھیں۔ دونوں نے اپنی اپنی بھڑاس نکالی تھی۔ دونوں اپنے اپنے دکھ پر رو رہی تھیں۔ فروا صرف اپنے دکھ پر تڑپ رہی تھی وہ رحمان کی بیٹی تھی جو صرف اپنے لیے جیتی تھی اپنے لیے روتی' صرف' اپنے لیے ہی روتی تھی۔

فرقان نے ڈاکٹر کو گھر ہی بلوا لیا تھا۔ رحمان کی مرہم پٹی کے بعد اسے نیند کا انجیکشن لگا دیا تھا۔ عائشہ رحمان کی پٹی سے لگی بیٹھی تھی اسے ایک ایک کر کے اپنی کوتاہیاں یاد آ رہی تھیں۔ کیا بچوں کو پیدا کرنا ہی بہت بڑا کام ہے کیا ان کو ان کی مرضی پہ چھوڑ دیا چاہیے جو جی چاہے کرتے پھریں۔

اسے اپنی ساری لاپرواہیاں رُلا رہی تھیں۔ بچوں کے حوالے سے ماؤں کی کتنی بھاری ذمہ داریاں ہوتی ہیں۔ بچے کہاں جاتے ہیں، کس سے ملتے ہیں ان کے دوست کون ہیں، عائشہ نے کبھی نہیں پوچھا تھا الٹا بچوں کی بے جا فرمائشیں پوری کر کے ان کے ناز نخرے اٹھا کر بگاڑ دیا۔

لڑکیاں کہاں جاتی ہیں کس سے فون پر بات کرتی ہیں، کبھی جاننے کی کوشش نہیں کی، کیا ماں ایسی ہوتی ہے؟ ماؤں کو تو اپنی بچیوں کے اسکول و کالج بیگ چیک کرنے چاہئیں ان کے موبائل دیکھنے چاہئیں ان کے آنے جانے پر کڑی نظر رکھنی چاہیے۔ مگر عائشہ نے ادھر اُدھر پھر کے بے کار وقت گزار دیا اولاد کب شتر بے مہار ہو گئی اسے خبر ہی نہیں ہوئی کیا مائیں اتنی غافل ہوتی ہیں اور جب خبر ہوئی تو سب لٹ چکا تھا خاک ہو گیا تھا۔

O......❖......O

امن نے فاخرہ کی باتوں سے بہت کچھ سیکھا تھا۔ امن نے بھی اللہ سے لو لگا لی تھی۔ وہ پانچ وقت کی نماز پڑھتی اور رو رو کر اللہ سے اپنے گناہوں کی معافی مانگتی تڑپتی گریہ زاری کرتی اپنے لیے دعا کرتی اپنی مما کا دل صاف ہونے کی دعا کرتی۔ وہ جان چکی تھی کہ اس نے لاحاصل کی تلاش میں گھاٹا کھایا تھا وہ جانتی تھی کہ اس صبر سے اس کا غم چھپ جائے گا۔ رحم مانگتی تھی اسے خدا کے آگے سجدہ ریز ہونا طمانیت بخشنے لگا یہ اس بات کی نشانی تھی کہ اللہ کو امن کی عاجزی وانکساری اس کی ندامت پسند آ گئی تھی۔

ہم تمام عمر اپنے سے منسوب لوگوں کو راضی کرنے میں لگے رہتے ہیں مگر ہماری ہزار ہا کوششوں اور جتنوں کے بعد بھی ہمارے اپنے ہم سے راضی نہیں ہوتے سب سے جلد اور آسانی سے مان جانے والی ذاتِ باری تعالیٰ کی ہے اور ہم اسے ہی منانا بھول جاتے ہیں دنیا کمانے میں لگے رہتے ہیں اور جب سانس رکتی ہے تو اپنے گناہ یاد آتے ہیں آخرت کی تو کوئی تیاری ہی نہیں۔

فاخرہ نے امن کو بری طرح روتے دیکھا وہ جائے نماز پر دعا کی حالت میں تھی اس کا سارا چہرہ آنسوؤں سے تر تھا۔ فاخرہ کو امن پر ٹوٹ کر پیار آیا۔

''آنٹی عروا کا کچھ پتا چلا۔'' امن نے اپنے چہرے پر ہاتھ پھیرتے ہوئے پوچھا۔

''نہیں بیٹا! ابھی کچھ علم نہیں کہاں ہے لبنیٰ نے فون کیا تھا مجھے؟''

''مما ٹھیک ہیں۔''

''ہاں ٹھیک ہے بس عروا کی وجہ سے پریشان تھی۔''

''آنٹی آپ کیوں پریشان ہیں آپ کو تو خوش ہونا چاہیے۔''

''نہیں بیٹا! ایسا نہیں سوچتے، مجھے بہت دکھ ہوا ہے بیٹیاں سب کی سانجھی ہوتی ہیں۔''

''آپ کے ساتھ انہوں نے اتنا برا کیا حیوانوں جیسا سلوک، آپ کی ساری زندگی داؤ پر لگا دی۔''

''وہ سب رحمان نے کیا، عروا کا تو کوئی قصور نہیں ہاں یہ الگ بات ہے کبھی کبھی ماں باپ کی کرنی اولاد کو بھگتنی پڑتی ہے۔'' فاخرہ ہولے سے بولی۔

''آنٹی آپ نے سعد انکل کے بچوں کو ڈھونڈنے کی کبھی کوشش نہیں کی۔'' یہ سوال بہت دنوں سے امن کے دماغ میں ہلچل مچا رہا تھا مگر وہ فاخرہ کی دل آزاری کے باعث پوچھ نہ سکی۔

''امن بیٹا! میں زندگی میں کبھی اتنی با اختیار اور مضبوط نہیں رہی کہ ان کو ڈھونڈنے نکل سکتی میں خود کمانے والی عورت ہونے کے باوجود بھی اپنی کمائی خرچ نہ کر سکی نہ میرے پاس پیسا تھا نہ آزادی پھر میں کیا کرتی، ہاں ان کی زندگی کی خیر و عافیت کی دعائیں بہت مانگتی رہی ہوں مانگتی رہوں گی خدا ان کو اپنے حفظ و امان میں رکھے۔'' فاخرہ آبدیدہ ہوگئی۔

''آمین۔'' امن نے صدق دل سے کہا۔

O.....❖.....O

رحمان نشہ آور انجیکشن کے باعث ابھی تک سو رہا تھا۔ یہ انجیکشن سکون بھری نیند کے لیے تھا عائشہ ہراساں سی ساری رات اس کی پٹی سے لگ کر بیٹھی روتی رہی تھی فجر کی اذانیں ہو رہی تھیں۔ عائشہ نے نہ جانے کتنے عرصے بعد نماز پڑھی تھی دعا مانگی تھی اس کا دل گھبرا رہا تھا۔

وہ دوبارہ رحمان کے پاس آ کر بیٹھ گئی۔ وہیں بیٹھے بیٹھے دن چڑھ گیا۔ عائشہ نے فروا کا دروازہ بجایا احتشام اور ریان کا دروازہ کھٹکھٹایا وہ دونوں بھائی اٹھ کر واش رومز میں چلے گئے تو عائشہ نے دوبارہ فروا کے کمرے کا دروازہ کھٹکھٹایا وہ آنکھیں مسلتی جمائیاں لیتی اٹھی۔

''جی......'' اس نے کڑے تیوروں سے عائشہ کو گھورا تھا۔

''اٹھ جاؤ بیٹا! دن چڑھ آیا ہے۔'' عائشہ نے لجاجت سے کہا۔

''روز ہی دن چڑھتا ہے پہلے تو کبھی نہیں جگایا۔'' وہ کیسی قہر آلود نظروں سے دیکھ رہی تھی اور لہجہ کیسا تھا۔

''بیٹیوں کو دن چڑھتے تک نہیں سونا چاہیے، اچھا نہیں لگتا۔'' عائشہ آج اچھی ماؤں والی باتیں کر رہی تھی وہ بدل گئی تھی تو ضروری نہیں تھا کہ فروا بھی بدل جاتی۔

''اچھا......'' فروا نے سوالیہ انداز میں اچھا لفظ کو طول دے کر کھینچا تھا۔

''ہاں جی بیٹا......'' عائشہ کو آج اس کا گستاخانہ انداز بہت چبھن دے رہا تھا۔ وہ گھر کی بڑی بیٹی تھی اسے خیال رکھنا چاہیے تھا احساس ہونا چاہیے تھا کہ اس کے والدین پر کیسی قیامت ٹوٹی ہے کیسی جگ ہنسائی ہوئی ہے

مگر وہ تو الٹا تمسخر اڑا رہی تھی عائشہ کا دل ملال کی زد میں آ گیا۔

''ویسے مما کچھ جلدی خیال نہیں آ گیا کہ بیٹیوں کو کیا کرنا چاہیے اور کیا نہیں مگر آہ افسوس اب کیا فائدہ۔'' فروا نے تنفر سے کہا اور دروازہ بند کر دیا۔ فروا کی بے حسی اسے پہلے تو کبھی ایسے محسوس نہیں ہوئی تھی۔ جیسے آج اور ابھی ہو رہی تھی ایسے بے مروتی ایسی بے لحاظی، حد تھی خود غرضی کی۔

عائشہ نے خود احتشام اور ریان کو ناشتہ بنا کر دیا اپنی نگرانی میں کھلایا (نخرے کر کے کھاتے تھے) وہ سوچوں میں ڈوبی ہوئی تھی۔ اس کی پیشانی تفکرات کی لکیروں سے پر تھی ٹرٹر کرتی زبان اب خاموش تھی۔ بچے اسکول جا چکے تھے۔ عائشہ برتن دھوتے سوچوں میں گم تھی۔ سر تمام رات جاگنے کی وجہ سے گویا سر درد سے پھٹا جا رہا تھا۔ عائشہ نے اپنے دائیں ہاتھ کی انگلیوں سے پیشانی مسلی۔

دو دن سے اس کے حلق سے کچھ نہیں اترا تھا۔ اتنی پریشانی میں کھانے پینے کا کسے ہوش تھا بھوک تو جیسے مر گئی تھی۔ عائشہ نے ایک کپ چائے بنائی بچوں کا چھوڑا ہوا سلائس کا ٹکڑا زہر مار کیا سر درد کی گولی نگلی اور چائے کا کپ اٹھائے پھر رحمان کے پاس آ گئی۔

رحمان کے چہرے پر نگاہیں ٹکائے عائشہ رو دی کیسے دو دن میں رحمان کا چہرہ اتر گیا تھا۔

''سعد......'' رحمان کے باہم پیوست ہونٹوں میں جنبش ہوئی۔ عائشہ خاموشی سے اسے تکتی رہی۔

''عروا......'' عروا کا نام ایک آہ کی طرح رحمان کے دل سے نکلا عائشہ کٹ کر رہ گئی یہ بہت بڑا داغ تھا۔ جو رحمان کی پیشانی پر سج گیا تھا۔ وہ یہ دھچکا سہہ نہیں پا رہا تھا۔ سنبھل کیسے سکتا تھا اس کی لاڈلی بیٹی نے تو اسے کسی سے نظریں ملانے کے قابل ہی نہیں چھوڑا تھا۔

''رحمان......'' عائشہ نے ہولے سے پکارا رحمان نے آنکھیں کھول دیں رحمان کی آنکھیں سرخ ہو رہی تھیں۔ عائشہ نے بے اختیار رحمان کی پیشانی کو چھوا وہ بری طرح بخار میں پھنک رہا تھا۔ عائشہ نے بے ساختہ رحمان کے گال اور گردن چھوئے اس کا دل دھک سے رہ گیا وہ اٹھی اور لبنیٰ کے گھر کی طرف بھاگی تاکہ فرقان کو بلا سکے۔ اب اور کون تھا جسے وہ بلاتی۔

عائشہ روتی گرلاتی گرتی پڑتی جب گھر واپس آئی تو فروا کہیں جا رہی تھی۔ عائشہ نے ایک کٹیلی اور سرد نگاہ اس پر ڈالی مگر فروا کی جانے بلا۔

وہ دروازے تک پہنچی تھی کہ انتہائی غصے کی حالت میں عائشہ نے اسے جا کر کندھے سے دبوچ لیا عائشہ کا انداز قہر بھرا تھا اس کی گرفت میں انتہائی طیش اور جارحیت تھی۔

''تمہارے بابا بیمار ہیں بخار میں بے سدھ پڑے ہوئے ہیں گھر میں اتنا بڑا حادثہ ہو گیا اور تمہیں کوئی پروا ہی نہیں۔'' عائشہ نے دانت پیستے ہوئے آواز آہستہ رکھی تھی۔

''تو......'' فروا نے جواباً ایک جھٹکے سے اپنا کندھا چھڑا کر عائشہ کی آنکھوں میں آنکھیں گاڑ دیں۔

''تو گھر میں رہو، جا کہاں رہی ہو، پہلے ہی لوگ تمہاری باتیں کر رہے ہیں اتنے عرصے گھر سے باہر اکیلی رہی ہو۔'' عائشہ کی آواز اب بھی دبی دبی تھی۔ (کاش عائشہ شروع سے ہی معاملہ فہم ہوتی)

''کرنے دیں باتیں، مجھے کیا لینا دینا لوگوں سے، اور عروا تو گھر کے اندر رہتی تھی نا، باتیں تو آج اس کی بھی بنا رہے ہیں اب کیا کریں ان لوگوں کا۔''

''نہ جاؤ فروا گھر رہو۔'' عائشہ کا درشت لہجہ اب پگھل کر نرمی بلکہ لجاجت میں ڈھل گیا تھا۔

''کام ہے مجھے، جلد آ جاؤں گی، بے فکر رہیں میں گھر سے نہیں بھاگوں گی۔'' اس نے در پردہ عروا کا طعنہ دیا تھا کہ آپ اتنی باخبر ہوتیں تو عروا گھر سے کیسے بھاگ سکتی تھی۔

عائشہ کی بیٹیاں ہاتھوں سے نکل گئی تھیں۔ سوائے ہاتھ ملنے اور رونے کے کوئی چارہ نہیں تھا۔

فروا سیدھی اریز چوہدری کے گھر گئی تھی۔ اس نے بیل بجائی تو چوکیدار باہر نکلا۔

''یہ اریز چوہدری کا گھر ہے کیا، مطلب ابرار چوہدری۔''

''جی ابرار چوہدری کا ہے۔''

''مجھے ملنا ہے ان سے۔''

''ٹھیک ہے میں پوچھ کر آتا ہوں۔'' چوکیدار واپس پلٹ آیا تھوڑی دیر بعد لوٹا اور فروا کو اندر آنے کا اشارہ کیا فروا کو یادوں نے گھیر لیا اس کی آنکھوں سے بے طرح آنسو بہنے لگے چوکیدار اسے ڈرائنگ روم میں بٹھا کر چلا گیا۔ فروا کچھ دیر ادھر اُدھر دیکھتی رہی۔

''جی کون ہو تم۔'' ایک پاٹ دار آواز قریب سے ابھری فروا اچھل کر کھڑی ہو گئی۔

''جج جی میں فروا ہوں۔ آپ کی طبیعت کیسی ہے آنٹی۔''

''مجھے کیا ہوا تھا...... اور یہ آنٹی کس کو کہا تم نے جان نہ پہچان اور......'' وہ خاتون تو جیسے انگارے چبائے بیٹھی تھیں اللہ ایسے کڑے تیوروں سے بے چاری فروا کا سر سے پاؤں تک نظروں ہی نظروں میں پوسٹ مارٹم کیا کہ بس فروا جیسی دیدہ دلیر لڑکی بھی پانی پانی ہو گئی۔

''وہ میں آپ کے بیٹے اریز کی دوست......''

''میرے بیٹے کا نام اریز نہیں نایاب لودھی ہے لڑکی، ویسے تم کس کی بیٹی ہو۔''

''رحمان احمد، رحمان جیولر والے۔'' وہ بھول گئی تھی اب رحمان جیولر والے کا نام اپنی آب و تاب کھو چکا تھا۔ اس خاتون نے کانوں کا ہاتھ لگا کر زمین کو ہاتھ لگائے پھر ''توبہ توبہ بے حیائی کی انتہاء'' کہتے ہوئے پھر کان پکڑ لیے۔

''ایک بیٹی سارا سونا پیسے گھر سے لے کر بھاگ گئی نہ جانے کدھر خوار ہو رہی ہے کرموں جلی اور دوسری اپنے یار کو ڈھونڈتی پھر رہی ہے۔'' نایاب کی مما نے پھر فروا کی وہ بے عزتی کی گالی گلوچ کی دھکے دے کر اپنے گھر سے نکالا ہاتھ پکڑ کر اسے گھر سے باہر پھینک گئی جیسے وہ کوئی گندگی کی پوٹ ہو جسے کوئی لمحہ بھر بھی اپنے گھر میں رکھنا پسند نہیں کرتا فروا روتی دھوتی اپنے زخم چاٹتی گھر لوٹی تھی آج پہلی بار اسے محسوس ہوا تھا کہ اس کے ساتھ دھوکا ہو گیا ہے گھر جانے سے پہلے اس نے ڈھیر ساری سلیپنگ پلز خریدی تھیں۔

○......❖......○

ایک دن فاخرہ لبنیٰ کے گھر آئی تو لبنیٰ نے خود ہی روتے ہوئے امن پر گزری ساری داستان فاخرہ کو سنا دی

دونوں روتی رہیں پھر فاخرہ نے اسے بتایا کہ یہ ساری بات وہ پہلے سے جانتی تھی اسی لیے وہ امن کو اپنے گھر لے گئی تھی لبنیٰ فاخرہ کی ممنون تھی جس طرح اس نے امن کو لبنیٰ کو اور سارے گھر کو سنبھالا یہ اسی کا حوصلہ اور ظرف تھا۔

صغریٰ نے اپنے گھر فاخرہ کی دعوت کی تھی، فاخرہ پہلی بار ان کے گھر جا رہی تھی اس نے فروٹ اور مٹھائی خریدی بشیراں اور امن بھی ان لوگوں کے ساتھ جا رہے تھے۔ وہ بہاولپور کے کسی گاؤں میں رہتے تھے صغری کا چھوٹا سا پختہ مکان تھا۔ صغری اور نیہات بہت محبت سے ملے فاخرہ، صبا، فضا، اسوہ اور اسد کے آنے پر ان سے اپنی خوشی سنبھالے نہیں سنبھل رہی تھی اور ان کو ایسا لگ رہا تھا جیسے فاخرہ نے گھر آ کر بہت عزت دی ہے اور امن کو دیکھ کر بھی نیہات کو گونا گوسکون ملا تھا۔ اپنی پسندیدہ اپنی منظورِ نظر ہستی کو اپنے گھر میں اپنی آنکھوں کے سامنے دیکھنا کیسی بے خودی طاری کر دیتا ہے یہ آج نیہات کو پتا چلا تھا۔

بہت خوشگوار ماحول میں کھانا کھایا گیا تھا۔ صغری سب کے لیے چائے بنالائی۔

''اب ہم چلیں گے۔'' فاخرہ نے چائے کے بعد کہا۔

''فاخرہ بہن مجھے آپ کو کسی سے ملوانا ہے۔'' تب ہی اچانک صغری نے کہا۔

''کس سے......'' فاخرہ نے اچھنبے سے اسے دیکھا۔

''ابھی آئی......'' صغری کمرے سے باہر نکل گئی پانچ منٹ بعد وہ واپس آئی تو اس کے ساتھ کوئی خاتون تھی جو لگ بھگ فاخرہ کی ہم عمر لگ رہی تھی۔

''پہچانا......'' وہ عورت قریب آئی اور فاخرہ سے پوچھا۔

''ہاں شکل جانی پہچانی لگ رہی ہے کون ہو تم......'' فاخرہ بولی۔

''زرینہ......''

''زرینہ......'' فاخرہ کا دل جیسے حلق میں دھڑکنے لگا۔ اور آنکھیں ڈبڈبانے لگیں۔

''ہاں میں......'' زرینہ فاخرہ کے گلے لگ کر رو دی تھی۔ سب ان کو دیکھ کر رو رہے تھے۔

''کہاں چلی گئی تھی تم......؟ اور بچے......''

''نیہات اور ضویا سعد صاحب کے بچے ہیں۔'' زرینہ کے الفاظ پر فاخرہ کو سکتہ سا ہو گیا وہ شاک کی کیفیت میں نیہات اور ضویا کو دیکھے جا رہی تھی کمرے میں موجود ہر ذی نفس کی کم و بیش یہی حالت تھی آنکھوں میں آنسوؤں کے ساتھ بے یقینی بھی تیر رہی تھی۔

''پھپھو......'' سب سے پہلے نیہات نے ہی اس سکتے کو توڑا تھا اور فاخرہ کے گلے لگ گیا دونوں ایسے روئے کہ سب کو رُلا دیا ان کے مِلن میں محسوس کی جانے والی تڑپ تھی۔

''میں بھی کہوں کہ میرا دل ان بچوں کی طرف کیوں کھنچتا ہے مجھے ان میں اتنی کشش کیوں محسوس ہوتی ہے کہ میرا ہر ہر عضو میرے بدن کا رواں رواں ان کی طرف لپکتا ہے یہ تو خون کی کشش تھی جو مجھے مائل کرتی تھی۔'' فاخرہ فرطِ جذبات سے نیہات اور ضویا کو چومے جا رہی تھی۔

''ایک منٹ میرے بچو! میں دو نفل شکرانے کے ادا کرلوں اس اونچی شان والے اللہ کے حضور سجدہ کرلوں

جس نے مجھے مایوس نہیں کیا۔ میرے سعد کے بچوں سے ملوادیا وہ رحمان ہے رحیم ہے کریم ہے وہ میرا اللہ جس نے آسمان کو بغیر ستونوں کے کھڑا کر دیا تو وہ اللہ یہ معجزہ کیوں نہیں دکھا سکتا تھا۔'' فاخرہ روتی ہوئی وضو کرنے چلی گئی تو پیچھے سارے بچے روتے ہوئے ایک دوسرے سے ملنے لگے۔ صبا جو رشتوں کے لیے اندر ہی اندر ترستی رہتی تھی کمی محسوس کرتی تھی۔ اب مسکراتے لبوں روتی آنکھوں سے ضویا اور نیہات سے مل رہی تھی وہ جو پہلے ہی اپنے تھے اب تو بہت اپنے تھے تمام عمر کے لیے مل گئے تھے۔

فاخرہ کے آنسو رک ہی نہیں رہے تھے وہ بار بار نیہات اور ضویا کو گلے لگا رہی تھی چوم رہی تھی۔

''پھپھو مجھے اور نیہات بھیا کو پتا تھا کہ آپ ہماری پھپھو ہیں اسی لیے ہم آپ سے اتنی عقیدت و محبت رکھتے ہیں۔ نیہات بھیا صبا فضا سے اسی لیے محبت کرتے ہیں۔'' ضویا کی آواز رندھ گئی۔

''میرے سعد کے بچے میری جان میرا امیکہ۔'' فاخرہ ہچکیاں بھرتے نیہات کے سر کو چوم رہی تھی وہ اونچا لمبا لڑکا چھوٹے بچوں کی طرح رو رہا تھا برسوں کے بچھڑے مل گئے تھے مگر برسوں کی تڑپ دنوں میں تو نہیں مٹ سکی تھی نا۔ اتنے سال دوری رہی تھی۔ اب اپنوں کا قرب ایک عرصے بعد نصیب ہوا تھا۔

''زرینہ تم ان کو گھر سے لے کر کیوں بھاگی اور کہاں چلی گئی تھی میں اتنی مجبور و لاچار عورت کہاں ڈھونڈتی پھرتی زندگی کی تلخیوں اور صدمات نے مجھے بہت کمزور کر ڈالا تھا۔ میں نے کب زندہ لوگوں جیسی زندگی گزاری ہے زندگی نے مجھے گزارا ہے۔'' پھر فاخرہ اپنی روداد غم ان کو سنانے لگی ان کو سنانا ضروری تھا۔

''اُجالا میں نے رحمان کو کسی سے یہ ساری باتیں کرتے سن لیا تھا مجھے یہ بھی پتا ہے کہ سعد بھیا اور رانیہ کے قتل کا منصوبہ بھی اسی کا ہے وہ کسی سے کہہ رہا تھا وہ اب بچوں کو بھی مار دے گا میں نے سن لیا۔ ہم نے برسوں سے آپ کا نمک کھایا ہے جی اسی لیے میں ان معصوموں کو لے کر بھاگ کر شیخوپورہ اپنی پھوپھی کے پاس چلی گئی وہاں میں نے محنت مزدوری کر کے ان کو پالا بہت سال میں وہاں رہی جب نیہات نے میٹرک کر لیا تو میں نے اسے آپ کی سعد بھیا کی تصویریں دکھائیں اور اسے سب کچھ بتا دیا میں نے ان بچوں کی خاطر شادی نہیں کی، میں چاہتی تھی کہ یہ آپ سے ملیں۔ مجھے کسی نے بتا دیا کہ آپ یہیں پر ہو۔ کسی طرح میں نے ان کو یہاں بھیج دیا۔ صغریٰ میری خالہ زاد ہے شکر ہے میں اپنے مقصد میں کامیاب ہوگئی۔''

''تم بہت عظیم ہو زرینہ تم نے بہت بڑا عمل کیا ہے بہت بڑا ظرف ہے تمہارا، میں یہ تمہارا احسان ساری زندگی نہیں اتار پاؤں گی۔ تم نے غیر ہو کر ہماری نسل کو بچا لیا جبکہ یہاں تو اپنوں نے ہی ہماری جڑیں کاٹ ڈالیں مجھ سے میرا سب کچھ چھین لیا میری زندگی کو تماشا بنا دیا۔''

زرینہ میری بہن تمہاری محبت قرض ہے۔'' فاخرہ زرینہ کے گلے لگ کر رو دی۔

○......❖......○

رحمان کا بخار ٹوٹنے کا نام نہیں لے رہا تھا۔ عائشہ ہر وقت روتی رہتی لبنیٰ اور فرقان آجاتے تھے۔ رہی فروا تو وہ نیند کی گولی لے کر سارے غموں سے آزاد ہو کر سوئی پڑی رہتی۔ جب بھی اس کی آنکھ کھلتی خیالات کے آوارہ بگولے اسے اڑائے پھرتے وہ ہوش میں آنا ہی نہیں چاہتی تھی کیونکہ ہوش میں آتے ہی اس کے خیالات کے

سارے کنارے اریز سے جا ملتے تھے۔

رحمان کو انتہائی رنج والم اور افسردگی کی حالت میں رہنے کی وجہ سے شوگر ہو گئی تھی۔ وہ سوکھا کانٹا بن چکا تھا۔ فرقان اس کو غم سے نکالنے کے لیے تگ ودو کرتا رہتا اسے سمجھاتا کہ ''جو ہوا بہت برا ہوا مگر یوں ہمت مت ہارو، باقی اولاد کی طرف بھی دیکھو۔''

دو ماہ بعد رحمان گھر سے باہر نکلا تھا۔ شیو بڑھی ہوئی، کندھے جھکے ہوئے، چال میں کسی شرابی جیسی لڑکھڑاہٹ تھی وہ سر جھکائے آگے بڑھ رہا تھا۔ اسے ہر نظر خود پر ہنستی ہوئی لگ رہی تھی وہ دوکانوں کا کرایہ لینے گیا تو وہاں روح فرسا انکشاف نے اس کی روح تک کھینچ لی کوئی اریز نامی لڑکا ساری دکانیں بیچ گیا تھا۔ جو عروا اور فروا کے نام تھیں۔ رحمان اشتعال سے یوں لرزنے لگا جیسے سوکھا ہوا پتا اِدھر سے اُدھر لڑھکتا پھرتا ہے۔ رحمان بینک گیا وہاں اس کے اکاؤنٹ میں ایک بھی دھیلا نہیں تھا اریز خالی چیک پُر کر کے یہاں بھی اپنا کام دکھا چکا تھا۔ رحمان کے دماغ میں غم واندوہ کے جھکڑ چل رہے تھے۔

رحمان گھر آیا اور سیدھا فروا کے کمرے میں گھس گیا۔ اس نے فروا کو روئی کی مانند دھک کر رکھ دیا۔

''اریز چوہدری کون ہے؟'' رحمان نے فروا کو بہت مارا زخمی کر دیا اور فروا الف سے ی تک بتاتی چلی گئی۔

رحمان ایک بار پھر اپنے بال نوچ رہا تھا دیواروں سے ٹکریں مار رہا تھا اب کی بار وہ بستر سے لگا تو اٹھ نہیں سکا جب بھی وہ فروا کو دیکھتا چیخنے لگتا رونے لگتا عائشہ فروا کو اس کے کمرے میں دھکیل دیتی۔ اس نفرت بھری زندگی سے تنگ آکر ایک رات فروا نے ڈھیروں نشہ آور گولیاں کھالیں اگلی صبح وہ زندہ اٹھ نہیں سکی تھی۔

رحمان کی کربناک چیخیں سننے والوں کا دل دہلا رہی تھیں اس گھر میں صفِ ماتم بچھ گئی تھی رحمان کے پاس کچھ بھی نہیں بچا تھا۔ اس نے ناجائز ذرائع سے جیسے دولت اکٹھی کی تھی ویسے ہی اس کے ہاتھوں سے نکل گئی تھی۔ ملتان والا گھر بھی اریز بیچ چکا تھا۔

رحمان کے پاؤں کا انگوٹھا زخمی ہو گیا تھا چوٹ تو ذرا سی تھی، مگر شوگر کی وجہ سے زخم ٹھیک نہیں ہو رہا تھا۔ رحمان کے علاج کے لیے پیسے کی ضرورت تھی عائشہ نے اپنا گھر بیچ دیا۔ (یہ گھر عائشہ کے نام تھا) حیرت کی بات تو یہ تھی کہ رحمان نے اپنے بیٹوں کے بجائے اپنی بیٹیوں کے نام جائیداد کر رکھی تھی۔ بہت لاڈلی تھیں۔ رحمان کی بیٹیاں، ہیرے موتیوں میں تولتا تھا وہ ان کو۔ عائشہ ایک چھوٹے سے کرایے کے گھر میں شفٹ ہو گئی تھی رحمان کا علاج معالجہ ہو رہا تھا۔

''وہ سعد جو تھا نا۔'' ایک دن رحمان کی ذہنی روح بھٹکی تو وہ سب کچھ عائشہ کو بتاتا چلا گیا عائشہ لبوں پر ہاتھ سختی سے دبائے فق ہوتی رنگت کے ساتھ سنتی رہی۔

''میں کہتا' مجھے کوئی فرق نہیں پڑتا۔''

رحمان نے کتنا غلط کیا تھا کتنی چھوٹی اور غلط افواہیں اُجالا کے بارے میں پھیلائی تھیں آج عائشہ کو پتا لگ گیا تھا۔

''وہ ایک جامد چپ لبوں پر سجائے سب کے عتاب سہتی رہی اوہ میرے خدا۔''

''عائشہ، اُجالا کے دل سے نکلی آہ نے مجھے کھالیا۔''

میں نے اُجالا کو اس کے گرین ہاؤس سے دربدر کیا اور وہی گرین ہاؤس اپنی بیٹی عروا کے نام کردیا، کچھ باقی نہیں بچا نہ عزت نہ مال۔''

امن کی دعائیں قبول ہو چکی تھیں۔ اب کے بار اس نے لبنٰی سے معافی مانگی تو لبنٰی نے اسے معاف کردیا اب امن بھی نیہات کے کوچنگ سینٹر میں پڑھانے لگی تھی نیہات کو بی کام کے بعد بینک میں نوکری مل گئی تھی۔

ساری لڑکیاں اگلی کلاسز میں چلی گئی تھیں۔ زندگی رواں دواں تھی امن پہلے سے بھی زیادہ پُر اعتماد ہو چکی تھی اس کے زندگی کی طرف لوٹنے میں فاخرہ کا بہت بڑا ہاتھ تھا امن کو راہنما ملا، مسیحا ملا خدا نے اسے مزید بھٹکنے سے بچا کر صراطِ مستقیم پر چلا دیا۔

آہ......فروا بہت سارے دل توڑ کر ان ٹوٹے دلوں پر قدم دھرتی، مستی و خماری میں ڈوبی اپنا دل بسانے نکلی تھی۔ ایسے دل کہاں بسا کرتے ہیں جو خود غرض ہوں خود غرضی اور محبت کا کیا میل تال، محبت تو کائنات ہے پوری، محبت تو روح کو داغوں سے بچاتی ہے اللہ سے ملاتی ہے اپنے اصل سے ملاتی ہے، مگر فروا آہ قصہ پارینہ بن گئی۔

''اللہ......'' رحمان درد کی شدت سے کراہ رہا تھا اس کی صدا واپس لوٹ آئی۔

ڈاکٹر نے رحمان کا انگوٹھا کاٹ دیا تھا وہ روتا چلاتا مگر اللہ اس کی نہیں سنتا تھا کیونکہ رحمان کفر بکتا رہا تھا اللہ کے بندوں پر ظلم ڈھاتا رہا تھا۔

رحمان کا زخم ٹانگ میں سرایت ہونے لگا تھا اس کی ٹانگ گلتی سڑتی جارہی تھی اس کی پیپ سے پلپلی ٹانگ پر مکھیاں بیٹھی تھیں بدبو کے بھبکے اٹھتے تھے۔ عائشہ اس کے ساتھ لگی رہتی۔ احتشام اور ریان قریب بھی نہیں آتے تھے۔

ڈاکٹرز نے رحمان کی پوری ٹانگ کاٹ دی تھی۔ پھر اس کی کمر نیچے سے گلنا شروع ہوگئی۔ اب تو رحمان میں بولنے کی سکت بھی نہیں رہی تھی۔

وہ چت لیٹا رہتا بے جان مُردوں کی طرح بہت ہفتے وہ اسی حالت میں پڑا کراہتا رہا ایک دن عائشہ نے بہت زور لگا کر فرقان کی مدد سے رحمان کو کروٹ دلوائی تھی۔ عائشہ کی چیخ بے ساختہ تھی رحمان کی کمر میں کیڑے اندر تک دھنسے ہوئے تھے اور اتنی سڑاند آرہی تھی کہ عائشہ غش کھا کر گری اور بے ہوش ہوگئی اس کا دل اس کی ناک بدبو سے بند ہو رہی تھی۔

○......❖......○

نیہات نے کچھ پیسے جمع کر رکھے تھے وہ اپنا ذاتی مکان شہر میں لینا چاہتا تھا اس نے فاخرہ سے مشورہ کیا تو فاخرہ نے بھی اپنے اکاؤنٹ سے سارے پیسے نکلوا کر اسے دے دیئے۔ وہ سب ایک فیملی بن کر اکٹھے رہنا چاہتے تھے۔ نیہات آج گھر دیکھ رہا تھا۔

نایاب لودھی نے نیہات سے معافی مانگی تھی نیہات کو اسی نے پٹوایا تھا کیونکہ اسے غلط فہمی ہوگئی تھی کہ اُسے

کالج سے نکلوانے والا نیہات ہے۔ نیہات نے بڑے پن کا مظاہرہ کرتے ہوئے اسے دل سے معاف کر دیا تھا۔

''پھپھو آپ کے لیے سرپرائز ہے اٹھیے ابھی چلیے۔'' ایک دن وہ آیا تو اس نے جلدی مچا دی۔

اب وہ اسی گھر کے سامنے کھڑی تھی جہاں اس نے اپنا بچپن گزارا تھا۔

''یہ......'' فاخرہ نے الجھ کر پوچھا۔

''میں نے خرید لیا اب یہ گھر پھر ہمارا گھر ہے سعد مرتضیٰ اور اُجالا کا گھر۔''

''مگر سعد نہیں ہے۔'' فاخرہ نے دیکھا نیہات رو رہا تھا۔

''پھپھو آیئے۔'' وہ اس کے کندھے پر بازو رکھے اسے اندر لایا تھا اور سیدھا گارڈن میں ہی چلا آیا زرینہ اسے بتا چکی تھی کہ وہ گارڈن پر کتنی توجہ دیتی تھی۔

''پھپھو میں سعد مرتضیٰ تو نہیں مگر آئی پرامس یو کہ میں اپنی پھپھو کا مان اور میکہ ضرور بن کر دکھاؤں گا میں آپ کا بیٹا ہوں آپ میری ماں ہیں، آپ نے بہت غم اٹھائے ہیں اور ہم نے بھی در در کی ٹھوکریں کھائی ہیں بہت کسمپرسی کی حالت میں وقت گزرا ہے ہم سب مل کر ایک دوسرے کے غموں کا مداوا کریں گے۔ جو ہوا اسے بھول جائیں۔'' نیہات نے سعد کے انداز میں فاخرہ کا چہرہ دونوں ہاتھوں میں تھام کر سر پر بوسہ دیا تو فاخرہ جی اٹھی۔

''کبھی رونا نہیں پلیز۔'' نیہات کتنی محبت سے اس کے آنسو صاف کر رہا تھا۔

''زرینہ کو بھی اس گھر میں لانا وہ بھی تمہاری ماں ہے۔''

''جی ضرور ان شاء اللہ...... اور پھپھو کسی اور کو بھی آپ کی خدمت کے لیے یہاں بہو بنا کر لانا ہے۔''

''کسے......'' اب وہ پتھر کی بینچ پر لیٹ کر فاخرہ کی گود میں سر رکھ چکا تھا فاخرہ اس کے بالوں میں ہاتھ پھیرتی اسے سعد کی باتیں بتاتی رہی گزرے لمحوں بیتی گھڑیوں کو دھراتی رہی وہ پورے دھیان سے سنتا رہا وہ بتاتی رہی ہر بات، آنکھیں بھیگتی رہیں چھلکتی رہیں۔

''اچھا میں بھول جاؤں گی کون ہے وہ۔''

''امن......'' نیہات کا چہرہ جگمگا اٹھا اور فاخرہ کا ہاتھ جھٹکا کھا کر بالوں میں ساکت ہو گیا۔

''پھپھو کیا ہوا، آپ چپ کیوں ہو گئیں کیا آپ کو امن پسند نہیں۔''

''امن مجھے بہت پسند ہے وہ میری بیٹی ہے مگر مسئلہ تمہارا ہے۔''

''ارے تو کیا میں آپ کو اپنی بیٹی کے لیے پسند نہیں۔'' وہ ہنسا

''اگر سعد مرتضیٰ کے بیٹے کا ظرف اپنے باپ جیسا ہو تو مجھے اپنی بیٹی کے لیے نیہات پسند ہے۔''

پھپھو کیا مطلب۔'' وہ اٹھ بیٹھا۔

''پھر بتاؤں گی، ابھی تو میں اس خوشی کو پوری طرح محسوس کرنا چاہتی ہوں کہ میں اپنے گھر میں ہوں مجھے یقین نہیں آ رہا سب ایک دوسرے سے مل چکے ہیں اور میں اپنے گارڈن میں بیٹھی ہوں۔''

''آپ یقین کریں پھپھو سب پہلے جیسا ہو گیا ہے۔''

''اللہ کا شکر ہے اس ذات نے کرم کر دیا۔ اللہ سعد بھیا اور رانیہ بھابی کو جنت میں جگہ دے ان کی قبروں کو ٹھنڈا رکھے۔'' فاخرہ بھری آنکھوں سے اپنے گھر کی ایک ایک چیز کو دیکھ رہی تھی یادیں لپک لپک کر اس کے گلے مل رہی تھیں۔

''کیا کبھی سعد بھیا اور رانیہ بھابی کو میں بھلا سکوں گی۔'' اس نے خود سے سوال کیا۔

''نہیں کبھی نہیں، مگر اب مجھے اپنے بچوں کے سامنے نہیں رونا، اس نے دل ہی دل میں تہیہ کر لیا۔

○......❖......○

فاخرہ اور زمان بچوں سمیت اس گھر میں شفٹ ہو گئے۔ نیہات فاخرہ کے کہنے پر زرینہ کو بھی لے آیا تھا اس نے بھی ماں بن کر دکھایا تھا۔ اصل بات تو احساس کی ہے نازرینہ کا دل احساس سے بھرا ہوا تھا۔ اس نے نیہات اور ضویا کے نام کے ساتھ اپنے باپ کا نام ضمیر لگایا تھا۔ اسکول کالج میں بھی وہ اسی نام سے پکارے جاتے تھے ان کی ڈگریوں میں بھی ولدیت کے خانے میں یہی نام تھا۔

باپ جو ہوتا ہے وہی رہتا ہے۔ زندگی سے کچھ بھی قیمتی نہیں اور زرینہ نے ان بچوں کی جان بچانے کے لیے بلاشبہ بہت قربانیاں دی تھیں وہ اس گھر کے مکینوں کے لیے بہت قابلِ احترام ہستی تھی۔

ساری خوشیاں لوٹ آئی تھیں سب کچھ پہلے جیسا ہو گیا تھا۔

''کیا واقعی سب کچھ پہلے جیسا ہو گیا تھا ہاں مگر فاخرہ کے اندر کا ادھورا پن خالی دل۔''

روشنی مزاجوں کا کیا عجب مقدر ہے
زندگی کے رستے میں، بچھنے والے کانٹوں کو
راہ سے ہٹانے میں
ایک ایک تنکے سے آشیاں بنانے میں
خوشبوئیں پکڑنے میں
گلستان سجانے میں
عمر کاٹ دیتے ہیں
اور اپنے حصے کے پھول بانٹ دیتے ہیں
کیسی کیسی خواہش کو قتل کرتے جاتے ہیں
درگزر کے گلشن میں اَبر بن کے رہتے ہیں
صبر کے سمندر میں...... کشتیاں چلاتے ہیں
یہ نہیں کہ ان کو اس روز و شب کی کاوش کا کچھ صلہ نہیں ملتا
مرنے والی آسوں کا...... خون بہا نہیں ملتا
زندگی کے دامن میں...... جس قدر بھی خوشیاں ہیں

سب ہی ہاتھ آتی ہیں
سب ہی مل جاتی ہیں
وقت پر نہیں ملتیں، وقت پر نہیں آتیں
یعنی ان کو محنت کا اجر مل تو جاتا ہے
لیکن اس طرح جیسے
قرض کی رقم کوئی قسط قسط ہو جائے
اصل جو عبادت ہو...... پس نوشت ہو جائے
فصل گل کے آخر میں پھول ان کے کھلتے ہیں
ان کے صحن میں سورج...... دیر سے نکلتے ہیں۔

O......❖......O

وہ اونچا لمبا خوبصورت مرد عجیب مجنونانہ سی حرکتیں کرتا تھا بولنے پر آتا تو گھنٹوں اول فول بولتا رہتا۔ خاموشی اوڑھتا تو دنوں خاموشی کی بکل میں چھپا رہتا۔

اسے بظاہر کوئی بیماری نہیں تھی نفسیاتی دورے پڑتے تھے وہ روتا تھا اس کی رال بہنے لگتی تھی اس کا کوئی رشتے دار تھا یا نہیں کسی کو کچھ خبر نہیں تھی وہ نہ جانے کتنے سالوں سے ایسے ہی ہسپتالوں میں دھکے کھاتا پھر رہا تھا۔

''میرا نام فاروق ترمذی ہے میں شاعر ہوں۔'' آج کل وہ بہت بول رہا تھا۔

''وہ اُجالا تھی بڑی بڑی روشن آنکھوں والی۔''

''میرا کوئی گھر نہیں ہے میں نے اس کا گھر چھینا تھا وہ جو سراپا محبت تھی۔''

''اسکی آنکھوں میں اتنی بے یقینی تھی اتنی بے یقینی کہ وہ بے یقین آنکھیں میرا قرار لوٹ کر لے گئیں میرا چین میری نیند سب ختم ہو گیا۔''

''محبت بہت کرتا ہوں اس لڑکی سے بہت زیادہ۔''

''محبت مجھے مار دے گی، محبت مجھے مار دے گی۔''

وہ تڑپ رہا تھا اور اسے تڑپتے ہی رہنا تھا جب تک محبت اسے معاف نہیں کر دیتی کیا پتا محبت اسے معاف کرے نہ کرے، تب تک اسے یونہی آدھی ادھوری زندگی سسکتے ہوئے گزارنی تھی اس نے کسی معصوم کے دل سے کھیلنے کا سنگین جرم کیا تھا وہ محبت کا مجرم تھا محبت کو اس کے گھناؤنے وجود سے گھن آتی تھی۔ وہ رُلتا پھرتا تھا۔

فاخرہ اس دن نیہات کی پسند کا قیمہ مٹر پکار ہی تھی زرینہ اور بشیراں بھی اس کے ساتھ لگی ہوئی تھیں چھٹی کا دن تھا نیہات سارے لڑکے لڑکیوں کو گھمانے لے کر گیا ہوا تھا وہ تینوں خواتین کچن میں کاموں میں مشغول خوش گپیوں میں مگن تھیں۔

''فاخرہ......!'' تبھی زمان نے آواز دی۔

''جی آئی......'' اس نے بشیراں کو سالن کا خیال رکھنے کو کہا۔

جب وہ زمان کے پاس پہنچی تو دیکھا عائشہ زمان کے پاس بیٹھی رو رہی ہے۔

''سلام......'' فاخرہ نے جھجک کر سلام کیا۔

''فاخرہ میں تمہارے پاس بہت امید لے کر آئی ہوں رحمان کو معاف کر دو اس نے تم پر اور اس گھر پر جو بھی مظالم کیے ہیں وہ سب مجھے بتا چکا ہے۔ وہ سعد اور رانیہ کا قاتل ہے۔''

''عائشہ بھابی یہ کیا کہا تم نے۔'' زمان ہکا بکا کہہ رہا تھا۔

''ہاں زمان بھائی حقیقت وہ نہیں ہے جو رحمان نے ہم سب کو بتائی بلکہ......'' عائشہ اب رحمان سے سنی ساری بات سنا رہی تھی اور زمان بے چینی سے پہلو بدل رہا تھا۔

''مگر رحمان تو کہتا تھا......'' عائشہ نے زمان کی بات کاٹ دی۔''

''بکواس کرتا تھا جھوٹ بولتا تھا رحمان...... وہی فاخرہ کی تباہی کا ذمہ دار ہے۔ ہم سب نے زیادتیوں کی حد کر دی۔ زمان بھائی ہم سب ظالم ہیں۔'' آج فاخرہ کے سارے آنسو عائشہ رو رہی تھی۔

''میں رحمان کو چھوڑوں گا نہیں۔'' زمان کے اندر بھی جھرجھری لے کر غیرت بیدار ہوئی تھی۔

''وہ عبرت کا نشان بن چکا ہے اس کا بدن گلتا جا رہا ہے اس کے بدن میں کیڑے رینگتے ہیں۔ خدا رسول ﷺ کا واسطہ فاخرہ رحمان کو معاف کر دو تا کہ اس کی جان نکل سکے۔'' عائشہ نے زمین پر بیٹھ کر اس کے پاؤں جکڑ لیے فاخرہ کا چہرہ سپاٹ تھا۔ اس کے چہرے پر موت کا سا سکوت چھایا ہوا تھا۔ فاخرہ نے عائشہ کو زمین پر سے اٹھا کر بیڈ پر بٹھا دیا۔

''نہیں، فاخرہ رحمان کو معاف نہیں کرے گی میں بھی رحمان کو معاف نہیں کروں گا۔''

''میں نے اسے معاف کیا میرا اللہ بھی اسے معاف کرے گا مگر عائشہ ایک لمحے کے لیے عورت بن کر ماں بن کر سوچئے گا کہ جب فاخرہ کے ہر بچے نے اپنے بچپن میں ماں کے کندھے پر سر رکھ کر چاندنی راتوں میں پوچھا۔

''مما چاند میں ماموں ہوتا ہے نا، مما چاند میں ماموں ہوتا ہے نا۔''

''مما ہمارا ماموں کہاں ہے۔'' فاخرہ بلکنے لگی۔

''تب میرے دل پر کیسی قیامتیں ٹوٹتیں تھیں کیسا میرا دل کٹ کٹ کر گرتا تھا، ایک لمحے کے لیے اس کرب کو محسوس کرنا عائشہ محسوس کرنا۔''

محبت ہی تو کی تھی میں نے میری نیت صاف تھی، اور سزا اتنی طویل اتنی کٹھن کہ میں مر مر کر جیتی رہی اور جیتے جی مرتی رہی۔''

''رحمان کو مایا کی اتنی طمع تھی کہ اس نے میرے بھائی کی جان ہی لے لی، میرا میکہ گھر اجاڑ دیا۔ ارے سعد مرتضیٰ کا ایک بوسہ جو وہ میری پیشانی پر ثبت کرتا تھا اس کا کوئی مول نہیں ہو سکتا۔

پوری کائنات کا سحر ایک طرف سعد مرتضیٰ کا بوسہ پھر بھی زیادہ قیمتی تھا، خدا بن گیا مجھ سے سب کچھ چھین لیا

خود ہی نکاح کیا مجھ سے خود ہی طلاق دے دی پھر بھی سکون نہیں ملا تو اپنے اندھے بھائی سے نکاح کر دیا جو انتہائی کمزور مرد ثابت ہوا جس کی آنکھیں ہی اندھی نہیں دماغ کی ساری کھڑکیاں بھی بند تھیں جس نے جو کہا مان لیا۔''

''میری زندگی میں تین مرد آئے کسی کو مایا چاہیے تھی کسی کو میری تنخواہ چاہیے تھی سب نے میرے اندر گھٹن اور تشنگی پیدا کی کوئی میرا چہرہ دیکھتا کوئی میرا بدن ٹٹولتا تھا۔

کسی نے بھی میرے دل کے اندر جھانک کر نہیں دیکھا کہ دل میں کتنا درد کتنی تکلیف ہے کسی نے بھی میرے غم میرے درد کو اپنی محبت واپنائیت سے بہاؤ کا راستہ نہیں دیا۔ میری تکلیف کو سب نے بڑھایا کسی نے بھی باہر نہیں نکالا......'' آج وہ دونوں مل کر رو رہی تھیں۔

''فاخرہ میں بہت شرمندہ ہوں۔'' زمان بولا۔

''اس سے کیا فرق پڑتا ہے اب۔'' فاخرہ نے بے دلی سے کہا۔

''میں نے رحمان کو معاف کیا اللہ بھی اُسے معاف کرے گا۔''

O......❖......O

اللہ کا فرمان ہے کہ میں اپنے حقوق معاف کر دوں گا مگر حقوق العباد میں جو ظلم کسی نے کسی پر ڈھایا جب تک وہ بندہ معاف نہیں کرے گا ظلم کرنے والے کو میں بھی معاف نہیں کر سکتا۔

رحمان مر گیا۔ اس کے بدن سے اتنے بدبو کے بھبکے اٹھ رہے تھے کہ کوئی اسے غسل دینے کو آگے نہیں بڑھ رہا تھا نیہات نے چند دوسرے لوگوں اور فرقان کی مدد سے سے غسل دیا تھا۔

اریز چوہدری بیا ہمدانی کو ساتھ لے کر جا رہا تھا۔ کسی نے اس کے کزن کو مخبری کر دی ان کا پیچھا کیا گیا اور پولیس کی بھاری نفری کے ساتھ چھاپہ مارا گیا تو وہاں سے بہت ساری عورتیں اور بچے ملے تھے وہ بچوں اور عورتوں کی سپلائی کا کام کرتے تھے۔ جرائم پیشہ گروہ سے عروا بھی برآمد ہوئی تھی ہاں جویریہ اور اس کے بچوں کا کچھ پتا نہیں چل سکا تھا۔

اریز اور نایاب کی لڑائی ہو گئی تھی نایاب ان کا رازدار تھا شہر کی امیر اسامیوں کے بارے میں معلومات دیتا تھا آج مخبری بھی اسی نے کی تھی۔ اس کا سرغنہ تو ہاتھ نہیں آیا تھا مگر لڑکیاں آزاد ہو گئی تھیں۔

O......❖......O

ایک دن جب نیہات اور فاخرہ جب گارڈن میں تھے شام کا وقت تھا صبا ان کو وہیں چائے دے گئی تھی۔ تب فاخرہ نے نیہات کو امن پر گزرے سانحے کا حرف حرف بتا دیا وہ سر جھکائے سنتا رہا اس کا چہرہ پل پل رنگ بدل رہا تھا۔

''اب بتاؤ بیٹا......'' فاخرہ نے اس کا چہرہ نگاہوں کی گرفت میں لے کر پوچھا۔

''پھپھو مجھے ہر حال میں امن سے ہی شادی کرنی ہے۔'' وہ مضبوط لہجے میں بولا۔

''سوچ سمجھ کر فیصلہ کرنا بیٹے ایسا نہ ہو جلد بازی میں فیصلہ کر لو بعد میں مخصوص مردانہ تنگ دلی تمہاری محبت کو

کھا گئی تو امن کی تو زندگی برباد ہو جائے گی نا۔‘‘

’’نہیں پھپھو ایسا کبھی نہیں ہو گا میرا یقین رکھیں۔‘‘

’’بیٹا ایک بات یاد رکھنا عورت کی فطرت محبت کے معاملے میں بچے کی سی ہوتی ہے جو صرف محبت سے بہلتا ہے بس محبت محبت بہت زیادہ محبت، کبھی اسے ماضی کا طعنہ مت دینا میری بیٹی کو بہت پیار اور اعتماد دینا عورت کو صرف تحفظ اور محبت چاہیے ہوتی ہے صرف محبت، امن کو بہت جتنوں سے میں نے دوبارہ زندہ کیا ہے۔‘‘

’’پتا ہے امن کہتی ہے آنٹی آپ میرے لیے سانٹا کلاز ہیں۔‘‘

’’سانٹا کلاز......‘‘نیہات نے استفہامیہ ابرو اچکائے۔

’’سانٹا کلاز ایک Image ایک تصور، جو کہ کرسمس کے موقعوں پر بچوں کے لیے تحائف لاتا ہے ان کے لیے خوشیاں ڈھونڈتا تھا ان کی زندگی کے اندھیروں میں کرن بن کر جگمگاتا جینا سکھاتا تھا۔ جینے کی راہ کھاتا تھا...... ہاہ پگلی، میں تو زندہ حقیقت ہوں کوئی تصور تھوڑی ہوں۔‘‘

’’واؤ، فنٹاسٹک......‘‘نیہات نے توصیفی انداز میں ہونٹ سکیڑے۔

’’خلیل جبران نے شاید مردوں کے لیے ہی کہا ہے کہ اگر تیرا دل کوہ آتش فشاں ہے تو تیرے ہاتھوں میں پھولوں کو کیسے تروتازہ رہنے دے گا۔‘‘

’’لڑکیاں تو پھول ہوتی ہیں ان کو بہت محبت سے رکھنا چاہیے۔ سخت گیر مرد اپنی بیویوں کو تروتازہ نہیں رہنے دیتے مرجھا جاتی ہیں تم امن کو پھول سمجھنا۔‘‘

’’اوکے جناب آپ کی بیٹی کو مابدولت پھولوں کی طرح رکھیں گے۔‘‘نیہات نے سر تسلیم خم کر دیا۔

’’مجھے یقین ہے۔‘‘

O......❖......O

عائشہ دو ماہ سے مکان کا کرایہ نہ دے سکی تھی، مالک مکان نے اسے گھر سے نکال دیا۔ یہاں بھی ایک بار پھر فاخرہ آگے بڑھی اور اس فیملی کو اپنے گھر لے آئی وہ جانتی تھی کہ دل بڑا کرنے سے رزق بھی کشادہ ہو جاتا ہے عائشہ اور عروا کا سر ہی نہیں دل بھی فاخرہ کے سامنے جھک گیا تھا۔

گارڈن میں چٹائیاں بچھی ہوئی تھیں۔ سب خواتین اور لڑکیاں عشاء کی نماز پڑھ چکی تھیں۔ فاخرہ اور وہ سب رات کے اس وقت اجتماعی دعا مانگا کرتی تھیں۔

فاخرہ دعا مانگتی باقی سب آمین آمین کہا کرتی تھیں۔ فاخرہ نے دعا کے لیے ہاتھ اٹھائے، درود شریف پڑھا۔

’’اے اللہ اے دو جہانوں کے مالک کل اُمت مسلماں کی بیٹیوں کی عصمتوں کی حفاظت فرما دے۔ اے آسمانوں کو بغیر سہارا کھڑا کرنے والے رب، تجھے تیری واحدانیت کا صدقہ ہماری بیٹیوں کو فاطمہ الزہرہ جیسا کر دے ویسی شرم وحیاء عطا فرما تا کہ ان کے بطنوں سے نیک بیٹے پیدا ہوں۔‘‘

فاخرہ کی آواز میں سوز تھا۔ گریہ زاری تھی پیچھے آمین آمین کی صدائیں بلند ہو رہی تھیں۔

"اے اللہ! تجھے تیری کبریائی کا واسطہ تجھے تیرے محمد ﷺ کا واسطہ شیطانوں کو نیست و نابود کر دے۔ اے اللہ ہمارے نوجوانوں میں محمد بن قاسم جیسے نوجوان پیدا کر دے۔" آمین کی صدائیں بلند ہوئی سسکیاں گونج رہی تھیں۔

"دنیا تباہی کے دہانے پر کھڑی ہے ہم پر ہماری اولاد پر کل اُمت مسلماں پر اپنا رحم اپنا کرم نازل فرما۔ تیرا عتاب سہنے کی تاب نہیں میرے اللہ محمد ﷺ کے صدقے ہمیں معاف فرما دے۔

ہمارے گناہوں کو نہ دیکھ اپنی رحمت کو دیکھ، تجھے تیری بڑائی کا واسطہ ہمیں معاف کر دے۔ ہم تجھے بھول گئے اپنے اصل کو بھول گئے اللہ تو اپنی نظر ہم پر رکھنا ہمیں معاف کر دے۔ ہمیں گناہوں سے بچالے۔" آمین کہتی کہتی عروا کی ہچکیوں نے گھگھی باندھ رکھی تھی۔

"تم حقیقتاً اُجالا ہو دوسروں کی زندگیوں میں اُجالا کر دینے والی۔"

زمان دور کھڑا رو رہا تھا۔ یہ اُجالا کا ظرف تھا کہ اس نے سارا خاندان ایک جگہ اکٹھا کر دیا تھا۔

آج گارڈن میں ایک ایک پھول مسکرا رہا تھا اور دور اُفق پر چاند میں سعد مرتضیٰ کا پُرنور چہرہ مسکرا رہا تھا۔

○......ختم شد......○

فائنل ہو گیا

## خواتین کے معاشرتی، اصلاحی اور رومانی ناول

| | | |
|---|---|---|
| ● سیاہ حاشیہ | صائمہ اکرم چوہدری | 800 روپے |
| ● یارم | سمیرا حمید | 1000 روپے |
| ● عہدِ الست | تنزیلہ ریاض | 800 روپے |
| ● دیوارِ شب | عالیہ بخاری | 800 روپے |
| ● خوشبو کا سفر | عالیہ بخاری | 800 روپے |
| ● بت شکن | امایہ خان | 600 روپے |
| ● اعتبارِ عشق | شباس گل | 500 روپے |
| ● شام شہر یاراں | عنیزہ سیّد | 800 روپے |
| ● جوڑ کے تو کوہ گراں تھے ہم | عنیزہ سیّد | 1200 روپے |
| ● غریقِ رحمت | سحر ساجد | 500 روپے |
| ● صنم سے صدمتک | کنیز نبوی | 300 روپے |
| ● روشنی کی خواہش میں | کنیز نبوی | 300 روپے |
| ● کوئی شام رکھ میری شام پر | نایاب جیلانی | 400 روپے |
| ● کہیں دیپ جلے کہیں دل | قیصرہ حیات | 650 روپے |
| ● اعتبار کا موسم | شیخ حفیظ | 800 روپے |
| ● محبت آگ کی صورت | شیخ حفیظ | 400 روپے |
| ● مڑآ کے مول نہ جائیں | شگفتہ بھٹی | 500 روپے |
| ● راستے محبت کے | شگفتہ بھٹی | 250 روپے |
| ● ماہی ماہی کو کدی میں (دو جلدیں) | ہما کوکب بخاری | 1500 روپے |
| ● ایک تھی لڑکی زویا | ہما کوکب بخاری | 250 روپے |
| ● داسی ڈھولن یار دی | فائزہ افتخار | 600 روپے |

### اپنے ہاں کریا قریبی بکسٹال سے طلب فرمائیں

علی میاں پبلیکیشنز

علی بکسٹال

نسبت روڈ، چوک میو ہسپتال، لاہور

۲۰ عزیز مارکیٹ اُردو بازار لاہور 37247414

طاہر جاوید مغل کے لازوال قلم سے ناقابلِ فراموش شاہکار

# پسِ زنداں

قیمت 500 روپے

- ایک لڑکی کی کہانی جو معاشرے کے سامنے مسلسل پسپا ہوتی رہی لیکن ایک جگہ وہ رک گئی .......
- بغاوت کی وہ چنگھاری جو شعلہ بنی اور پھر الاؤ بن گئی۔
- عورت کی برداشت اور قربانی کی لازوال داستان ....... ایک بالکل نئے انداز میں۔

# ستاروں پر کمند

قیمت 500 روپے

اباقہ دو حصے  ||  للکار سات حصے  ||  دیوی سات حصے

اپنے ہاکر یا قریبی بکسٹال سے طلب فرمائیں

ناشر

علی میاں پبلیکیشنز

دعا بک کارنر

۲۰-عزیز مارکیٹ، اردو بازار، لاہور۔7247414

امین پور بازار، فیصل آباد